D0811349

Les Amants de Brignais

DU MÊME AUTEUR

AUX ÉDITIONS AUBÉRON

Cycle d'Ogier d'Argouges

Les Lions diffamés
Le Granit et le feu
Les Fleurs d'acier
La Fête écarlate
Les Noces de fer
Le Jour des reines
L'Épervier de feu

Cycle de Tristan de Castelreng

Les Amants de Brignais
Le Poursuivant d'amour
La Couronne et la Tiare
Les Fontaines de sang
Les Fils de Bélial
Le Pas d'armes de Bordeaux
Les Spectres de l'honneur

Cycle de Gui de Clairbois

I. - Les Fureurs de l'été

Dans la collection *Histoire à l'encre noire*

Les Épées de la nuit

•

CHEZ D'AUTRES ÉDITEURS

Romans

Les Mauvaises routes, Gallimard, Denoël
La Femme du boxeur
Les Quatre fers en l'air
Les Dernières foulées, Rencontre
Deux Voyageurs pour Avignon, Rencontre

Essais

La Foire au muscle, Éditeurs Français Réunis
L'Athlète et son destin, Éditions J.

Biographie

Le Terrassier de Prague (Emil Zatopek), Jérôme Martineau

Pierre Naudin

Les Amants de Brignais

CYCLE DE TRISTAN DE CASTELRENG

Aubéron

ISBN : 2-908650-42-8

Au général Claude Delpoux,
en respectueux et cordial hommage,
cette grande bataille peu connue : Brignais,
à suivre, peut-être,
dans les murs paisibles de Caudeval.

Au seuil de ce récit,
je tiens à remercier M. Michel Thiers,
maire de Brignais, conseiller général du Rhône,
qui voulut bien m'apporter
son concours aimable et diligent
lorsque j'entrepris cet ouvrage.

Castelreng

Castrum Rasindum (1119), *Castellum Radenc* (1179), château Resin (1371).

Castel, castellum : château.

Rado : nom germanique (*Rad* = conseil) + suffixe *Incus*, se situe « au pied de la frontière Francs-Wisigoths ».

Dr Lemoine,
Dictionnaire toponymique des communes de l'Aude, fascicule tiré du *Bulletin de la Société des Etudes scientifiques de l'Aude* (1974 - 4e trimestre 1975).

Toponymie :

A la frontière Francs-Wisigoths, on trouve :

— du côté *goth* : *Montgradail-Gardelle* = poste de garde ; *Bellegarde, Escueillens, Monthaut, La Bezole* (*Vèze* = point de vue), *Valette* (*valet* = fossé) sur un piton, *Castelreng* ;

— du côté *franc : Le Carla, Gueytes, Balaguières, Quercorb, Puivert.*

Castelreng : *castellum Radenc* (1176 - ci-dessus, il a été daté de 1179).

Rado devient :

— suffixe *ens*, autrefois *incus*, n'est pas germanique, bien que des experts le relient à *heim* ;

— *ens* = *enc* pour qualifier un domaine appartenant à un propriétaire. Dans l'Aude, on trouve 25 cités en *ens* ;

— *ens* est venu après *anum, acum*, suffixes latins abandonnés.

Dr Lemoine,
Toponymie du Languedoc et de la Gascogne,
(Picard édit., 1975).

Castelreng, pourvu d'une enceinte au XIIe siècle, était indépendant. Il fut pris par les Huguenots en 1575. La porte du XIVe siècle subsiste, mais le château n'existe plus. En revanche, l'église fortifiée, avec son clocher des XIIe-XIIIe siècles, est un monument impressionnant.

« Il n'y a pas de meilleur historien qu'un romancier qui fait des événements historiques la matière de son récit. Car le romancier recrée la vie, et avant de se figer dans la lumière artificielle de ce décor qu'on appelle l'Histoire, les événements ont été la vie. »

Armand Pierhal,
Les Annales, 25 juillet 1935,
à propos du roman de Bods Uhse : *Söldner und Soldat.*

« Ils prenaient le nom de Sociales, *véritables socialistes, en effet, qui mettaient en commun le bien d'autrui pour se le partager. Une de leurs compagnies avait pris pour raison de commerce* Societas del Acquisto, *désignation qui ne laissait aucun doute sur le but de cette association infernale. »*

Pierre Allut,
Les Routiers au XIVe *siècle,*
les Tard-Venus et la bataille de Brignais,
Scheuring éditeur, Lyon, 1859.

« Les Jacques reprochaient (aux nobles) *d'avoir fui sans combattre à la journée de Poitiers, et d'avoir trahi les intérêts de la France par rancune contre leur souverain ; ils leur reprochaient l'asservissement dans lequel les seigneurs tenaient leurs vassaux ; ils leur reprochaient l'opulence des châteaux et la misère du peuple ; ils leurs reprochaient leur orgueil héréditaire. Ces socialistes du Moyen Age résolurent d'anéantir la noblesse par l'assassinat et le massacre ; de niveler la propriété par l'incendie et par le pillage ; de détruire la famille par le viol et la débauche. Ils ne se bornèrent pas à de vaines menaces : dans le Valois, dans la Brie, dans le Soissonnais, les châteaux, les habitations de quelque importance furent attaqués, saccagés ; les gentilshommes que ces brigands purent prendre expirèrent au milieu des tortures les plus atroces ; toutes les dames, toutes les damoiselles qui tombèrent entre leurs mains furent outragées. »*

Joseph Lavallée,
La Chasse de Gaston Phœbus,
Paris, 1854.

PREMIÈRE PARTIE

Le mailleur de Chambly

I

Il referma ses paupières un moment décloses et fut tenté d'enfouir son visage sous le drap tiède et puant pour essayer de sommeiller encore. Il y renonça et les paumes sous la nuque, il balança entre l'envie de proférer de nouvelles imprécations contre ses gardiens ou d'implorer à genoux, une fois de plus, la divine miséricorde.

— Non ! décida-t-il à mi-voix. La piété ne fait qu'aggraver ma vergogne. Plutôt que d'amoindrir ma détresse, elle ne cesse de l'empirer.

L'inanité de ses prières lui semblait, depuis quelques jours, manifeste. Sa foi et sa vigueur se corrompaient sans qu'il parvînt à conjurer les effets d'un découragement qui, désormais, confinait à l'angoisse.

Tourné sur le flanc, recroquevillé, frissonnant, il enragea, les yeux embués de pleurs, d'être devenu ce qu'il était : un prisonnier qui s'il avait pu se voir dans un miroir se serait effrayé de lui-même.

— Pourquoi ? se demanda-t-il après un assez long temps d'immobilité où les battements de son cœur, vifs et douloureux, l'inquiétèrent. Pourquoi moi, Tristan ? Ai-je démérité de quelqu'un ? Alors qui ?

Avant même d'avoir prouvé au roi Jean qu'il était digne de sa confiance, il avait préjudicié la mission dont celui-ci l'avait chargé.

« Il croit en ma réussite et se loue de l'excellente idée qu'il eut de me préférer à je ne sais qui... Peut-être Orgeville ou Salbris. »

Une quinte de toux lui lacéra la gorge. S'il semblait insensible à ses oraisons, le Très-Haut ne pouvait l'avoir abandonné. Ne l'avait-il point révéré de son mieux ? Que lui reprochait-il ? Quelle faute ?

Quelle inconséquence ? Il était droit, loyal, bienveillant, serviable. Comme tout bon chevalier.

« Dieu ne peut te faire grief d'avoir failli à tes devoirs envers Lui puisque tu t'es gardé de prononcer tes vœux. Prie-le copieusement, au contraire, afin qu'Il te sorte de ce vil réclusoir et que tu poursuives ton ouvrage. Si tu étais libre à présent, tu pourrais... »

Non ! C'en était fini des suppositions niaises. Il était emmuré vif, on le mortifiait ; aucun indice, ne laissait augurer la cessation de sa captivité.

« L'honneur est sauf. Un jour, tu t'ébaudiras en contant tes misères. »

Aisée en apparence, la tâche que Jean II lui avait confiée s'était comme alourdie d'une importance outrée, lancinante. Chaque jour qui passait aggravait ce fardeau. Son escarcelle avait disparu. Le seul souvenir qu'il conservait de ses agresseurs ne l'instruisait en rien sur l'instigateur de son rapt : ils étaient quatre, armés de poignards et d'épées. Qui, parmi les ennemis du royaume, avait perpétré cette embûche ? S'agissait-il d'une méprise dont il avait fait les frais ? Peu connu à la Cour, on ignorait tout de lui en Bourgogne. Il n'avait subi aucun interrogatoire pour fournir à ses geôliers — d'ailleurs invisibles — des informations sur quoi que ce fût. Quant aux motifs de sa mission, ils eussent peut-être, une fois révélés, provoqué quelques rires. Ah ! certes, ils paraissaient d'une simplicité dérisoire. Leur exécution, pourtant, supposait une détermination sans jactance, à l'opposé des prouesses en faveur dans la Chevalerie.

Etait-il l'otage d'un Bourguignon furieux que son duché eût été réuni à la Couronne ? Sûrement pas : l'accueil réservé au roi et à sa suite avait été des plus chaleureux. Alors pourquoi ? Pourquoi, lui, Tristan ? Qui pouvait l'avoir emprisonné ? Dans quelle intention ? Pourquoi cet isolement sans faille ? Aucune bribe de son entretien avec Jean II le Bon ne pouvait avoir transpiré.

— Ouvrez !... Relaxez-moi !... Le roi vous châtiera !

Le silence absorba ses cris et sa colère.

A peine dégagée d'une ombre moite, pareille à une sueur sécrétée par les pierres, la porte de sa geôle, renforcée de pentures énormes, le dissuadait d'ourdir des rêves de liberté. Mais que faire d'autre quand les souvenirs désertaient sa mémoire et que son oisiveté, sa quasi-cécité, son ignorance des aîtres, et surtout le silence dur, comme définitif, le pénétraient d'une détresse furibonde.

La seconde embrasure, pourvue d'un volet de fer à l'extérieur d'un épais mur de refend, permettait tout juste le passage d'un plateau sur lequel il trouvait, invariablement, une écuelle garnie, quatre tranches de pain de gruau et un pichet de vin claret. C'était une femme qui, vers midi sans doute, apportait cette nourriture insuffisante pour un jour plein, mais bonne, et dont la viande, à l'exception des cuisses de volailles, était coupée. Même allongé sur le pavement rude, il ne pouvait rien voir de cette servante : le singulier soupirail avait été pratiqué au bas de la muraille. Femme ou jouvencelle ? Il l'avait quelquefois entendue chantonner avant que, du bout du pied, elle tapotât le vantail pour lui signifier la livraison de sa pitance. Dans la soirée, au même léger frappement, il poussait le plateau, l'écuelle et le pichet dans l'ouverture. Une main preste les retirait. Dès le premier repas, il avait conservé sa cuiller : alors qu'il venait de la remettre à la servante, celle-ci l'avait projetée jusqu'à son lit d'un coup de pied si violent que sa sandale l'avait suivie. C'était la seule occasion où ils avaient ri. En vain s'était-il informé de son nom et de la couleur de sa chevelure. Il l'avait mariée, démariée, faite grosse, fessue et avenante, puis maigre et revêche. Peu importait son aspect. En essayant de lui donner un nom, des formes et un caractère, il combattait les effets d'un isolement que sans doute on voulait destructeur.

C'était une autre femme qui, à six reprises, était venue l'observer derrière le guichet grillagé du grand huis. Chaque fois qu'il s'était approché de ce visage dont il n'apercevait que le front et les yeux pareils à des braises noires, celui-ci s'était promptement retiré.

A quoi bon crier, exiger, supplier qu'on lui rendît justice !... Que lui voulait cet ennemi dont l'épouse ou l'amante se repaissait la vue de son abaissement ? Quel forfait lui reprochaient-ils ? Pourquoi, si leur détestation restait inaltérable, le gardaient-ils en vie ? Lorsque, las de fouiller dans sa déconvenue, il interrogeait son passé, il n'y remarquait aucune irrévérence, aucun manquement susceptible d'avoir provoqué un ressentiment de cette espèce. Il était cependant évident qu'il avait commis... quelque chose. Un délit ? Une offense ?... Quand ? Où ? Comment ? Au détriment de qui ?... Trois mois à vivoter dans ce silence hostile. Trois mois où toutes les conjectures touchant à cet emprisonnement demeuraient aussi vaines que ses fureurs. S'il n'avait guère dépéri, l'anxiété, la froidure et l'inertie commençaient à corrompre un esprit pourtant accoutumé, naguère, à la méditation et à la solitude.

La vie montait vers lui par la cavité des latrines. Il advenait que des cris d'enfants et des voix d'adultes vinssent aggraver son dépit. Des meuglements et des hennissements révélaient la proximité d'une cité ou d'un village dont il méconnaissait le nom et l'importance.

Il fut secoué par un nouvel accès de toux.

« J'étouffe !... L'air passe mal par le trou à merde et par cette bouche de pierre, là-haut, pas plus large que mon poing, et dont le conduit fait un coude, puisque le ciel y est absent !... Je serai bientôt couvert de vermine ! J'ai un visage de broussaille et mes poils trempent dans ma pitance ! »

Pour qu'ils n'eussent pas l'apparence de griffes, il se rongeait les ongles ou les frottait contre la muraille.

— J'ai froid... J'ai hurlé qu'on me donne une courtepointe... Rien !

Il repoussa le drap, se leva, se cambra. Les paumes appuyées sur ses reins, il marcha jusqu'à la porte — quatre pas —, jusqu'aux latrines — six pas. Se penchant, il entrevit des herbes et des orties et prit plaisir à les compisser. Revenant à son lit, maussade, il s'y laissa tomber de son haut.

« Le roi me croit parti... A-t-il informé Tancarville (1) ? Si c'est oui, je suis perdu. Si c'est non, il s'est inquiété de mon absence. Il a dû charger Orgeville et Salbris de me retrouver... Oui, oui !... Confiance ! On a fait ce qui convient : on me cherche et mes ravisseurs seront châtiés ! »

Il gardait souvenance, après le coup qui l'avait étourdi, d'avoir roulé quelque temps, allongé au fond d'un chariot, le visage embronché dans un heaume retourné dont le fer lui écrasait le menton et le nez. Ensuite, on l'avait soulevé, poussé, tiré. Aucun homme ne parlait... Un escalier à vis et des verrous grinçants. On l'avait délié et jeté sur ce lit...

Ah ! comme il regrettait, depuis, l'emportement qui l'avait fait « monter » à Paris dès l'annonce du mariage de son père avec Aliénor Assalit. Il ne reprochait point à l'épousée d'être la fille d'un lanternier de Mirepoix. Son courroux procédait de deux arguments simples. Tout d'abord la question d'âge. Veuf depuis l'épidémie de peste noire, Thoumelin de Castelreng avait quarante-huit ans, Aliénor dix-huit. Ensuite, c'était par déception, parce qu'il s'était rebellé, lui, Tristan, contre ses manœuvres, qu'à défaut de l'épouser, la jouvencelle s'était accommodée de son père. Etait-elle vraiment enceinte de ses œuvres, comme elle l'affirmait, et voulait-elle vraiment que leur fils eût un nom, *son* nom ? Mieux valait n'y point songer.

---

(1) Jean Ier, vicomte de Melun, seigneur de Tancarville, avait été créé chambellan par Philippe le Long, en 1318. Il mourut en 1347. Cinq ans plus tard, sa fille, Isabelle, épousa Jean, l'un des fils de Robert d'Artois, l'homme qui avait poussé Edouard III d'Angleterre à combattre Philippe VI de Valois. Jean avait été pourvu du comté d'Eu par Jean le Bon, le 9 avril 1352, comté confisqué au connétable de Brienne (compère du sire de Tancarville au siège d'Aiguillon) après son exécution. Fait prisonnier à la bataille de Poitiers-Maupertuis, le 19 septembre 1356, libéré après paiement d'une rançon, Jean prit une part active à la bataille de Rosbecque (29 novembre 1382) et mourut le 6 avril 1387. Il sortit indemne de la bataille de Brignais après avoir été rançonné.

Sitôt à Paris, il s'était présenté à l'hôtel de Bourbon. Le duc connaissait les Castelreng depuis l'année 1345, lorsque le roi Philippe VI l'avait nommé son lieutenant dans le pays de Langue d'Oc et en Gascogne. En compagnie du fils aîné du souverain — désormais le roi Jean II —, Pierre de Bourbon avait fait halte à Castelreng pour y boire et manger avant de se rendre à Puivert, distant de trois lieues. Il était revenu deux fois en cours d'année...

« Ma démarche à moi fut vaine : le duc venait de partir au-devant du prince de Galles ! »

Après avoir dévasté la Langue d'Oc, un an plus tôt, à l'automne 1355, le fils aîné du roi d'Angleterre venait de s'élancer sur le Périgord, le Limousin, la Saintonge, et menait sa malfaisance jusqu'à Vierzon, Tours, Romorantin, poussant vers le nord pour rejoindre Lancastre occupé en Normandie.

— J'ai rallié l'armée à Meung-sur-Loire... Le 8 septembre. Là, le duc Pierre m'a traité en manant alors que le roi Jean m'accueillait courtoisement : il se souvenait de sa halte chez nous alors qu'il n'était que duc de Normandie (1).

Pourquoi donc à mi-voix, comme on prie ou soupire, remâchait-il encore cette déconvenue ? Mieux valait qu'il tendît l'oreille au remuement qui troublait tout à coup le silence. Oui, c'étaient bien des cliquètements de fer et des pas nombreux, et cette agitation inaccoutumée devenait un inquiétant vacarme : quatre ou cinq hommes d'armes gravissaient l'escalier par lequel on accédait à la cellule. Maintenant, ils s'arrêtaient sur son seuil. Aucun mot, juste des grognements. Un verrou crissait dans ses verterelles.

« Viennent-ils me délivrer ? Vais-je enfin savoir ce qu'on me reproche et qui m'en veut ainsi ? »

L'huis ténébreux béa sur des lueurs d'armures.

---

(1) Louis Ier, duc de Bourbon, comte de Clermont, roi titulaire de Thessalonique, petit-fils de Saint Louis par Robert de France, comte de Clermont et sire de Bourbon, frère cadet de Philippe le Hardi, eut trois fils de Marie de Hainaut. Deux nous intéressent :

Pierre, premier du nom, duc de Bourbon, avait été, dès le 8 août 1345, nommé lieutenant du roi dans toutes les parties de la Langue d'Oc et de la Gascogne. Pendant tout le reste de cette année, jusqu'au commencement d'avril 1346, il avait parcouru ces pays, se reposant à Agen de toutes ses randonnées. Jean, duc de Normandie, s'était rendu à Carcassonne le 2 août 1345. Il traversa ensuite la Touraine, le Poitou, le Limousin tandis que son père, Philippe VI, s'avançait jusqu'à Angoulême où il était encore le 25 octobre. Pierre fut tué à Poitiers.

Jacques (1315-1362). Il avait reçu le titre de comte de la Marche par suite de l'échange que son père avait accompli, du comté de Clermont-en-Beauvaisis contre celui de la Marche. Il portait : *semé de France à la cotice de gueules chargée de trois lionceaux d'argent.* Blessé à Crécy, il fut, l'année suivante (1347) nommé lieutenant du roi pour la Saintonge, le Poitou, la Touraine, l'Anjou, le Maine, le Berry et le Limousin. Il reçut l'épée de connétable en 1354 et céda cette dignité à Gauthier de Brienne, duc d'Athènes, le 9 mai 1356. Après avoir été capturé à Poitiers par le captal de Buch, il affronta les Compagnies à Brignais où il fut blessé mortellement. Son fils Pierre périt aussi dans cette bataille. Le traité de Brétigny leur avait fait perdre le Ponthieu.

Eh bien, non : il ne saurait rien ! Deux poignes ferrées précipitaient sur les dalles un homme au visage gonflé par les coups et dont le dos, à travers les déchirures de la chemise, portait des sillons sanglants. Et déjà le lourd battant se refermait si violemment que le chambranle en frémissait.

Tristan saisit le blessé aux aisselles et le traîna jusqu'à son grabat. Tandis qu'il essayait de l'allonger, l'homme se dégagea sans façons ni gratitude et s'assit, le buste incliné, les mains à plat sur ses cuisses.

— Les malandrins !... On voit à peine clair dans cette geôle !

Il regarda le mur, en face, comme s'il était dépourvu d'importance et qu'il le pouvait défoncer d'un coup d'épaule, pour peu que l'envie l'en prît. Tristan se sentit exclu de l'intérêt d'un tel hôte. Fronçant les sourcils, il eut tout loisir de l'observer et conclut, en fin d'examen, que si le mot *malandrins* seyait pleinement aux gens d'armes qui avaient malmené ce robuste, il pouvait également déterminer son genre et ses façons.

— C'est vrai, dit-il, qu'il fait sombre en ce lieu. Je m'y suis habitué — depuis le temps ! — et parviens à vous voir mieux que vous ne me voyez.

Brun de poil et le cheveu presque ras ; le front haut, les sourcils fournis, fricheux ; la bouche épaisse et le menton gros et osseux, l'homme avait trente ans, pas davantage. Sa figure massive n'était pour l'instant vivante que par le regard immobile entre les paupières mi-closes, tel celui d'un lynx aux aguets. Il devait avoir des yeux gris-bleu. L'épaisseur et la fermeté de son buste, de ses bras, de ses cuisses révélaient une vigueur sauvage, engourdie présentement. Il mesurait au moins six pieds six pouces. Quant à savoir qui il était, d'où il venait et la raison de sa captivité, il fallait attendre.

— Les fils de putes ! dit-il, les épaules soudain rejetées en arrière.

— Je n'ai rien pour vous soigner, regretta Tristan. Savez-vous qui sont ces gens ? Moi, je l'ignore. Cela fait sans doute trois mois qu'ils m'ont pris. Quel jour sommes-nous ?

— Mardi premier mars (1). Faut-il louer ou réprouver votre patience ?

— Vous pouvez vous ébaudir !... Si j'avais découvert le moyen de déguerpir, ce serait chose faite. C'est la première fois, depuis ma captivité, qu'ils ont ouvert cet huis pour vous enchartrer (2)... Vous allez me dire : *« Et par les latrines ? »* et je vous réponds : j'ai essayé, mais outre qu'on m'observe quand je m'y attends le moins,

(1) 1362, nouveau style.
(2) Mettre en *chartre* (en prison).

j'ai perdu la force nécessaire au descellement des pierres qui en forment l'assise... Et plus les jours passent, plus je doute de moi et de la Providence.

Ils se turent, vidés de leur acrimonie. L'inconnu percevait enfin la déconvenue de ce prisonnier qu'il venait de houssepigner sans façon tandis que Tristan découvrait, étonné, qu'au lieu de l'affliger ou de l'irriter, ce prologue aigrelet l'avait revigoré. Il s'assit en tailleur sur les dalles, le dos contre la muraille, devant cet insolent issu des profondeurs du peuple, sans être tenté de l'examiner davantage ni de prononcer un mot susceptible de renouer l'entretien. Il avait fréquemment souhaité la présence d'un compagnon ; le sort lui offrait ce manant. Eh bien, il s'en accommoderait !

— Deux mois et demi ! enragea-t-il d'une voix cassée, dolente, qu'il affermit aussitôt. Mon état était à peine moins piteux que le vôtre quand ils m'ont verrouillé céans !... Ils m'avaient heurté le genou dextre d'un grand coup de plat d'épée. Je l'avais gros comme une pastèque. La souffrance empirait dès que je remuais... Pour m'allonger, je devais m'asseoir puis, doucement, glisser ma jambe senestre sous le jarret de la jambe malade et, la soulevant ainsi, je l'amenais sur le lit... J'ai souffert mauvaisement quinze jours, au point que je craignais qu'ils ne m'aient brisé cette espèce de petit galet sous lequel le genou s'articule. Et quand la douleur fut passée, savez-vous ce que j'ai découvert ?... Eh bien, qu'elle m'avait tenu compagnie... Que sans elle, privé des précautions que je prenais pour remuer ma jambe, j'étais seul !

— Faut être fou !

Tristan fut insensible au trait qui lui était décoché : il n'atteignait que ses oreilles, point son honneur.

— J'ignore pourquoi je suis ici, dit-il. Je ne sais quel mal j'ai commis et envers qui ! Nul sergent, nul geôlier ne m'a adressé la parole, et la seule voix que j'aie ouïe, une fois, c'était celle de la servante qui m'apporte la nourriture... Sais-tu à qui appartient ce châtelet ou cette maison forte ? Que te reproche-t-on, à toi ?

Etait-ce l'effet du tutoiement ? Tristan se sentit dévisagé. Jugé sans qu'il pût discerner la sentence, car avoir été traité de fou ne signifiait rien, en l'occurrence : tout homme emprisonné, livré à la solitude et au silence, mais assez fort d'esprit pour résister au désespoir, se devait, pour vaincre le temps, de faire cas de tout, jusqu'au vol d'une mouche et au tissage d'une araignée. Encore heureux qu'il eût appris des chantefables comme *Aucassin et Nicolette,* des virelais et rondels d'Adam de la Halle, et se les fût récités quand la vacuité de cette geôle et l'incertitude de son devenir entraînaient ses pensées vers des noirceurs d'abîme.

— Ce qu'on me reproche à moi, dit l'homme, c'est d'être entré dans la cour et d'avoir voulu m'y saisir d'un cheval... J'avais hâte de rejoindre quelques joyeux compères... D'Auxerre à Lyon, il y a bien quatre-vingts lieues !

— Auxerre ! murmura Tristan, ébahi. Je ne puis être à Auxerre !... J'y étais quand *ils* m'ont assailli !... Ils m'ont jeté dans un chariot et nous avons roulé...

A quoi bon en dire davantage à cet homme ostensiblement indifférent et qui, de plus, n'était pas de sa condition ! La prudence, d'ailleurs, s'imposait.

— Je disais Auxerre parce que c'est, *messire,* la grande cité voisine d'où nous sommes.

« Il m'a percé ! » enragea Tristan.

— En vérité, reprit l'inconnu d'un ton léger, empreint d'une moquerie qui ne se voulait point offensante car il y prenait sa part, nous sommes réunis, hébergés tout près d'un bourg du nom d'Augy, au sud d'Auxerre.

— Mais chez qui ?

— Maison comtale, messire. Je m'étais informé avant de tenter mon coup. Cette demeure accouplée à un donjon où nous logeons sans doute, appartient au comte Jean III de Chalon-Auxerre...

Une buée de sueur picota le dos de Tristan. Sa compassion envers lui-même se mua en fureur contre son absence de circonspection : il s'était cru victime d'un ou de plusieurs ennemis du roi Jean or, il avait, simplement, payé très cher une froideur trop apparente envers les moyens de séduction employés à son égard par dame Perrette Darnichot.

— Satisfait, messire ?

— Je viens seulement de tout comprendre... et t'en sais bon gré !

A la fin de l'an 1361 — le 30 novembre —, neuf jours après la mort de Philippe de Rouvres qui avait régné sur la Bourgogne (1), le comte de Tancarville avait reçu commandement de se rendre en ce duché afin de commencer lentement à en *« prendre et recevoir, au nom du roi Jean, la possession et saisine ».* Des routiers dévastaient le pays de France. Dans les conditions difficiles où s'effectuerait le voyage, Tancarville avait décidé d'emmener avec lui une grosse compagnie de gens d'armes. On avait même affirmé que l'Archiprêtre Arnaud de Cervole et ses lances, en venant hourder (2) cette armée, aideraient à la constitution d'une force capable d'inspirer crainte et respect à toute la

---

(1) Lire en Annexe I : *La Bourgogne avant la prise de possession du roi Jean.*
(2) Escorter.

truandaille ; or, ils ne s'étaient pas montrés. Leur absence n'avait ébahi personne.

« J'en fus heureux, songea Tristan. A Poitiers-Maupertuis, l'Archiprêtre s'est bien gardé d'entrer profondément dans la mêlée, comme l'exigeait ou son devoir ou cette vaillance dont il s'enorgueillissait avant la bataille. Quant aux prouesses qu'il accomplit par la suite, elles sont, en vérité, des plus laides, puisqu'il s'est conduit en Berry et Nivernais comme un truand sans pareil !... Serais-je donc le seul à avoir deviné que son retour à la Couronne n'est qu'une astuce ?... Je jurerais qu'il compte en tirer considération et profit... Comment ai-je pu être assez fou pour m'engager dans la suite de Tancarville et chevaucher vers la Bourgogne ?... Le chambellan semble abhorrer ma jeunesse... Il est vrai que je déteste sa présomption ! »

Dès leur arrivée à Dijon, usant des pleins pouvoirs dont le roi l'avait investi, Tancarville avait mis la main sur un gouvernement qui, prétendait-il, menait le pays à la ruine. Il en avait confié la direction à des notables sûrs, choisis parmi les conseillers du défunt duc, auxquels il avait adjoint deux tabellions et, surtout, deux conseillers du roi : Guy de Saint-Sépulchre, doyen de l'église de Troyes, et Nicolas Braque. Jean de Boulogne, comte de Montfort, leur avait apporté son aide. Ils avaient immédiatement pris les mesures nécessaires pour que le roi ne fût pas inquiété lors de sa venue sur les lieux, et prescrit aux châtelains les précautions à observer envers les routiers (1). Parti de Paris le 5 décembre, le souverain avait chevauché prudemment, suivi de loin par ses conseillers : Jean Chalemart, maître des requêtes en son hôtel, et Jean Blanchet, clerc et secrétaire. Arrivé à Auxerre le 17 décembre, il y avait séjourné jusqu'au lendemain soir, le temps d'installer Jean Germain, prélat dévoué à la France, à l'évêché. Le reste de son séjour, il l'avait passé auprès de Jean III de Chalon-Auxerre, lui aussi revenu d'Angleterre, mais définitivement (2), après une longue captivité ; si mal en point qu'il ne gardait nulle souvenance de la bataille à la suite de laquelle un parti de Goddons l'avait fait prisonnier. Bien qu'âgé de quarante-cinq ans, le comte était un vieillard égrotant, vivant sous la complète obédience d'une roturière de bas-étage, selon les médisants : cette Perrette Darnichot qu'il avait épousée au mépris des convenances — comme

(1) Les premiers actes datent du samedi 11 décembre 1361. Les seigneurs mis en demeure de renforcer leurs défenses étaient ceux de Salmaise, Semur, Montbard, Châteaugirart, Montréal, Avallon.
(2) On sait que la rançon de Jean le Bon ayant été incomplètement payée, le roi n'était revenu que provisoirement en France. Il devait retourner en Angleterre sans trop de déchirement : sa vie de captif y était particulièrement douce.

Thoumelin de Castelreng et Aliénor Assalit —, et à laquelle il avait fait deux filles du temps où il était encore capable de forniquer.

« Deux belles filles... Les bâtardes sont souvent jolies (1). »

A la réception donnée en l'honneur du roi, dame Perrette, visiblement sevrée de plaisirs charnels, l'avait poussé dans une encoignure : *« Vous me faites envie, messire Tristan. Où passerez-vous la nuit ? Ma demeure vous est ouverte. »* Jetant un regard sur le malingre Jean III affalé, repu de vin, dans un faudesteuil, il avait pris la belle à rebrousse-poil sans nulle intention, d'ailleurs, de l'offenser. Il coucherait à l'hôtel de ville où, comme chacun de ses pairs, il disposait d'une chambre. Il n'était point enclin à changer de logis. Laissant l'audacieuse à sa déconvenue, il s'était senti épié par un écuyer auquel son hôtesse avait susurré quelque recommandation dont *maintenant,* il concevait l'importance. Trois fois cette effrontée l'avait sollicité, arguant qu'elle était accueillante et qu'il ne pouvait imaginer ce qu'il perdrait en restant ferme dans son dessein de dormir parmi des hommes puant le crottin et la graisse d'armes. Elle cillait des paupières sur des yeux d'un azur si transparent qu'il y voyait, mêlée à une colère de moins en moins refrénée, une lubricité sans doute insatiable — et par là même dangereuse. *« N'êtes-vous point libre, chevalier ? — Si, damoiselle. »* En deux mots, simplement, il l'avait offensée. En effet, la coutume exigeait qu'on appelât *dame* toute jouvencelle ou femme de la noblesse, le *damoiselle* étant réservé aux créatures du commun. *« Savez-vous, messire Castelreng, que je peux me venger de votre irrespect ? »* Elle exagérait : à dix lieues autour de Carcassonne, toutes les gentilfames eussent été honorées, rajeunies, par un tel compliment. Délaissant l'ombrageuse Perrette, il s'était entretenu avec une pucelle blonde, Colinette d'Egleny, et c'était après les avoir quittés, elle et ses parents, devant leur domicile, qu'on l'avait assailli et jeté dans ce maudit charreton. Toutes ses conjectures avaient abouti à Colinette. Il n'avait cessé de la pourvoir d'un fiancé jaloux de l'avoir vu coqueliner avec elle.

— Vous plaît-il de savoir pourquoi la Perrette vous a engeôlé ?

— Si cela te convient à toi de me le dire.

---

(1) D'après Aimé Cherest (*l'Archiprêtre, épisodes de la Guerre de Cent Ans,* Paris, 1879), Perrette Darnichot régnait sur Jean III qui avait *« à moitié perdu l'intelligence ».* Il avait eu deux fils de son premier mariage avec Marie du Bec-Crespin. L'aîné, Jean, très jeune alors, *« annonçait plus de courage que de sagesse et ne méritait pas qu'on lui confiât, à titre de tutelle, la gestion du patrimoine familial ».* S'il devint pourtant tuteur de son père, mais ce fut Perrette Darnichot qui fit vendre par Jean III le comté d'Auxerre à la Couronne, alors portée par Charles V. On lit, sur la *Table des Mémoriaux de la Cour des Comptes,* que le roi fit don à Perrette, *« femme dudit comte d'Auxerre, de quoi marier ses filles en récompense de ce qu'elle avait induit son mari à faire ladite vente »,* qui eut lieu le 15 janvier 1370.

— On raconte qu'ayant grand appétit de chair fraîche, elle garde quelques gars en réserve pour n'en point manquer lorsque l'envie de foutriquer la prend. Il se peut que vous soyez plusieurs en ces murs. J'ai vu, au fond de la cour, une maison à semblance de prison.

— Es-tu conscient de ce que tu racontes ? C'est de la calomnie...

— On rapporte aussi, dans une auberge toute proche, que ses ébattements achevés, la Darnichot fait périr ses amants : elle prétend rendre la justice en lieu et place de son époux. La pâmoison d'abord, la pendaison ensuite.

— Quoique mariée à un noble, cette dame n'a aucun pouvoir de haute justice, et l'exercer en son manoir est une usurpation d'autorité qui, si quelqu'un la dénonçait, lui porterait un cruel préjudice ! Nulle femme, à commencer par la reine, n'a l'usage des privilèges conférés à son mari. Même courroucée par un vilain qui lui appartient par droit de fief, notre hôtesse doit s'abstenir des moindres sévices contre lui. Elle serait fermement châtiée si la preuve de ses crimes était établie.

— A condition d'être dénoncée !... Supposons qu'elle vous fasse pendre. En retrouvant de vous, à dix lieues d'où nous sommes, votre corps nu, le visage martelé d'abord, dévoré par les porcs ensuite, qui pourrait deviner vos noms et qualité ?... Ah ! vous ne dites mot... Acceptez ce conseil : si elle vous fait quérir avant que nous ayons déguerpi, votre seul moyen de demeurer en vie sera de résister à ses charmes. Si vous lui plaisez fort, elle vous fera remonter en attendant un jour meilleur.

— Je ne crois guère à toutes tes sornettes !

— Eh bien, par saint Léonard, patron des prisonniers, croyez à ceci : nous fuirons cette nuit par le trou des latrines que je vais maintenant agrandir. On tressera vos draps pour en faire une corde... Oh ! je sais : vous y avez pensé... Quel est votre nom ?

— Tristan de Castelreng... en Langue d'Oc.

— Et moi, Tiercelet de Chambly... J'ajoute aussitôt, messire, que je déteste les prud'hommes. Cependant, puisque vous êtes emmuré comme un malandrin, j'en conclus que vous différez de vos pairs et suis prêt à vous tenir pour un compagnon loyal.

— Je t'en sais bon gré.

— Vous n'avez rien non plus d'une femmelette !

Agacé par ces égratignures, Tristan décida de se regimber, faute de quoi, malgré sa révérence affirmée par le voussoiement, ce huron le traiterait ainsi qu'un chevalier de Cour, voire un de ces dénaturés accointés jadis au trop fameux Charles d'Espagne dont les mœurs efféminées se perpétuaient. Le roi avait pleuré le trépas de son connétable davantage que celui de Bonne, son épouse, qu'il avait remplacée en hâte (1).

— Messire, votre estomac gargouille.

— C'est vrai... Je crains que ces coquins ne nous fassent jeûner !

Tristan s'approcha de Tiercelet dont un rire entrouvrait la bouche. Il lui manquait des dents — cinq ou six, certainement cassées à coups de pierre ou de marteau : c'était la coutume dans les batailles entre gens de truanderie. Non, jamais ce routier ne deviendrait un compagnon acceptable s'ils parvenaient à s'évader.

— La journée va nous paraître longue, messire. Si nous ne parlons pas, nous aurons nos nerfs, ce qui sera néfaste à notre accointance... Parlez ! Vous devez en avoir envie après tant de jours de silence... Oh ! Oh ! je comprends... *« Parler, soit »,* vous dites-vous, *« mais pas avec un tel morpoil ! »*. Il nous faut nous accommoder l'un de l'autre... Vous en souffrez !

Tristan s'encouragea dans sa langue natale : « *Cal prêné las géns couma sooun et lou téns couma vén* (2) » avant de s'informer :

— Prétends-tu connaître mes pensées ?

— Moins d'arrogance, messire !... Après Crécy, Poitiers et autres défaites, le commun vous dénie le droit de vous considérer comme des preux infaillibles !... On vous a vus partir, superbes, sur vos coursiers richement apprêtés, adoubés d'armures étincelantes acquises grâce à l'épaisse contribution des manants, hurons, petits bourgeois, et suivis par notre bonne et hardie piétaille que vous avez fait occire sans remords !... Ensuite, afin que vous puissiez revenir parmi nous, il a fallu assembler le peu d'écus qui restaient dans les maisons pour acquitter votre rançon !... On pouvait souhaiter quelque reconnaissance... Ah ! mais non : vous avez recouvré toute votre fierté !

Tristan ne put se courroucer :

— C'est vrai que la présomption de la plupart des chevaliers est insupportable. Je n'étais pas à Crécy : trop jeune... A Poitiers, je venais de fêter mes seize ans... Il m'est advenu d'avoir honte de mes pairs avant cette bataille d'une horribleté qui me tourmente encore... Mais sache-le, Tiercelet : je m'y suis hardiment conduit et j'ai pleuré quand j'ai reçu commandement d'accompagner les fils

---

(1) Bonne de Luxembourg mourut le 11 septembre 1349. Jean se remaria avec Jeanne de Boulogne, le 9 février 1350. Charles d'Espagne fut assassiné le 6 janvier 1354, à l'instigation de Charles, Philippe et Louis de Navarre. Le chagrin du roi, à l'annonce du meurtre de son favori, fut spectaculaire et, pour tout dire : indécent. Quelque haine qu'il en conçut envers son gendre, Charles dit le Mauvais, il lui accorda des lettres de rémission le 4 mars 1354.

(2) Il faut prendre les gens comme ils sont et le temps comme il vient.

du roi à Chauvigny avec le maréchal Robert de Waurin, sire de Saint-Venant, Jean de Landas et Thibaut de Vodenay, les gouverneurs du duc Charles de Normandie !

— Auriez-vous préféré crever l'épée en main ?

— Pourquoi périr ? Poursuivre le combat car nous étions puissants par le nombre et la foi... Ah ! ils étaient beaux à voir, les fils du roi : Charles de Normandie pleurait et claquait des dents, et je suis sûr que les deux autres, le comte de Poitiers et le comte de Touraine avaient depuis longtemps souillé leurs braies !

Sans déplaisir, Tristan entendit rire son compagnon.

— Parvenu sous les murs de Chauvigny, vous avez dû pousser un grand *ouf* !

— Je n'y suis pas allé, car bien avant d'atteindre cette cité, nous avons rencontré Philippe, duc d'Orléans, et ses compagnies... Je me suis joint à eux et c'est ainsi que j'ai pu côtoyer, dans la mêlée, le roi et son fils... Quand j'ai compris que tout était perdu fors l'honneur des Castelreng, j'ai fui. Tu vois, je ne suis pas homme de mensonge !

La fougue qui venait de l'animer abandonna le cœur de Tristan. Sa voix devint basse, funèbre :

— J'ai pu estoquer un Goddon et sauter sur son cheval. Tandis que les chevaliers du prince Edouard s'acharnaient à la prise du roi et de son fils, j'ai bouteculé quatre ou cinq hommes qui se mettaient en travers du chemin que je me frayais, et j'ai reçu dans l'épaule dextre un gros vireton d'arbalète... Couché sur l'encolure, comme mort, avec le bois qui vacillait dans mon dos, j'ai traversé les mêlées... Ce fut un miracle dont je glorifie le Seigneur...

Tristan se signa et son geste surprit Tiercelet. Peut-être même eut-il pouvoir de l'agacer.

— Je suis tombé parmi des corps privés de vie, et d'autres qui la perdaient avec les cris et gémissements que tu devines... J'étais si loin des emmêlements que j'ai pensé : *« Tu survivras !... Fais le mort avec ton carreau ainsi planté : on se méprendra sur ton sort. »* Y avait-il d'autres hommes vivants dans ce... charnier ? Je ne sais... En tout cas, lorsque l'obscurité fut venue, nul n'osait crier ni jupper (1) ni renommer aucune enseigne... Les Anglais allumèrent dans leur camp grand'foison de falots et tortis, car la nuit était moult brune, et se mirent, comme à Crécy, à chercher des navrés pour les tuer. Ils avaient grande liesse au cœur, grand émoi quand ils voyaient l'un de nous remuer... Je me tenais aussi roide qu'un trépassé lorsqu'ils s'approchèrent... Un des leurs les aperçut et

(1) Appeler.

hurla au secours. Aussitôt, ils disparurent. Alors, dans la brouée, je suis parti jusqu'à Poitiers, trébuchant souventefois car les morts jonchaient le sol...

— Et bien sûr, vous y êtes parvenu !

Tiercelet de Chambly parlait sans moquerie. Et même, il semblait compatir. Les pensées de Tristan, un moment distraites, revinrent à cette nuit de sang et de malheur.

— J'avais oublié le roi, l'oriflamme, mes compagnons assommés ou saignés... exterminés... J'ai atteint Poitiers... Les manants en avaient verrouillé les portes et je vis, au pied des murailles, des corps roides... J'ai su ainsi qu'au cours de la bataille, des Goddons avaient poursuivi nos fuyards jusque-là pour les occire... sans que les chevaliers et manants clos dans la cité eussent osé les secourir !

— C'est que neuf ou dix ans plus tôt, je crois, Derby avait envahi la ville avec ses hommes... Viols, pillage, feu et cendre... Ces Poitevins, je les comprends !

— Une défaillance me prit. La Providence me fit choir sur le flanc, sans peser sur le fer fiché dans mon corps... Et je ne bougeai plus... J'avais mal !... Ainsi couché, je vis un homme s'approcher... Il ployait sous un sac...

— Un dépouilleur.

— J'ai dû remuer ; il se précipita... Sa coustille gluait, noire de sang... C'était un soudoyer de chez nous !

— Il y a des saligots partout !

— Il me dit : *« Tu va mourir ! »* et parut hésiter : *« Quel est ton âge ? »* Et je lui dis avec ce qu'il me restait de force : *« Seize ans... La male mort ne saurait m'effrayer. »* Il passa... Et même il s'éloigna à grandes enjambées ! Le lendemain, à l'aube, une main me toucha, une voix s'écria : *« Il est vivant ! »* C'était un moine de Montierneuf, et c'est ainsi que je fus sauvé.

— Et après ?

— Sans importance...

Tristan mentait outrancièrement. Tandis qu'il traversait la cité, soutenu par deux clercs charitables, les Poitevins l'avaient hué autant qu'un criminel. Des hommes lui avaient craché au visage ; des femmes, des pucelles lui avaient montré le poing et des jouvenceaux, sans souci de ses bienfaiteurs qu'ils atteignaient parfois, ne lui avaient ménagé ni les pierres ni les ordures. Oui, Tiercelet avait raison : tous ces gens avaient souffert des Goddons quand le comte de Derby et ses guerriers s'étaient rués dans la ville. Il connaissait donc, pour l'avoir éprouvée, l'aversion du manant envers le prud'homme, et sa violence quand l'adversité plaçait celui-ci, vaincu, recru de lassitude et de vergogne, à sa merci.

En sécurité dans la cellule de Montierneuf, l'idée lui était venue d'abandonner les armes pour les Evangiles. Frère Benoît, le prieur, lui avait conseillé de se rendre à Fontevrault. *« Que les Plantagenêts y soient ensépulturés ne vous fera nulle peine, mon fils : leurs gisants n'ont rien de menaçant ! »* Il avait mis cinq ans à s'apercevoir que les habits de fer lui seyaient mieux que le froc de bure ; que ses rêves n'avaient jamais cessé d'être irréligieux et que la tempérance corporelle à laquelle il devait s'astreindre lui devenait insupportable. Devant la statue même de Robert d'Arbrissel (1), il s'était confessé à Simon de Langres, maître général des Frères Prêcheurs, de passage en l'abbaye. Le saint homme l'avait incité à se laisser aller à sa vraie nature : un hardi chevalier doublé d'un bon époux valait mieux qu'un mauvais moine.

— Jamais je n'aurais pu imaginer, Tiercelet, qu'une aussi grand'foison de guerriers subirait une telle défaite, bien que mon père m'eût assuré maintes fois que les pires ennemis du royaume pouvaient être, au lieu des Goddons, nos maréchaux et leur jactance, nos capitaines et leur présomption, et le roi quel qu'il soit, hautain, sot et hutin !

— Il parlait sagement !

— Il était à Crécy. C'est là qu'il a perdu son humeur bataillarde.

Tristan haussa une épaule et songea : « Il se peut qu'il soit mort de vieillesse ou d'amour, comme feu Philippe le Sixième (2). En ce cas, Castelreng est à l'abandon, mais je n'irai pas m'en assurer : ce qui est clos est clos. » Il soupira. Jamais, au cours de ce trimestre de réclusion, il n'avait évoqué le défunt roi de France. Jamais il n'avait songé à confronter la passion du vert baron de Castelreng à celle du monarque décédé. Pourtant, au lieu que ce fût lui, Tristan, c'était Thoumelin, son père, qui avait mené Aliénor Assalit à l'autel. De sang bouillant comme Perrette Darnichot et Belle-Sagesse, la seconde et brève reine de France, il se pouvait que cette jolie donzelle eût conduit son époux de la couche au tombeau.

— Qu'avez-vous fait après Poitiers ?

— Je pourrais te demander : « Toi, qu'as-tu fait ? »

---

(1) Fondateur de Fontevrault (1047-1117).

(2) Philippe VI avait souhaité marier son fils Jean à Blanche de Navarre, dite Belle-Sagesse, fille de Philippe d'Evreux et de Jeanne de Navarre, petite-fille de Marguerite de Bourgogne et de Louis X le Hutin. La voyant si jeune et resplendissante — elle avait 18 ans —, le roi l'épousa en l'absence de Jean, le 11 janvier 1350. Blanche avait du tempérament : le Valois en mourut dans la nuit du 22 au 23 août 1350. Jean dut se contenter de Jeanne de Boulogne, 24 ans, veuve de Philippe de Bourgogne Il l'épousa le 9 février 1350.

Un long frémissement anima Tiercelet. Nullement un frisson de souffrance ou de froid. Une sorte de plaisir l'avait parcouru des pieds à la tête. Son rire prit un volume et une sonorité qui eussent moins affecté Tristan ailleurs qu'en cette « chambre » où s'insinuait, issue du trou des latrines, une clarté ambrée, poussiéreuse.

— J'ai vécu.

— C'est bien en ton pays qu'est née la Jacquerie ?

— Hé ! Hé ! dit Tiercelet en se rasseyant sur le lit. Après le départ du roi Jean pour l'Angleterre, on s'était dit, un peu partout, qu'on allait vivre mieux... On ne l'aimait pas plus que son père : tous ces Valois sont dépensiers, non seulement en menues richesses extirpées de nos escarcelles, mais encore, mais surtout en vies humaines !... Et son fils, le régent, suivit la même voie : payer la rançon des seigneurs, payer la rançon de son père... On avait payé, avant, pour que les chevaliers de l'Ordre de l'Etoile soient parés comme des châsses !

— Jusque-là, je t'approuve, concéda Tristan (1). C'est un fleuve somptueux qui a coulé jusqu'à la Cour... Les Valois ont toujours cru que briller, c'était porter sur soi de l'or et des pierreries... C'est par les qualités de son esprit qu'un vrai suzerain peut et doit éclairer son règne !

— Vous parlez comme un livre d'Heures !

— Cesse ta moquerie, veux-tu ? Reviens au fait !

Tiercelet baissa la tête. Nullement par servilité — cet homme paraissait sans pudeur ni vergogne —, mais pour assembler ses souvenirs en bon ordre.

— Deux ans après Poitiers, à la fin février, on a su qu'à Paris, le prévôt des marchands, Etienne Marcel, et une armée de manants avaient envahi le palais royal et que Jean de Conflans, maréchal de Champagne, et Robert de Clermont, maréchal de Normandie, avaient été occis... Que le dauphin était sous leur dépendance (2) et qu'une vie nouvelle, aisée, pouvait commencer à condition qu'on se débarrasse des nobles... Et pourquoi pas ? Chaque fois qu'ils partaient en guerre, ils se trouvaient défaits par la piétaille anglaise. Or, nous, piétaille également, qu'attendions-nous pour nous revancher de leur arrogance ?... Qui trahissait le royaume ? Nous qui enrichissions les grands et les rois, et recevions la mort de bataille en bataille, ou eux, ces repus, ces outrecuidants qui a chaque défaite concédaient un peu plus de nos terres à l'ennemi ?... Ce que Marcel avait fait à Paris, nous pouvions l'entreprendre à l'envi dans nos cités et nos bourgs.

---

(1) Lire en annexe II : *Les ruineuses folies de Jean le Bon.*
(2) L'invasion du palais royal eut lieu le 22 février 1358.

— C'est toi, désormais, qui parles comme un livre !

D'un geste, Tiercelet éloigna cette saillie :

— J'étais au Mello, près de Senlis, quand les miséreux firent de Guillaume Carle leur capitaine. C'était un homme bien parlant et beau... Il avait, lui aussi, survécu à Poitiers... Un archer, à ce qu'on prétendait... Il a refusé le titre de capitaine général du plat pays du Beauvaisis, mais ça, c'étaient des façons : en fait, il s'en montrait fier !... Il ne s'offensait pas qu'on l'appelle Jacques Bonhomme...

— Comme tous les hurons !

— J'ai connu ses amis : Arnoul Guenelon, de Castenoy, Jean de Hayes. Chaque village eut bientôt son capitaine et sa compagnie. Tous louaient les grands chefs de cette armée sans mailles et en sabots : Simon Doublet, Jean le Fréron, et les deux presbytériens, Jean et Guilbert Doublet qui menèrent, crucifix en main, l'assaut contre les châteaux de Poix et d'Aumale... Et je peux ajouter qu'ils n'étaient pas les derniers à forniquer femmes, filles, damoiseaux (1) !

— Carle et ses troupes voulaient rejoindre Etienne Marcel à Paris, mais ce bourgeois abject se refusait tout de même à cette accointance car les nobles de ses amis s'y opposaient. Cependant, Dieu sait si le prévôt des marchands avait besoin, pour maintenir son règne, des Jacques et de Charles de Navarre. Et ce fut Charles, justifiant son surnom de Mauvais, qui vous assaillit au Mello... après vous avoir aidés !

— C'est vrai que quelque temps il nous a fait risette !... Puis il a exécuté l'un des nôtres, Germain de Reveillon, et ses compères. Alors la male peur s'est répandue parmi nous... Certains se sont escampés quand commença la bataille. Guillaume Carle ne put les retenir...

— Navarre et ses hommes étaient un millier, vous quasiment dix mille. Et vous avez été vaincus !... Tu pouvais te moquer des rois de France et de leur ost défait par la chevalerie et l'archerie anglaises... Sache pourtant que cette victoire du Mauvais ne me contente pas. J'ai regret qu'il n'y ait pas été occis. Inconstant allié

---

(1) Si Jean le Bel et Froissart n'osent trop raconter les *« horribles faits et inconvénients »* que les Jacques faisaient aux dames, le copiste Raoul Tainguy, interpolateur de Froissart, se montre moins concis ; il écrit :

« J'aurais grand'horreur et grand'abomination de voir les vilains et détestables attouchements qu'ils faisaient sodomitement et désordonnément contre les dames et damoiselles. Et celui qui en faisait le plus entre eux était le plus prisé et le plus grand maître entre eux. »

Une scène particulièrement horrible : en un château dont Jean le Bel ne fournit pas le nom, le seigneur fut embroché vif, mis au feu comme un mouton et rôti devant sa femme et ses enfants. Et le chroniqueur ajoute : *« Aprez que X ou XII* (hommes) *eurent enforcié* (violé) *la dame et les enfants, ils luy en voulurent faire mengier par force, puis ils le* (la) *firent mourir de male mort. »*

Les représailles des nobles furent tout aussi abominables : 20 000 exécutions de paysans, la plupart innocents, parmi des milliers de vengeances aussi perverses que celles des Jacques !

de la France et de l'Angleterre, il me répugne (1). Mais je t'en fais l'aveu : j'aurais aimé voir l'arrivée de Guillaume Carle à Clermont de l'Oise, sans assister, ensuite, à son couronnement... puisque je sais qu'il fut terrible.

Tiercelet tressaillit et Tristan sut qu'il l'avait touché. Sans doute, enfoui dans la foule, avait-il assisté à la *cérémonie.* On avait lié le *roi des Jacques* à son trône : une cathèdre empruntée à l'église sur le parvis de laquelle le sacre avait lieu. On avait fait rougir un trépied sur des braises, et on l'avait posé, en guise de couronne, sur la tête du faux suzerain. Tandis que Carle hurlait aussi fort, sans doute, que ses victimes, le roi de Navarre frappait dans ses mains et s'adonnait à toutes sortes de simagrées. Puis, le fer refroidi, encastré dans les chairs noires et pourries, on avait décapité le malandrin.

— La vengeance des nobles a été plus terrible que la nôtre, messire ! Nous la méritions comme ils méritaient le châtiment que nous leur avons administré.

— La misère peut engendrer le courroux et la forcennerie... Nullement l'horreur !

— Je voudrais vous y voir en huron de naissance !... Peut-être auriez-vous été parmi nos conduiseurs !

---

(1) Charles d'Evreux, qui devint roi de Navarre sous le nom de Charles II, était né en 1332. Fils de Jeanne, fille de Louis X le Hutin, exclue du trône en vertu de la loi salique, il était, par sa mère, l'arrière-petit-fils de Philippe le Bel. Il en était aussi le petit-neveu par son père, Philippe d'Evreux, fils de Louis, frère puîné du même roi.
En épousant Jeanne, la fille de Henri, roi de Navarre et comte de Champagne, Philippe le Bel était devenu roi de France et de Navarre. Louis X hérita de ce petit royaume à la mort de sa mère, le 2 avril 1305, à la réserve de la Bigorre donnée au futur Charles IV. Lors de son accession au trône, Philippe V conserva abusivement la Navarre. Il conclut avec la Bourgogne (à qui était confiée la fille de Louis X) un traité aux termes duquel Jeanne obtiendrait en héritage, dès qu'elle serait en âge de se marier, le royaume de Navarre, les comtés de Champagne et de Brie, à condition qu'elle donnerait quittance du reste du royaume de France et de la succession de son père (17 juillet 1316). Si elle ne voulait consentir à cette quittance, elle rentrerait dans tous ses droits, mais alors l'abandon qui lui était fait de la Navarre deviendrait nul ainsi que la cession de la Champagne et de la Brie.
Agréé par les notables (2 février 1317), sacré le 6 février, Philippe V obtint un nouveau traité le 27 mars. Sa nièce renonçait pour toujours aux prétentions qu'elle pouvait formuler sur les couronnes de France et de Navarre et à ses droits sur la Champagne et la Brie, en échange de quoi elle recevrait des rentes en terres sur le comté d'Angoulême, la châtellenie de Mortain, ainsi qu'une grosse pension. Jeanne était âgée de 12 ans ; elle signa. Philippe d'Evreux, son mari, contresigna.
Les Navarrais n'avaient point accepté ces marchandages. Philippe VI de Valois renonça à la couronne de Navarre au profit de Jeanne… mais reprit l'Angoumois ainsi que d'autres terres assignées en 1339 : Frontenay en Saintonge, Bénin en Aunis.
Philippe d'Evreux mourut en 1343 au cours d'une expédition contre les « Mahomets ». Son épouse décéda à Conflans lors d'un voyage ayant pour but la récupération de son comté d'Angoulême (4 octobre 1349). Charles allait être couronné à Pampelune (27 juin 1350), peu après que Philippe VI de Valois eut épousé Blanche de Navarre, fille de Philippe d'Evreux (11 janvier 1350). Blanche n'était point fille de Louis de Navarre, comme le prétend Froissart, mais de Philippe III d'Evreux et de Navarre, mort devant « Argesille » [Algésiras] selon Froissart, « en Grenade » selon Jean le Bel, et peut-être à Xérès, le 16 septembre 1343 (une longue étude est consacrée à Charles de Navarre dans le tome 7 du cycle d'Ogier d'Argouges, *l'Epervier de feu*, chez le même éditeur).
Charles de Navarre avait deux frères : Philippe et Louis.

— Des milliers d'innocents ont terriblement subi votre fureur !... Qu'on affronte son ennemi les armes à la main, soit !... Mais qu'on s'en prenne aux femmes, pucelles et enfants...

— Un sang noble, pour vous, mérite le respect. Nullement celui du commun et de la piétaille. L'un doit rester au corps et l'autre peut couler.

D'un mouvement des mains, Tristan exprima sa lassitude. Pourquoi perdait-il son temps à paroler avec ce drôle : leurs pensées resteraient toujours incompatibles.

— Croyez-vous qu'envers femmes, pucelles et enfants du peuple, certains chevaliers ne font pas, dans les cités conquises, et même les hameaux où ils sont de passage, ce que vous reprochez aux Jacques d'avoir fait ?

— Il y a une noblesse infecte... Mais il existe une noblesse pure !

— C'est vous qui le dites !... Croyez-vous, parce que vous êtes de bonne naissance, posséder la vérité ?

— Je n'ai pas cet orgueil !... A Poitiers, je me suis dit que je ne pesais guère lourd dans la main de Dieu, et je le pense encore... Je ne sais, Tiercelet, d'où te vient tant de haine, mais j'en conçois que tu as dû bien souffrir. Tu tires moult orgueil de cette souffrance-là, et c'est ton droit. C'est aussi ton droit que tu nous aies en aversion. La vie nous réserve des épreuves, et j'ai fait mon profit des miennes. Or, toi...

— Vous êtes noble, dit Tiercelet, paisible. Vous ne connaissez rien de la vie : trop haut perché pour voir ce qui se passe en bas... comme tous vos pareils !... Or, sachez-le : si la noblesse avait été plus... clairvoyante, jamais elle ne se serait mise en l'état où elle est présentement. En compatissant à nos misères et en s'efforçant d'y trouver remède, elle aurait joui de notre gratitude. Son mépris lui valut notre haine homicide. C'est tout.

Tristan, courroucé, marcha de long en large. Avec force, opportunité, d'une voix unie, sans trop de rancœur, cet homme-là lui rivait son clou.

— Mais dans les guerres… commença-t-il.

Un grognement annonça une réponse acerbe.

— Vous vous glorifiez de l'usage des armes comme si occire de l'être humain pouvait être un métier !... Soit, parlons métier !... Avez-vous souvenir des mailles de Chambly ?

— J'y ai pensé quand tu m'as dit ton nom. C'est en cette cité qu'on assemblait les meilleures mailles du royaume.

— Mailles treslies aux solides grains d'orge : les meilleures, en vérité !

Tristan se sentit gêné. Bien qu'il en eût porté, jamais il ne s'était soucié de ce tissu de fer qui le garantissait des coups d'estoc et de taille.

— Tout d'abord, messire, étirer le fer à la tréfilerie ; en obtenir un fil qu'on enroule serré, à chaud, sur le touret ou le caret d'acier, puis qu'on tranche au burin afin d'obtenir des anneaux ouverts dont il faut écraser les bouts et les percer à chaud pour les assembler ensuite quatre par quatre sur celui du centre, à l'aide de petites pinces, et les river (1). Et recommencer après les avoir raboutés les uns aux autres... Tout cela en tenant compte des formes du demandeur... On employait moult myopes et louchons... Le saviez-vous ?

Tristan observa, dans l'ombre, les mains de Tiercelet. Grosses, plates comme des battoirs, leurs doigts longs, déliés, semblaient presque féminins.

— Ah ! là là... Faut en avoir réuni des millions depuis l'âge de dix ans pour prendre ces anneaux en haine !... Car ce n'était pas tout que de les assembler ; il fallait tenir la mesure : en joindre deux cents, le temps de deux renversements du gros sablier posé sur la table autour de laquelle nous étions quinze : hommes, femmes, enfants. Deux centaines de mailles, cela pouvait aller quand les anneaux étaient pareils aux affiquets que les dames et les jouvencelles portent à leur petit doigt, mais pour ceux de la taille au-dessous, destinés aux camails et aux jaques, on n'avait pas loisir de lever le nez de l'ouvrage, et nos paumes, à force de serrer les pinces, nous faisaient bien mal au soir... Gauvain d'Andeville, qui nous employait, possédait le meilleur atelier de la cité, qui en comptait douze. De l'aube à la vesprée, chaque jour que Dieu fait, on maillait avec, juste à midi, une pause : le temps d'avaler du pain et du fromage, et l'été une pomme ou une poire en sus... Nous mangions avec des mains qui tremblaient et ne savaient plus guère tenir autre chose que des pinces et des anneaux de fer... Le droit d'aller quatre fois par jour aux bostrués (2). Notre rétribution ? Vos palefreniers n'en auraient pas voulu... Et j'allais oublier les cograins qui nous perçaient les doigts !... Saletés !

— Qu'est-ce donc ?

— Les parcelles de fer qui s'attachent à la filière dans les tréfileries et qui parfois restent collées aux anneaux.

Une colère certainement légitime chauffait le sang de cet homme, mais c'eût été l'offenser que de s'émouvoir sur son sort : il détestait la pitié, la compassion, voire la bienveillance. Il disait

---

(1) Lire en annexe III : *Chambly, cité de la maille.*

(2) Bois troués : latrines.

les choses tout bonnement, comme un malade au seuil de la convalescence et qui se remémore les tourments qu'il a subis.

— Oui, messire, payés chichement alors que le Gauvain vendait nos habits de fer à des prix qui nous indignaient !

Tristan approuva. Il fallait se saigner aux quatre veines pour acquérir ces cottes dans lesquelles on connaissait mieux que nu la forme de son corps et le poids de ses gestes. Il n'avait jamais pensé aux travaux des mailleurs de Chambly, de Paris, de Marseille. Et pourtant !... Quand, avant la tuerie de Maupertuis, la sueur ruisselait sur ses chairs, il avait moins songé à la proche bataille qu'à écarter de sa peau moite cette pesanteur d'anneaux de fer pour tenter qu'un peu d'air s'insinuât dedans. Maintenant qu'il délibérait sur la réponse susceptible de satisfaire Tiercelet, ses nerfs à vif subissaient les désagréments de ce fardeau imaginaire. Car à Maupertuis, s'il ne portait pas d'armure de plates mais un haubergeon ayant appartenu à son père, il avait envié ses voisins qui, eux, en étaient pourvus. *« Quoique fort jeune,* lui avait lancé Arnaud de Cervole, *vous faites parmi nous figure d'ancien ! »* Au diable cet Archiprêtre dont le harnois ostentatoire étincelait parmi ses souvenirs !

— Je suis de ceux, reprit Tiercelet, qui ont vu avec plaisir les fèvres (1) nous ravir la besogne avec les harnois plains (2) où peu à peu les mailles disparaissaient, ne formant plus que l'appoint de l'armure et garantissant seulement les jointures... Je me suis ébaudi de voir maître Gauvain maudire cette adversité... sans songer que j'en souffrirais davantage que lui !... Oui, je me suis réjoui qu'il perde tous ses chalands... ou presque, car il recevait encore de petits hobereaux qui demeuraient fidèles au tissu de mailles, arguant qu'il était plus souple — et c'est vrai — que les plates.

Tristan cessa de marcher.

— On se meut bien mieux dans les mailles que dans une coquille de fer.

Tiercelet parut insensible à cette approbation.

— Pour maintenir ses bénéfices, maître Gauvain haussa ses prix... et perdit tous ses clients... Je fus un des derniers qu'il congédia, car j'étais un des meilleurs, et je me suis trouvé tout aussi failli que lui... Que faire ? Je ne savais que rabouter des anneaux... Aller dans un autre atelier ? La plupart fermaient et congédiaient leur monde. Armide, ma fiancée, m'a quitté : je n'avais plus de quoi assurer notre vie... Elle était lavandière...

---

(1) Forgerons.
(2) Les armures complètes.

— Et tu étais dans de beaux draps !

Tiercelet eût pu se fâcher, il se contenta de serrer les poings. Tristan sentit que cette fureur-là ne lui était pas destinée.

— Je me suis retrouvé seul... Mes parents étaient morts de la peste noire...

— Ma mère également.

Cette précision parut scandaliser le malandrin : comment pouvait-on oser rapprocher le trépas de deux manants de celui d'une noble dame, même s'ils avaient péri du même mal !

— Je m'enfonçais dans la misère quand un homme est passé. Il m'a dit que la vie des infortunés de mon espèce cesserait s'ils parvenaient à s'unir contre les oppresseurs... Je ne savais pas trop ce que ça voulait dire...

— Mais tu l'as suivi.

— Hé oui... Ce matin-là, j'aurais suivi le diable !

Tristan fut privé du plaisir d'une repartie amusée : des pas retentissaient sur les dalles, de l'autre côté des murs. Pour la seconde fois de la journée, le verrou du grand huis grinça dans sa gâche. La porte béa. Un homme apparut, scintillant dans son blanc harnois. La clarté qui faisait irruption dans la pièce éblouit cependant davantage Tristan que l'armure de ce jouvenceau dans lequel, clignant des yeux, il reconnut l'écuyer auquel Perrette Darnichot s'était adressée lors de cette soirée dont il conservait un souvenir détestable.

— Veuillez me suivre, messire.

— Surtout, recommanda Tiercelet, n'oubliez pas mes conseils !

D'un pas mal assuré, Tristan traversa la geôle. A peine en eut-il franchi le seuil qu'un détail de l'ajustement de son guide augmenta son ahurissement : près du clavier qu'il venait d'accrocher à sa ceinture d'armes pendait un fourreau de cuir noir, vide d'épée.

— Où me conduisez-vous ? demanda-t-il d'une voix qu'il eût voulue tranchante de courroux et de hautaineté, mais qui s'ébréchait dans sa gorge.

— Vous le verrez bien !

* *
*

Il foulait les degrés d'un escalier de pierre.

Vers qui, vers quoi ce damoiseau le menait-il ? La liberté, accordée de bon ou mauvais gré ensuite de quelque intervention puissante ? Cet échafaud dont Tiercelet l'avait entretenu ? Bien qu'il fût persuadé qu'on ne pouvait le condamner pour son refus d'assouvir les ardeurs d'une gentilfame, son inquiétude croissait au fur et à mesure de la descente. Il se sentait trop éprouvé pour tenter de s'évader. D'ailleurs, avec quoi se serait-il défendu des actions de ses poursuiveurs ? Il ne disposait d'aucune arme.

Avec une aisance bien simulée, il passa du seuil de l'escalier à un couloir jonché de peaux d'ours et de loups.

« Quel changement !... L'accueil sera-t-il aimable... ou mieux encore ? »

Après un hiver où il avait cru succomber aux atteintes du froid — son haleine gelait sur ses lèvres —, la tiédeur de ce vestibule le pénétrait comme un baume. Sa vigueur amollie et son esprit toujours maussade et soupçonneux, mais plein d'espoir, s'en trouvaient vivifiés. La lumière pourtant pauvre de la tour où spiralait l'escalier l'avait comme enivré ; il prenait enfin pied dans un lieu convenable, éclairé par une franche et pure clarté où s'insinuait, douce et vibrante — luth, flûte et tambourin mêlés — une musique exhalée d'un lieu tout proche, et invisible.

Il ne rêvait pas. Son ouïe et sa vue ne s'étaient guère altérées au fil des jours ombreux et des nuits sépulcrales. Présentement, la mélodie dont il était enveloppé semblait l'inciter à la confiance, à la sérénité, mais il en était incapable.

Qui l'attendait ? Après une incarcération absurde, devant quel tribunal courtois — l'air à la fois doux et allègre qu'il entendait lui en fournissait l'augure — allait-il comparaître ? S'il devait, contre toute attente, encourir des reproches, quels seraient ceux qu'on lui signifierait ? Accusé, lui ! Et de quoi sinon d'honnêteté... Ou d'indifférence. Serait-il affronté à la belle Perrette ? Jamais il n'aurait pu penser qu'il blesserait aussi gravement l'orgueil de cette dame et s'en trouverait à ce point châtié ! Deux mois et demi d'affolante inertie entre des murs lugubres. Par le seul attouchement des doigts, il connaissait le grain serré de leurs pierres et celui, moins âpre, de l'indestructible mortier de chaux qui les liait. Allons, sa geôlière avait fini par comprendre qu'il était d'une autre espèce que certains béjaunes ! Il allait être gracié avec des sourires, des regrets, des souhaits hypocrites...

Soudainement tirée, une portière de velours gris révéla un huis de chêne sombre aux panneaux soigneusement sculptés dont l'un, sur lequel tombait un rai de lumière passant par une baie à peine plus large qu'une archère, figurait la Madeleine, impudiquement vêtue, prosternée aux pieds de Jésus.

— Entrez, dit le guide en désignant le verrou.

Tristan leva la clenche hors de son mentonnet.

La porte se rabattit sur lui. Immobile, attentif, il guetta un craquement qui ne se produisit pas : le damoiseau désarmé s'éloignait sans l'avoir enfermé.

Il fit front.

* *
*

Il se trouvait dans une pièce sans fenêtre, profusément illuminée par les flammes de quatre torchères et les clartés d'un dôme formé de morceaux de verres colorés, enchâssés, tels ceux d'un vitrail, dans une armature de plomb. De hautes boiseries revêtaient les murs. Au centre, affleurant les dalles de terre cuite, carrées, rougies et vernies, miroitait une piscine constituée dans son pourtour et sa cavité, d'un marbre de la Langue d'Oc appelé *cervelas* : de couleur pourpre, jaspé de gris et de rose, il composait le pavement du tinel (1) de Castelreng. Long d'une toise à peine, large de quatre pieds, le bassin venait d'être empli d'une eau fumante, odorante. Derrière, proche d'un dressoir où luisaient des cruchons et des orfèvreries, un miroir d'acier de la taille d'un grand pavois ajoutait ses scintillements à ceux de cette onde immobile dans laquelle se dédoublaient et dissolvaient les feux d'or des flambeaux et les chatoiements de la coupole.

Avançant d'un pas, Tristan aperçut à sa dextre une statue de femme grandeur nature. De ses mains écartées aux fins doigts mutilés, elle semblait lui présenter une serviette ample, immaculée, d'une texture pareille à de la neige fraîche. Il tira sur l'étoffe et la lâcha, stupéfait : du front jusqu'aux orteils, la déesse était nue.

Il savait qu'il avait existé, dans les temples païens d'Athènes et de Rome, des créatures de cette espèce, mais c'était la première fois qu'il en découvrait une. Jusque-là, les femmes qu'il avait vues, dévêtues, aux tympans des églises et des cathédrales, étaient laides, sinon repoussantes. Ces damnées avaient des poitrines pareilles à des escarcelles vides, sous lesquelles émergeaient les hideux cerceaux de la carcasse. Leurs ventres d'affamées, striés de plis profonds, leurs cuisses maigres, sarmenteuses ; leurs potrons mous, dégagés çà et là de la multitude convulsive où elles s'enlisaient, semblaient avoir été ciselés dans la pierre pour détourner les passants des plaisirs sensuels. A en croire les dévots imagiers, l'enfer était un immense et frénétique bordeau hanté de ribaudes abjectes.

Mais cette déité-là, qu'elle était belle !

(1) Grand-salle où le seigneur rendait justice et où se tenaient les festins.

Tristan se pencha vers le torse effleuré de clartés doucereuses, séduit, émerveillé par les seins fermes aux tétins dardés ; par le ventre pâle, bellement rond sous le petit sceau du nombril, admirant les vallonnements qui le reliaient aux cuisses et caressant du regard cette chair de marbre qui peut-être approchait en tiédeur une vraie.

Brusquement, il crut qu'*elle* l'observait. Relevant la tête, il considéra ce visage couronné de cheveux onduleux retenus par une bandelette. Le front en était lisse et le nez mince et droit ; les yeux obliques semblaient, plus encore que la bouche mince, entre-close, se rire de son ébahissement.

« Qui es-tu ? Quelle divinité ? Minerve ? Vénus ? Diane ? Junon ? »

Qu'importait ! Eloquente en sa magnificence, cette femme d'antan, sûre de sa domination sur les sens et les esprits, attendait — ses bras offerts le prouvaient — un amour immense, fait de ténèbres et de lueurs, de brûlures et de froidures, comme seules les déesses en pouvaient susciter. Elle avait été placée sur le seuil de ce lieu étrange moins pour que les ablutions auxquelles on y procédait devinssent une liturgie copiée sur celle des Anciens, que pour troubler les hommes admis à y pénétrer.

A peine affranchi de ses appréhensions, et tout en s'approchant du bord de la piscine, Tristan vit une cassolette pareille à une tiare, d'où s'exhalait un encens léger, bleu pâle et sinueux puis, disposés sur un plateau de bois, des ciseaux, un rasoir à manche d'or et une fiole à long col contenant — il la déboucha — une huile aromatique. Il aperçut, au creux d'une patène d'argent, une boule de savon, grosse et vermillonnée comme une pomme.

« Où ai-je mis les pieds ? Que me veut-on ? »

Il y avait, dans la disposition des accessoires de toilette, compléments des langueurs et voluptés humaines, une volonté subtile, mais affirmée, de lui faire oublier les inconvénients du reclusoir où Tiercelet l'avait rejoint. Devait-il en profiter ou crier qu'on le laissât partir maintenant ?

Il demeura immobile, hésitant sur la façon de « prendre les choses », enivré par la senteur du savon — myrrhe et menthe, sans doute — ; par celle de cette eau diasprée où se reflétait son corps ; par celle, également, de cette huile fleurant le cinnamome : toutes les blandices de l'odorat semblaient avoir été réunies pour le captiver ; or, loin d'assoupir sa vigilance ainsi qu'on le souhaitait peut-être, elles lui firent songer aux douceurs dont s'étaient délectés les Francs d'Orient avec l'approbation d'un clergé dissolu. Gangrenées au cours des ans, ces jouissances avaient inculqué à tous ces pécheurs un goût immodéré de la luxure. Et c'était cette impudicité qui, davantage que les discordes et affrontements des grands seigneurs, pouvait être tenue pour responsable de la perte de la Terre Sainte.

« *Te fizès pas à las aygos mortos, sou las pus fortos* (1). »

Oui, au lieu d'altérer sa méfiance, le caractère singulier de ces bains dignes d'un palais, l'affermissait ; plutôt que de le conforter, ces splendeurs lumineuses ajoutaient à sa stupéfaction une amère déconvenue : ce gynécée était un piège ; après avoir été traité ainsi qu'un malandrin, il ne pouvait, d'un coup, jouir des égards prodigués aux rois et aux princes !

Se sentant épié, il se détourna brusquement. Son regard se heurta aux yeux blancs de la déesse. Empoignant alors une torchère à trois branches, il s'approcha du miroir que son haleine ternit fugacement. D'une épée, il eût décidé : « Elle est mauvaise », car plus l'éclat d'une lame amatie par un souffle était lent à revenir, meilleur en était l'acier. Mais il était bien loin des harnois de guerre, et son épée, sa ceinture d'armes et ses vêtements de fer appartenaient à un autre... à moins qu'un de ses compagnons — Guillonnet de Salbris ou Thomas d'Orgeville — en eût pris soin.

« Avec une tête pareille, je sèmerais l'effroi dans un troupeau de boucs ! »

Ses cheveux touchaient ses épaules ; sa barbe fricheuse grattait ses joues et démangeait son cou plus que d'ordinaire, maintenant qu'il la voyait. Ses yeux, bleu clair, semblaient s'être assombris. De sa paume, il dissipa la buée qu'il avait de nouveau répandue devant lui. Son visage affleura l'acier.

« Hideux ! Je suis hideux ! »

Après l'admiration dédiée à la nudité de pierre, il subissait l'horreur de sa personne et, agacé, se détournait encore. Non, il ne pouvait se méprendre une seconde fois ! Ce n'était pas la statue qui l'observait avec cette insistance désagréable. Il existait quelque part une embrasure minuscule par laquelle on le surveillait. Quant à la musique, maintenant suave et comme veloutée, il l'avait oubliée, bien qu'apparemment elle n'eût jamais cessé de bruire et de tinter. Ses accents devenaient pressants ; elle semblait gaiement lui enjoindre de mettre un terme à son incertitude pour s'ablutionner, se raser, redevenir un prud'homme. Et pourquoi, sinon pour quitter ces lieux après y avoir reçu de légitimes excuses.

Il s'agenouilla, toucha l'eau de l'index, puis y plongea la main jusqu'au poignet, heureux de le sentir serré dans un bracelet tiède

(1) Ne te fie pas aux eaux dormantes, ce sont les plus dangereuses.

et comme immatériel. Alors seulement, il eut hâte de se délivrer de ses heuses et de ses vêtements pour s'enfoncer benoîtement dans le bain, humant avec délices les vapeurs légères dont ses narines, ses épaules, sa poitrine étaient toutes picotées.

Il se savonna rudement puis cessa, prenant plaisir à se sentir enseveli sous une mousse épaisse, écume des jours révolus. Il en sortit ses mains, ses pieds ensuite afin d'en tailler les ongles. Les musiciens continuaient d'instiller dans les clapotements leur mélodie doucereuse. Il existait une connivence subtile entre cette eau qui roulait sur son corps et ces gouttes sonores dont, par-delà ses oreilles, son esprit se trouvait comme éclaboussé. Quand il se nettoya le ventre, les sons devinrent plus vifs, plus drus, jusqu'à donner à la trame harmonique l'apparence d'un ricanement.

Il s'extirpa de la cuve et commença de se sécher, puis s'immobilisa, courroucé : un silence l'enveloppait, plus éloquent et malicieux que les vrilles de la flûte et les trépignations soudaines du tambour. Cédant à un mouvement de pudicité qui ne pouvait qu'augmenter sa colère, il noua la serviette autour de ses hanches et s'approcha du miroir.

A coups de ciseaux rapides, il réduisit sa barbe autant qu'il le pouvait. Il rasa ce qu'il en restait ainsi que ses moustaches.

« Je me reconnais enfin ! », songea-t-il en taillant sa chevelure malaisément, à l'écuelle, tout en piétinant un tapis de poils et de cheveux bruns dont certains lui collaient, par touffes, à la peau.

La musique semblait s'être tue à jamais. Il la regretta : elle avait allégé, adouci ses pensées, augmenté son plaisir de se sentir devenir propre. Il devait maintenant abandonner cet endroit. La campagne, le ciel, les rivières, les arbres illuminaient sa mémoire.

Il crut entendre des chuchotements. C'était sans doute un effet du silence profond qui l'engonçait, nu et comme destiné à un sacrifice.

« Suis-je sorti d'une piscine probatique ? »

Une poussée de fièvre l'envahit :

« Il te faut partir... Tant pis pour Tiercelet. »

Il se baissait pour saisir ses bas-de-chausses déchirés quand deux panneaux de bois s'écartèrent, presque devant lui, livrant à ses regards une chambre spacieuse.

Et une femme.

* *
*

Il avait, un moment, évoqué l'Orient et ses lascivités pernicieuses. Il crut s'y trouver pour de bon.

Les murs de cet asile tout aussi tiède et insolite que le tepidarium somptueux avaient été revêtus de tentures légères, azurées, sauf un, émaillé de petits miroirs de toutes formes, disposés comme une mosaïque lumineuse ; ils réfléchissaient, en les craquelant, la femme et les meubles précieux qui l'entouraient : un coffre de cuir cordouan vaste comme un cercueil, un dressoir miroitant d'ustensiles d'argent dont une étagère supportait une coupe d'émeraude qu'on eût prise pour le saint Graal en la voyant exposée à Paris, dans le chœur de Notre-Dame. Et un lit : un amoncellement de coussins de velours et de satanin aux couleurs et broderies légères au-dessus duquel s'éployait un dais de soie si blanc qu'il prenait çà et là des brillances nacrées.

Tristan baissa les yeux : il foulait un tapis épais, noir, dont les guipures figuraient des colombes et des rouges-gorges. Au milieu, sur une table, fumait une gargoulette dont le col oblong, prolongé d'un gland d'or, suggérait un organe mâle.

« Où suis-je tombé ? »

Promptement le captif entrevit une aiguière, un poignard, un cadenas (1), deux gobelets, un drageoir d'or en forme d'échauguette, tout proche d'une corbeille d'osier contenant quelques poignées de craquelins pétris de manière obscène. On s'empiffrait de ces friandises lors de certains festins ; saupoudrées d'une mixtion apprêtée par un magicien, elles changeaient un homme en Priape avant, s'il déplaisait, de l'occire en douceur. Bien qu'il eût grand faim, il détourna son regard des gâteaux pour le reporter aux quatre coins de cette pièce aux fenêtres inapparentes, tandis que les panneaux se rejoignaient dans son dos.

« Le nouveau piège ! »

Un piège fabuleux, cette fois ; un refuge moelleux, moins conçu pour le sommeil ou le repos que pour des fêtes d'amour secrètes. Aux richesses assemblées en ce lieu répondait comme un écho de chair nonchalante, magnifiquement révélée, cette femme qui l'observait avec une telle intensité d'expression qu'il prit enfin conscience d'être nu devant elle, comme livré à ses désirs sinon à ses volontés. Le regard de cristal bleu dont il avait, au préjudice de sa liberté, négligé les lueurs et les ombres, n'exprimait plus le moindre mécontentement. Immobile, serein, il semblait uniquement révéler son trouble de mâle affronté à une belle roturière

(1) Coffret précieux où l'on enfermait les différentes pièces du service de table. On les présentait aux invités avant le commencement des repas.

impudique : Perrette Darnichot ne devait qu'à son « blason » d'avoir été ennoblie.

Sa chambrière l'avait coiffée comme la déesse de pierre ; toutefois, la bandelette qui ceignait sa couronne de cheveux sombres était une tresse de fils d'orfroi perlée de gouttelettes d'émeraude. Sa chemise d'yraigne (1) ne dissimulait rien — ou presque — d'une nudité gonflée secrètement d'orgueil mais qui, pour l'instant, paraissait modeste et même humble comme il sied à une esclave. Renversée sur ses coussins, et par son silence même, elle se déclarait éloquemment prête à toutes sortes de licences.

« La Tour de Nesle ! » songea Tristan. « Tiercelet ne m'a pas menti ! On se vautre à satiété dans la luxure, puis quelque acier tranchant, trois gouttes de poison et surtout un beau collier de chanvre mettent un terme aux ébattements... Belle rétribution du plaisir dispensé ! »

Une peur l'envahit, au lieu d'un désir éperdu.

— Approchez, messire ! Approchez... Me craindriez-vous à ce point ?

La voix que dame Perrette souhaitait dolente ou doucereuse, semblait percée d'échardes glacées.

Il fit un pas, ne lui cachant rien. Elle fronça les sourcils, déçue, mais sourit de nouveau tandis que, songeant à Tiercelet, il se persuadait que cette chair excellemment apprêtée pour qu'il s'en délectât serait sans effet sur une faim dont il n'avait guère souffert. Sans doute eût-il été plus enclin aux délectations de cette espèce quelques semaines avant ce jour. Or, céder à la tentation, c'était périr.

« Pourrais-je », se dit-il, « regagner mon cachot ? Ne va-t-on pas m'en fournir un autre ? »

Dans un mouvement qui offrit, astucieusement ou non, tous ses attraits aux regards de son visiteur, Perrette jeta une bille rose sur les braises de la cassolette ; deux rubans de fumée s'en exhalèrent, se tordirent et s'épousèrent avant que de se dissoudre en touchant les voilages du dais. Retenant son souffle, Tristan résista au capiteux envoûtement du parfum. Il se sentit la face chaude, et Perrette se méprit :

— Approche !... Viens t'asseoir près de moi.

Son regard et ses mains tendues suppliaient ; son chuchotement n'était qu'alacrité, joie, espérance ; réconfort même. Elle se croyait des pouvoirs transcendants, capables de convertir en ferveur, voire de sublimer en passion l'indifférence d'un jeune mâle qui certain soir, toute belle et désirable qu'elle fût, avait déçu ses espérances.

---

(1) Tissu en provenance d'Ypres ou de Gand. Pour sa trame, sa légèreté, sa transparence, on le comparait à une toile d'araignée.

— Il faut me pardonner... Je t'ai fait venir pour que tu oublies tout.

Sous l'arc des longs sourcils finement épilés, les paupières battaient, vives et légères, et les lèvres minces, de la rougeur saignante des guignes, frémissaient d'émoi ou d'impatience.

— Nous sommes seuls... aussi vrai que mon nom est celui que tu sais.

Sa voix changeait encore ! Furtive, maintenant, elle semblait enclore tous ces trésors d'admiration et de prévenances dont les humbles, par déférence obligatoire et nullement par sentiment, gratifiaient les Grands qui les méprisaient ; mais elle eût assurément apprécié qu'il mît un genou sur le tapis aussi épais qu'une herbe drue et que, pour magnifier cette génuflexion, il baisât sa main tendue.

— Tu refuses ?... Je te fais peur ?

Ne pouvait-il justement s'en défier ? Elle le tenait toujours sous sa dépendance. Elle avait cru pouvoir l'énamourer de ses formes épicées, çà et là, d'un peu d'ombre, sous les transparences légères d'un vêtement où le rose d'une cuisse affleurait. Elle s'était doublement méprise. Pour ce qui la concernait, sur l'aisance d'une séduction jusque-là, sans doute, irrésistible. Pour ce qui lui revenait, sur la fermeté d'un caractère bien trempé. Si, par un subtil jeu de compensation, son corps avaricieusement nourri, exposé aux froidures et suints des murailles, manquait présentement de vigueur, sa volonté intacte n'en devenait que plus vivace.

— Approche, dit-elle en le considérant de haut en bas avec un air de désapprobation... Allons, viens !... Tous tes membres sont gourds, dirait-on.

Au cours d'un hiver d'une rudesse extrême, il lui était advenu de perdre espoir en lui et confiance en Dieu. Son courage seul avait résisté aux maléfices d'une saison terrible. Maintenant, il comprenait la fallace (1) de sa gardienne : elle l'avait mis en complet état d'abstinence pour le charnel, restreint au nécessaire pour la lumière et la pitance afin qu'au jour décidé par elle, et à sa seule vue, il fût comme ébloui, subjugué par une malefaim d'amour qu'il assouvirait sans ambages et sans plus songer à satisfaire, dans l'immédiat, ses appétits de nourriture et d'espace. D'aucuns eussent déjà cédé aux attraits de cette femme, symbole voluptueux des agréments de la vie ; ils y eussent assurément perdu leurs dernières forces et leur vigilance, offrant ainsi aux sicaires aux aguets peu de résistance à l'occision. Car après en avoir profité, il fallait bien que

(1) Fourberie.

les témoins de sa lubricité disparussent !... Elle le croyait, lui, Tristan, prudent ou pusillanime — ce dont il n'eût pu disconvenir — mais il était surtout dédaigneux, engrigné (1), aux lisières de l'aversion.

— A quoi penses-tu ?... Dis-le-moi !... Si je puis t'aider...

Une fois encore, elle changeait de ton.

— Je voudrais voir des arbres, des ruisseaux et rivières... Y a-t-il toujours des oiseaux dans le ciel au lieu que sur ce tapis ?

— Es-tu nu devant moi pour me parler d'oiseaux ?

— Vous eussiez dû, dame, ajouta-t-il en s'inclinant, me laisser à mes devoirs auprès du roi, parmi mes compagnons. Tous ont dû interpréter mon absence comme une désertion dont je suis incapable. Je ne méritais ni votre ressentiment ni votre... hospitalité. Un homme s'y fût-il pris ainsi avec moi, pour une raison évidemment différente, que j'eusse affirmé qu'il avait forfait à l'honneur et demandé réparation.

— Continuez, dit-elle, frémissante, tandis que succombant à une incongruité, il bâillait d'ennui ou de lassitude. Tout cela ne serait pas arrivé si vous vous étiez montré moins cru (2). Je ne vous voulais point for-faire (3).

— Or, vous m'avez for-fait (4), mais nullement dans le sens où vous l'entendez ! J'aurais dû conserver mon épée à mon flanc. J'aurais alors dissuadé vos hommes de m'assaillir !

Perrette, un peu pâle, la nuque enfoncée dans son oreiller, parut dissimuler sous sa paume ce qui pouvait être un sourire.

— Je reconnais ma faute et ne m'en absous pas... Oui, je vous ai fait enlever !... Je ne suis guère accoutumée à ce qu'on me résiste.

Soudain, de la façon la plus inattendue, deux larmes roulèrent sur sa joue. « Des gouttes d'eau », songea Tristan, « et non ces perles dues aux chagrins véritables. » Perrette n'eut garde de les essuyer.

— Depuis cette nuitée dont tu me parles, j'ai envie de toi. Tu n'as pas quitté mes pensées. Ce jour d'hui, j'ai enfin cédé à ce besoin de te revoir auquel je me faisais défense... Car je ne suis pas la pute que tu peux croire... Ah ! non... J'aime qu'on m'aime, contrairement aux follieuses !

Présentement, elle suscitait davantage de mépris que de convoitise. Du moins face à lui, Tristan. Elle pouvait user d'attitudes savantes — expédients dont elle avait éprouvé, sur d'autres, l'irrésistible efficace —, elle ne l'ensorcelait point. Au lieu d'émousser

---

(1) Courroucé.
(2) Moins cruel.
(3) Compromettre.
(4) Mal traité. *For-faire* avait plusieurs significations.

sa défiance, elle l'aiguisait. Il ne pensait plus à sa nudité, et la lueur de gourmandise qui, parfois, rayait les pupilles diaprées, ne pouvait que l'étonner. Nonobstant tous les soins que cette fausse houri apportait à son regard et ses poses, il n'était pas plus armé pour l'amour qu'il ne l'était pour se défendre si des malandrins l'assaillaient. Perrette ne pouvait deviner où il puisait cette froideur dont elle finirait par s'indigner. Eh bien, il savait contraindre les désirs auxquels, tout comme elle, il était assujetti ; et c'était sous le froc de bure qu'il avait appris à éteindre ou tiédir toutes ses flambées de concupiscence charnelle. N'importe quelle litanie devenait une médication palliative, comme celle qui, maintenant, ronronnait dans sa tête :

Stabat mater dolorosa
Juxta crucem lacrimosa
Dum pendebat filius

Certes, il écoutait Perrette, mais loin de prendre quelque intérêt aux mots et verbes dont elle l'abreuvait, il n'était sensible qu'aux inflexions de sa voix, parfois presque expirante, parfois rauque, telle une plainte issue des profondeurs de son corps et nullement de son cœur, bien qu'elle portât souvent sa dextre sur son sein.

— Je ne te comprends pas... Te fais-je horreur ?

Elle avait dû s'attendre à tout : soit un élan de désir, soit un ravissement quasi sacré auquel elle eût mis savamment un terme, ou encore une pusillanimité de puceau qu'elle s'était fait fort de convertir en hardiesse. La déception la rongeait. Elle allongea le bras vers le drageoir et le lui offrit. Il refusa d'y puiser.

— Crains-tu que ces cannelas (1) ne soient empoisonnés ?... Et ces gâteaux dont tu parais mépriser les formes ?... Je les ai pétris moi-même.

— On peut dire que vous pétrissez vits et bien.

Il avait cru pouvoir lui arracher un rire ; elle eut un grognement de chienne fustigée, se leva sans précaution et sauta hors de son matelas de coussins. Sous la brume du vêtement qui la révélait toute, il distingua la raie d'une chaînette d'or dont elle avait ceint ses hanches et pensa qu'il fallait avoir l'esprit pervers pour se parer ainsi. Mais déjà elle était devant lui, la main levée pour une jouée (2), une griffade. Elle renonça et le saisit par la taille. Il n'osa se dégager.

---

(1) Dragées à la cannelle.
(2) Gifle.

— Aime-moi !... Aimons-nous ! Offrons-nous du délit (1) !

Elle lui arrivait à l'épaule ; il recevait son souffle sur son cou ; un souffle d'une violence insoupçonnée, à moins que la résonance de la voûte en berceau fût particulièrement vive, et que le silence qui les entourait contribuât à le rendre ainsi. Il lui sembla que Perrette allait se presser contre lui pour provoquer son ardeur ; elle s'empourpra et se retint, humiliée par le regard qu'il posait sur elle et souffrit visiblement de devoir opposer la raison ou la honte aux véhémences de son corps.

— Et si je t'aimais vraiment ?

— S'il en était ainsi, vous ne m'eussiez pas verrouillé trois mois en votre pourrissoir ! Comment, après ce que j'y ai subi — faim, froid, angoisse — pourrais-je me trouver dans les dispositions que vous espériez en me faisant conduire devers vous ?

Comme insidieusement, elle frottait son ventre au sien, la musique les renveloppa, aussi vive qu'un coup de vent, puis se craquela en miettes sonores qui semblèrent grêler, rebondir sur le tambourin comme un rire de malice ou de connivence. Prêt à céder à l'envoûtement d'un regard doux, implorant, et d'un corps si parfaitement lié au sien qu'il en sentait la toison, Tristan fut tout à coup désenivré par un cri d'homme effrayé :

— *Non !... Non !... Pitié !*

Il songea aussitôt, simultanément, à Tiercelet et à Marguerite, Blanche et Jeanne de Bourgogne dont les excès amoureux avaient toujours été funestes à leurs amants. La plupart, disait-on, avaient été jetés en Seine à l'issue de leurs « joutes » avec ces trois succubes. Les frères d'Aunay, par qui le scandale était arrivé, avaient péri sur l'échafaud de Pontoise après avoir enduré la question. Et quelle question puisqu'elle avait pour exécuteur Nogaret, le plus pervers justicier du royaume (2).

---

(1) Plaisir, délice.

(2) On a complaisamment brodé à propos des amours de Marguerite, Blanche et Jeanne de Bourgogne. La première, aînée des brus de Philippe le Bel, était la femme de Louis de Navarre, dit le Hutin, futur Louis X (octobre 1289-5 juin 1316) auquel elle donna une fille, Jeanne, en 1311.
Marguerite était fille de Robert II, duc de Bourgogne, et d'Agnès de France. Elle épousa le Hutin en 1305 et devint la maîtresse de Philippe d'Aunay, frère cadet de Gauthier d'Aunay (amant de Blanche de Bourgogne). Ces Aunay étaient fils de Gauthier, seigneur de Moncy-le-Neuf, du Mesnil, Grand-Moulin. Philippe était écuyer de monseigneur de Valois ; Gauthier, écuyer du comte de Poitiers. Le Hutin fit assassiner son épouse au Château-Gaillard, en 1315.
La seconde bru du roi, Blanche, était la femme de Charles de France, futur Charles IV (1294-1er février 1328) depuis 1307. C'était la fille d'Othon IV, comte palatin de Bourgogne, et de Mahaut d'Artois. Le mariage de Blanche fut annulé en 1322 après qu'elle eut été emprisonnée au Château-Gaillard, puis à Gournay, près de Coutances. Elle prit le voile à l'abbaye de Maubuisson.
Quant à Jeanne, qui favorisa les adultères et tint le rôle d'entremetteuse — et de voyeuse — elle était fille aînée d'Othon IV et de Mahaut. Incarcérée à Dourdan, elle en sortit en 1315. Mariée en 1307 à Philippe de Poitiers, second fils de Philippe le Bel, qui devint Philippe le Long (1291-3 janvier 1322), elle fut un temps reine de France (1293-21 janvier 1330).
Si Philippe d'Aunay paraît ne pas avoir été marié, son frère l'était avec Agnès de Montmorency.

Cet homme qui venait de refuser la mort et demandait pitié dans une geôle toute proche s'était peut-être récemment ablutionné dans la pièce attenante avant de s'allonger près de cette femme éperdue de lascivité.

— Qui criait ainsi, noble dame ?

Perrette eut un regard inondé d'innocence :

— Croyez-vous que l'on ait crié ?

Il la dévisagea du front au menton. Dessous, quoique dans une ombre légère, les chairs quelque peu plissées du cou lui déplurent. Jamais il n'y aurait entre eux, même un seul jour, ces échanges de ferveur et de volupté auxquels elle prétendait de tout son corps, de toutes ses lèvres offertes. Par le geste et par le verbe, les seuls boucliers dont il disposait, il devait s'arracher à ce nébuleux piège aux âmes figuré par ce gynécée.

Il y eut un nouveau hurlement, ultime expression, sans doute, du désespoir et de l'horreur.

— Et maintenant qu'en dites-vous ?

— C'est quelque loudier (1) qui en appelle un autre.

Les paupières bistrées s'étaient plissées sur des prunelles dont l'azur venait de s'enténébrer. Le corps tiède et frémissant avait tressauté, comme cinglé d'un coup de verge.

— Ah ! bon... dit Tristan.

Il allait devoir ruser. Cette obscure prescience d'un malheur imminent, il l'avait éprouvée, déjà. Juste avant qu'il ne reçût, à Poitiers, ce terrifiant vireton dans l'épaule. « *Tiercelet t'a fourni le meilleur des conseils. Succomber maintenant aux charmes de cette gouge, c'est tout simplement périr de male mort. C'est en la repoussant que tu te sauvegardes : elle n'a jamais reçu en ce petit bordeau, un gars de ton espèce. Résiste : elle te gardera jusqu'à demain ou après-demain. Elle te veut ; fais-toi désirer !* » Il essaya de se délivrer d'une étreinte furibonde.

— Sais-tu ce que Cléopâtre faisait aux hommes ? Viens : je te le ferai. J'ai malefaim de toi !

Il enrageait. Plutôt que d'épointer l'ardeur de Perrette, son immobilité, sa sérénité, son silence l'ébiselaient. Soudain, en gémissant, elle le tira si fort qu'elle chut sur ses coussins, l'entraînant auprès d'elle. Avec une énergie dont il fut ébaubi, elle le ceintura et le renversa sous elle.

— Je t'en supplie : accorde-moi cette riole (2) !

(1) Paysan.

(2) Partie de plaisir.

Tout en la repoussant doucement, fermement, il murmura :

— Quand on a pareil appétit, dame, on ne va pas s'énamourer d'un gars de mon espèce !... Pendant dix semaines, j'ai mangé une fois par jour, et si piteusement que je tiens à peine sur mes jambes... Je vous décevrais, j'en suis sûr, alors que si j'avais conservé ma vigueur, je vous aurais contentée... Mais vous devez avoir en votre mesnie (1) maints hommes qui voudraient...

Il ne put achever : elle s'était redressée, poings aux hanches, impudique et par là même moins désirable que lorsqu'elle gisait sur ses coussins en des poses alanguies :

— Ma mesnie !... Mes serviteurs et mes hommes d'armes, comme Messaline ! Pour qui me prends-tu ?... Je ne me donne qu'aux prud'hommes ! Je suis comme la cantatrice de Rome qui répondait aux huées de ceux qui voulaient un chant et n'en recevaient aucun : *« Equibus cano ! »* Sais-tu ce que cela signifie ?

— Je ne chante que pour des chevaliers.

Elle domina sa surprise et d'une voix basse, souffle et murmure mêlés :

— Je n'ai pas su te conjouir (2), je t'en fais l'aveu... Sans doute parce que tu es le plus beau chevalier que j'aie vu... Chevauche-moi !

Brutalement, d'un envol de mains, elle détruisit sa couronne de cheveux si bellement apprêtée, jetant au loin sa bandelette d'orfroi.

— Si tu savais combien je t'aime, tu me plaindrais plutôt que de me mépriser !

Secouant la crinière épandue dans son dos, et dont un écheveau roula sur son épaule, elle s'exprimait d'un ton de supplication au-delà duquel Tristan perçut des grondements d'orage. Il voyait de très près l'ove de son visage, et les petites rides qui y affleuraient, placées là tout à la fois par l'âge et les excès. Quant aux yeux, la blancheur de leurs globes exorbités confirmait un accès de fureur dominé à grand-peine. Si elle lui avait dit ce mot qu'elle ne prononçait pas : *« Pourquoi ? »* il lui eût répondu qu'entre ces quatre murs à semblance de lupanar princier, il se sentait davantage une proie qu'un homme, et que, plutôt que de la libérer, elle avait par ses gestes et postures dompté la bête d'amour qui sommeillait en lui ; qu'un mâle aime à se croire vainqueur des prologues aux joutes amoureuses, et qu'elle n'avait jamais cessé de le traiter en vaincu.

— Es-tu encore puceau ? Es-tu un clerc ?

---

(1) Maison, ensemble de ceux qui la composent.
(2) Conjouir : accueillir.

— Vous manquez, me semble-t-il, de soin et d'astuce pour vous offrir... Vous n'êtes pas ribaude, que je sache...

— Vous me mêlez aux ribaudes !

Elle n'avait retenu que ce mot et s'en était outrée au point, d'un geste rageur, d'en déchirer sa chemise. *Ribaudes !* Ces créatures échevelées aux seins flétris, aux rires gras comme la fange d'où l'on prétendait qu'elles sortaient et qui, pour quelques piécettes, ouvraient leurs cuisses. Perverse, déshonnête, mais riche et honorée, purifiée de ses péchés dans sa piscine aromatique, Perrette abominait ces dévergondées moins luxurieuses qu'elle, sans doute, indispensables aux infortunés de toute sorte, nécessaires aux soudoyers dans les guerres puisqu'elles leur fournissaient, dans leurs ardeurs affectées, des semblances d'amour.

« Moi-même, juste avant Poitiers... J'avais peur... Besoin qu'on m'aime ou qu'on le feigne puisque, face aux Goddons, je me ferais haïr. »

Il avait circulé entre les chariots des ribaudes jusqu'à ce qu'il en trouvât une à sa convenance. Il se remémorait parfois cette aventure avec autant d'émoi que lorsqu'il évoquait Aliénor. Elle procédait, outre un besoin de réconfort, de ce grand instinct d'union du mâle et de la femelle sans qu'elle en possédât l'inexorable aspect de chiennerie... Où se vendait-elle, à présent, cette jeune et brune bienfaitrice dont le visage rieur, précocement usé, hantait parfois sa mémoire ?

Il n'y avait aucune confusion dans ses pensées, mais l'une d'elles, détachée des autres et comme ceinte d'anxiété, lui prédisait un châtiment féroce.

Nue, cette fois, Perrette se jucha sur ses coussins et tendit un bras au gousset aussi sombre que son âme vers le dais de soie blanche qu'elle arracha pour s'en draper.

« La voilà pudibonde, maintenant ! »

— Tu es pire qu'un huron !... Jamais on ne m'a traitée ainsi !

— Dame... Jamais je n'avais demandé à venir céans.

Une voix flûtée — une voix de jouvencelle — sortit de quelque part :

— Je vous avais prévenue qu'il était différent. Il est resté serein devant votre beauté bien qu'il n'ait rien d'un eunuque !... Mais vous connaissez un bon moyen pour lui donner de la vigueur : la hart (1) durcit son homme autant que le désir... La corde au bout de laquelle Ancelin pendille, roide comme un Carme, m'incite à réclamer cette punition.

---

(1) Le gibet, la corde.

Tristan recula : ces femmes étaient folles !

— Dame, dit-il, faussement pleurnicheur, je suis las et vous l'ai dit... Demain... Oui : demain !... Faites-moi ramener dans ma geôle et faites m'y porter un plantureux repas... Demain, quand vous voudrez, je serai votre amant.

— Es-tu prêt à me le jurer ?

Une lueur brûlait le regard de Perrette. Elle cilla des paupières, joignit ses mains. Elle devait, agenouillée sur son prie-Dieu, avoir ce visage extatique.

— J'ai grand-faim de toi, moi, sais-tu ?... Si tu me déçois...

Elle passa lentement son index sur son cou.

— Jure !

Il acquiesça de la tête en se demandant s'il exprimait bien, le front bas, les lèvres tremblantes, la contrition la plus humble.

Il y eut un léger grincement dans son dos. Comme il pensait que les panneaux de la chambre s'ouvraient afin de lui permettre le passage, quelque chose tomba violemment sur sa tête.

Cette fois, le bourdonnement qu'il entendait ne devait rien à des doigts agiles tapotant une peau de bête. C'était son cerveau qui vibrait comme un tambourin !

* *
*

Une grosse main frottait son crâne. Il ouvrit les yeux et reconnut, penché sur lui, blême dans la pénombre, la face hilare de Tiercelet de Chambly.

— Ils m'ont donc ramené !

— Nu... Beau et odorant comme une grande dame !... Vos penailles sont là, mettez-les.

— Depuis quand suis-je de retour ?

— Guère longtemps... Pendant votre absence, j'ai eu loisir de lacérer vos draps... Ils étaient, par ma foi, bien malades et sales !... Encore heureux que les gars qui vous ont remonté vous aient jeté comme un sac de blé ou d'avoine ! S'ils s'étaient approchés du lit pour vous y déposer, c'en était fait de notre dessein... Bon sang, ils auraient pu changer ces toiles chaque mois !... Mais craignez rien : les tresses et les liens sont solides... Couvrez-vous sinon vous allez prendre un rhume... Manquerait plus qu'un éternuement révèle notre fuite !

Frissonnant et inquiet, Tristan se rhabilla. C'était vrai qu'il faisait froid et, semblait-il aussi, plus noir que de coutume. La cellule haut perchée puait toujours autant, mais il la trouvait plus sûre que la chambre d'où on l'avait extirpé. « Une folle ! » songea-t-il. « Des folles ! » Les traits avenants puis sauvages de sa geôlière s'animèrent dans sa mémoire. Si son crâne douloureux, ses joues rases et ses cheveux courts ne lui avaient prouvé l'authenticité de son aventure, il eût pensé sortir d'un de ces rêves voluptueux en diable que parfois, ivre de chasteté, il composait sciemment ou non, à Fontevrault.

— J'ai bien cru qu'ils allaient vous occire ! Que vous voulaient-ils ?

— La dame de qualité voulait que je l'enfourche.

— Et, suivant mon conseil, vous avez résisté !

— Certes... J'ai eu peur, si tu veux tout savoir. J'ai *toujours* peur.

Tristan se sentit déprécié par un regard qu'il distinguait à peine.

— Que pensez-vous que j'aie encore fait en votre absence ? J'ai descellé les pierres des latrines. Besogne aisée pour un homme de mon espèce.

— Ensuite ?

— Nous allons, en attendant la nuit, nous asseoir sur ce lit afin que si quelqu'un vient voir ce que nous faisons par le guichet, il ne découvre rien qui l'engage à crier : *« A l'arme ! »* Dès que possible, nous approcherons le lit du passage et assujettirons la corde à la plus sûre traverse du châssis. Notre poids serrera le tout contre l'embrasure. Croyez-moi : rien de bougera.

Une lueur de moquerie scintillait dans l'œil de Tiercelet. Tristan demanda :

— Ensuite ?

La lueur s'éteignit et revint. Tiercelet eut un rire silencieux et se tapota les cuisses.

— Ensuite, nous descendrons aisément et tomberons de cet endroit moins promptement qu'un étron... Je vous en préviens tout de même, car truand, j'ai parfois mes moments de civilité : il doit manquer une toise et demie (1) de corde à mon ouvrage. Gare à la chute... Ne laissez pas dépasser votre langue de vos dents : vous la couperiez.

— J'y veillerai.

— Je vous devine pensif... Qu'allez-vous me dire ?

La question semblait pleine d'une agressivité contenue. Tristan soupira. Ce nouveau et brusque compérage lui avait enseigné déjà bien des choses — beaucoup plus qu'il n'eût souhaité d'en savoir. Allait-il devoir aussi prendre des leçons d'humilité ?

(1) Environ 3 mètres.

— Je n'ai rien qui puisse te courroucer à te dire. Je voudrais qu'il y ait une forêt toute proche afin de nous y engloutir et de pouvoir, ainsi, déjouer le pourchas que sans doute dame Perrette commandera contre nous.

— Bah !... On verra. Vous descendrez le premier.

Tristan chaussait une de ses heuses. Il releva la tête, inquiet :

— Pourquoi pas toi ?

Le silence devint complet, à croire que Tiercelet retenait son souffle. Tristan fut comme intimement averti que sa question le perdait dans l'esprit de Tiercelet parce qu'elle révélait une infériorité flagrante, susceptible de troubler l'ordre de leurs relations en détruisant irrémédiablement un respect déjà fort amoindri.

— Vous devriez comprendre que c'est un honneur que je vous fais. Passant le premier, je pourrais déguerpir tout seul, car selon votre état et votre caractère, vous allez m'être un fardeau... Mais tant pis : j'ai décidé de vous sauver, je le ferai... Et puis, je n'ai jamais fréquenté de prud'homme ; je veux savoir s'ils sont aussi valeureux qu'on le dit !

— Je crains de te décevoir encore, murmura Tristan, sincère.

* *
*

Ils attendirent que la nuit fût intense. Assis ou debout, côte à côte, ils tressaillaient au moindre bruit et priaient — différemment sans doute — pour qu'aucun évènement fortuit ne vînt détruire leur dessein et mettre leurs personnes en péril. Dans l'obscurité de plus en plus opaque, Tristan ne faisait qu'apercevoir son compagnon.

« Un bœuf… Non : un taureau. Il me déteste… Ce fumeux (1) n'admet ni mes façons ni mon estoc (2). La confiance que je lui ai accordée l'exaspère. Il doit y avoir pourtant du bon chez ce manant ! »

Il n'avait jamais confabulé avec des gens de cette espèce. C'était pourtant chez eux qu'on trouvait les meilleurs hommes d'armes.

— Vous ne dites rien.

— Je n'ai rien à te dire. J'attends.

— Mais vous avez vos nerfs… comme une donzelle.

Tristan se rebiffa :

— Je ne te permets pas…

---

(1) Violent.
(2) Race, noblesse.

Les mains de Tiercelet s'élevèrent, blêmes, dans les ténèbres, et ses yeux jetèrent une brève lueur.

— Faut pas monter pour ça sur votre grand cheval !

Fallait-il poursuivre cet échange d'une acerbité aussi vaine que désagréable ? Non, certes. Mieux valait laisser le mailleur dans ses pensées.

« Sur quoi médite-t-il ?... Le pain, le vin... Quoi d'autre ?... Faisons la paix. »

— C'est vrai, Tiercelet : j'ai mes nerfs... Disant cela, je m'efforce à rire, mais je sais que tu n'es pas dupe... J'ai trop souffert dans cette prison. Mon corps et mon esprit s'y sont pareillement desséchés.

Tristan se sentait sur le seuil d'une convalescence à laquelle il ne croirait vraiment que loin, bien loin des atteintes de *la* Darnichot.

Il avait été enchanté de se découvrir un allié inattendu. Il lui semblait désormais dépendre d'un maître taciturne qui, le moment venu, saurait se montrer intraitable.

— M'en veuillez pas si je vous préviens qu'il faudra m'obéir. Vous avez appris, en ces murs, que la vie n'est pas qu'un chemin de roses, de myrtes et de je ne sais quoi encore. Vous vous êtes endurci l'âme, et c'est bien.

— Puisque tu le dis...

— Vous êtes marié ?

— Non.

— Fiancé ?

— Non.

— Bon... Vaut mieux avoir le cœur vide et la tête pleine.

Plutôt que de se trouver rejeté dans les visions mornes et inutiles qui l'opprimaient depuis Poitiers, Tristan se sentit poussé vers des personnes et des lieux invisibles, agréables à connaître, et qui semblaient depuis longtemps attendre sa venue.

— N'aie crainte, Tiercelet, concéda-t-il à mi-voix. Je t'obéirai quoi qu'il puisse m'en coûter.

Cet aveu l'apaisa. Il ne dit plus un mot.

II

Haletant et courant, les jambes écorchées aux griffes des roncières, Tristan pleurait de joie et de soulagement. *« Libre ! Libre ! »* chuchotait le vent nocturne à ses oreilles. Allons, c'en était fait de l'angoisse et des suffocations pénibles de l'évasion !

Tout s'était accompli selon les dispositions de Tiercelet. En descellant les moellons des latrines, le malandrin avait dégagé un passage d'un franchissement aisé. Pas un seul gros craquement de bois, côté lit ; aucun éboulement de pierre ou de mortier, côté muraille. La « corde » avait tenu bon ; les sauts s'étaient achevés au mieux. Pour ajouter à leur satisfaction, la nuit, chargée de nuages lourds, engourdis devant la lune, paraissait aussi sombre que le cul d'une vieille marmite.

Ils avaient couru jusqu'à des buissons drus dont la haie toute proche enfermait un champ où l'on joutait peut-être. Là, par quelques claques joyeuses, ils s'étaient congratulés avant que Tiercelet ne tendît un bras : *« Voyez : votre forêt nous attend !... Pas besoin de faire valoir le droit d'asile ! »* Et d'y courir.

C'était une cathédrale d'arbres aux piliers colossaux soutenant une voûte aux nervures souvent inapparentes, jusqu'au moment où la lune enfin dégagée, comme neuve, les avait dorées de ses feux.

— Messire, un peu de nerf, je vous prie !

Il fallait avancer en titubant vers le chœur de cette nef immense ; fuir sans se retourner en se disant que Perrette avait dû lâcher ses sicaires et ses chiens, car cette cagne défendait une réputation à laquelle, malgré ce qu'il avait enduré, Tristan se souciait peu de porter menace.

— Hé, messire, qu'est-ce qu'il vous prend ?

— Je ris, Tiercelet, en souvenir du copieux repas qu'elle m'a fait porter peu avant notre fuite. Je lui avais dit qu'une grosse mangeaille me donnerait vigueur, ardeur... endurance !... Tu as bien fait de me déconseiller d'y toucher : quelque poison peut-être en rehaussait le goût.

Le puissant fantôme de Tiercelet sinuait entre les troncs givrés de clartés grisâtres avec une agilité que Tristan lui envia. Gibier de potence, cet homme pouvait, sous l'effet d'une menace, courir et se mucher (1) comme un sanglier dont il semblait détenir la rudesse. De la main, du coude ou de l'épaule, il savait éloigner toute branche ou ramille gênante et prenait le temps de la retenir :

— Allez, messire !... Je vous fraye le passage.

Ils ignoraient où ils allaient et ce qu'ils trouveraient au-delà des arbres. De loin en loin, une clarté révélait les contours d'un petit étang ou le sillon d'un ruisseau. Une fois, Tiercelet s'agenouilla, emplit d'eau ses mains réunies en coupe et y enfouit son visage.

— Je m'endormais, dit-il. Faites-en autant.

Tristan l'imita, étonné de l'ascendant que ce malandrin ne cessait d'exercer sur lui, et se promettant de revenir aux préséances dès qu'il aurait recouvré son énergie — si par malheur ils devaient demeurer quelques journées ensemble. Il respirait à grands traits l'odeur des feuilles jeunes, juteuses de sève nouvelle, parfois si basses qu'elles touchaient son front ainsi que des doigts humides. La nuit lourde appuyait sur ces ramées printanières comme pour en exprimer les essences simples, revigorantes, à l'inverse de toutes celles dont une dame voluptueuse usait immodérément. Ah ! comme c'était bon, après le remugle d'une geôle, cette exaltante senteur à laquelle se mêlaient, quand la forêt devenait touffue, celle des herbes mouillées, des buissons épais et, parfois, celle d'une mare endormie, argentée d'un trait de lune.

S'il avait été seul, il se serait roulé sur le sol afin de mieux s'imprégner du parfum de toutes ces plantes pour qu'elles pussent lui insuffler, en même temps que leur arôme, cette grande force qui paraissait les rendre immortelles.

— Jamais, Tiercelet, je n'ai tant apprécié les arbres.

L'envie de se confier le lancinait, maintenant que le danger paraissait improbable. Tant de jours, tant de nuits à se parler à soi-même ! A hurler ou murmurer, à gémir, frissonner pareillement à un malade dont les tourments s'en vont, reviennent et s'enveniment.

---

(1) Se cacher.

— J'ai appris entre ces quatre murs la mélancolie et la désespérance.

Quelle sornette avait-il proférée ! Tiercelet en riait sans nulle malveillance.

— On peut les apprendre dans ce qu'on appelle la liberté !

Quel dommage que cet homme-là fût tombé de l'oisiveté contrainte au désespoir, du désespoir à la rébellion, de celle-ci à la vengeance et de cette vengeance à l'abomination !

Le malandrin s'arrêta pour sonder les crêpelures noires, puis repartit :

— Venez !... Voyez : cela paraît plus clair là-bas.

Sous les cris d'une hulotte dérangée dans son guet, et qui s'enfuyait d'un vol velouté, ils s'empêtrèrent dans des fougères dont aucun passage n'avait encore troublé la masse crépitante ; puis ils foulèrent, incrusté de rosée, le pelage gris d'une clairière. Sitôt sur l'autre bord, Tiercelet avisa le tronc d'un arbre abattu.

— Asseyons-nous, dit-il sans amenuiser sa voix. Voilà bien une lieue que nous avançons... Ça n'y paraissait pas pour vous, mais nous venons de descendre une motte. Il se peut que nous approchions d'une cité, d'un hameau. Bientôt, l'aube crèvera... Cette clarté, pour nous, aura du bon et du mauvais.

— La peur m'a quitté, mais ne crois-tu pas qu'il est prudent d'avancer ?

— Pas encore : il vous faut reprendre quelques forces. Vous ne cessiez d'arateler (1) et de trébucher. Amoindri comme vous l'êtes, c'est miracle que vous m'ayez suivi sans broncher.

— Ta louange me touche !

Ils étaient à l'aise ainsi, côte à côte sur ce torse d'arbre dont les membres rompus jonchaient l'herbe — une herbe haute dans laquelle Tristan fut tenté de se coucher tellement cet arrêt imprévu aggravait sa lassitude. Il renonça, non par crainte d'être moqué, mais parce qu'il se fût endormi aussitôt.

— Où irez-vous, messire, quand nous nous quitterons ? Une douce et belle pucelle vous attend-elle quelque part ?... Non !... Si vous cherchez les grandes amours, prenez garde : elles n'existent que dans les livres, et la plupart s'achèvent douloureusement.

— J'irai sans doute à Paris, dit Tristan pour changer le cours de l'entretien.

— Je connais. Pour tout vous dire, j'ai parfois servi de chevaucheur à Etienne Marcel.

— Tu portais de ses lettres à Charles de Navarre.

---

(1) Haleter.

— Cela m'est advenu.

— Deux monstres que ces hommes !... Avides de pouvoir, profitant que le dauphin était sans expérience et payait, en diffamation, les sottises de son père !

Tristan heurta du pied une branche et s'en saisit. Une rage le hantait, tout à coup. Tiercelet, qui la devinait, s'en fût-il moqué qu'il lui eût assené ce bois sur la tête.

— Ne vous mettez pas dans de pareils états. Nous ne sommes ni vous ni moi des gens importants du royaume. On peut paroler un peu : ça nous aide à nous reposer... Je vous accorde que Marcel s'est hissé tout en haut du pouvoir grâce à son commerce et grâce aux femmes (1)...

— Et qu'il se maintint au pouvoir grâce aux meurtres !

— Les rois en commettent avec l'approbation divine ; mais quand un bourgeois se réclame de la toute simple justice et veut la voir régner dans sa bonne ville, il devient exécrable à tous les profiteurs !

— Cesse de me prendre pour un marmouset ! Le premier sang versé l'a été par Marcel. C'est lui qui arma le bras de Perrin Marc, qui tua Jean Baillet, le trésorier du dauphin (2) !

Tiercelet émit cette fois un rire désobligeant :

— Je sais, je sais : violant le droit d'asile, Robert de Clermont, le maréchal de Normandie, entra dans l'église Saint-Merri où Perrin Marc s'était réfugié... On lui coupa la main et le pendit... Et le même jour, on put voir à Paris deux processions : l'une, où j'étais, suivant le corps de Perrin qu'on portait en terre ; l'autre avec le Dauphin qui suivait Jean Baillet...

— Et quelques jours plus tard, le 22 février — je m'en souviens bien, Tiercelet, car c'est mon jour anniversaire —, Marcel faisait occire Regnault d'Acy, puis le maréchal de Clermont et Jean de

(1) Il avait épousé en premières noces Jeanne de Dammartin, morte sans enfant après 1344. Il se remaria presque aussitôt avec Marguerite des Essarts dont il eut quatre fils et deux filles. Les noms des garçons sont inconnus ; les deux filles étaient Béatrix, anoblie en 1372, et Marie. Ces deux femmes étaient riches ; la famille de Dammartin, dont, selon Siméon Luce, *le crédit égalait l'opulence*, lui offrit en dot plus de huit cent cinquante livres, somme élevée pour l'époque. Les Dammartin possédaient des biens non seulement à Paris, mais encore à Ferrières-en-Brie, Ablon, Villeneuve-le-Roi, Thiais et Choisy. Marguerite des Essarts était aussi très fortunée. Et comme il fallait à Etienne Marcel toujours de l'argent, il n'hésita pas à prendre celui qui se trouvait au Trésor de Notre-Dame de Paris, et que lui offrirent Guillaume Marcel et Nicolas le Flamand. Cette somme provenait de la succession de deux anciens évêques de Paris, Guillaume et Foulque de Chanac ; elle y avait été mise en dépôt par un chanoine, Robert de Chanac, neveu et exécuteur testamentaire des deux prélats défunts.
Etienne Marcel fut un personnage avide, exécrable, retors et cruel. Sa violence est mentionnée sur les registres capitulaires, et sa prise de pouvoir désignée comme un ouragan de tyrannie : *tempesta tyrannie*.

(2) Le 14 janvier 1358.

Conflans, maréchal de Champagne ! Leur sang éclaboussa la robe du dauphin ! Belle ouvrage, en vérité (1) ! Tu devais être dans la cohue quand ils tombèrent, et peut-être est-ce toi qui leur porta des coups !

— Nenni, messire... J'étais absent : à la pêche en Seine, non loin de la grande forêt de Vitry !

A cette précision lestée d'un long soupir, Tristan ne découvrit aucune repartie, mais sa colère persistait :

— Que veux-tu que je te dise, sinon que je me réjouirai de la mort du Mauvais comme je me suis réjoui de celle de messire Etienne.

— Je vous accorde que Charles de Navarre est un démon. Tant qu'il fut l'allié des Jacques, j'ai joui auprès de lui d'une sorte d'estime : en servant Marcel, je servais ses ambitions... Quand il sentit que tout craquait autour de lui, le prévôt m'envoya chez les Flamands... Il voulait leur secours. Ils le lui refusèrent.

— Le dépit l'a frappé ainsi que ses partisans.

— Le dépit ? Non, je vous le dis tout nûment : la chiasse. Le vent tournait. Il prit une odeur de merde. Mon échec provoqua çà et là la cacade... Deux hommes, surtout, en souffrirent. Je les ai vus verts de peur !... Eh bien, ces deux couards, les événements et la rumeur en ont fait les champions de la royauté. Ils avaient trahi le roi pour Marcel, ils ont trahi Marcel pour le roi. Et c'est d'autant plus laid qu'ils étaient de sa famille... Jean Maillart et Pépin des Essarts étaient des nôtres. Ils ont occis Marcel pour conserver leur vie (2).

— Je hais tous ces démons auxquels tu appartins.

— Qui transforme un gars en démon ? Une fille en ribaude ? L'iniquité, l'infortune, l'adversité terrible, invaincue ; le fardeau du dédain ou d'une haine injuste... le simple désir de manger à sa faim.

— J'en conviens. Tu me parles d'infortune et d'infortunés. Etait-ce le cas pour Marcel ? Il n'a jamais connu ni l'adversité ni la malefaim. Il a voulu régner sur Paris de par les Anglais. Il s'est accointé

---

(1) Pendant cette période de troubles, Regnault d'Acy, avocat du roi, et plusieurs conseillers et seigneurs s'entretinrent avec Jean II, captif des Anglais. Ils revinrent d'Angleterre avec un projet de traité de paix dont le dauphin et ses fidèles prirent connaissance. Cela eut le don d'exaspérer Charles le Mauvais dont l'intérêt était, par la guerre, l'affaiblissement des Valois. Il manipula sans peine l'évêque de Laon, Robert le Coq et Etienne Marcel qui, dans la matinée du 22, rassemblèrent trois mille émeutiers, trouvèrent Régnault d'Acy et l'égorgèrent dans la pâtisserie où il s'était réfugié. Ils se ruèrent ensuite sur le palais royal où les deux hommes qui voulaient protéger le dauphin, Robert de Clermont et Jean de Conflans, furent abattus.
Le roi Charles de Navarre avait été incarcéré, par ordre du dauphin, dans la forteresse d'Arleux (Nord, arrondissement de Douai) d'où il avait été délivré par Jean de Picquigny, le mercredi 8 novembre 1357. Il entra dans Paris le 29 novembre et harangua la foule le lendemain, à Saint-Germain-des-Prés.
(2) Lire l'annexe VI : *La vérité sur Jean Maillart et Pépin des Essarts.*

à ce grand fumeux de Navarre et aux Flamands. Il voulait à la fois le pouvoir et l'argent.

— Hélas !... Quand il se considéra comme le roi de France, je m'en suis détaché. Quelle fierté pour cet homme de ciseaux et d'aiguille de ceindre une épée... Il honnissait cette Cour qui l'avait enrichi. Je l'ai vu entrer au palais royal aussi aisément qu'en sa maison de la rue de la Vieille-Draperie. Quant à Navarre, il avait — faut en convenir — et il a toujours des droits de règne sur la France. Quoique le détestant, je le trouve plus près du trône que ces Valois qui nous dominent parce qu'une vieille loi déterrée je ne sais où et quand a écarté Jeanne de Navarre (1). Charles est son fils, bordeau de Dieu !

La vaste bouche de Tiercelet expulsa un crachat. Tristan sourit, trouvant plaisante la fureur de son compagnon.

— Charles, dit-il, est un muisteur (2) d'une outrecuidance incurable. Certains prétendent qu'il a même, un temps, corrompu le dauphin, lequel s'est heureusement repris. Mais laissons cela... Lors de la Jacquerie, vous avez voulu occire tous les riches : nobles et bourgeois. Vous eussiez créé d'abord une bourgeoisie de truands, puis, comme il fallait des chefs, une noblesse affreuse !

Tiercelet cracha plus fort, puis grommela, non sans regret :

— L'entente est impossible entre nous... mais nous avons, commune et chevillée aux tripes, l'envie de redevenir ce que nous étions avant que nous ayons fait connaissance. Dites-vous que vos peines sont loin d'être achevées et que vêtus comme nous le sommes, affaibli comme vous l'êtes et abîmé comme je le suis, nous ne pouvons inspirer que la méfiance ou la male peur. Par bonheur, j'en suis certain, sur les chemins de par ici, nous trouverons davantage de malandrins que de chevaliers... Les routiers règnent en maîtres !

— Que l'enfer les accueille et les fasse rôtir !

Tristan n'ajouta rien. Il savait trop comment, semé par les Goddons, le malheur s'était répandu dans le royaume : fortuné à la guerre, infortuné dans ses finances, Edouard III s'était vu contraint de licencier les troupes de toutes provenances qui avaient formé ses compagnies. Comme leur retour dans la Grande Ile eût été préjudiciable à la sécurité de son peuple, il les avait laissées en France.

---

(1) Jeanne de France, reine de Navarre (1311-8 octobre 1349) était fille de Louis de Navarre (futur Louis X le Hutin) et de Marguerite de Bourgogne, et présumée bâtarde à la suite du scandale de la Tour de Nesle. Ecartée de la succession au trône en vertu de la loi salique exigeant des héritiers mâles, elle avait hérité de la Navarre. Mariée à Philippe, comte d'Evreux, elle avait pour fils Charles, roi de Navarre, Philippe et Louis, instigateurs, entre autres forfaits, de l'assassinat de Charles d'Espagne.

((2) Homme d'un tempérament froid.

Elles s'y étaient répandues, et ceux qui avaient à charge le gouvernement d'un pays affaibli par les défaites accumulées depuis plus de vingt ans, s'étaient montrés incapables d'exercer la moindre représaille aux méfaits de ces malfaisants. Pendant que les Etats Généraux chicanaient le dauphin sur le nombre de soudoyers à entretenir et la quotité des soldes à leur verser, capitaines et piétons, ulcérés du mépris qui les entourait, s'étaient concertés, soit pour aller grossir, en Normandie surtout, les compagnies du roi de Navarre, soit pour offrir leurs offices à un riche seigneur friand d'excès et de rapines. Et si l'on repoussait leurs offres d'alliance, eh bien, ils élisaient un chef et formaient une route.

— Cesse de me parler de tous ces mécréants !

— Ils sont chrétiens... Aymery et Garcie du Châtel ont des éperons d'or et vont à la messe. Pierre de Montaut, des sires de Mussidan, aussi.

— Arnaud de Cervole ?

— C'est un laïc pas très porté sur la Croix. Mais levons-nous : il est temps de repartir.

A nouveau Tristan suivit Tiercelet. Il tremblait de fatigue et de froid. La faim commençait à lui brûler l'estomac. Dans sa geôle, privé du moindre effort, il s'était suffisamment sustenté pour demeurer solide et lucide. Les événements de la journée, particulièrement sa course sur les talons de Tiercelet, puis leur longue errance parmi les arbres où l'aurore lançait ses fournaises glacées, le marquaient maintenant : il se mouillait de sueurs abondantes et désagréables, déglutissait sa salive comme il l'eût fait de lambeaux de charpie et redoutait de trébucher et de tomber sans pouvoir se relever.

Il n'avait jamais traversé de forêt aussi vaste, aussi lourde de mystère et de vigueur diffuse, tout comme ce Tiercelet dont, sans cesser de le détester, il appréciait la débonnaireté, la fermeté, la confiance, tandis que devant lui, pour faciliter son avance, le malandrin poussait les baliveaux et les rameaux enchevêtrés comme il eût poussé des portes.

— Nous allons bien au sud, messire Tristan.

— Epargne-moi tes courtoisies !

— Cette lueur plus vive qu'ailleurs, c'est le Levant. Donc le Ponant est là, en face... Voyez là-bas : les arbres y sont clairsemés... Venez !

Le tapis de feuilles flétries bruissait sous leurs semelles, et c'était aux oreilles de Tristan un bercement dont il se fût passé. Parler ! Il devait parler pour oublier sa faiblesse, mais Tiercelet, apparemment, n'en éprouvait plus l'envie.

Alors que le soleil lentement apparu tiédissait leur visage et leurs guenilles, ils atteignirent l'orée broussailleuse d'où ils pouvaient voir des champs, des friches et de douces collines. Adossé au tronc d'un chêne — le dernier —, Tiercelet désigna quelques maisons blotties au creux d'une haute enceinte :

— Je connais le nom de cette cité.

— Quel est-il ?

— Cravant... Oui, oui : c'est Cravant... Nous sommes bien allés vers le sud et vers Lyon.

— Peut-être vaut-il mieux nous séparer.

Tristan fit un pas en avant ; Tiercelet lui interdit le passage :

— Tenez-vous vraiment à entrer dans ce bourg ?

— J'en ai envie.

— Avez-vous l'intention d'y manger ?... Vous n'avez pas un denier. Souhaitez-vous aussi vous y vêtir ?... Montrez-moi vos écus, que ma vue s'en repaisse... Oh ! j'en conviens : malgré la geôle et l'évasion qui vous ont exténué, vous avez l'air avenant. Mais la bonne mine, en ces temps de malheur, ne saurait abuser qui que ce soit... Vous pouvez déclarer : *« Je suis un chevalier ! »* Qui voudra bien le croire en l'état où vous êtes ?

Tristan recula :

— Quel falourdeur (1) je suis !... Va selon ton gré. Tu es plus apte que moi à décider pour nous deux.

Un sourire dont le tremblement voilait mal l'amertume apparut sur cette face de manant marquée par les épreuves plus encore que par les coups qui l'avait rendue brèche-dent.

— Nous n'irons plus bien loin sans chevaux ni vêtements... Voyez ces charrettes sur le chemin d'en bas. D'ordinaire, on n'en voit pas tant au lever du soleil. Adonques, c'est jour de marché ou de foire à Cravant.

Tristan comprit :

— Jamais !... Jamais je ne roberai...

— Vous conserverez vos mains propres... Vous allez vous catir là, dans ce fourré, près de ce sentier, messire l'incorruptible. Et vous m'y attendrez.

— Non.

— Dites-vous que si l'on vous prend, il vous faudra justifier qui vous êtes... Dans ces haillons, nul ne croira vos dires, et la seule chose neuve qui pourrait ceindre votre cou ne serait pas un colletin d'acier, de mailles ou de velours, mais une corde aussi épaisse que mon pouce. Je me soucie peu que vous approuviez ma conduite,

---

(1) Présomptueux.

mais vous adjure d'en profiter... en supposant que je réussisse mon appertise (1).

Une moquerie encore !

— Et si tu te fais prendre ?

Tristan n'acheva pas, se prenant lui-même en dérision.

— On m'a pris, *messire,* une fois. Sachez louer la divine providence, et dites-vous qu'on ne me reprendra pas.

Tristan se sentit fermement poussé vers le buisson que Tiercelet lui avait désigné.

— Allongez-vous là-dessous de façon que nul ne vous voie. Tâchez de vous revigorer... Pour ce jour d'hui, je demeure votre dévoué serviteur.

Tristan s'allongea, vaincu et rechigné. Il entendit décroître sur les cailloux du chemin les pas lourds de son compagnon. Une épine le piqua à la hanche.

— Je ne dormirai pas, manant ! décida-t-il. Et je réfuterai tous tes commandements !

Assemblée en un vigoureux baldaquin, la ramée, au-dessus de lui, remuait à peine. Plus haut, le vent nettoyait le ciel des cendres d'une nuit fastidieuse. Les oiseaux commençaient leur grand charivari. Quel plaisir de les entendre après d'interminables semaines d'une paix profonde — et redoutable !

Des bruits presque imperceptibles attirèrent l'attention du gisant : branchettes qu'un mouvement de son coude avait fait se frotter l'une à l'autre, crissement des feuilles mortes froissées au passage d'un blaireau regagnant sa taissonnière ou d'un connil (2) fuyant vers sa garenne. Un silence. Puis le ronflement d'un gros souffle d'air expulsé du grand orgue de la forêt qui s'illuminait peu à peu et de lugubre redevenait plaisante.

« J'ai froid et suis trempé des cuisses aux orteils !... Que fait-il maintenant ? »

Tiercelet avait-il atteint la cité ? Avait-il provoqué l'attention sur sa personne ?

Un petit joyau d'un vert étincelant, métallique, à reflets d'or, passa tout près d'une bouche amère qui souffla dessus sans l'effrayer. Un carabe. A trop observer la bestiole, Tristan s'aperçut que ses yeux le piquaient.

— Je n'aurais pas dû m'allonger. Ainsi, bon sang, le sommeil me gagne !

---

(1) Prouesse, exploit.
(2) Lapin

Il refusait de se laisser emporter vers des langueurs inadmissibles en l'occurence, et des pays et des êtres parmi lesquels des ennemis l'attendaient, l'arme au poing ou la médisance à la bouche.

« La Darnichot punira-t-elle les chiens et les veneurs qu'elle a certainement lancés à notre ressuite ? »

Jamais plus on ne le ferait prisonnier ! Il reviendrait à Castelreng. Sans nuire ni à son père ni à Aliénor, il réintégrerait sa demeure. Il saurait recouvrer sa place au coin de l'âtre. Il se délecterait d'une soupe aux fèves et au pain trempé... Félicité. Liberté... Une jouvencelle de *là-bas* peut-être...

Chaque jour davantage, son pays lui manquait.

Où en était maintenant Tiercelet ?... Qu'avait-il imaginé ?

« Quoi qu'il fasse... *s'en tidado pas la caoussa nettas* (1) ! »

Une fois encore, il s'interdit de s'impatienter. Il avait chaud maintenant : les flèches du soleil le pénétraient avec force. Une monchalance l'envahissait, contre laquelle il n'avait point envie de se défendre.

Il respirait amplement, mais que ses paupières devenaient lourdes !

---

(1) Il ne s'en tirera pas les chausses nettes.

III

— Hâtez-vous !... Hâtez-vous !... Faut nous sauver !

L'apparition de Tiercelet interrompant un sommeil d'autant plus accablant qu'il lui avait résisté, arracha au dormeur un cri d'indignation. Il se sentit secoué, agriffé aux épaules par un homme méconnaissable, haletant, blême, échevelé, qui le dévisageait ardemment.

— Debout !... Debout !... Il y va de votre vie... Montez cette jument brune et suivez-moi !

Tristan vit une belle bête dont la crinière longue, soyeuse, lui remit en mémoire celle de Perrette Darnichot. Il prit les rênes et se jucha en selle. Tiercelet sauta sur un roncin pommelé qu'il montait à cru.

— Voyez !... Mais non ! Pas de ce côté ! Réveillez-vous !... Ah ! tout de même ...

— Je t'avais prévenu.

— S'ils nous rejoignent, eh bien, il nous faudra nous en défaire.

Surgis d'une des portes de Cravant, une dizaine de gens d'armes galopaient en direction de la forêt. Leurs cervelières barbutes, cuirasses et haubergeons étincelaient.

— Non ! cria Tristan. Je vais aller au-devant d'eux et leur dire...

Aussi bref qu'eût été son repos, il se sentait frais, vigoureux, capable.

« Capable de quoi ? » s'interrogea-t-il.

Dans l'état où il se trouvait, il ne pouvait exciper de sa condition de chevalier ni, surtout, faire référence au roi. Et même, à supposer qu'ils consentissent à l'écouter, ces hommes s'ébaudiraient de ses propos. Tiercelet, rageur, abandonna tous égards :

— Fais pas l'enfant !... Penses-tu vraiment qu'ils t'épargneront ? Ils te trancheront la tête d'un coup de lame ou te perceront d'un épieu avant que tu aies pu dire un mot !... Si tu tiens à la vie, au galop, mon compère ! Au galop !... C'est plus le moment de patrociner !

Tristan suivit le malandrin à toute bride. Tiercelet se retournait parfois, doublement furieux, sans doute : s'il lui incombait d'avoir provoqué cette exécrable poursuite, un grand niais perturbait sa fuite, et même en exagérait les dangers.

— Va !... Va !... Ne te soucie pas de moi !... Tu avais raison une fois encore !

Serrant fort des genoux les flancs de sa jument, Tristan se félicita qu'elle allât bon train et sût choisir avant lui les brèches parmi les arbres et les trouées dans les fourrés. Cependant, s'il était près de rejoindre son compagnon, l'intervalle entre celui-ci et la meute de fer restait le même. Les cris, les sifflets et les encouragements s'entrecroisaient comme à la chasse aux cerfs ou aux bêtes noires (1) :

— *Là ! Là !... Tran ! Tran ! Tran !*

— Confiance, Tiercelet !... Va ! Va !... Ils ne nous auront pas !

Une frénésie soudaine, sœur peut-être de celle qui il l'avait possédé à Poitiers, lors des ultimes soubresauts de la bataille, animait désormais Tristan. Ce n'était pas de la couardise qui le poussait en avant mais la volonté vibrante, élémentaire, de ne point rompre avec une liberté recouvrée non sans risques, et d'autant plus précieuse — enivrante. A ce désir furieux de gagner du terrain s'ajoutait la jubilation de décevoir les veneurs acharnés à son pourchas. Ah ! certes, en le reconnaissant pour guide, il se liait davantage à Tiercelet. Leurs attaches, tout d'abord lâches et légères, prenaient de l'étroitesse et de la fermeté. Il saurait bien les rompre, le temps venu.

— Ils se rapprochent !

— Pas tous !... Cinq seulement !

— Ils se séparent pour nous couper la voie je ne sais où !

— Talonnez votre jument !

Ils dévalèrent une pente, sautèrent dans le ruisseau qui sinuait en bas et montèrent à l'assaut du raidillon opposé. Tristan se retourna encore, fouillant d'un œil qui se mouillait l'enfoncement des arbres parmi lesquels, aussitôt effacés qu'entrevus, palpitaient des éclairs d'acier.

Un tronc d'ormeau encroué dans un autre se présenta. Tiercelet enleva son roncin et le franchit sans peine. Devant, dorée par le

(1) Les sangliers.

soleil, s'étendait une clairière ; et au-delà, parmi les arbres, se tenaient à l'aguet une armée de rochers.

— A toi, Tristan ! hurla le malandrin.

La jument renâcla puis partit vaillamment. A l'instant où il franchissait l'obstacle, Tristan sentit son pied dextre quitter l'étrier et son séant se désassembler de la selle. Il chut tandis que la jument se mettait au trot et s'immobilisait près du roncin de Tiercelet.

— Cours !... Cours sous les arbres ! En voilà un !

L'homme d'armes devançait un compagnon de cent toises ou davantage. S'était-il décoiffé au cours de la poursuite ? Il était tête nue, vêtu de mailles, et poignait dans sa dextre une épée de passot.

Tristan courut, rageant de se sentir si faible. Il trébucha et s'affala. L'homme aussitôt lança son cheval au galop.

Le fugitif, debout, vit un sourire pincé sous une moustache épaisse qui, de même qu'un gros trait d'encre noire, barrait une face bouffie de ruse et d'insolence.

— Je suis Tristan de...

Un coup mal ajusté souleva ses cheveux. Il s'entêta :

— Cesse donc !... Je te dirai...

A nouveau ce vent d'acier, ce cheval écumant, noir, immense ; et ce forcené qui, l'arme haute comme un sceptre, lui tournait autour en s'ébaudissant de son effroi !

Impossible de gagner le couvert des arbres. Tourner encore... Montrer son dos, c'était périr. Tiercelet avait raison. Ce malandrin connaissait les gens et les mœurs mieux qu'il ne les connaissait lui, Tristan !... Mourir ?... Il devait reculer ce moment par des feintes, des retraites, des astuces de huron, alors qu'en bonne santé, une arme à la main, il se fût défendu sans crainte et sans dommage. Bon sang ! Comment ne pas se reprocher son inadvertance ? Il n'avait pas songé à allonger les étrivières. Il fallait un si court laps de temps pour apprêter la selle à sa taille... Temps perdu en paroles vaines.

Il sentit son épaule s'ouvrir sous un taillant puissant mais malhabile, et vit l'homme d'armes chanceler sur sa selle, un long couteau de boucherie enfoncé dans un œil.

— Poussez-le et sautez sur son cheval ! hurla Tiercelet. Vous en faites pas : son compère craint pour sa vie, désormais !

Le second cavalier venait de s'immobiliser. Il embouchait un olifant.

« Tu peux souffler ! » se réjouit Tristan. « Tous ces chênes feuillus, à l'entour de nous, vont étouffer les appels de ta trompe ! »

Il rejoignit Tiercelet qui d'un saut passait de son roncin sur la jument noire.

— Ce couteau, tu ne l'avais pas cette nuit.

Tiercelet talonna sa nouvelle monture.

— C'est... enfantin, messire, de rober un couteau à l'étal d'une boucherie... Pour les chevaux, ce fut malaisé, je l'avoue... Le limonier, une fois dételé de sa charrette, je l'ai mené doucement hors de la cité par sa longe et mis à l'abri d'un boqueteau proche d'où vous dormiez... La jument ? Elle devait appartenir à un marchand... Elle était attachée à l'anneau de l'auberge... On m'a vu, dénoncé... mais on ne m'a pas pris !

— Pourquoi, demanda Tristan, têtu, as-tu voulu que je monte cette jument ? Tu pouvais me laisser le cheval de trait.

— Vous ne pouvez, dans le piètre état où la geôle et la putain vous ont mis, vous passer d'une selle... Vous avez d'ailleurs chu de la vôtre sans qu'on vous pousse !

Ils abandonnèrent le limonier. Tandis qu'ils traversaient la clairière, Tiercelet enragea :

— Pourquoi avez-vous essayé de paroler avec ce sergent ?

— Il se conduisait en honnête homme face à un malandrin : moi.

— Non : il se délectait de pouvoir vous occire.

— Tu m'as sauvé la vie deux fois encore : la selle et le couteau.

— Ce n'est peut-être pas fini, car votre niceté (1) ne cesse de vous porter grand tort... Venez : cette lueur, là-bas, c'est sûrement la Cure. Nous la traverserons aisément ; pas eux, qui sont couverts de fer.

Ils entrèrent dans la rivière à grand fracas. Tandis qu'ils la franchissaient droitement, Tristan se sentit enclin à admirer Tiercelet. « Non, tout de même ! » se reprocha-t-il en flattant l'encolure de l'étalon noir qui lui semblait moins terrible, maintenant qu'il le montait.

Dès qu'il eut posé ses sabots sur la rive opposée, le cheval, aisément, rejoignit la jument.

— Encore des arbres, dit Tiercelet. Ils nous protégeront.

C'étaient surtout des hêtres à l'écorce livide, lisse comme un parchemin, et des frênes bien droits dont on pouvait tirer des centaines de lances, d'arcs, d'épieux. Ils formaient en un lieu une sorte de galerie dans laquelle Tiercelet s'engagea tout en alentissant l'allure.

— Le sol est dur, tant mieux !... Ils perdront nos traces.

Les pas des chevaux produisaient un bruit sec, et toute l'épaisseur des feuillages neufs, vert tendre, résonna sous la chanson des fers. Les flèches du soleil qui, parfois, frappaient le dos du mailleur

---

(1) Niaiserie, simplicité.

de Chambly, révélaient des muscles et une ossature solides. Cette force, désormais, n'inquiétait plus Tristan.

— Il y a eu un mort, dit-il. Tu as jeté ce couteau comme un bateleur.

— C'était vous ou lui. J'avais fait mon choix. Vous n'êtes guère pourvu en entendement, mais je vous garde ma confiance... Vous êtes incapable de faillir à vos devoirs de chevalier... Tenez, si ça se trouve, vous priez pour le repos de l'âme de ce sergent alors qu'il l'avait aussi affreuse que sa tête !... Vous avez tout d'un preux, si vous voulez savoir !

Dans la bouche d'un damoiseau de Cour, qui l'eût sans doute prononcé avec plus de rondeur que de sincérité, ce compliment n'eût offert aucun intérêt ; dans celle de cet homme puissant et prompt en toute chose, Tristan lui trouva une particulière saveur.

Ils parlèrent peu, ensuite. Quand la forêt cessa de les envelopper, ils avancèrent d'un bon train, mais prudemment, contournant de loin les villages et les hurons occupés aux champs. Alors que la vesprée s'annonçait, Tristan, les yeux clignés pour tempérer les feux du soleil, désigna quelque chose de blanc sur une assez vaste éminence.

— Connais-tu cet endroit, Tiercelet ? Est-ce une ville ? Un bourg ?

— Plutôt un but de pèlerinage. Nous y coucherons après un bon souper. Avez-vous ouï-parler de Vézelay ?

Tristan ne sut que dire, ébahi par cette révélation chargée d'un mystère dont il se refusait à sonder l'épaisseur. Quel pouvoir maintenant décidait de sa vie ? Après avoir placé Tiercelet dans sa geôle afin qu'il en pût sortir, était-ce la divine Providence qui l'entraînait puissamment au pied, voire au sommet de cette colline dont le nom rayonnait sur tout le royaume, et au-delà ? Si la réponse était affirmative, il pouvait se demander : « Pourquoi ? » Il n'espérait plus rien après cette journée. Plutôt que d'augurer un événement plaisant, il redoutait une nouvelle déconvenue, la plus ennuyeuse étant qu'il perdît, d'une façon ou d'une autre, un compagnon tout à la fois utile et désagréable.

« J'ai encouru la malemort », songea-t-il. « Sans lui, le Bleu Paradis m'accueillait ! »

Il se mit à frotter son épaule.

— Avez-vous mal ? demanda Tiercelet.

— Non... La navrure est petite. Je peux tarder à la soigner.

— Ici, vous pourrez essayer de guérir votre âme des mauvaises actions que vous croyez avoir commises... Mais au fait : avez-vous prié d'abondance de cœur lors de votre réclusion ?

— Certes.

— Comptez désormais sur vous seul. Même si Vézelay vous impose Son Image, songez moins à Dieu, ce soir, qu'au repos et à la mangeaille. Votre estomac est plus important que votre âme... Je n'ai jamais vu une prière nourrir son homme.

La nuit grise encore poussait vers les maisons des gens frileusement penchés en avant, et tous, ainsi, semblaient se repentir d'on ne savait quel péché. Au pays fier, à la tendre et franche rudesse des forêts et des campagnes succédait, inattendue, cette humiliation de l'homme et de la femme, peut-être, simplement, parce qu'à force de vivre à proximité de ses temples, ils redoutaient l'omnipotence et le courroux du Créateur.

Les rênes molles en main, les naseaux de son moreau frottant son épaule intacte, Tristan ignorait la raison pour laquelle il avait quitté sa selle et s'était mis à gravir, d'un pas parfois chancelant, la pente ardue. Tiercelet le rejoignit. Il marchait fermement, lui ! Sa jument, soulagée d'un bon poids, hennit avec une satisfaction évidente.

— Il paraît qu'il faut peiner en ce lieu, que c'est la loi des pèlerins, la loi éternelle... On prétend même que cette fatigue des membres vous ôte la lassitude du cœur !

— D'où tiens-tu cela ?

— Un presbytérien... Je l'ai vu parfois soulever son froc de bure pour embrocher le tout-venant... Il s'enhardit un jour à bouteculer une abbesse !

— Voilà que tu recommences !... Tu prends plaisir à passer pour pervers !

— C'est à cause de cette pente. Ses vertus me paraissent, elles aussi, douteuses. Elle ne m'enlève pas la fatigue du cœur, elle accroît celle de mes membres et réveille ma faim qui s'était endormie... Je n'ai plus coutume de sauter plusieurs repas... Quand j'assemblais les mailles, oui ! Le cul sur mon escabelle, je conservais ma vigueur... Une pomme, un quignon de plus ou de moins, mon estomac et mon esprit s'y étaient faits... Désormais je ne veux rien à satiété mais tout à ma convenance !

— C'est bien !

Derechef Tiercelet donna libre cours à son petit rire moqueur :

— A ma convenance ! Ne pensez-vous pas que ça peut être pire ?

La stupéfaction immobilisa Tristan :

— Tu ne te plais que dans l'effronterie. Redeviens honnête : tu le peux !

— C'est marmouserie de me proposer cela ! La sagesse, l'intégrité n'ont pas cours au royaume des Valois !... S'ils veulent vivre, les loudiers (1) doivent être peu ou prou des malandrins comme ceux qui les gouvernent, à commencer par ce roi Jean, qu'on dit Bon, et tous ses satellites y compris sa famille. La vérité c'est que moins on possède en bas, plus on exige en haut... Et pourquoi ? A quoi sert ce trésor royal toujours grossi, et qui empunaise le sang et les larmes ? Aux fêtes et cérémonies ; à l'entretien d'une chevalerie et d'une armée de vaincus... Oh ! je suis loin d'être un niais : si nous comptons parmi nous des chevaliers et des clercs, ce n'est pas par amour de nous qu'ils nous ont rejoints, mais par malignité, goût de l'aventure, envie de trousser les femmes et de détrousser leurs époux !... Chaque jour voit venir de nouveaux compagnons. Nous pourrions maintenant vaincre l'ost royal !

— Cela reste à prouver !

Tristan s'encolérait ; Tiercelet, qui ne riait plus, grommela :

— Les maréchaux du roi ont la crédulité, la jactance et l'impatience ; nos capitaines ont la prudence, la patience et l'astuce... Quant aux presbytériens qui consolent nos mourants, ils se sentent toujours liés à Dieu... Sans doute se disent-ils que plus ils s'engluent dans le péché, plus le pardon divin leur sera éclatant !

C'était, pour Tristan, une façon trop simple d'envisager les choses. Il s'apprêtait à répliquer lorsque le miracle de pierre apparut à ses yeux.

Blancs, si blancs que leur vue l'éblouissait un peu, les sanctuaires dédiés à sainte Marie-Madeleine et à saint Pierre se dressaient comme deux immenses châsses d'ivoire sur le ciel blafard, envahi de nuages gras. C'était ici que saint Bernard avait prêché, en 1146, la deuxième Croisade ; c'était ici que Philippe-Auguste et Richard Cœur-de-Lion s'étaient rejoints au commencement de la troisième. Ces dalles qu'il touchait maintenant d'un pied las, Saint Louis les avait foulées en faisant tinter ses éperons d'or.

— Jamais, Tiercelet, je n'aurais pu penser que je viendrais en ce lieu !

Le silence qui ceignait les monuments s'insinua dans sa tête, effaçant les questions, les doutes et les remords qui n'avaient cessé d'y remuer au cours de la journée. Comme cette basilique était belle ! Et ces sculptures que les ténèbres naissantes, clarifiées par deux pharillons fixés à la muraille, semblaient vouloir épargner.

Tandis qu'il s'approchait, son intérêt faiblit. Entre ces personnages et ses yeux s'interposait une déesse de pierre : la perfection faite femme. Ce souvenir, tout à coup singulièrement vivant, précis, le retint d'admirer ces célestes figures, bien qu'elles fussent

(1) Paysans et manants.

peintes de couleurs vives — ou peut-être à cause de cela. Cette réserve dont il fut attristé ressortissait sans doute à la scène d'une violence indue qui s'imposait à ses regards : de sa main largement étalée, le Christ, impassible, lançait des rayons de pierre dorée sur la tête des apôtres frénétiquement assemblés, interminables jongleurs qui s'allongeaient ou rapetissaient, et n'avaient en rien semblance d'hommes sains — et même saints. Il y avait un irrespect malencontreux dans l'esprit et le ciseau de l'imagier qui avait composé cette œuvre.

— Aimez-vous mieux le seuil de Notre-Dame ?

— Est-ce comparable, Tiercelet ?... Serait-elle laide et nue de l'extérieur que cette demeure n'en resterait pas moins sacrée. Faut-il faire grand cas de ces figures ?

— Bon sang, oui ! Elles effraient, menacent et n'invitent point à entrer... Est-ce ainsi que vous voyez le Christ et les apôtres ? On dirait qu'ils sont atteints du feu de saint Antoine (1) ou de la danse de saint Guy !... Pensons plutôt à nous. La nuit s'assombrit ; la cité s'est vidée de toute sa bonne gent... Ne nous attardons pas : il nous faut manger et dormir.

— Nous n'avons pas un seul écu et sommes vêtus comme des larrons.

— De plus, vous êtes navré à l'épaule et mon dos et ma hure prouvent que nous sommes des malandrins au sortir d'une échauffourée.

Tristan fut insensible à cette affirmation. Malandrin, soit, mais fortuitement et par nécessité. Une main appuyée sur son ventre, il se demanda au moyen de quelle subtilité Tiercelet les tirerait d'affaire. Un acte brutal ? Non, sans doute : il leur eût porté un préjudice irrémédiable.

— Messire... ou plutôt *compagnon :* vous voyez cette maison ?

C'était une bâtisse d'un étage. On y accédait en franchissant un double porche, piéton et charretier. Au-delà, éclairés par un feu vigoureux, deux tonneliers cerclaient une barrique.

— Si c'est une hôtellerie, la grange peut servir de refuge aux pèlerins démunis. Nous allons essayer d'y rester jusqu'à demain... Je vais aller parler à ces hommes... Craignez rien : j'aurai soin de demeurer dans l'ombre. Ils me verront à peine... Je leur proposerai d'acquérir la jument.

— Pourquoi ne pas vendre aussi mon cheval ?

Comme accablé par une énormité, Tiercelet battit des mains et des paupières :

— Il importe que vous conserviez ce moreau, et même que nous le mettions cette nuit en lieu sûr... Pas dans une écurie ouverte à

(1) Dysenterie violente et contagieuse.

tout venant, mais dans un enclos bien choisi.

— Et pourquoi ?

— Nos pourchasseurs nous haïssent pour le trépas d'un des leurs. Il se pourrait qu'ils galopent jusqu'à Vézelay : je ne redoute pas cet acharnement, mais je m'en méfie... Il faut trouver à ce cheval un abri où, s'ils viennent, ils n'iront pas. Il faudra aussi l'abreuver et le nourrir.

— Est-ce tout ?

— Oui... Faites ce qu'il vous plaît en attendant ma revenue, mais ne vous éloignez pas de cet endroit... Liez votre Noiraud à cet arbre si vous voulez vraiment prier un tantinet.

— Quel homme ! murmura Tristan lorsque Tiercelet disparut.

Il mit son cheval à l'attache et marcha dans l'ombre de la basilique.

« Moi, l'allié d'un malandrin !... Et de plus, en son absence, je me sens seul et fragile ! »

Il s'imaginait d'autant plus souillé par ses aventures qu'il venait d'accéder — mais n'était-ce pas grâce à elles ? — à un havre de sainteté.

Il se devait de pénétrer dans cet asile. Il s'y allégerait promptement l'esprit d'un fardeau de remords dont il s'ébahissait qu'ils lui parussent si peu encombrants.

Etait-ce ouvert ? Oui ! se réjouit-il en poussant le petit huis pratiqué dans le grand portail d'entrée.

Tout de suite, il avisa le bénitier, y trempa ses doigts et se signa. Et plus rien ne compta que ce qu'il découvrait.

Cierges, chandelles, couronnes de lumière suspendues très haut, telles d'immenses auréoles, tout le luminaire du saint lieu flamboyait encore avec une force particulière et comme passionnée. En l'absence, sans doute, du chevecier (1), les frères servants se montraient prodigues du lumignon. Débordant des coupelles pleines, une pluie de suif tombait çà et là dont les gouttes, sur le pavement, formaient des croûtes rondes, aussi larges que des écus.

Quel sentiment de quiétude ! Ces voûtes ombreuses, dépouillées d'ornements, c'était le Ciel. Après les innombrables et rugueux piliers des forêts, ceux parmi lesquels il marchait semblaient s'écarter pour rendre plus aisé son cheminement vers un autel étincelant.

Il se sentait lavé de sa fatigue, absent du monde, visité d'une sérénité d'homme neuf, en accord avec un silence tellement pur que parfois il entendait brasiller les lancettes d'or d'une herse.

---

(1) Dignitaire ecclésiastique chargé du chevet d'une église, du trésor et du luminaire.

— Personne, murmura-t-il. Ou plutôt si : Quelqu'un qui nous attend toujours !

Dieu, maintenant, lui accordait-il quelque intérêt ? Pouvait-il l'accueillir tel qu'il se montrait à Lui et le délivrer des hontes qui, de loin en loin, échauffaient son esprit et son sang ? Etait-ce une faute irréparable que d'avoir un dévoyé pour compagnon ? Devant la luxurieuse Perrette, ne s'était-il pas conduit... comme un saint ? Pour se trouver céans, avide d'indulgence et, surtout, d'absolution, il avait bien fallu qu'il suivît Tiercelet... Menant, lui, l'existence de cet humble assembleur de mailles, que serait-il devenu ? Il ne s'était jamais appauvri l'esprit en côtoyant cet ancien Jacques.

— Seigneur, soupira-t-il devant la première statue du Crucifié qu'il rencontra, ce rustique dont l'aide m'est précieuse est riche d'astuce et d'énergie... Son intelligence est drue, féconde. Ce sont les malheurs de la vie et les malfaisances de son voisinage qui ont assombri son âme... J'ai du regret parfois, *seulement parfois,* d'avancer dans les pas d'un homme de cette espèce, et il m'advient d'éprouver du contentement de le savoir près de moi quand le sort m'est contraire... Il m'a appris que la haine pouvait naître moins du mépris que de l'indifférence d'autrui, et la fureur de sa propre bénignité. Il m'a appris que le goût du meurtre résulte parfois d'une faim qui tourmente et tarde à s'assouvir, et qu'un agneau paisible, innocent, peut devenir un tigre sans pitié... Tiercelet a péché pour me sauver la vie... S'il n'avait pas occis cet homme d'armes dans la forêt de Cravant, j'eusse dû m'employer à le faire : de toutes mes forces, quand son épée m'atteignit à l'épaule, je l'ai voulu voir roide et sanglant à mes pieds !... Que voulez-vous, Seigneur, que je vous dise encore ? J'ai souvent perdu ma foi en Vous dans ma geôle. On m'y avait privé de mouvements et de clarté, de chaleur cet hiver, et Vous vous montriez indifférent à mes prières innombrables ! J'ai vécu dans la médiocrité d'une bête en cage et la laideur de la solitude...

Brusquement, Tristan s'agenouilla :

— Est-ce Vous, roi du Paradis, qui avez placé cette lumière dans mes ténèbres ?... Est-ce Vous qui m'avez délivré par sa main ?... Est-ce Vous qui nous avez conduits à Vézelay, transformant ainsi la bassesse de notre fuite en je ne sais quelle ascension ?... Que dois-je faire ? Attendre Tiercelet ou me *sauver* maintenant, dans la plus mauvaise acception de ce verbe, en courant je ne sais où ? Un signe, Seigneur ! J'ai besoin d'un signe !

Tristan se leva, considéra le Christ de bois peint dans les yeux, puis glissa de son regard immobile à ses lèvres entre-closes. Aucun signe, évidemment. La cécité glaçait les prunelles bleu clair, et la bouche rouge, plutôt que d'exprimer l'indulgence, semblait exhaler un soupir d'ennui.

Il revenait sur ses pas quand une agitation l'immobilisa. Des lueurs incendiaient les vitraux tandis qu'un grésillement de sabots ferrés envahissait le silence. Gens de paix ou guerriers ? Ils devaient être une dizaine.

Flairant aussitôt le danger, il courut jusqu'à l'autel derrière lequel il s'accroupit.

« Et Tiercelet ? » songea-t-il, désolé.

— Tiens ! triompha une voix. Que vous avais-je annoncé ? Voilà le cheval de Grimouton... Je le reconnaîtrais entre cent à cause de cette tache de ladre au-dessus de son nez.

— Qu'est-ce qu'on fait, Aubery ?

— On fouille tout : basilique, église, maisons...

— Il est tard... On ferait mieux de s'enquérir du gîte et du couvert !

— On fouille *tout,* compagnons !... J'ai dit ! Je vengerai Grimouton avant l'aube... Toi, Lionel, tu chercheras ces cagous de ce côté avec Herbaut, Colebret et Flourens... Toi, Garsiot, tu iras avec Fortifiet et Chiquart visiter les auberges et les échoppes : elles sont peu nombreuses, mais il y en a !... Géronnet et Plicart viendront avec moi...

— Si j'ai bien compris..., commença une voix toute jeune.

— Tu as fort bien compris, Mansion : tu veilleras sur les chevaux jusqu'à notre retour... Entrons-là !

Tristan, le souffle court, entendit des gonds grincer lentement et se reprocha son manque de prudence et de célérité. Dès l'éveil de sa méfiance, il aurait dû courir jusqu'au seuil de la basilique afin d'en verrouiller la petite porte de l'intérieur : ces hommes eussent pensé que le sanctuaire avait été clos pour la nuit.

Ils entrèrent et toussèrent, moins parce qu'il étaient incommodés par les encens et les fumées que par plaisir de mettre le silence en miettes. Risquant un œil, Tristan les observa. Ils étaient trois, coiffés d'une barbute, le corps enveloppé d'un haubergeon dont les pans grésillaient contre leurs genouillères. Ils semblaient étourdis de fatigue et d'humeur. L'air hagard et suspicieux, ils avançaient sans hâte, de cette démarche lourde, un peu boiteuse, des chasseurs aussi recrus que le gibier qu'ils forcent. Tous étaient assez trapus, de sorte que leurs épées paraissaient des armes d'emprunt. Sous les ondées de lumière, leurs mailles semblaient d'or. Une belle mais fallacieuse apparence : c'étaient des hommes durs, au service d'une justice prompte. Leur mépris de la bienséance élémentaire apparaissait dans le seul fait qu'ils ne s'étaient pas découverts, qu'aucun d'eux ne s'était signé, et qu'ils avançaient entre les piliers comme s'ils se fussent trouvés en pleine rue.

— Tu vois bien qu'il n'y a rien !

— Il a raison, Aubery. Nous perdons notre temps.

Tristan retint son souffle ; son angoisse s'accrut. Un cri retentit, mi-rieur mi-indigné :

— T'aurais pu faire ça dehors !

— Je tenais plus, Plicart !... Tout un jour en selle !

— Bah !... Ça ne fera pas pousser plus haut cette colonne de pierre !

Les voix perdirent leur intensité : les hommes s'éloignaient tout en vociférant. L'huis grinça. Tristan se demanda s'il était vraiment seul.

Remarquant une chapelle, à sa droite, il traversa le chœur. Il s'enfonça dans la petite abside et fut heureux de se sentir emmitouflé d'ombre légère. Au fond de ce refuge qu'une seule chandelle éclairait, une statue luisait faiblement. Elle représentait, grandeur nature, saint Michel auripenne terrassant la bête immonde.

Vêtu d'une armure, le bassinet déclos afin qu'on vît son visage de damoiseau, l'archange aux ailes d'or éployées levait sa main senestre en signe de victoire, cependant que de sa dextre appesantie sur le pommeau de son épée, il maintenait cloué le dragon à la tête.

— Hé ! mais... On l'a pourvu d'un estoc véritable.

Répugnant à armer le céleste champion d'une lame de bois peint ou de quelque fer martelé sur une enclume rustique, l'imagier avait pris soin de le fournir en bon acier.

« C'est là, sûrement, le signe que j'attendais. »

L'arme que Tristan examinait (1) se distinguait de toutes celles qu'il avait vues jusqu'alors par de forts quillons droits, épanouis en fleur de lis à leur extrémité, un pommeau très allongé s'élargissant en queue de paon, une fusée habillée de fil d'acier — selon ce qu'il

---

(1) C'était la coutume de déposer des armes glorieuses dans les lieux saints. On les consacrait à Dieu, *« seul auteur du vrai courage comme des autres vertus »*, rapporte La Curne de Sainte-Palaye dans ses *Mémoires sur l'ancienne Chevalerie* (1826). *« Sous Charles VII, dans les plus grandes adversités de la France, on crut devoir choisir une de ces épées antiques pour armer le bras de la Pucelle d'Orléans. En l'église de Sainte-Catherine-de-Fierbois, dit Savaron, se trouvent plusieurs épées qui la avoient été données le temps passé. ... Parmi elles était une épée fatale qui chassa les Anglais de France. »*
On prétendit tout d'abord que cette épée était celle de Charlemagne, puis celle de Charles Martel, déposée là en *ex voto* après sa victoire de Poitiers... avant d'affirmer qu'il s'agissait de celle de Bertrand du Guesclin, léguée à Louis d'Orléans par le connétable et recueillie par Cliquet de Brebans, un capitaine dévoué au père présumé de la Pucelle. En fait, peut-être était-ce celle du duc d'Orléans, et l'avait-il déposée là au cours d'un pèlerinage. Jeanne en eût été avertie par ses « voix »... plus humaines, assurément, que célestes.

en pouvait voir. Quant à la lame, à double talus sur chaque face, avec une mince cannelure centrale qui s'arrêtait en son milieu, c'était ce qu'un guerrier pouvait souhaiter de mieux.

Tristan n'hésita point : il se saisit de l'arme. Il en baisa la garde et s'inclina devant l'archange.

— Je m'avilis, c'est vrai... Nécessité fait loi...

Sous le noir bourrelet des sourcils, les grands yeux, éclairés au blanc de céruse, semblaient exprimer la surprise et la fureur.

— Absolvez-moi, messire saint Michel !

D'un pas lent, chancelant, Tristan gagna le seuil de la basilique. L'oreille contre la porte, il écouta.

Les trois mécréants s'interrogeaient à voix haute, ignorant, semblait-il, ce qu'ils devaient faire dans l'immédiat, et souhaitant que leurs compagnons eussent meilleure chance qu'eux dans le commencement de leurs recherches.

— De toute façon, disait Plicart, cette demeure est un lieu d'asile. Il nous aurait fallu les y laisser si nous les avions trouvés... Pas vrai, Géronnet ?

— La basilique étant vide de tout saint homme, on aurait fait ce qu'on voulait !... L'église est peut-être pleine de tonsurés, et c'est un lieu d'asile aussi... Ils s'opposeront à notre visite.

— Avec cet acier-là, nul ne s'opposera à ma volonté d'appréhender cette racaille ! Il ferait beau voir qu'un gêneur quel qu'il soit, presbytérien ou non, se mette en travers de mon chemin !

Cet Aubery semblait aimer la vertu avec intolérance et s'indigner férocement qu'on pût pécher. Il avait, cependant, laissé Géronnet compisser un pilier de la basilique et s'était dispensé du moindre signe de croix.

— Allons, compères !... Le gibier est à Vézelay. Nous l'allons débucher. Plicart, si ta vessie est pleine, fais comme moi.

— J'ai encore envie, dit Géronnet.

Tristan prit son mal en patience. Que faisait Tiercelet ? Avait-il vendu la jument ? Vidait-il un gobelet de cervoise dans une taverne avant que de se mettre en quête du gîte et du couvert ? Attendre...

Quand les pas s'éloignèrent, Tristan se demanda s'il devait sortir ou rester aux aguets. Il serrait si fort la prise de son arme d'une crampe figea douloureusement ses doigts. Il allait, pour y remédier, poser l'épée sur le sol quand le silence fut troublé par des cris, des rires et des glissements de semelles ou de talons sur le gravier de la place.

— Ils en ont un, Mansion ! s'écria Aubery. Le plus vieux. Le robeur du marché de Cravant !

Ils tenaient Tiercelet. Comment avaient-ils pu déjouer sa vigilance ?

— Une corde, Mansion... Hâte-toi ! Et vous, manants, rentrez dans vos demeures... Allez, obéissez !

Allaient-ils pendre Tiercelet ? Les arbres ne manquaient pas.

L'indécision de Tristan devenait quelque chose de pesant, de tangible. Il se sentait cloué aux dalles de l'entrée, les yeux tantôt sur la porte, tantôt sur la lame de cette épée d'emprunt dont la possession s'affirmait inutile.

— Et voilà ! triompha Aubery. Compagnons, vous avez eu la main lourde.

— Juste un coup de la prise de mon arme. Je ne pensais pas l'assommer.

Des rires se mêlèrent aux tintements des harnois et sabotements des chevaux. Enhardis par cette joie, des curieux durent réapparaître, qu'Aubery menaça aussitôt :

— Arrière, bonne gent ou le sang va couler... Arrière, vous aussi, Père abbé ! Seriez-vous évêque et même Pape que je ne vous confierais pas cet homme !

— Il nous faut l'autre, le jeune ! s'écria Plicart. Ce grand que nous tenons, c'est bien lui qui a meurtri Grimouton, hein, Colebret ?

— C'est lui. Son compère n'est pas loin, je le sens.

— Cherchons-le tous !... Toi, Mansion, demeure.

— Ah ! non... Je veux en être moi aussi !

Il y eut des cris de mécontentement qu'Aubery dut faire cesser d'un geste.

— Soit ! Plicart prends sa place.

— Il me plaît de garder cet enfant de Satan... Je m'en vais le taquiner un brin pour qu'il reprenne conscience.

Les pas et cliquetis s'éloignèrent. Tristan n'entendit plus que son souffle oppressé. Son cœur semblait vouloir lui trouer la poitrine. Soudain, il y eut un râle — Tiercelet — et un rire :

— Dis, brèche-dent, tu n'aimes pas qu'on te mignote ainsi ?

— *Aaaah !*

Tiercelet, cette fois, hurlait sans que sa voix fût plaintive — au contraire. Tristan comprit : « *Il croit que j'ignore qu'ils l'ont pris et m'en avertit. Il crie pour que je fuie, nullement pour obtenir mon secours.* » Il poussa lentement la porte et s'immobilisa.

Le prêtre et les curieux avaient obéi aux menaces. Sur la place vide, Tiercelet gisait, les chevilles et les poignets liés. Agenouillé près de lui, Plicart pesait d'une main sur sa poitrine ; de l'autre, il picotait la gorge du captif.

Tout proches, dissimulant partiellement le portail de la basilique, les chevaux remuaient à peine.

Frémissant d'espérance et de haine, Tristan s'obligea, dans l'ombre, à contourner lentement tous ces roncins plus ou moins las du grand randon (1) qui les avait conduits de Cravant à Vézelay. Aucun d'eux ne parut inquiet de sa présence.

« Gagné ! » exulta-t-il en atteignant les deux hommes.

— Holà ! Toi... Fini de jouer !

L'estoc de l'épée se logea dans la nuque tendue. Point de mailles en cet endroit.

— Non ! Non ! ne te relève pas, crapule, exigea Tiercelet. Profite que tu es accroupi pour trancher mes liens.

— Va te faire foutre !

Plicart était solide, vigoureux : les mailles qui se tendaient sans un bourrelet sur ses bras l'attestaient. Froid et hautain, Tristan pesa plus fort sur son arme :

— Tu sers la Justice et je t'en sais bon gré... Hé oui !... Mais je me sens fort mal disposé envers toi. Tu me gênes.

Plicart sursauta ; la pointe d'acier s'enfonça si violemment dans sa chair que Tristan sentit un des muscles s'ouvrir.

— Coupe les liens ou je te perce le col !

Sous le bord de la barbute, le regard de Plicart lança une lueur.

— Saligot... Quand je te retrouverai...

— Ne souhaite pas ces retrouvailles : tu y perdrais la vie. Je ne suis pas fier d'être ce que je suis présentement, n'étant pas ce que tu crois... Mais cet homme, quelque mauvais qu'il te paraisse, est un ami qui m'est cher.

Les cordes serrant les bras et les jambes tombèrent. Le perce-mailles chut sur le sol. Tiercelet s'en saisit, se releva et, passant le revers de sa senestre sous son menton, l'en retira poisseux de sang. Alors, il agrippa l'homme d'armes par son colletin, prenant un plaisir évident à sentir sous ses doigts ces anneaux trempés de sueur auxquels il devait sa déchéance.

— Je devrais t'occire ! Te secouer et te percer jusqu'à la mort !

Le visage blafard entre les jouées de la barbute instable qui lui couvrait et découvrait le front, Plicart reculait vers les chevaux pour se glisser parmi eux dans l'espoir qu'une ruade de l'un ou de l'autre lui permettrait de recouvrer la liberté. Tiercelet éventa cette ruse :

— Bouge pas !... Si tu avais vu, Tristan, sa face de crapaud quand il me picotait le cou ! Que fait-on de lui ? Je le tue ?

---

(1) Chevauchée souvent impétueuse.

Se délestant soudain de son pesant orgueil, mains jointes, Plicart tomba sur ses genouillères :

— Pitié ! Pitié ! dit-il en essayant de retenir Tiercelet aux chevilles.

Mâchoires serrées et tempes moites, Tristan s'attendit à un coup mortel.

— Cela ne servirait à rien, plaida-t-il mollement.

— Crois-tu ?... Pendant qu'il me révère ainsi qu'un saint d'évangile, va visiter la cavalerie. Regarde s'il n'y a pas une corde au pommeau d'une selle. Ces gens-là aiment, par pendaison, rendre justice eux-mêmes.

Tristan, docile, examina les garrots et les selles.

— J'ai ce que tu demandes. Du bon chanvre tout neuf.

— Donne... Bien... Maintenant prends tous ces chevaux à la bride... Conduis-les sur ce chemin par lequel nous sommes arrivés... Hâte-toi ! Je vois que ton arme te gêne...

Tristan fit entendre un soupir excédé. Il coinça son épée entre son pourpoint et sa ceinture.

— D'où tiens-tu cette lame, compère ?

— Un don de messire saint Michel.

Il passa entre les chevaux, les aligna sans difficulté et réunit leurs rênes dans ses mains.

— Merdaille ! dit Tiercelet après qu'il l'eut regardé procéder. Messire saint Michel, rien que ça !... Ni moi ni ce goguelu dont je vais m'occuper ne saurions nous vanter d'une telle accointance !

Tristan se hâta vers le chemin enténébré, souhaitant atteindre au plus tôt les champs, les bosquets et les friches. Il chancelait, s'interrogeait : « Que veut-il faire de tous ces chevaux ?... Celui que j'ai monté va devant comme un malheureux qu'on pourrait abandonner et qui s'y refuse ! » Il entendit Tiercelet commander : *« Lève-toi ! »* puis ses oreilles furent de nouveau emplies par le sabotement des roncins, le bruissement épais de leurs haleines, les petits grincements et cliquetis de leurs cuirs, étriers et gourmettes. Leur odeur profonde et chaude, familière, lui devenait agréable.

La lune brillait, maintenant, mais à peine, et le pays bosselé qu'elle divulguait, fuligineux et glacé, lui inspirait moins de crainte qu'une lassitude profonde. Qu'allait-il trouver au bas de cette pente ? Il redouta qu'en s'éloignant de Vézelay, il dût perdre un peu de lui-même et que, malgré son épée — il faudrait bien qu'il la restituât ! — il fût condamné à errer demi-nu, fragile et affamé, dans un désert uniquement peuplé d'adversaires. Il entendit un bruit de course et vit avec plaisir Tiercelet le rejoindre.

— Tu l'as tué ?

— Je l'ai mis à l'épreuve avec sa propre lame... que j'ai conservée.

— Tu l'as égorgé ?... Tu as beau secouer la tête, je ne te crois pas... Certes, cet homme ne valait rien, mais...

— ... mais on ferait mieux de s'occuper des chevaux... Reprends le moreau que tu montais ou choisis parmi ceux-là celui qui te paraît le meilleur... Je vais visiter toutes leurs selles — Non, ne t'arrête pas ! — et trancher les ventrières... Ainsi, tous ces mâtins ne pourront recommencer leur pourchas !

Tiercelet s'éloigna. Tristan regarda autour de lui les haies et les fourrés, quelques murets livides, et les arbres derrière lesquels des hommes eussent pu se dissimuler. La prise de son épée lui meurtrissait la hanche.

— Tiercelet, si tu trouves un fourreau qui convienne à ma lame...

— J'y pense, à votre Floberge !

— Tu penses à tout... Va pour Floberge (1)... Tu me fais grand honneur en l'appelant ainsi !

— C'est que je t'ai en particulière faveur !... Tiens, j'ai même trouvé une épée d'arçon... Si j'en ai l'occasion, tu verras que tout manant et truand que je suis, je la manierai comme un preux !

Un cheval, au trot, descendit la pente ; puis deux autres. Tous trois avaient été soulagés de leur selle. Tiercelet s'exclama :

— Une escarcelle et des écus !... Il y a là de quoi manger... de quoi s'acheter des jaques de cuir et des hauts et bas-de-chausses...

Il y eut un bruit de selle tombant sur le chemin, puis quatre ou cinq autres. Le malandrin tranchait à plaisir le cuir des ventrières. Quand ce fut achevé, il glousssa.

— Je me suis réservé ce roncin blanc... Te connaissant, je sais que tu vas reprendre ton moreau.

— C'est vrai... Tu me connais mieux que je ne te connais.

Tiercelet surgit de l'ombre, menant *son* cheval par la bride, un fourreau et une ceinture d'armes à la main, une épée au côté.

— Tiens, prends ça... Hâte-toi de ceindre cette arme... Ne sois pas offensé si je te tutoie : il y a des limites au respect et tu ne m'en inspires aucun.

Tristan sentit son orgueil se cabrer. Juste un instant.

— Voilà qui est du franc-parler ! dit-il. Regarde ces chevaux, devant... Ils n'ont pas l'air d'apprécier autant que nous la liberté !

Des croupes noires, grises, pommelées, les précédaient sur la pente.

— Nous avons parcouru cinq ou six cents toises... Nous sommes en sécurité.

---

(1) Nom des épées de Bègue de Belin, de Renaud de Montauban et de son fils, Aymonet, puis de Maugis, héros de la littérature épique.

— Où m'emmènes-tu, Tiercelet ?

Un cri retentit : *« Haro ! Haro !... A l'arme ! A l'arme ! »* Cette voix, c'était celle de Plicart.

— Tu vois, si j'ose dire, compère Tristan, que je n'ai pas occis ce crapaud de justice !... Lié simplement à un arbre. Je l'avais muselé avec un pan de sa chemise. Je ne l'ai pas assez enfoncé dans sa goule.

Tristan acheva de boucler sa ceinture, et plongea son épée dans le fourreau de rapine, à peine plus court que son arme.

— Tu me fais plaisir... Occire ce hutin n'aurait servi à rien.

— Bien, compère... Continuons de pousser les chevaux de ces malicieux. Le temps qu'ils les cherchent et les trouvent, et le temps qu'ils remettent leurs selles en état — même avec l'aide du bourrelier avec lequel j'ai parolé à la taverne où ils m'ont attrapé — nous serons loin !

— Tu avais donc vendu la jument ?

— Vendue au bourrelier, justement... Il les a vus venir, pas moi : je lampais avec joie un hanap de cervoise... Je ne sais qui m'a pris mes écus : ces hommes ou le bourrelier.. Qu'importe !... Nous sommes tirés d'affaire, nous avons chacun une arme et de quoi manger et nous vêtir demain.

Tristan sauta en selle et mena son moreau près du cheval de Tiercelet. Le brèche-dent lança dans la nuit son grand rire :

— Vive la vie !... Hé, tu n'es pas content ?... Te voilà sain et sauf et l'existence est belle !

— Belle !... Il est vrai... et je suis désormais ton homme lige !

Tiercelet ne pouvait comprendre tout ce que son *compère* avait mis de cruelle moquerie envers lui-même, Tristan de Castelreng, dans cette repartie. Ce mélange d'approbation, de bienveillance et de respect l'enchantait et ce mot d'*homme lige,* si malsonnant en l'occurrence, dans la bouche du jeune seigneur qui lui rendait hommage, le hissait à un niveau de considération qu'il était sûrement loin d'atteindre chez les routiers.

— A quoi penses-tu, Tristan ? Il me semble t'avoir entendu soupirer.

— Je pensais à mon père... S'il me voyait...

— Il n'aurait fait ni mieux ni pire s'il s'était trouvé à ta place ! Cela doit être toute ta philosophie, comme dit un de nos porteurs de froc, Angilbert le Brugeois !

* *
*

Tiercelet avait aussi bonne vue que les rapaces nocturnes. Il menait son cheval aisément sur des sentiers invisibles, parmi des haies et roncières aux ramures débordantes d'où parfois s'essorait une chevêche au vol mou. Tristan se fiait à la croupe blanche du roncin qui précédait le sien.

— Vivement l'aube ! dit-il.

Les forêts toutes proches, d'un pelage noir quelque peu bleuté, lui semblaient pleines d'un peuple redoutable, à l'affût de tout passage. Rares dans le royaume désormais augmenté de la Bourgogne, étaient les honnêtes gens qui chevauchaient de nuit. Il se sentait la poitrine oppressée et se retenait de tousser de crainte d'éveiller, au loin, quelque guetteur somnolent.

Ils traversèrent un village endormi, effarouchant un chien de petite taille. Les clartés du ciel piqueté d'étoiles pâles autour d'une lune aussi brillante qu'un gâteau de miel, allongèrent, sur les cailloux luisants de rosée, leurs ombres de centaures.

— Sais-tu où nous allons, Tiercelet ?

— Certes !... Ce village que nous laissons derrière nous, c'est Pierre-Perthuis. Nous suivons la Cure... Tu peux la voir briller sous les arbres, à senestre. Dès l'aube, si tout va bien, nous serons à Chastellux et demain soir à Saulieu. De là, en un jour, après une halte à Arnay, nous serons à Chagny.

— Tu connais le chemin !

— Nous traverserons la forêt de Chagny et serons à Tournus pour manger, prendre un peu de repos... et le soir nous coucherons à Mâcon.

— Ensuite ?

— De Mâcon nous gagnerons Lyon en faisant, à mi-journée, un arrêt à Villefranche... Ah ! il faut que tu saches que j'étais en Normandie dans la route d'un Breton : Alain Taillecol, le bien-nommé. J'en suis parti par déplaisance, et c'est du côté de Lyon que j'espère trouver d'autres compères.

— Compères de merdaille !

— Holà !... Je ne t'oblige pas à me suivre. Si tu veux, mettons pied à terre maintenant, partageons l'escarcelle et chacun pour soi !

— De toute façon, c'est mon chemin.

— Le château d'où tu viens est dans quelle tenure ?

Le maugréeux s'exprimait selon ses moyens ; Tristan lui répondit avec les siens :

— Si je te dis que Gaston Fébus a, proche de chez nous, un donjon où il loge quand il chasse, seras-tu content ?

— Parce qu'il me faut l'être ?

— Ce donjon est sis à Saint-Couat-du-Razès. Fébus s'y repose aussi quand il se rend à Mazères (1), une cité qu'il aime autant que Foix... Et moi, je m'en reviens à Castelreng !

— Pour y trouver le gîte et le couvert ?

— Non... J'offrirai mes services aux prud'hommes qui me sembleront en difficulté.

Adieu Paris, la Cour, la vie stérile et mouvementée ! Dans l'état où il se trouvait, il eût été heureux sur les hauteurs froides et venteuses de Quéribus, Peyrepertuse, Puylaurens... Puylaurens surtout, et pour des raisons particulières. Mais il n'ouvrirait son cœur à personne, surtout pas à un malandrin tel que Tiercelet !

Pour oublier sa faim et son désarroi, il regarda les vapeurs qui ondulaient, telles de longues et pâles fumées, sur les berges gorgées d'ombre de la Cure. Point de vent, ici, pour animer les jeunes feuilles. Celles des bouleaux, pourtant si frileuses, ne tremblaient pas. Lorsque le chemin s'en rapprochait suffisamment, il pouvait entendre la rivière grésiller sur les rochers. Ce mouvement de l'eau ne rendait que plus évidente l'immense fixité des fantômes enténébrés.

* *
*

Peu après le lever du soleil, ils entrèrent dans Chastellux. Ils durent y attendre l'ouverture des échoppes. Assumant toujours le commandement, Tiercelet acheta de quoi manger, boire et se vêtir : deux chemises de lin, deux pourpoints de tiretaine, des chausses de velours ciselé, rouge pour lui, vert pour son compagnon, et deux chaperons assortis. Les chevaux furent nourris : foin et avoine. Et l'on repartit.

— Ce soir, Tristan, nous serons à Saulieu. J'y connais un barbier. Nous nous étuverons chez lui.

Leur faim assouvie, leur soif étanchée d'un vin de Pouilly, leur corps à l'aise et au chaud dans des vêtements convenables, une sorte de nonchalance paracheva leur satisfaction. Autour d'eux, la campagne épurée de toute grisaille semblait également nettoyée des malfaisances humaines. Voletant çà et là, des friquets mêlaient leurs piailleries aux croassements d'une compagnie de corbeaux juchés sur un arbre mort, aussi noir que leur plumage.

---

(1) Comte de Foix, vicomte de Béarn, Gaston Fébus (1331-1391) succéda à son père, Gaston II, comte de Foix, à l'âge de douze ans. Il commença son règne sous la tutelle de sa mère, Aliénor de Comminges. En 1360, s'inspirant du dieu du soleil Phoebus-Apollon, il se baptisa *Fébus* pour glorifier la blondeur de sa chevelure. Il aimait Mazères, en comté de Foix, dont le château se mirait dans les eaux de l'Hers. Fébus en avait fait un superbe palais qui fut détruit par Richelieu. En 1489, Gaston de Foix, le héros de Ravenne, y naquit. Mazères avait été créée sur un plan régulier, en 1252, par les moines de Boulbonne en paréage avec les comtes de Foix.

— Sache-le, Tiercelet : je ne reviendrai jamais à Paris... Trop de mouvement, de vacarme... Tous ces fracas de roues de chars et de charrettes...

— Et les crécelles des coureurs précédant les carrosses et les basternes (1).

Tristan n'ajouta rien et Tiercelet n'insista pas. Sans doute voyait-il lui aussi dans sa mémoire, ces maisons lugubres et ces églises flamboyantes — pierre et luminaire — sur le parvis desquelles des déchets d'humanité criaient misère en tendant leur paume creuse aux passants... Saleté des êtres et des choses. On pataugeait dans le fumier, la boue, le crottin...

Saulieu fut atteint. C'était une cité propre, semblait-il, blottie entre des murs apparemment épais sur lesquels brillaient les dômes de deux barbutes.

— Que penses-tu qu'il faille faire, Tristan ? Manger et coucher à l'auberge ou nous trouver, hors de ces murailles, une grange accueillante ?

— Par prudence, il nous faut préférer la grange.

Tiercelet fut pris de ce rire que Tristan commençait à connaître, bref et sifflant comme la longe d'un fouet, cinglant comme sa mèche. Il n'en fut point touché. D'ailleurs le brèche-dent regrettait son outrance :

— Maintenant que je commence à considérer la vie en bourgeois, même si nos écus de rapine s'épuisent, voilà, compère, qu'il te prend une circonspection de truand !... C'est à se demander lequel de nous deux a le plus d'influence sur l'autre !

— Je me le demande aussi, avoua Tristan, morose.

De violentes averses les attardèrent. Ils virent ainsi paraître les toits et les clochers de Lyon à la fin du lundi 7 mars.

— Un jour de retard, dit Tiercelet. C'est peu, et d'ailleurs aucun parent, aucun compagnon, aucune belle fille... personne ne nous attend !

Pour la première fois, Tristan lui trouva un visage las et perplexe.

— Que faisons-nous ? demanda-t-il.

Son moreau venait de s'arrêter de lui-même au sommet d'une motte bourbeuse, parmi des genévriers et des fougères dévastés par les pluies. Le Blanchet de Tiercelet piaffait, humant à plein naseaux le vent du soir comme pour y percevoir une odeur d'écurie.

— Lyon me déplaît, compère. On y compte deux fois plus d'hommes d'armes qu'à Paris.

---

(1) Litière portée par des mules ou des mulets.

Les tisons du soleil réapparu vers none (1) chauffaient la nuque de Tristan à travers le velours de son chaperon. Il y porta sa dextre tout en se demandant ce qu'il devait répondre à son *compère*.

« Mais rien », décida-t-il.

Que ressentait-il donc, soudain ? De la résignation ? De l'anxiété ? Du découragement ? Miroitante d'orgueil entre la Saône et le Rhône, la grande cité dont la couronne grise semblait vouloir étouffer les églises et les maisons lui inspirait plus de crainte, à lui aussi, que de confiance. En chemin, il avait parfois déterminé les détails d'une séparation qui pouvait avoir lieu maintenant ; il se découvrait incapable de rompre ce qu'il nommait une accointance de crainte d'employer un mot plus éloquent.

— Peut-être, en franchissant ces murs, rencontrerais-tu des chevaliers de connaissance... Cet Orgeville et ce Salbris dont tu m'as parlé.

Tristan caressa l'encolure de son cheval. Le Noiraud, fourbu d'avoir piété dans la boue et les fondrières, avait besoin de nourriture.

— Ma voie paraît tracée, Tiercelet. Tu m'y as aidé involontairement. Après Lyon, Valence, Nîmes... Béziers, Narbonne... Carcassonne. On me croit mort, j'en suis sûr, à Paris... Je renonce à mes devoirs... Un vieux clerc de Sainte-Colombe est mon parrain. Il t'absoudra de tes péchés si ton repentir est sincère...

— Mes crimes deviendraient de bénignes erreurs !

Exprimé en riant, cette réplique eût indigné Tristan ; or, elle n'était qu'un murmure et la mélancolie qui l'alourdissait attestait qu'un regret travaillait Tiercelet. Examinant inopinément et lucidement son passé, il en délibérait sans compassion ni complaisance.

— Quelle bonté, Castelreng !... J'ai toujours donné libre cours à mes intentions sans jamais penser que je pourrais m'en repentir un jour... Pourquoi ? Parce que l'hésitation et le remords, ça me donne la migraine... Vois-tu, j'ai une sorte d'orgueil à m'estimer heureux tel que je suis : sans carcan ni chaîne. Etre ton lieutenant ou devenir ton écuyer — si c'est ce que tu imagines —, eh bien, non. Tu ne cesserais de m'abreuver de leçons, tu me dispenserais des conseils, tu m'admonesterais parfois !... J'aurais, près de toi, plus de mésaise que de sérénité. L'écuyerie, d'ailleurs, doit revenir aux nobles.

Désagréablement agacé, Tristan haussa les épaules. Des gouttes suintaient à la racine de ses cheveux et mouillaient le bord de son chaperon à la façon d'une colle. Pour la première fois de sa vie, l'idée de se séparer d'un compagnon — et pourtant quel compagnon ! — l'irritait et le chagrinait.

---

(1) Midi.

— Tu en sais plus sur moi que je n'en sais sur toi, remarqua le brèche-dent. Tu as failli être un clerc... Bon ! Tu as vécu à la Cour... Soit. Et comment ?

— Comme un homme dévoué à la Couronne, suivant le roi ou son fils Charles partout... dormant dans une hôtellerie de la rue Saint-Denis, courant la fortune du pot... Que te dire d'autre ?

— Et les femmes ?

— Les grandes amours ou rien !... J'attends, j'espère. J'avais décidé de revenir en Langue d'Oc dès que serait terminé...

— Quoi ?

« Il me faut lui mentir ! »

— Mon service auprès du roi.

Tiercelet pouvait-il se satisfaire d'une telle réponse ? Oui, apparemment. Il semblait peu pressé de quitter ce tertre où cinq ou six moineaux et un merle picoraient quelques graines puis s'enlevaient, d'un vol bas, vers des friches tachetées d'eau grise. Et sans doute parce qu'il découvrait sous ses yeux une contrée toute lisse, à peine pommelée de bosquets, Tristan se remémora sans nul plaisir sa mésaventure dans la forêt de Cravant.

« Je suis Tristan de Castelreng ! » avait-il crié à l'homme déterminé à l'occire. Les coups de lame qu'il s'était employé à éviter l'avaient mis dans l'incapacité d'ajouter : *« chevalier de la délivrance* (1) *du roi ! »* Si ce sergent avait consenti à l'écouter, par quels arguments eût-il pu se réhabiliter à ses yeux ? Aucun. Son esprit, alors, était aussi vide que ses mains. Bien que transi d'angoisse, il n'eût jamais trahi un secret d'état, quoique celui qu'il détenait parût assez mince. Au cas où il s'en fût déchargé, c'eût été sous les tenailles des officiers de Justice. Tous se seraient gaussés de ses révélations, le traitant à l'envi comme un malandrin ordinaire puisqu'il ne possédait rien pour se prévaloir de la protection royale : ni anneau sigillaire ni parchemin scellé aux fleurs de lis. Et peut-être, avisé de sa mésaventure avant qu'il n'eût expiré, Jean le Bon l'eût-il abandonné à son sort sans s'informer des raisons de sa capture. *« Les perdants lors des jeux de haute politique, font leur deuil de l'estime et compassion des rois. »* Qui lui avait dit cela ? Chalemart... A propos de quoi ?... Du martyre des Templiers. Il fallait qu'il fût bien maussade pour se replier ainsi sur son passé !

« Pourquoi ai-je menti à Tiercelet ? C'est en Lyonnais qu'il me fallait venir... Nul mieux que lui n'aurait su m'y conduire. »

— N'aie crainte, dit-il au brèche-dent tout en caressant, derechef, l'encolure de son moreau. Tu apprendras sur moi tout ce qu'il

(1) Suite, gens dont un seigneur soldait les dépenses, et aussi paiement des dépenses.

faut savoir... Et peut-être, à la fin, me prendras-tu en haine.

— Oh ! Oh ! n'ajoute rien : cela m'empêcherait de dormir... Te prendre en haine, *toi* ? Tu es tendre comme un bon pain... Et tu te fies à moi comme un fils à son père... cela dit sans vouloir t'offenser !

— Oui, je te suis soumis comme on l'est à un maître... Et vraiment, j'ai plaisir à être ton disciple.

— Tu es jeune... Le temps t'enseignera la vie.

— J'ai reçu, crois-le ou non, une éducation des plus dures. J'ai acquis, auprès de mon père, des muscles et cette tête que je croyais pleine, et que tu trouves légère... Je lui sais bon gré de m'avoir instruit et, surtout, d'avoir fait en sorte que je sache manier les armes... J'ai été un postulant, puis un novice désenchanté avant de me dévouer à la Couronne plutôt qu'à celui qui la porte... Il m'a plu, ces jours-ci, de vivre dans ton ombre... Même si parfois je me suis regimbé... Ne ris pas : c'est une louange.

Jean II lui avait dit *« Maintenez-vous dans l'ombre... Voyez... Tendez l'oreille. Informez-vous de tout. »* Avant de se rendre à la réception donnée par dame Darnichot plutôt que par son époux, le roi l'avait fait mander en son hôtel, proche de l'évêché où il venait d'installer Jean Germain, le nouveau prélat dévoué à la France.

« C'est Salbris qui vint me chercher... J'ai compris, à ce moment, qu'il me jalousait... Et pourtant, face au roi, je n'ai jamais exagéré ma déférence, au contraire de lui, cérémonieux et gourmé, servile, et pis encore, comme n'oserait l'être un esclave... »

Il était entré dans un vestibule illuminé par quatre torches. *« Laissez-nous, Guillonnet »,* avait commandé le roi. *« Et que nul ne nous dérange. »* Et près d'une fenêtre ouvrant sur une cour où picoraient des volailles et des pigeons : *« Chevalier, je vous fais depuis Poitiers confiance. »* La voix devenait basse, ou lasse et attristée. *« Cette confiance, mon fils Charles m'a dit qu'elle était méritée... Aussi vous ai-je choisi pour une mission que vous accomplirez seul. Personne, sauf le régent Charles, n'en sera informé... Si je vous en entretiens céans et maintenant, c'est que la décision m'en est venue il y a peu, sitôt après le départ de messires Philibert Paillart et Bertaut d'Uncey* (1). *J'ai appris de ces deux hommes des choses qui, par Dieu, m'ont donné des frémissements... Tenez, touchez ma main !... J'en tremble encore ! »*

---

(1) Quatre hommes, clercs et conseillers, se mirent au service de Jean le Bon et, plus tard, à celui de Philippe le Hardi. C'étaient : Pierre Cuiret, Bertaut d'Uncey, Philibert Paillart et Gilles de Montaigu. Philibert Paillart, né à Beaume, devint chancelier de Bourgogne ; Bertaut d'Uncey, né à Uncey, près de Demur, lui succéda. Le chancelier de Bourgogne était le chef de la justice, il présidait les conseils ducaux, etc.

Pourquoi donc songeait-il à cela maintenant ?

— Alors ? demanda Tiercelet. Tu ne m'as pas dit quand on se séparait !

— Pardonne-moi. J'avais l'esprit ailleurs.

— Il nous reste six écus. Je connais une hôtellerie par là... On y gargotera, ne t'illusionne pas. On y couchera et demain, à l'aube, tu partiras vers Dieu, je reviendrai au diable !

Ils cheminèrent sans mot dire et l'auberge apparut bientôt, trapue, moussue, rébarbative. « Un coupe-gorge », soupira Tristan.

Cependant, tout autant que le chemin parcouru, Tiercelet semblait le bien connaître. Sitôt qu'il eut mis pied à terre, dans la cour, il s'adressa à un personnage roux, barbu, le crâne couvert d'un bonnet de laine noire, poudreux et raffusté. L'homme venait de pousser, d'un coup de manche de fourche, un bœuf dans une étable.

— As-tu, Eustache, une chambre de libre ?

— Deux même.

— Soit. Nous mangerons et coucherons. Soigne nos chevaux. Viens, l'ami !

Tristan se laissa entraîner, bien qu'il éprouvât une violente envie d'inciter Tiercelet à chevaucher plus avant.

— Malgré toutes ces lieues parcourues et tes habits de manant, tu flaires, compère, le chevalier à quinze pas... Ne le fais pas trop voir dans la taverne d'Eustache.

— Je ne saurais me comporter comme un autre homme.

— Essaie toujours. Il doit être plus facile à un noble de s'abaisser qu'à un malandrin de s'élever... Non ! Non !... Ne me regarde pas ainsi : je n'ai pas à changer. Je suis bien dans ma chair, contrairement à toi !

Et Tiercelet, gaiement, disait la vérité.

* *
*

Le soleil dans sa chute embrasait les parchemins huilés des fenêtres ; le plafond ensolivé de chêne noir se teintait de vermillon. Ce logis bas, ténébreux et malpropre, semblait davantage une salle de garde que la maîtresse pièce d'une auberge. Cependant, des volailles rôtissaient dans la cheminée au linteau corné de suite, et toutes proches, entassées l'une sur l'autre, des barriques pouvaient satisfaire en vin, grenache et cervoise, les francs licheurs. Une vis aux marches crasseuses, aux chanceaux épais comme des jarrets de ribaude — selon Tiercelet — accédait aux chambres.

Une femme rougeaude et maigrichonne accueillit les compagnons. Ses yeux brûlés aux braises de l'âtre et clignant sans arrêt, sa bouche édentée, son nez camus lui donnaient un air crapuleux. La gêne de Tristan s'aggrava lorsqu'il se sentit observé par quatre buveurs assis dans un angle.

La tavernière alluma deux doubles chandeliers qu'elle posa sur la table choisie par Tiercelet. Elle s'inclina quand elle eut apporté un pichet et des gobelets.

— Holà, Aldegonde, grommela le plus âgé des quatre consommateurs — un roulier à en juger par le fouet qu'il portait en sautoir. Tu leur consacres moult égards !... Que d'honneur, messires !... Seriez-vous trois que je vous aurais pris pour les rois mages.

Les flammes qui dévoraient l'ombre ardente, près de la cheminée, ne révélaient qu'en partie la caboche poilue du malgracieux, mais Tristan vit mieux les trois autres : glabres et enjoués, c'étaient des hurons — à moins qu'ils n'appartinssent à quelque bande au repos entre deux rapines. Le malaise initial où sa vigilance s'était affadie devint subitement plus âpre ; sa défiance s'aiguisa, bien qu'il se fût dit, pour se rassurer, que n'ayant jamais hanté de pareils lieux, il se méprenait à flairer des embûches partout. Il tendit son gobelet à Tiercelet qui, saisissant aussitôt le pichet, le lui emplit d'un vin quasiment noir. Il allait y goûter quand il vit la servante.

Humble dans sa robe de tiretaine grise pincée d'une grosse ficelle à la taille, elle était grande et blonde et n'avait pas seize ans. Son visage était d'une pâleur de givre, d'une fraîcheur de rosée. Elle semblait souffrir d'un mal insidieux à moins, tout simplement, qu'elle n'eût très peur. Ses cheveux séparés en deux tresses épaisses maintenues serrées par des cordons de cuir, dégageaient un cou gracile et altier qui se teinta d'une fleur exquise quand elle passa devant l'âtre.

Elle s'approcha, craintive, et tandis qu'elle proposait tout d'abord un pâté suivi d'un couple de gelines (1), elle surveillait les mains de Tiercelet, nouées l'une à l'autre, entre les chandeliers. Elle avait dû subir les privautés des hommes.

« Jusqu'à quel point ? » se demanda Tristan.

— Ce souper me convient, dit-il en tapotant la prise de son épée. Qu'en dis-tu, Tiercelet ?... Oui, damoiselle, il lui convient aussi...

Il ne cessait d'observer la servante. Sous ses sourcils longs et soyeux, ses yeux semblaient d'un vert d'émail, et ses cils étaient tellement dorés qu'on eût pu les croire poudrés d'or. Elle avait une fossette au menton, des épaules étroites, des seins petits. Elle eût

(1) Poules.

pu se montrer fière de sa beauté partout ailleurs qu'en cette taverne qui semblait un haut lieu de malandrinage.

— Dis-le-moi, Tiercelet, maintenant qu'elle s'en va. Est-ce la fille de ces gargotiers ?

Le brèche-dent leva les yeux vers les solives :

— Les crapauds ne sauraient enfanter des colombes... Tiens, la revoilà !

Le fait de se sentir quasiment dévêtue du regard par Tiercelet aviva la roseur des joues de la jouvencelle lorsqu'elle disposa sur la table, les écuelles et le pâté. Tristan chercha comment lui inspirer confiance. Il ne trouva rien.

— N'oubliez surtout pas les couteaux, damoiselle, dit-il en la considérant d'un regard éloquent, bien qu'il craignît de provoquer à l'entour quelques bourdes indécentes — ce dont Tiercelet s'abstint, même quand la jeunette se fut éloignée.

— Elle te plaît. Je connais les feux de ton regard.

Point de question mais une certitude. A quoi bon ergoter avec un tel compère ?

— Aussi vrai que Tristan est mon nom de baptême, j'en ferais, si je le pouvais, une dame de qualité... Baronnesse, chevaleresse... Vois comme elle souhaite être protégée... Ces lieux sales et enfumés sont indignes de sa beauté... N'est-ce pas ton avis ?... Ne la sens-tu pas menacée ?

Tiercelet, le nez dans son gobelet, faillit avaler de travers. Il dut tousser abondamment avant de recouvrer son souffle :

— Menacée, en vérité. Les braquemarts ne lui feront jamais défaut.

Tristan rougit à cette idée. Il avait essayé de se persuader du contraire.

Accessible à la compassion, bien qu'il s'en défendît, Tiercelet baissa la tête. Son soupir exprima une impuissance infinie :

— Un jour, si ce n'est fait, pour payer sa pitance et le lit où elle dort certainement d'un œil tant elle se garde de tout, elle sera obligée de gravir cet escalier devant ou derrière un homme... Ici, on consomme tout : la bonne chère — encore qu'elle ne le soit pas — et la chair avenante, si j'ose dire. Cette donzelle a dû être prise par quelque flote (1) et vendue à Eustache et à son épouse. Il faut qu'ils rentrent dans leurs frais... Veux-tu que je...

— Non, dit sèchement Tristan.

Tiercelet fit : « Bon, bon » avant d'interpeller la servante :

— Amène-nous les gelines... Nous souffrons la malefaim !

(1) Troupe, petite armée, quelle qu'en ait été la composition.

Elle apporta, sur un plat d'étain, les volailles, puis une miche de pain gris, rassis. Et deux couteaux.

— Je vous sais bon gré de votre empressement.

Comme il prononçait ces paroles doucement, en s'inclinant un peu ainsi qu'il l'eût fait lors d'un grand souper, Tristan vit que les trois jeunes gars le considéraient d'un air narquois tandis que le roulier, rieur, s'étonnait :

— En voici un qui feint d'être un grand seigneur !... Et tu ne t'assieds pas sur ses genoux, Oriabel ?... Alors, viens sur les miens !

Tristan fit front à ces impertinents. Derechef ils potaillaient tout en se riant de sa courtoisie.

— Cesse de t'engrigner… Tu as beau, parfois, tapoter ton épée, ça ne saurait les effrayer... Cette fille, tu pourrais l'obtenir pour la nuit, mais pas pour toujours... Si ton orgueil est épais, ton escarcelle est plate.

Tiercelet cessa de parler, de sourire : un crépitement et des tintements de fers annonçaient l'arrivée d'une cavalerie.

— Hommes d'armes ? interrogea Tristan.

— Non : ils crient et chantent trop... De plus, si tu regardes comme moi par la fenêtre, tu verras qu'ils n'ont pas ce bel arroi des serviteurs du royaume.

— Des malandrins !

— Hé oui !... Vois le roulier : il passe par derrière et va courir se perdre dans la forêt voisine... Et les trois drôles en font autant.

— Et nous ?

— Si je les connais, tant mieux... Sinon, il faudra hardiment leur prouver que nous sommes des hommes et qu'on a les couillons solides.

La porte céda sous une forte poussée. Bien qu'ils se fussent attendus à une irruption de cette espèce, les deux compagnons sursautèrent. Tristan vit Oriabel reculer vers la cuisine.

* *
*

Ils entrèrent à grand et joyeux vacarme, se heurtant rudement du coude ou de l'épaule pour franchir le seuil et s'attribuer un banc, une scabelle. Certains, de plaisir, frottaient leurs mains nues ou gantées de fer ; d'autres détiraient leurs bras lourds d'avoir tenu les rênes ou portaient leurs paumes à leurs reins. C'étaient bien des gars de truanderie, coiffés de la barbute ou du chapel de Montauban et fervêtus par tout ce qu'ils avaient robé dans les armeries des châteaux ou glané lors des embuscades. Leur haleine vineuse, leur odeur fauve avaient fait irruption, elles aussi. De dégoût, Tristan grimaça tandis qu'un regard de Tiercelet, nullement inquiet et incommodé, l'engageait à continuer de ronger du mieux qu'il le pouvait, une cuisse savoureuse.

— Occupe-toi seulement du poulet... La poulette semble en sûreté.

Effectivement, la porte par où Oriabel s'était retirée restait close. Mais une porte se défonce...

— Ça paraît bon, ce que vous mangez ! graillonna une voix au-dessus d'eux.

Une main courtaude et pelue empoigna la carcasse de volaille encore charnue demeurée dans le plat, près de celle que Tiercelet mettait promptement dans son écuelle. Levant les yeux, Tristan vit tout d'abord une bouche avide et barbue, gluante de sauce, puis Eustache ravi par cet afflux de clientèle :

— Prenez place... Asseyez-vous, qu'on sache s'il manque des sièges !

— Des sièges victorieux, avec nous, c'est pas ça qui manque ! ricana un homme.

Une main, la même qui venait de balancer la carcasse décharnée dans l'âtre, voulut saisir le gobelet de Tristan. Prompt, il le renversa, répandant son contenu sur la table et mouillant un reste de pain.

Tiercelet réprouva ce mouvement d'humeur. Sa stupeur et son mécontentement relevèrent soudain l'âme de Tristan. Sous les regards curieux ou hostiles, il prit le pichet de vin, emplit son gobelet et le vida de moitié :

— En veux-tu, compère ?

— Ah ! Ah ! ricana le barbu au-dessus de sa tête, on est fier et égoïste !

Un bourdonnement épais et confus étouffa le vacarme. Cessant même de gesticuler, tous les hommes ahuris, incrédules, pointaient leur curiosité vers leur compagnon et surtout vers cet inconnu décidé à se défendre. Ils s'étaient levés. Ils s'approchaient. Tristan sentit leurs corps s'agglutiner en demi-cercle autour de lui et de Tiercelet. Il aperçut Oriabel, tapie derrière la porte légèrement déclose de la cuisine : à sa crainte et à sa fureur d'être sans doute agressé s'ajouta une sorte de volupté.

— Il ne sera pas dit, Tiercelet, qu'un rioteux (1) fera la loi à notre table... Est-ce ton opinion ? Dois-je l'apoltronir (2) ?

— Bah !

---

(1) Chercheur de *riotes* : querelles.

(2) *Apoltronir* : couper les ongles d'un oiseau de proie.

L'ancien mailleur de Chambly souriait. Ce courroux lui plaisait, assurément. Les sentiments que son regard exprimait semblaient en désaccord avec la gravité du moment. Il avait mis sa main sur le tranchelard qu'Oriabel avait déposé à sa dextre et dont il s'était peu servi : un solide manche de chêne et une longue lame épaisse. Tristan s'avisa du sien, plus petit mais pointu comme un perce-mailles. Pas question, maintenant, de saisir son épée.

— Dis m'en plus, compère !... Crois-tu que ce soit décent d'être dérangé ainsi par un... par un goguelu sans respect des usages ?

Il n'obtint qu'un grommellement pour réponse. Peut-être, tout au fond de lui-même, Tiercelet le prenait-il pour un nigaud.

Il vida son gobelet et l'emplit encore, le posant loin devant lui, près de celui du brèche-dent. Aussitôt la main s'avança, ouverte, crochue, décidée. D'un furieux coup de son couteau, Tristan la cloua sur le bois. Et se leva :

— Bon sang, fouille-merde, tu as sali ma table avec ton sang pourri !

On ne riait plus. L'homme n'avait ni crié ni bronché. Il empoigna le manche encore tremblant, tira, considéra la lame vermeille puis ses compagnons muets, imperturbables. Et pleurnicha :

— Mais il est fou !... Il est fou !... Hé, les gars, à la rescousse !

Le couteau fulgura vers le ventre de Tristan, qui l'éloigna sans mal. Tiercelet se leva :

— Fais attention, l'homme : si je ne m'étais poussé, tu m'éborgnais... Je n'aime pas qu'on me titille ainsi. Tu as interrompu notre repas ; prends garde que je ne sois d'humeur à interrompre ta vie !

Il avait saisi son tranchelard. Les hommes reculèrent afin de mieux s'élancer sur lui, tandis qu'une voix jeune s'élançait, elle, en fausset :

— Crève-le, Jovelin !

— Tout doux, grommela Tiercelet en repoussant son banc d'un coup de talon. Ces vicieux, Tristan, nous ont pris pour des rustiques. On peut peut-être leur montrer qui nous sommes... Tire ton épée... Voilà... Et toi, suce ton sang si tu as si soif. Tu te prendras pour Beaumanoir (1) !

Il y eut des rires. Jovelin était un quadragénaire obèse, trapu, lourdaud, avec des yeux de chèvre. Un cou gonflé d'un goitre en lequel il semblait entasser les menus objets de ses rapines, un nez camus, un front scrofuleux ; de grandes oreilles pareilles à de

---

(1) Lors du fameux combat des Trente qui, en réalité furent 62 (26 mars 1351), et comme il se plaignait de la soif, Beaumanoir, qui commandait les Bretons, fut interpellé par Geoffroy du Bois en ces termes : « Bois ton sang, Beaumanoir, la soif te passera ! »

petites ailes et comme tuméfiées. Le regard était malicieux, la voix furibonde.

— Je te parle pas à toi !... Ecarte-toi. Crois-tu qu'il me fait peur, ce... cette femmelette !

— Défie-toi, gros sot, de ta jactance. Et si tu veux la vie d'un Castelreng, sache qu'elle est moins aisée à prendre qu'une carcasse de volaille et un gobelet de vin !

Le couteau partit à nouveau, mais cette fois, une main gantée de fer l'arrêta ; une main solide : la dextre d'un chef. Un sourire apparut sur la face contrariée de Tiercelet :

— Naudon !... Naudon de Bagerant !

Et tourné vers Tristan occupé à remettre sa Floberge au fourreau :

— Un ami !... On peut dire qu'il arrive à point, bien que je le soupçonne d'avoir tout vu depuis le début !

Tristan s'inclina, maussade. Il aurait dû pouvoir occire le goitreux.

— Tiercelet !... Je te croyais mort !... Quel plaisir j'ai de te revoir !

Dans les terribles compagnies occupées à dépiauter et ruiner le royaume de France, l'homme d'environ trente ans qui venait d'interrompre la dispute devait tenir le haut du pavé. Sous son armure soigneusement fourbie se cachait un corps maigre, à en juger par sa face glabre, aux joues comme aspirées du dedans. Ses yeux, tout proches de la racine d'un nez crochu, affirmaient une hautaineté doublée d'une cruauté sans limites. Hardi, insolent, violent avec les faibles, il devait l'être davantage encore envers tous ses pareils. Sans compassion et sans scrupules, s'il pouvait apprécier le courage d'autrui, cette vertu n'influait sur son comportement que s'il y sentait menace. Il ignorait l'admiration, mais le mépris lui était familier.

— Est-il vraiment ton ami, Tiercelet ? demanda-t-il en appuyant sur la poitrine de Tristan son index emmailloté de fer.

— Oui.

— On n'est vraiment des amis sûrs que lorsqu'on a occis et ripaillé ensemble. Est-ce le cas ?

— Et comment !

— Laisse-le parler, Tiercelet. Il semble qu'il en ait envie.

Tristan acquiesça et, les yeux dans les yeux, sans ciller :

— Envie ?... J'ai seulement envie d'achever mon repas quiètement... Il va de soi, comme ce Jovelin de malheur y a touché, que c'est à lui de payer la mangeaille corrompue par ses mains sales !

Naudon de Bagerant siffla :

— Bigre !... Il a de la fierté, ton compain, Tiercelet !... Où vous êtes-vous connus ?

— Dans une geôle d'Auxerre.

— Admirable lieu de rencontre lorsqu'on peut en sortir !

Pareille à une lame d'acier, une lueur brilla dans l'œil du routier.

— D'où venais-tu avant d'être engeôlé ?

— Que t'importe !... Fais-tu aussi profession d'inquisiteur ?

Naudon de Bagerant tressaillit. Un de ses sourcils frémit comme une chenille poilue qu'on eût transpercée d'une aiguille.

— Oh ! Oh ! fit-il.

Tristan le dévisageait avec une gaieté dédaigneuse, sachant bien que le seul moyen d'entrer dans la considération de ce nuisible consistait à lui en imposer soit par l'arrogance, soit à coups de lame. Son air d'assurance, sa voix râpeuse d'émotion, sa colère — dont tous les males gens groupés autour de lui avaient vu la promptitude à s'assouvir — provoquèrent l'effet qu'il souhaitait.

— *Boudious !* s'exclama le routier. C'est du vif-argent que tu as trouvé, Tiercelet !

Il se trouva vers ses compagnons :

— Prenez place et tenez-vous à carreau !... Jovelin, fais-toi soigner. Si tu trépasses dans la prochaine estourmie (1) parce que tu ne peux fermement poigner ton épée, ce sera bien fait pour toi !

Naudon de Bagerant s'assit à un bout de table. Il posa son bassinet à bec de passereau à sa dextre et quitta ses gantelets de mailles. Ses mains soignées montèrent jusqu'à ses cheveux drus, bruns, qu'il lissa avec une grâce un peu féminine, tout en dirigeant son attention vers la cuisine.

— D'ordinaire, dit-il, Eustache et ses femelles sont plus enclins à nous servir. Que se passe-t-il, là-bas ?

Il caressa les commissures de sa bouche où s'assemblaient des rayures de peau moins dues à l'âge qu'aux excès accumulés au cours d'une existence de malfaiteur.

— Enfin ! soupira-t-il en regardant ses compagnons auxquels la femme d'Eustache distribuait des gobelets et des hanaps. Que vas-tu faire, maintenant, Tiercelet ?... Venir avec nous ?

— Sans doute.

— Et toi ?

Tristan eut une grimace, puis un geste évasif.

— Tu es jeune !... Guère plus de vingt ans... Tu as le caractère et la forcennerie... La fleur de la jeunesse est en toi !

« Sans doute », songea Tristan. « Mais elle ne pourrait s'épanouir sur ton fumier. »

---

(1) Bagarre, mêlée.

— Viens avec nous !... Nous sommes partis à cinquante. Nous avons été deux mille et sommes désormais innombrables... Sais-tu que si l'armée royale était composée de gars de ton espèce, la vie cesserait de nous être agréable !

— Beau compliment, Tristan ! ricana Tiercelet.

— Sois des nôtres : tu auras du bon temps et des filles aimables. Et tu t'enrichiras !

Tristan demeurait coi, mais une irritation lui brûlait la poitrine. Il vit s'ouvrir en grand la porte de la cuisine. Oriabel parut si vivement qu'on avait dû la pousser dans les reins pour qu'elle franchît le seuil de ce refuge. Des pleurs brillaient sur ses joues ; on ne pouvait être plus pâle qu'elle l'était présentement.

— Tiens, dit Naudon de Bagerant, ils ont une nouvelle.

Et comme Tiercelet l'interrogeait du regard :

— L'autre, Nicole, est morte la semaine dernière. Des gars qui ne sont pas de chez nous l'ont forniquée deux jours et deux nuits...

Eustache passait ; le routier l'arrêta d'un mouvement de cubitière :

— D'où vient, coquin, ta nouvelle vacelle (1) ?

— Caluire... S'est fait prendre par un gars de Garcie du Châtel. En bon chevalier, il a veillé à ce qu'on n'y touche pas. Il la voulait...

— Ça va de soi.

— Je la lui ai jouée aux dés. Il a perdu... On l'a à l'œil, mon épouse et moi, car elle s'enfuirait à la moindre occasion !

Oriabel s'approchait. On lui avait dit d'apporter une volaille ; elle la déposa devant Tristan, soudain privé d'appétit. Il était troublé par cette présence si proche que son coude touchait involontairement la robe de la jouvencelle, et s'exaspérait, en même temps, des rires et clameurs qu'il suscitait.

— Hé ! Hé ! dit Bagerant, l'œil levé sur la jeune fille.

Tristan s'inclina en signe de remerciement et fut sensible au regard qu'elle lui lança — désespéré, tout embué de larmes retenues.

« Pure encore », se dit-il avec une certitude qui ne reposait sur rien.

Même souillée, il eût essayé de la délivrer, nullement pour la besogner, mais pour lui rendre la liberté en l'adjurant d'aller s'enfermer dans une cité ceinte de hauts murs et solidement défendue. Il l'y eût même accompagnée.

— Evidemment, dit en riant Eustache, Garcie du Châtel ne sait rien... Ne lui en parlez pas !

— Atournée comme elle est, dit Naudon de Bagerant tandis qu'Oriabel regagnait la cuisine, elle se devrait de porter un harnois de fer.

(1) Fille d'auberge, de basse-cour.

Il rit, sans que sa gaieté déteignît sur Tiercelet. Tristan vida son gobelet en songeant : « Si les vipères pouvaient parler, il est sûr qu'elles auraient ta voix ! » La main de Bagerant se posa sur la sienne, qu'il retira vivement.

— Viens avec nous !

Le malandrin persistait. Son front rose ruisselait de sueur. Il dit encore :

— Il y a deux semaines, le Petit-Meschin, moi et les autres, on a conquis Viverols et le prieuré d'Etivarelles (1)... Brignais est nôtre également !

— Ce grand châtelet ! s'étonna Tiercelet. Je suis passé une fois par là.

Naudon de Bagerant acquiesça. Son regard luisait autant que son armure sous le coup d'une jubilation dont Tristan fut écœuré. Il songea dans sa langue natale : « *Miral deforo, fens dedins* (2) » et feignit d'écouter tout ce qui se disait.

— Oui, ce châtelet... Il y avait jadis, en haut de la motte au pied de laquelle il a été construit, une étable assez laide appartenant aux moines. Un de nos hommes, natif de Sienne, l'a baptisée *bicocca,* une bicoque... On est en train de la renforcer et de monter des murs tout autour, car on se défend mieux sur un lieu élevé que dans une vallée... Pas vrai ?

Tristan ne dit mot ; Tiercelet grommela ce qui pouvait être un « oui ».

— Le Petit-Meschin a fait monter moult charretées de pierres et cailloux car il a l'intention de demeurer en ces lieux quand il sera repu de randons et conquêtes... La vue porte loin : on peut se garantir de tous les dangers. Venez là-bas tous deux, nous y ferons bombance à la façon des Romains : chair rôtie et chair fraîche, toutes délicieuses, et qu'on peut renouveler à l'envi !

— Je ne me sens nullement disposé aux orgies, Bagerant, surtout quand les femmes n'y sont pas consentantes... A Rome, la Rome des dieux païens et dissolus, elles l'étaient...

Par la fermeté d'un propos où l'ironie et le dédain se mêlaient en parties quasiment égales, Tristan sut qu'il forçait Tiercelet à l'estime, peut-être à l'admiration. Bagerant se courba, se ramassa sur lui-même comme un taureau furibond :

— Sors-tu d'un moutier pour me parler de la sorte ?

— Et si c'était ?... Voudrais-tu que je te confesse ?

---

(1) Le 25 février 1362. Selon la plupart des chroniqueurs, Brignais fut pris ce jour-là. *(Archives de la Côte-d'Or : Comptes de Dimanche de Vitel.)*

(2) Brillant dehors, fumier dedans.

— Tu sais bien que cela te prendrait trop de temps ! s'ébaudit le routier en assenant un coup de poing sur l'épaule de Tristan.

« Il me déteste, sans quoi il m'eût frappé du plat de la main ! »

Les yeux ardents de Bagerant s'étaient faits plus petits ; ses joues maigres, soudain enflammées, se gonflaient alternativement comme s'il venait de gober un petit animal ou un insecte qui se débattait avant d'être noyé dans une rasade de vin, et avalé. Il se mit à décrire Brignais d'une façon impétueuse et sans doute excessive : le château que quelques travaux rendraient imprenable ; les pentes roides, pierreuses, où les moutons trouvaient leur juste nourriture ; les vastes espaces qu'on découvrait de ces hauteurs.

Tristan écoutait à peine. Il tremblait pour Oriabel. Qu'un coquin fît un geste et il le pourfendrait. Elle sinuait, craintive, parmi les buveurs. Une main se leva qu'elle sut éviter ; une autre qu'elle repoussa fermement. On lui toucha la fesse ; elle bondit comme sous l'effet d'un aiguillon. Il y eut quelques rires et des *« Hou ! Hou ! »* désapprobateurs.

Tout proche de Bagerant, un jouvenceau roux, boutonneux, au nez en pied de marmite, épiait la servante avec l'agitation d'un furet en présence d'une proie.

« S'il y touche... » songea Tristan.

Il y avait autour de lui le bourdonnement exaspérant des voix rudes ; il y avait en lui le grondement d'un sang fiévreux. L'idée d'occire ce malandrin rougeaud fermentait dans son crâne, bien qu'il n'eût rien commis encore.

— Doucement...

Ce chuchotis, c'était celui de Tiercelet : *il savait.* Et c'était à lui, Tristan, d'accepter l'évidence : il s'était épris d'Oriabel ; tout le courant de sa pensée bouillonnait dans un sens unique : elle serait sienne, il l'épouserait. Ce ne serait pas mésalliance : elle était si belle, si noble de visage et d'allure...

Elle venait vers lui, faible et pâle. Il respira un grand coup, devinant sur son visage le regard curieux, despotique, de Naudon de Bagerant. Oui, il épouserait cette manante ; il la défendrait *maintenant* comme un homme défend son épouse. *« Gare à toi, rouquin ! »* Il avait tout prévu :

Le rougeaud bondit, empoigna la jouvencelle par la taille, riant qu'elle martelât de ses poings les bras qui la maintenaient contre lui.

— Holà ! que te prend-il ? C'est ton bien que je veux !

Juchant aisément Oriabel sur son épaule, il avança vers l'escalier, acclamé par ses compagnons, leur gobelet levé à sa santé.

Tristan vit le regard éperdu de la servante. Promptement, par la lame, il lui tendit son couteau. Saisissant le manche à deux mains, elle plongea l'acier jusqu'à la garde dans le dos du malandrin.

Le rouquin s'affala. Il y eut des cris, une turbulence de meute cernant une biche effrayée. La rumeur monta, roula comme un flux tempétueux jusqu'à Tristan. Il vit un homme bondir et saisir la jeune fille à bras-le-corps.

« C'est Jovelin !... Je vais l'occire ! »

Eperonné de puissance et de rage, Tristan attrapa le routier par son colletin et lui lança, du revers de sa dextre, une gourmade si furieuse que le nez assez long se rompit et saigna.

— Fais le fier avec moi si tu l'oses !

Agile et prompt malgré la gêne de son épée, il passa sous le bras du truand, le ceintura et le fit choir sur les dalles en s'aidant d'un croc-en-jambe. Alors, tombant sur lui, il le saisit à la gorge, puis aux oreilles, heurtant ainsi, de sa nuque, le pavement.

Il ne voyait rien d'autre qu'une face enlaidie de fureur et de frayeur, et des mains, dont une saignante et moins vigoureuse que l'autre, accrochées vainement à ses poignets. Ses yeux s'éclaboussaient d'ombres et de lueurs tandis qu'on saisissait son pourpoint par le dos et les épaules afin qu'il libérât sa prise. Mais il se sentait magnifiquement fort, aussi terrible qu'un orage ou un torrent de montagne.

Quelque chose craqua dans le crâne de Jovelin. Sous la friche des poils qui couvraient son visage, sa bouche béa tandis qu'un long mouvement d'ultime défense arquait son corps. Sa vie lui échappa dans un vomissement de sang et de fiel.

— Il dégoule sa cervelle, dit Eustache, penché.

Tristan lâcha prise et se mit debout. Oriabel était là, près de Naudon de Bagerant, immobile et, semblait-il, vide d'émoi. Un petit bourrelet de chair s'était formé entre ses sourcils.

— Belle mort selon toi ? demanda le routier.

— Non... On obtient rarement la mort que l'on souhaite, mais plus souvent celle que l'on mérite. Cet homme eut grand tort de me courroucer !

Tristan n'osait trop regarder Oriabel. Vingt hommes les entouraient, elle et lui, car elle venait de s'approcher, cherchant encore une protection qu'il se savait incapable d'assurer en cas de nouvelle riote (1).

— Tout ça pour une donzelle ! dit l'un d'eux.

Tristan reconnut la voix fluette qui avait crié à Jovelin : *« Crève-le ! »* Il respirait mal, les muscles roides, la poitrine brûlante et comme lacérée, mais pacifié. Hanté par une sensation de bien-être

(1) Querelle, bagarre.

étrange, il se sentait admiré à la fois par Oriabel et Bagerant plus encore que par Tiercelet. Ce plaisir jamais éprouvé emplissait un cœur dont les battements s'alentissaient, devenaient moins douloureux. *« Sauvée, je l'ai sauvée !... Ils n'oseront plus, maintenant ! »* Voire... Par représailles pour la perte de Jovelin et du rouquin, Bagerant pouvait les offrir, elle et lui, en pâture à ses hommes.

— Bon sang !... Si cette vacelle était ta femme, tu ne l'aurais pas mieux défendue !

Naudon de Bagerant fit un signe :

— Eloignez-vous, compères. Emportez les corps de ces deux sots !... Jetez-les sur le fumier de la cour... Eustache !... Tu les brûleras demain... Je les aurais loués s'ils avaient eu le dessus, or, ils ont été vaincus...

Brusquement détourné :

— Je pourrais vous châtier tous deux... et commencer par toi, Fier-à-Bras !

— Je le sais... Ta renommée en souffrirait.

Tristan se souvenait malaisément des scènes d'où il s'était dépêtré à son avantage. Voyant les joues d'Oriabel se teinter enfin, il fut certain qu'elle était d'une affabilité, d'une douceur et d'une humilité constantes. Il y avait de la dignité dans son regard, maintenant. Non, plus encore que de la dignité : une véritable majesté. Il se sentait poussé vers cette inconnue par une exigence qui, épurée de la fureur et de l'angoisse d'occire et d'être occis, lui paraissait magique : au-dessus d'eux, quelque chose avait fait en sorte que leurs agissements se fussent à la fois réunis et victorieusement conjugués. Une volonté puissante, irrésistible. Dieu ? Saint Michel dont l'épée n'avait jamais contrarié ses mouvements ?

— Je ne saurais vous punir... murmura Naudon de Bagerant. Non, je ne saurais sévir contre vous... à une condition...

Et voilà ! Il allait falloir marchander.

Tristan vit le front de Tiercelet se bourreler et ses lèvres s'avancer pour, sans doute, quelque plaidoyer difficile. D'un clin d'œil, il le rassura, observant combien la sollicitude sèche et moqueuse du brèche-dent lui était devenue précieuse. C'était une sensation étrange, peu flatteuse et cependant revigorante que d'être le compain d'un tel aventureux.

— Qui es-tu, Fier-à-Bras ? Aimes-tu vraiment cette donzelle ?

Avec une sorte d'avidité, de déception ou de mépris, Bagerant, d'un regard, déshabillait Oriabel.

— Qui je suis ? Tristan de Castelreng. Quant à aimer cette pucelle, il est vrai que j'en suis amouré... Y vois-tu une objection ?... Si jamais, par malheur, tu la voulais pour toi, il te faudrait mettre au clair ton épée !

Ce n'était pas l'amour extraordinaire et transcendant des livres de Chevalerie et, s'il était Tristan, elle n'était point Yseult ; mais il devait tenir tête à ce présomptueux, se montrer plus distant qu'il ne l'était d'ordinaire pour acquérir son respect.

— S'éprendre aussi promptement, c'est marmouserie !

Tristan n'en disconvint pas. Saisissant la main de la jouvencelle, il sentit avec plaisir ses petits doigts fiévreux s'insérer entre les siens.

— Tu n'es pas à l'abri d'une pareille défaillance, Bagerant... A cette seule différence que le consentement de la pucelle ou de la dame de tes désirs t'importe peu !... Tu la veux, tu la prends... Je suis sûr qu'il advient qu'on te la serve au lit comme un mets de choix dont tu te repais sans façons !

— On ne peut pas aimer aussi vélocement !

— Que peux-tu savoir de l'amour, toi qui répands partout la cremeur (1) !

Quelle étrange aventure, tout de même : il avait hurlé à la mésalliance quand son père lui avait annoncé son intention d'épouser Aliénor, et il se découvrait incapable de résister à l'effréné désir de faire sienne une roturière dont il ne savait rien sinon qu'elle était belle.

— Si tu l'aimes, mariez-vous. C'est sa seule sauvegarde.

— Holà ! cria dans l'assemblée la voix rancuneuse d'Eustache tandis que l'épouse du tavernier poussait celui-ci en avant. Holà ! elle nous appartient.

— On l'a payée.

— Ferme ton bec, femme !... Et toi le tien, maquereau ! Je vous baillerai une bourse en quittant votre auberge. Et si vous maugréez, je vous ôte la vie.

La bouche de Bagerant, tourné vers Tristan, devint celle d'un chien qui grogne :

— Tu devras, bien sûr, me rembourser.

— Soit.

Quelque chose de vénéneux passa dans le sourire du chef de route. Il se délectait sournoisement de sa supériorité et d'une situation dont il profiterait. Mais de quelle façon ?

« *A de pòts coma un rebòrd de pissadou* (2) », se dit Tristan.

— Tu la veux, Castelreng, tu l'épouses, car je te déconseille d'en faire seulement ta concubine : on voudrait te la prendre et tu

---

1) Crainte

(2) Il a des lèvres comme un rebord de pot de chambre.

devrais souventefois tirer l'épée pour la conserver... Comme mari et femme, on vous laissera quiets et aimants. Il va de soi que vos noces seront célébrées à Brignais, en présence de tous mes amis. Tiercelet et moi serons témoins... Tu vas me dire qu'il faut un presbytérien pour vous unir devant Dieu... Nous en avons un.

« Que Dieu doit haïr », songea Tristan, mais il n'osa ce commentaire.

— Dès demain, Castelreng, je t'entretiendrai de ta dette.

— Je gage qu'elle sera...

— Aussi élevée que ton admiration pour cette fille. Si ta famille est fortunée, tu lui enverras Tiercelet. S'il revient les mains vides, tu ne failliras pas à l'honneur et deviendras mon homme lige. Tu me rembourseras au moyen d'écus de rapine... J'obtiendrai ainsi, et pour longtemps, ton précieux dévouement !

« Tout cela est abject ! » déplora Tristan.

Tandis que d'un sourire il apaisait Tiercelet, il rassura d'une pression de main sa « fiancée », prenant de nouveau plaisir à découvrir un charme rare et un indéniable estoc (1) à cette pure figure où les ombres de la peur s'effaçaient. Quelques moments avaient suffi pour qu'Oriabel passât de l'effroi à l'espérance et de l'espérance au bien-être ; de la sécheresse de cœur à la gratitude, puis à la passion. Il devrait veiller sur sa personne avec une vigilance constante ; Bagerant éprouverait une joie particulière à ne plus assurer sa sauvegarde : leur amour soudain, outre qu'il l'irritait, lui faisait toucher du doigt, peut-être, l'absurdité d'une vie de débauche. Oui, à Brignais et ailleurs, d'autres épreuves leur seraient réservées. Elles fourniraient à leurs sentiments réciproques une trempe hors du commun.

— Je dois dire que tu m'as ébaubi, la belle, dit le routier. Tu t'es bien défendue des ardeurs de Mahieu le Roux... Veux-tu épouser ton bienfaiteur ?

Oriabel rougit en disant *oui,* très bas, mais fermement. Elle cacha son visage contre l'épaule de Tristan qui, de joie, l'étreignit avec force.

— Bonne affaire pour toi !... Je jurerais qu'il est un chevalier.

Tiercelet se pencha, sévère, et demanda :

— Tu en es vraiment épris ?

— Tu me connais suffisamment pour me savoir incapable d'épouser une pucelle dont je ne serais pas amouré !

Posant sa main sur la hanche d'Oriabel, Tristan la sentit frémir, mais c'était de contentement, cette fois. Comment eût-il pu lui avouer qu'en ce moment même, il s'apeurait sans frein ni remède ?

(1) Race, noblesse, nous dirions maintenant : « classe ».

Tandis qu'il s'employait à la délivrer, sa fureur s'était imprégnée du plaisir de se montrer solide, habile, décidé — tant à elle qu'à ces hommes de sac et de corde qui les entouraient et dont la confusion aidait son sauvement. Maintenant, le sentiment de sa déchéance le pénétrait aussi violemment qu'un vireton d'arbalète. Il allait devoir s'embourber dans la honte et la corruption ; assister, impuissant, à des excès de toutes sortes, malgré le dégoût qu'il en éprouverait. Toutes ces lâchetés ne seraient pas vaines s'il rendait Oriabel heureuse. Mais, justement, possédait-il cette capacité de lui dispenser le bonheur ? Il ne pouvait maintenant exprimer ses craintes et ses rancœurs à la jeune fille. Il importait qu'il la rassurât encore et encore. En apparence, il avait triomphé d'une partie difficile ; en réalité, il était vaincu par Naudon de Bagerant.

— Combien exiges-tu, compère, pour la liberté de ma future épouse ? Pour toi, elle ne vaut rien. N'en hausse pas l'importance par aversion contre moi et amertume contre elle !

Désemparé mais tenace, Tristan n'osait regarder Oriabel. Il avait, présentement, sa destinée entre ses mains avant même d'avoir son corps. Bagerant se mit à rire :

— Tu me connais mal. Je te dirai le prix de la rançon demain. Tu aimes cette donzelle : tu subiras d'un cœur léger mes volontés... Tiens : te dirais-je maintenant que je vais la livrer à mes hommes...

— Oh ! gémit Oriabel, mains jointes et prête à s'agenouiller.

— ... que pour lui épargner cette... humiliation, tu ramperais à mes pieds. Oui ou non ?

— Il se peut.

— C'est la réponse que j'attendais de toi !

Bagerant dévisagea ses compagnons un par un. Cette mansuétude feutrée, digne d'un clerc et même d'un Pape, mais bouillonnante d'orages intérieurs, les confondait. Il s'inclina devant Oriabel en murmurant un : « N'aie crainte » qui, assurément, signifiait : *« Méfie-toi ! »* et commanda :

— Sortons !... Nous revenons à Brignais.

— Songez à mes écus ! pleurnicha Eustache.

— Tiens, prends cette escarcelle !... Allons, passe devant moi, Castelreng ! Toi, la fille, suis-le pour le meilleur ou pour le pire, comme disent les presbytériens... Il te prendra en croupe.

Insensible aux rires qui s'élevaient, Tristan quitta la taverne, la petite main d'Oriabel, brûlante, perdue, accrochée à la sienne.

— Messire, balbutia-t-elle, vous me donnez une seconde vie...

Tiercelet les suivait de près, bien décidé à les protéger. Toujours Tiercelet. Toujours cette bonté au tréfonds d'un cœur sec et noir.

— N'aie crainte, dit Tristan à voix basse.

Après qu'il eut baisé la jouvencelle sur la tempe, il ceignit ses épaules d'un bras.

— Il convenait que tu sois sauvée. Je t'épouserai.

— Mais vous ne m'aimez pas ! Je vais vous être à charge !

Il la voyait à peine dans la nuit grise. Entre ses tresses d'or, elle avait un air apeuré, doux et fidèle. On eût dit qu'elle lui était attachée depuis longtemps, qu'elle l'admirait depuis leur jeunesse prime.

— J'étais seul... Oui, malgré Tiercelet, j'étais seul... Quand tu m'es apparue, je me suis dit : « *C'est elle !* » Et j'ai senti mon cœur grossir et s'embraser.

— En l'état où je me trouvais ? Sans rien savoir de moi ?

Oriabel s'exprimait avec plus de force qu'il ne lui en avait senti. Son visage s'était animé ; ses yeux pétillaient des clartés d'un ciel pourtant avare de lumières. Cet amour inattendu, inespéré, l'étourdissait. Elle dit, baissant les yeux :

— Je suis pure et vous en fais serment.

— Je te crois.

— Tristan, c'est un beau nom.

Dans l'ordre de ses sentiments, l'admiration dépassait la reconnaissance. Et c'était mieux ainsi, songea-t-il tandis qu'elle regardait devant elle, devant eux, bien droit.

Tristan s'arrêta devant son cheval, tout proche d'un autre à la croupe couverte de cuir grêlé d'acier. Ce devait être celui du chef de compagnie. Il se jucha en selle et tendit sa dextre à Oriabel. Agile et souple, elle fut aussitôt près de lui, le serrant fort à la taille.

— J'ai grand-peur. Jamais vous ne pourrez acquitter ma rançon.

— Je vous délivrerai. Je *nous* délivrerai avec ou sans rançon. Et cet homme-là, Tiercelet, nous aidera, j'en suis sûr.

Le brèche-dent marchait vers son Blanchet. A quoi pensait-il ?

« Voilà une seconde fois ma mission compromise !... Le mauvais sort, toujours. La cuidançon (1) la plus noire ! »

Aucun remède, présentement, contre cette male chance. Tristan regarda les hommes, de l'autre côté de la cour. Ils enfourchaient leurs chevaux et leurs mulets en riant de la colère d'Eustache qui, de son seuil, hurlait en brandissant ses poings :

— C'est trop peu, Bagerant !... Il me faut le double !... Reviens !... Si tu ne reviens pas...

— Si je reviens, maraud, ce sera pour t'occire !

---

(1) L'inquiétude.

— C'est trop peu, Naudon, pour une fille aussi belle ! insista la voix enrouée du tavernier.

— S'il dit un mot de plus, je reviendrai demain ! Bon sang : je le percerai à plaisir et son Aldegonde avec lui... Tu t'en réjouiras, Oriabel.

Bagerant ne reçut aucune approbation. A l'inverse d'un chevalier bien né, sautant en selle sans toucher l'étrier, il dut avoir recours à l'un de ses hommes pour se hisser sur son roncin. Il parut indigné du regard que Tristan lui lançait, puis une joie brutale fit apparaître ses dents :

— Vous devez avoir fort envie d'arriver à Brignais. Or, je vous en préviens : faute de lit, vous devrez forniquer sur la paille. Les rats, qui sont nombreux, verront tous vos ébats, car on dit qu'ils voient clair dans les pires ténèbres !

Tristan sentit Oriabel frémir. Il demanda sans se retourner :

— D'où sors-tu vraiment, m'amie ? D'un châtelet ? D'une échoppe ?

— D'un châtelet sans être châtelaine... Chambrière... Je vous raconterai.

— Nous avons le temps, dit-il en laissant son cheval ambler sur le pavé noir, miroitant de flaques de boue.

C'était façon de parler. Dommage qu'il n'eût pu livrer à Tiercelet la moindre confidence. En aurait-il désormais l'occasion ? On lui avait enjoint d'observer les routiers. Il tombait en plein dedans. Comment s'en sortirait-il, maintenant ?

Il entendit un rire. Bagerant... Toujours lui !

— Faudra-t-il, si j'ai envie de pinter chez Eustache, que je me précautionne en mettant mon armure ?

* *
*

« Qu'est devenue la mienne ? » se demanda Tristan.

« Laissez votre harnois dans votre chambre », lui avait dit Jean II. *« Orgeville ou Salbris vous le rapportera en votre logis... Tenez-vous sagement dans l'ombre... Vous savez qu'Edouard III a des espies partout ainsi que ce larron de Charles de Navarre !... C'est de lui, mon gendre, et des routiers que je veux vous entretenir aussi brièvement que possible... Pensez si mon courroux est... énorme : Charles a des prétentions — mais oui ! — sur le duché de Bourgogne !... Il a des droits*

dessus, je sais (1), *mais ce serait un crime que de donner la moindre parcelle de terre à ce fou qui ne cesse de me donner des coups d'épée dans le dos, qui s'est allié aux Jacques, à Etienne Marcel, à Edouard d'Angleterre, et qui a maintenant une autre alliance en tête... Le péril est énorme et vous l'allez comprendre !* »

Bien qu'au cours de sa captivité on l'eût traité avec des égards sans pareils, ce roi vieillissant portait moins le poids de son âme et de son corps que celui de ses fautes. Et Jean, qu'on avait surnommé le Bon par antiphrase, n'était peut-être pas dupe du respect qu'il lui montrait, lui, Tristan. Les abondantes lumières accusaient presque férocement la lividité de cette face triste où le sourire émanait des prunelles enfouies sous des sourcils fricheux plutôt que des lèvres gercées de froid et d'amertume. Cet homme-là un roi ? Nullement : un vaincu. La maigreur de son nez faisait de celui-ci une lame de chair et de cartilage un peu rouge en son extrémité ; ses cheveux jadis roux commençaient à blanchir. Il caressait parfois d'un geste efféminé le lambeau de poils pâles qui, juste sous sa lèvre inférieure, rejoignait une barbe assez touffue qui fournissait un peu de fermeté à un menton inexistant. Comme Salbris, après avoir frappé, poussait violemment la porte, il l'avait éconduit d'un vol de main, puis il s'était tourné vers la cour où un coq chantait :

« Je sais, par Philibert Paillart et Bertaut d'Uncey, qui viennent de me quitter, que les routiers se concentrent au cœur du royaume... En Lyonnais peut-être. Mon gendre, selon Paillart, a l'intention de se joindre à eux pour devenir leur conduiseur... Si ces malandrins acceptaient d'en faire leur... suzerain, il disposerait d'une armée telle que nos chevaliers, écuyers, mercenaires, piétaille du ban et de l'arrière-ban ne pourraient lui résister. La France alors serait le royaume des loups !... Mon cousin Edouard ne perdrait pas l'occasion de se joindre à eux... Notre pays cesserait d'exister. C'est une conjecture... terrifiante... »

« Sire, que dois-je faire ?... Dites-moi... Ce péril me donne des sueurs ! »

---

(1) Comme il a été déjà dit, Charles de Navarre (1332-1387), mari de Jeanne, fille de Jean le Bon et de Bonne de Luxembourg, était le fils de Jeanne de France, femme de Philippe d'Evreux-Navarre, laquelle était fille de Marguerite de Bourgogne, femme de Louis le Hutin ; laquelle était fille de Robert II, bisaïeul de Philippe de Rouvres, dernier possesseur du duché par son aïeul Eudes IV, de qui il le tenait.
Le roi Jean et son frère, le duc d'Orléans, étaient les petits-fils de Robert II.
La distance était également la même entre Robert II et le duc de Bar, qui avait renoncé bien vite à ses prétentions (et il serait fastidieux, ici, de développer cette affaire).
Charles de Navarre, parent au cinquième degré, protesta et exigea que le duché lui revînt. Jean II savait son gendre dans son bon droit, à tel point qu'il faillit trouver un arrangement en 1363. Rien ne se fit. Alors, le Mauvais menaça de soumettre le litige au Pape. C'était perdre son temps. (Voir en annexe IV : *la France en péril : les Jacques et les routiers.*)

Jean II avait soupiré. Après avoir passé sa dextre devant ses yeux, comme pour en chasser des images horribles, il avait repris d'une voix plus nette :

« Il vous faut aller voir sur place. Savoir combien d'hommes se sont réunis ou vont s'assembler en un lieu assez vaste pour les contenir... Apprendre quels en sont les capitaines... Méditer sur les moyens d'anéantir cette pendaille... Et si vous voyez passer Charles, mon gendre, l'occire proprement ! Allons, venez, nous sommes attendus chez Jean III de Chalon-Auxerre... Perrette, son épouse, me semble... euh... accueillante... »

Jean II s'était mis à marcher d'un pas lourd, comme si de gros fer entravaient ses chevilles.

« Ah ! Castelreng, si vous le pouviez voir... Simplement ! Cette fois, croyez-moi, je sévirais sans hésiter... Mais cela me semble une espérance bretonne (1) *! »*

Un silence. Le souffle du roi y avait pris une importance gênante : on eût dit celui d'un mourant.

« Vous m'avez toujours parfaitement servi, Castelreng. Vous souvenez-vous de notre passage au marché de Meaux ? Je n'ai jamais vu si beau tençon (2) *que celui qui opposa, ce jour-là, Fouquant d'Archiac et Maingot Maubert. Une bataille un contre un à emprise de volenté. Et ce fut le soleil, finalement, qui gagna. C'est grâce à lui, si je puis dire, que j'obtins pour le dauphin le beau cheval du vaincu ! »*

Le roi était reparti dans ses songes chevaleresques. C'était vrai que les gens groupés autour de la place du marché de Meaux avaient assisté à une bataille comme ils n'en verraient jamais plus.

« Souvenez-vous, Castelreng... Le cheval d'Archiac se desraye et notre chevalier se trouve à pied, en peine de requérir son rival à cheval... Il fait chaud... Un brasier... Archiac va s'asseoir sur une escabelle qui est au bout des lices... Maingot est si las, lui aussi, qu'il s'empêtre les rênes dans une des tassettes de son

---

(1) Une espérance vaine. On supposait que les Bretons attendaient toujours le retour du roi Artus.

(2) Querelle. — Le roi de France quêtait pour sa rançon. Le jeudi 1er juillet 1361, au marché de Meaux, devant lui, une bataille à emprise de volenté — c'est-à-dire que les deux hommes offraient de venir combattre devant le roi sans avoir été poursuivis ni cités par lui, et qu'on leur laissait régler les conditions de la rencontre —, opposa Fouquant d'Archiac, chevalier, seigneur de Tornerac, à Maingot Maubert, capitaine de Saint-Jean-d'Angély en 1353-1354. Le cheval d'Archiac se desraya (il devint indomptable, ingouvernable) et Maingot Maubert eût pu être victorieux s'il n'était mort d'insolation. Son cheval, qui appartenait de droit à Archiac, fut vendu par le vainqueur inattendu au dauphin, futur Charles V, médiocre cavalier, au prix très élevé de 400 deniers d'or.

Le prénom de *Maingot* était assez répandu. Il venait certainement de l'exclamation *mein-gott* (mon Dieu !) comme le nom de *bigot* vient de l'exclamation *by-Gott* ou *by-God*. On a fait de ce dernier, en France, un adjectif pour indiquer l'homme qui affecte une extrême piété. Il est pris substantivement. *Fouquant* signifiait *Foulques*.

armure... Il tombe !... Alors, Archiac, l'épée haute, s'avance vers lui a très grande peine... Et lorsqu'il va l'occire, il s'aperçoit qu'il est mort !... Donnez-moi votre pensée, Castelreng : Maingot doit-il avoir un chien aux pieds de son gisant ? Y mettriez-vous un lion ? »

La réponse était malaisée (1). Pas de chien, certes ; mais un lion ? Le vainqueur de cette bataille n'y avait pas combattu.

« Sire, en vérité, le soleil a gagné... Mais je ne vois pas ce que ferait une espèce de galette dorée près des éperons de Maingot Maubert ! »

Le roi s'était ébaudi. Cette repartie, sans doute, il la répéterait.

« Vous avez de l'esprit, Castelreng, et méritez ma confiance ! »

« J'en avais assez d'ouïr tous ces propos. Je craignais de tomber dans la gueule du loup... Je suis tombé d'abord dans celle d'une louve... Au vrai, cette Perrette est une gaupe qui mériterait qu'on la jette à une compagnie de routiers. »

Deux bras le serraient très fort. La nuit se plombait au-dessus de sa tête.

— Messire... Messire...

Comme il s'était trouvé bien loin, tout à coup, des malandrins dont il était victime ! *« Défiez-vous-en »*, lui avait dit Jean II. Il s'en était défié. Maintenant, il allait devoir jouer serré.

Bagerant ne disait mot. Ni aucun homme. Les chevaux et mulets traversaient des pâtures et parfois, dressé sur ses étriers, Tiercelet se soulevait autant pour décharger l'arrière-main de son Blanchet que pour voir si Oriabel et son compère se comportaient sagement. La nuit vide bourdonnait et cliquetait sous les fers et les armes. Des crêtes, çà et là, se découpaient comme des flammes bleues, immobiles.

---

(1) Selon le comte F. Rigaud de Vaudreuil (*Tableau des mœurs françaises aux temps de la Chevalerie*, tiré du *roman de Sire Raoul et de la belle Ermeline*, 1825), il existait une espèce de code des gisants auxquels les sculpteurs se référaient.

Le *lion*, aux pieds du gisant, indiquait qu'il était mort en champ de bataille ou en combat à outrance. Alors, la cotte d'armes était ceinte, l'épée nue à la main droite, l'écu à gauche, le heaume en tête, visière abattue.

Ceux qui mouraient parmi les vaincus étaient figurés sans cotte d'armes, l'épée ceinte au côté du fourreau, la visière levée et ouverte, les mains jointes devant la poitrine, les pieds appuyés contre le dos d'un lion mort et terrassé.

Le *chien*, aux pieds d'un chevalier, indiquait qu'il était mort en temps de paix. Alors, la cotte d'armes était desceinte et la tête sans casque. Ceux qui mouraient en prison avant qu'ils eussent payé leur rançon étaient figurés sans éperons, sans heaume, sans cotte, sans épée, « le fourreau d'icelle seulement ceint et pendant à leur côté ».

La *hache* indiquait les combats singuliers. Si le défunt avait été vainqueur, il tenait sa hache entre les bras, le droit croisé sur le gauche. S'il avait été vaincu, la hache était hors de ses bras, couchée près de lui, et le bras gauche croisé sur le droit.

L'examen des gisants dont on connaît la fin semble bien confirmer que ce code fut respecté. Cette symbolique dut prendre fin au seuil du xve siècle. Le gisant de Bertrand Guesclin, à Saint-Denis, d'après un dessin de l'architecte Raymond du Temple exécuté par Thomas Privé et Robert Loisel est plus dépouillé. Le bouclier protège une grande partie de l'épée, les mains sont jointes et les pieds ne reposent sur rien, sinon sur les molettes des éperons.

— Tout va bien, m'amie ?

— Fort bien si l'on peut dire.

Tristan soutenait le mors de son moreau et ils plongeaient tous trois dans l'épaisseur d'un boqueteau aux feuilles luisantes comme des pointes de lances et d'épieux, dans le sombre sillage de ces hommes dont l'odeur supplantait celle des herbes et de la sylve. Parfois, un champ étendait ses tapisseries jonchées de brumes cristallines, et Oriabel resserrait son étreinte.

« Par quel miracle pourrai-je fuir ces gens-là ?... Moi seul, oui... Et avec Tiercelet... Désormais, je dois également penser pour *elle*... Elle m'aime... Je l'aime... Nul ne saurait se dépêtrer des fumeux (1) de cette espèce avec de telles évidences. »

Il entendit Bagerant s'esclaffer. Il ne devait rien espérer de cet homme. *« Tenez-vous sagement dans l'ombre »,* lui avait recommandé Jean II. Ce n'était pas une ombre qui l'enfermait dans ses plis, mais des ténèbres pareilles à celles de l'Erèbe, le vestibule de l'enfer.

— J'ai peur, chuchota Oriabel.

Et lui donc !

---

(1) Violents.

IV

A l'extrémité d'un vallon étouffé entre deux murailles rocheuses, plantées de maigres cyprès aux quenouilles frémissantes, une montagnette apparut, pailletée de clartés. Celles-ci, peu nombreuses à la base, foisonnaient en s'élevant vers le sommet. Là, elles s'accumulaient, vibrantes, pourprées, cuivrées, joyeuses, pour sertir, embraser, quelque chose de noir.

— On y est, dit Tiercelet qui chevauchait devant Tristan et Oriabel.

Il se détourna. Ses yeux eurent une luisance fugitive, comme s'ils avaient failli s'allumer à ces flammes qu'il désignait d'un doigt tremblant.

— La nuit en est à son commencement et l'on croirait que le soleil se lève.

Il pouvait à juste raison comparer le flamboiement de la motte de Brignais à celui d'une aurore. Naudon de Bagerant intervint :

— Dirait-on pas plutôt une jonchée de fleurs tressautantes sur un gros tas de tourbe ?

Il fallait bien une centaine de feux à cuire la pitance et deux ou trois cents flambeaux de poing pour composer cette vulcanale dont les mouvantes lueurs dégageaient des ténèbres voisines de larges portions de brandes envahies çà et là par le peuple des arbres.

— Ces gens sont des milliers, chuchota Oriabel.

Tristan tapota les petits doigts glacés réunis sur la boucle de sa ceinture :

— Même s'ils n'étaient qu'une centaine, il conviendrait de nous plier aux exigences de Bagerant. Après tout, sa parole peut valoir celle d'un chevalier... J'ai foi en lui puisqu'il a su se montrer magnanime.

Il mentait. Cette chevauchée pouvait constituer une rémission après laquelle leur protecteur les châtierait devant tous ses hommes. Tiercelet ne les pourrait secourir. Quels truands, quels linfars (1) allaient-ils côtoyer ? Si Naudon de Bagerant exerçait sur leur couple la même surveillance que durant le début de la nuitée, ils pourraient survivre le temps d'obtenir loyalement ou non leur liberté. Il se pouvait aussi que pour se divertir et assister, béat, aux conséquences d'une querelle, le capitaine d'aventure exposât Oriabel aux appétits, provocations ou moqueries de ses compères ; alors, il faudrait tirer souventefois l'épée pour périr sous un ou plusieurs coups de traîtrise. Oriabel serait privée de défendeur, à moins que Tiercelet ne remplît cet office pour, sans doute, succomber à son tour. Mieux valait ne point trop penser à l'avenir.

Le chemin s'étrécit, étranglé entre deux rochers à semblance de ventres énormes, puis s'agrandit. Naudon de Bagerant arrêta son cheval et se retourna :

— Héliot !

Il y eut un galop. Un cavalier passa, penché sur un genet qui renâclait de douleur ou de lassitude.

— Il est temps, Héliot !... Fais en sorte qu'ils nous voient de loin.

L'homme tenait une lanterne sourde. Il en allongea la mèche. La flamme frétilla, haute et claire. Un second cavalier vint y allumer son flambeau. Héliot s'en revint à l'arrière tandis que son compère passait à l'avant, agitant très haut la flamme qui brasillait à sa dextre afin d'annoncer l'arrivée d'une troupe amie aux guetteurs de Brignais.

— Je ne saurais dire par où nous sommes passés, regretta Tristan.

Bagerant rit sèchement :

— Que t'importe !... Je ne me suis jamais soucié des lieux où j'allais. C'est le vent qui me pousse.

« Un vent de mort », se dit Tristan, et comme Oriabel relâchait son étreinte, il se pencha vers elle autant qu'il le pouvait.

— Ne perdons point courage et gardons l'espérance.

Si peu qu'il eût entrevu la jouvencelle, il s'était délecté. Les ténèbres rosies par les feux de la colline mettaient aux contours de son visage un reflet d'une douceur incertaine ; ses cils bas révélaient l'atteinte du sommeil et sur sa bouche pincée affleurait un bâillement davantage dû à l'ennui qu'à une lassitude issue de ses frayeurs anciennes et récentes.

« Belle et solide », songea-t-il.

---

(1) De l'allemand *leichtfertig* (méchant, prêt à tout) : hommes particulièrement mauvais.

Le matin même, voire avant qu'elle ne lui fût apparue chez Eustache, un tel amalgame lui eût semblé impossible. Eh bien, force et beauté se conjuguaient en elle. Il pouvait louer sans détour le providentiel hasard qui les avait réunis.

Bagerant alentit l'amble de son cheval puis, quand il fut rejoint :

— Nous sommes passés par Oullins et parvenus à Saint-Genis-Laval par la montée des Roches. Quand le chemin s'est trouvé enserré entre deux chapelets de collines, et s'il avait fait jour, tu aurais vu le Clos des Barolles... Ensuite, nous avons suivi le cours du Garon. Brignais est situé sur les deux rives de cette rivière qui prend sa source au-dessus de Thurins et va se perdre dans le Rhône, à Givors... Mais nous sommes rendus : nous voilà au Mont-Rond.

On atteignit le pied de la colline. Des hommes veillaient derrière des roulis (1) entre lesquels les chevaux ne pouvaient passer en ligne.

— Salut, Naudon ! cria l'un d'eux avec une déférence lourde.

Ils étaient six, vêtus de brigantines déchirées, coiffés de barbutes ternies entre les jouées desquelles apparaissaient leurs faces revêches. Le plus jeune remua une lanterne en forme de poivrière dont la corne salie atténuait l'éclat et précéda le cortège, pendant une centaine de pas, jusqu'à un fossé que franchissait un petit pont. Le tablier sans garde-corps se composait de troncs d'arbres sommairement écorcés. Quelques sabots glissèrent.

— Doucement ! recommanda le lanternier. Ardez ! c'est profond d'une toise : en tombant vos chevaux pourraient se rompre un membre... et vous aussi. Gardez-vous : il y a deux autres passages comme celui-ci.

Par deux fois, les sabots crépitèrent sur des pontons de bois rude avant de patouiller dans un éparpillement de graviers et de galets parmi lesquels, de loin en loin, un rocher de la taille d'un veau reflétait, sur ses gibbosités humides, les clartés confondues des flammes et des cieux.

— Voici la rocaille dont je t'ai parlé, Tiercelet, dit Bagerant. On a tout employé pour l'apporter en ces lieux : chariots, basternes, haquets et même des bards pour certains gros morceaux. Une centaine de charretées. Nous disposons de quoi nous fortifier.

— Tiens, dit le brèche-dent, on dirait une jonchée d'œufs !

— C'est ce qu'il reste des cailloux parmi lesquels nos frondeurs, qui sont un bon millier, ont fait leurs provisions.

Les chevaux bronchaient sur la pierraille. Les feux où rôtissaient moutons et volailles se multipliaient. L'éclat de ces brochées par-

---

(1) Fortifications de bois.

fois longues de deux aunes donnait aux hommes qui se mouvaient tout autour un aspect fumeux, vermillonné — diabolique. Ils riaient, hurlaient mais interrompaient, avant que le chef de route et ses compères ne fussent passés, leurs mastications et parlures. *« Salut, Naudon ! Bienvenue, Naudon ! »* Lui seul comptait ; cependant, ces témoignages de respect semblaient autant d'importunités que Bagerant dispersait de sa dextre, comme il l'eût fait d'un essaim de moucherons.

Les feux croissant en nombre et en force, la colline se barbouillait de rouge ; les faces des malandrins groupés là s'en trouvaient maculées, de sorte qu'elles semblaient toutes ensanglantées.

— Une femme ! s'écrièrent certains en apercevant Oriabel.

Tandis que la pucelle s'appuyait contre lui de l'épaule à la hanche, Tristan sentit monter vers elle ce qu'il redoutait le plus : cette concupiscence de mâles accoutumés à obtenir tout ce dont ils avaient envie. Sous les flambées ondoyantes, la robe simplette d'Oriabel prenait sans doute l'apparence d'un vêtement de prix, et quand un jouvenceau, simulant de ses mains la forme de son corps, s'exclama : *« Elle est pas fière ! »*, il fut assuré qu'au lieu d'un compliment sans malice, il s'agissait d'une appréciation tendant à faire accroire que, n'étant pas d'une apparence hautaine, cette inconnue n'était qu'une ribaude destinée aux capitaines.

— Bon sang ! s'étonna Tiercelet. La compagnie s'est renforcée.

Etait-ce un regard admiratif ou inquiet qu'il promenait sur ces soudrilles barbus, guenilleux, certains ivres et chancelants et, au-delà de leurs rangs vacillants, sur tous ces autres assemblés en rond, au plus clair de la lumière et qui jetaient des osselets, des dés, des jonchets sur le plat d'une roche ou le revers d'un bouclier ? Oriabel ne les regardait pas : Tristan sentait son front entre ses omoplates et parfois les frissons qui la traversaient.

— Tu ne dis rien, mon bon compère ! observa, rieur, Tiercelet. Je t'avais raconté comment nous vivions : mangeaille, chants et jeux de toute espèce...

Il s'interrompit tandis que Tristan imaginait les femmes vivant là en capture de guerre, avec toutes les conséquences de cet état, précipitées moqueusement, irrémédiablement, sur cette pente fourmillante d'hommes. On prétendait que lorsqu'une colombe se trouvait prise dans les serres d'un gerfaut ou d'un aigle, une paralysie s'emparait d'elle, qui lui ôtait tout sentiment. Elle se résignait à son sort... Cela pouvait-il être vrai pour les prisonnières ? Non ! Non ! Ces ébattements-là (1) n'étaient que des

(1) Plaisirs.

jeux funèbres. Il eût occis Oriabel plutôt que de la savoir destinée à des étreintes pareilles.

— Il n'y a pas de femmes au sommet pour les ribauds de ton espèce, Tiercelet, ricana Naudon de Bagerant, mais nous avons un charroi de putains proche du château d'en bas — que vous ne pouvez voir d'où nous sommes. Et nous aurons bientôt — promesse du Petit-Meschin — d'autres otages femelles. Toi, Castelreng, si un jour tu es las de ton Oriabel, nous trouverons à l'employer... Ta dette envers moi s'en trouvera effacée !

Tristan s'irrita d'autant plus que toute réponse acerbe eût réjoui son créancier. Oriabel frémissait et le serrait très fort. Ils se marieraient le plus tôt possible, et peu lui importait que ce fut devant un clerc à la conscience rouge. Malheur à quiconque oserait porter la main sur son épouse !

— Je parlerai à tous pour qu'on vous laisse en paix. Cependant, il m'advient parfois de m'absenter et il y a moult fornicateurs parmi nous.

— Je veillerai sur elle, dit Tiercelet, comme je veillerais sur ma fille.

— Hé ! Hé ! fit Bagerant. Tu n'es pas, mon compain, dispensé d'un inceste !

« Tant d'hommes ! » songea Tristan courroucé.

Sa déconvenue s'aggravait. Il savait, pourtant, que les routiers composaient une armée redoutable. Ne les ayant jamais approchés, il ne s'était pas privé d'affirmer qu'il devait être aisé de les tailler en pièces pourvu qu'on fût en nombre sous un commandement plus clairvoyant qu'héroïque. Il en doutait maintenant. Il y avait autour de lui la plupart des destructeurs du Berry, du Nivernais, de la Bourgogne et de bien d'autres lieux du royaume de France ; des milliers de fredains (1) hilares et dispos, prêts à recommencer les meurtres et pillages pour peu qu'un de leurs chefs leur en fournît l'occasion. *« Qui vais-je voir ? »* Les noms d'odieux aventuriers entendus çà et là, soit à Paris, soit sur le chemin d'Auxerre, tintaient lugubrement dans sa tête ; les grands, d'abord : Robert Knolles, Eustache d'Auberchicourt et, bien qu'il s'en fût assurément défendu, Arnaud de Cervole, l'Archiprêtre ; et les petits, ceux qui avaient fondé la Grande Compagnie dans les plaines de Champagne lors de l'été 1359 : le Petit-Meschin, Seguin de Badefol, Garsiot ou Garcie du Châtel, Bérart d'Albret et quantité d'autres dont on ne comptait plus les méfaits tant ils étaient

---

(1) Scélérats.

nombreux (1) ; par crainte aussi, simplement en y songeant, d'en provoquer de plus terribles que ceux dont on avait connaissance. Ce qu'il avait appris, lui, Tristan, c'était qu'au début de juin 1360 (2), quatre mille routiers avaient pénétré en Bourgogne et s'étaient rués sur la Franche-Comté. Vesoul avait été ravagé. Pendant ce temps, Garcie du Châtel dévastait Nevers et les environs de Saulieu, tout heureux que Jean d'Armagnac, qui en avait la défense, fût à Paray-le-Monial, à quelque trente lieues. Au début de l'automne, la Grande Compagnie avait marché sur Avignon dans le désir de rançonner le Pape et les cardinaux, et fin décembre (3), Pont-Saint-Esprit lui appartenait (4). S'éloignant les unes des autres pour piller, se réunissant pour combattre, ces troupes avaient répandu partout le sang, le feu, l'épouvante. Le Pape Innocent VI avait fait prêcher la Croisade contre elles (5) et nommé capitaine, le cardinal-évêque d'Ostie, Pierre Bertrandi. Il avait déchanté. Rares étaient ceux qui voulaient affronter de tels hommes. Il avait fallu négocier. On racontait que moyennant 14 500 florins d'or, une compagnie s'était engagée à quitter la vallée du Rhône pour aller combattre en Lombardie sous la bannière de Jean Paléologue XVI, margrave de Montferrat, en guerre contre les seigneurs de Milan. Il n'avait recruté que des Anglais (6). Alors, les autres routiers s'étaient jetés sur les pays de Langue d'Oc. Sitôt de retour d'Angleterre, le roi Jean avait compris la nécessité d'annihiler les méfaits de ces loups errants... Et il était bien placé, lui, Castelreng, pour être au fait des dispositions prises lors des conseils. Le connétable Robert de Fiennes (7), l'amiral Baudrain de la Heuse et le maréchal Arnoul d'Audrehem étaient partis pour le Midi. Là, ils avaient trouvé le comte Henri de Trastamare entré lui aussi dans ce pays. Et de vive force, malgré la résistance des seigneurs des

---

(1) La Grande Compagnie fut une sorte de fédération de bandes d'origines diverses conservant, chacune, son organisation distincte et le capitaine de son choix. Personne, dans cette *Magna societas*, selon le Clergé, n'exerçait d'autorité suprême, d'où vient qu'un chroniqueur anglais l'appelle *gens sine capite : Sub his diebus, consurrexit in Francia famosa magna Societas quae gens sine capite vocabatur* (Chronique anglaise du moine de Saint-Alban, Londres, 1874, page 37), soit : *A cette époque-là surgit en France la fameuse Grande Compagnie qui s'appelait la gent* (société) *sans tête*.

(2) Le 8.

(3) Le 28.

(4) Tout proche, le château d'Albigny, appartenant à Zacharie de Thorigny, était pris et brûlé. Les routiers n'allaient pas tarder à se diviser en trois groupes. Le premier, le 16 janvier, dévastait le Lyonnais, le second le Beaujolais. Le 18 février, le troisième ravageait Mâcon, puis s'éloignait, mais une de ses arrière-gardes resta dans la ville du 11 au 16 mars.

(5) 8 janvier 1361.

(6) Le chef de ces troupes fut un certain Alborn. Quand la guerre entre le marquis et Galeas Visconti cessa, les compagnies reçurent un nouveau chef : John Hawkwood (ou encore Hawkewod, Haccoude, Haconde). Les Italiens traduisaient son nom en *Falcone in bosco*.

(7) Ou Morel ou Moreau de Fiennes.

Pyrénées. C'était une chose avérée que l'Espagnol et ses hommes avaient commis autant de désordres, pillages, viols, que les Compagnies. Cependant, disait-on, le sens de l'honneur lui était revenu, et il avait servi avantageusement — pour lui — la cause française. Des bandes étaient alors entrées en Aragon. D'autres, sous la pression des armes, étaient remontées vers le Forez, le Lyonnais, l'Auvergne. Tous ces écorcheurs semblaient réunis ce soir. Leurs chefs saluaient Naudon de Bagerant et parfois Tiercelet comme des princes, puis observaient Oriabel. Et l'on eût dit des lions épiant une biche !

« Il faudrait les exterminer... Audrehem ne saurait en être capable... Il passe pour un serpent. A Arras, qui ne voulait pas payer la gabelle sur le sel, il a fait pendre cent vingt innocents !... Les routiers sont d'une autre espèce ! Tiercelet m'a dit que le gros Arnoul n'avait pas osé entrer à Pont-Saint-Esprit... Le contraire d'un Jean Souvain, le sénéchal de Beaucaire. Il a si bien voulu défendre cette ville qu'il en est mort... Jamais Audrehem n'aurait dû traiter avec les Compagnies... On dit qu'il a quitté la Langue d'Oc en hâte... et qu'à peine arrivé à Paris, il a fait en sorte de ravir son titre à Robert de Fiennes !... Il doit être heureux, désormais (1) ! »

Il faisait clair : une rutilante clarté due aux torches de tous ces enragés hurlant et gesticulant, alignés en lisière de l'espèce de sentier sur lequel le cheval de Bagerant avançait du pas assuré d'une chèvre.

— Salut, Naudon !

— Est-ce une fille du roi que tu nous amènes ?

— Paraît que l'Isabelle et les gens qui l'entourent ont fait un long détour pour nous éviter !... Dommage ! On aurait privé Visconti de sa beauté (2) !

— Salut, Naudon !

— Bienvenue, Naudon !... Rien de mauvais à l'entour ?

L'on n'entendait que cela et, parfois, le *« Place ! Place ! »* hurlé par Héliot ou un autre lorsque les rangs des curieux s'incurvaient

---

(1) A peine arrivé en Languedoc, Audrehem avait convaincu Fiennes de traiter avec les Compagnies, ce qui eut lieu le 19 mars. Le fait que Seguin de Badefol eût pris Frontignan (mai 1361) le secoua un peu ; une armée se forma sous son commandement et celui de Fiennes, du Bègue de Villaines, sénéchal de Carcassonne, et de Baudrain de la Heuse. Or, cette armée, lorsqu'elle arriva à Montpellier, avait parmi elle... le Petit-Meschin * !
Quittant le Languedoc le 13 juillet 1361, Audrehem fut nommé à Paris, le 20 septembre 1361, capitaine général de la Langue d'Oc et assista, le 16 octobre, aux Etats de Carcassonne. Il fut, on le verra, l'un des grands responsables de la défaite de Brignais.
* Selon Auguste Molinier : *Etude sur la vie d'Arnoul d'Audrehem (1882).*
(2) Pour disposer de quelques fonds, et avec l'accord de son père, le Régent avait vendu sa sœur Isabelle, onze ans, au fils de Galéas Visconti, huit ans, 600 000 florins d'or. L'escorte de la pucelle avait évité Lyon.

de part et d'autre comme pour se rejoindre, se confondre et encombrer le passage.

« Combien sont-il ? » se demanda Tristan, appuyant sur le mors de son roncin pour lui éviter un trébuchement qui sans doute eût provoqué des rires. « Cinq mille ? Davantage ?... Dix mille au moins ? »

Sa gorge se serrait, ses yeux s'exorbitaient. Il les voyait bien, ces calamiteux, et Oriabel aussi pour peu qu'elle leur jetât un regard. Il y avait, rassemblés à Brignais, les débris des petits et grands combats opposant depuis plus de vingt ans la France et l'Angleterre, la sentine orgueilleuse et puante des armées triomphantes ou vaincues. En fait, ces pentes caillouteuses n'étaient rien d'autre que d'immenses latrines humaines, et toutes ces faces couenneuses, buissonneuses, engluées aux flammes des flambeaux, des torchères et des candélabres robés dans les saints lieux chrétiens et juifs, exprimaient, en même temps que le plaisir sans doute exagéré de voir réapparaître Bagerant, la fierté de vivre sans règles ni principes, le goût immodéré du meurtre et la concupiscence sauvage. Et tous ces cris d'accueil témoignaient d'un hideux mélange de races :

— *Good night, Naudon !*

— *Bienvenido !*

— *Buenas noches, amigos !*

Sous le poudroiement d'une petite pluie soudaine dont les gouttes, teintées aux feux, semblaient les pleurs d'un ciel percé de mille dards, il y avait, tassant les cailloux sous leurs semelles, des Allemands aux longs cheveux, les oreilles chargées d'anneaux et de pendants arrachés à celles des femmes ; des Flamands aux barbes fourchues, accoutrés de draps de prix lacérés ou graisseux ; des Gallois au torse couvert de peaux d'ours ; des Brabançons narquois, vêtus de mailles qu'ils n'ôtaient jamais, ternies par la sueur et souillées de traînées roussâtres, et d'autres, issus des quatre coins de l'Empire, s'engageant dans la guerre pour obtenir fortune et gloire, et n'y recevant que coups sanglants. Tiens, ceux-ci qui arboraient des lions sur leur poitrine, c'étaient des Hannuyers (1) ; ceux-là ne pouvaient être que des Gascons et des Navarrais, la pire engeance des mercenaires, avec des yeux d'acier sur leurs faces naïves et qui, se défiant de tout et de tous — sauf de Dieu — avaient conservé leur épée au flanc : une arme qu'ils poignaient jusque dans leur sommeil tant ils étaient craintifs, hormis à la bataille.

(1) Gens du Hainaut, alliés de l'Angleterre.

« Et ceux-là !... Une poignée de Bouâmes (1) ! »

Il les avait reconnus aux longs morgensterns (2) qu'ils agitaient comme des pilons immenses.

Il y avait aussi maints Picards et Manceaux, les plus bruyants et les plus guenilleux. Pour éviter sans doute d'être décervelés lors d'une querelle, ils avaient conservé leur barbute ou leur chapel de Montauban, leur bassinet ou leur camail. C'étaient là les *preux* des armées vaincues lors de cette longue guerre entrecoupée de trêves rompues ; une guerre où ces Français méprisables s'étaient ralliés à l'ennemi pour profiter avec lui des avantages de leur déconfiture, oubliant du même coup, avec une incroyable aisance, leurs compagnons d'armes meurtris et, s'ils avaient une famille, leurs parents exterminés, leurs femmes, leurs pucelles et leurs garçons violés avant que d'être occis dans des tourments sans nombre.

— Ces hommes-là sont ceux que je maudis le plus.

— Ce sont les alliés d'Edouard d'Angleterre.

— Ils l'ont servi copieusement. Il se pourrait qu'ils le servent encore. D'ailleurs, en quelque sorte, ils règnent sur la France.

— Peuvent-ils amener Edouard III à Paris ?

— Hélas ! Oriabel...

Ils avaient chuchoté. Tristan soupira encore et reprit, sensible à la pression des petites mains sur son ventre :

— Il faudrait accomplir l'union de tous ceux qui veulent le malheur des Goddons et des routiers.

S'exprimer ainsi n'atténuait ni son dégoût ni son affliction. Au vrai, ce n'était plus contre les pernicieux effets de ces milliers de présences putrides et inévitables qu'il luttait, c'était contre une détresse insidieuse. Elle commençait à ébranler une sérénité, une confiance en soi qu'il avait crues indestructibles. Certes, il disposait d'un remède à cette angoisse : Oriabel. Pour chaste qu'elle fût, son étreinte l'aidait à se revigorer. Mais jusques à quand ? Elle lui avait ouvert et sa foi et son cœur. Elle lui laissait entrevoir des richesses dont il n'avait point soupçonné l'existence. Toutefois, pour en profiter, il leur faudrait fuir. Or, comment de jour ou de nuit traverser cette tourbe homicide ?

— L'union, m'amie... Et qu'elle soit immense !... Déclarer nul le traité de Brétigny (3). Certes, on parle çà et là d'un certain Guesclin qui soi-disant mène la vie dure aux Goddons, mais il n'est

(1) Bohémiens, habitants de la Bohême, alliés de la France, en principe.

(2) Arme des Suisses et des habitants de l'Europe Centrale. C'était une massue hérissée de clous, à la hampe plus ou moins longue.

(3) Lire en annexe V : *De la défaite de Poitiers aux traités de Brétigny et de Calais.*

qu'un routier lui-même : il guerroie avec des procédés et des cruautés qui font la renommée d'un Bagerant... Vaincrait-il les truands qui sont ici ce soir, bien établis sur cette pente et certainement sur les autres ?... J'en doute fort.

Oriabel se taisait. La pesanteur de sa frayeur, Tristan la sentait contre son dos, contre la boucle de sa ceinture où elle avait lié ses mains. Il ne pouvait la rassurer. L'âcre et puissante odeur de ces fauves à face humaine lui donnait la nausée. Son cœur sautait dans sa poitrine. Il devait puer de sueur, lui aussi.

« A Brignais, point de ruse possible, messire Guesclin !... Aucun arbre derrière lequel se mucer, sauf ceux que j'entrevois là-haut ; point d'amas de rochers parmi lesquels s'encoudre et se catir (1)... Aucune large poussée de chevalerie : les fossés que j'ai vus la rendent impossible ! »

Mais qu'allait-il penser à un routier breton !

— J'ai de plus en plus peur, avoua Oriabel.

* *
*

Un mur d'enceinte apparut. Imitant Tiercelet, Tristan et Oriabel se baissèrent pour franchir une voûte basse et pénétrer dans une cour oblongue, ceinte d'un muret de cailloutage dont l'épaisseur assurait la solidité. Au fond s'élevait une bâtisse derrière laquelle, débordant du toit, des arbres remuaient leurs branches feuillues : le vent, que rien ne contrariait, soufflait en force. Des ombres animaient les clartés des fenêtres.

— Nous y sommes, dit Bagerant.

L'on mit pied à terre. Oriabel sauta aisément. Héliot siffla et ricana :

— Mais c'est que la mâtine est agile !... Au lit, ça doit être un plaisir !

Tristan, sourd à ce trait, enlaça la pucelle :

— N'aie crainte... Nous mettons nos pieds dans l'antre de l'enfer, mais nous en sortirons sans plaie d'aucune sorte !

Cela le rassérénait de mentir.

Il abandonna les rênes de son moreau à un homme sorti de l'ombre ou comme enfanté par elle ainsi qu'une demi-douzaine d'autres, et vit avec satisfaction les compagnons de Bagerant, une fois leurs chevaux et mulets abandonnés aux palefreniers, quitter la cour pour être, sitôt de l'autre côté, acclamés et congratulés. Héliot

---

(1) Se dissimuler, s'enfoncer et faire en sorte de tenir peu de place.

seul mena son roncin vers ce qui devait être une écurie dont un mur, plus blanc que les autres, semblait récent. Bagerant se désheauma, passa sur ses cheveux brillants de sueur une main crochue, impatiente, pendant que Tiercelet, montrant les lumières de la maison, exprimait son étonnement :

— Ils ne dorment pas encore ?

— Je ne sais... Si nous n'interrompons pas leur sommeil, il se peut, compère, que nous troublions leurs ardeurs... Venez !

Bagerant avait ri ; un rire sec et pointu ; bientôt, il poussa une porte luisante de pentures épanouies en fleurs de lis et criblée, dans ses angles, de clous gris, étirés, pareils à des cloportes.

— Holà ! cria-t-il. Que fait-on céans ?... Un banquet ou quelque chose de meilleur ?

Serrant fort le bras de Tristan, Oriabel allait entrer quand elle étouffa un cri : la lueur d'un flambeau accroché en ces lieux venait de révéler, appuyé contre un mur, non loin d'un escalier abrupt accédant certainement à des chambres, un vouge au fer enfoncé dans une tête blafarde, émaciée, dont les yeux pourtant ternis semblaient vivre. Un bout de langue pendait entre les lèvres éclatées du malheureux comme s'il se moquait encore de ceux qui l'avaient malmené avant de le décapiter.

— Tiens, Guyot ! s'étonna Bagerant. C'était l'écuyer d'Arnaud de Thillebort qu'on appelle aussi Tallebardon ou Tallebarde. Il tue souventefois pour bien montrer que sa réputation de cruauté mérite révérence... Eh, Guyot, qu'as-tu fait de ton corps ?... Donné aux cochons ?... Jette cela dehors, Tiercelet ! Il a sali le pavement. Une de nos femmes viendra le laver.

Tristan s'attendit à ce que le brèche-dent lançât un : « Fais-le toi-même ! » au capitaine. Il n'en fut rien. Avait-il peur maintenant, lui aussi ? Non, dans son esprit et son corps voués à la bataille sous quelque forme qu'elle se présentât, une nécessité venait de s'imposer : la prudence.

Il empoigna le vouge en faisant la grimace. Oriabel ferma les yeux bien avant qu'il passât devant elle. Il y eut un bruit de chute dans la cour. Tiercelet réapparut, toujours grimaçant. Il frottait ses mains contre son haut-de-chausses.

— C'est fait.

De l'autre côté d'une cloison retentissaient des cris, certains gais, d'autres effrayés ; des rires, des heurts, des tintements.

« Qu'allons-nous découvrir ? » demanda le regard effrayé d'Oriabel.

Tristan tapota la petite main crispée à la saignée de son coude. Il ne pouvait parler ; non pas qu'il n'eût rien de rassurant à dire, mais par précaution. Si l'épaisseur et la lourdeur de cette construction rustique le laissaient indifférent, toutes les énormités que ces murs pouvaient permettre et dissimuler aggravaient son mésaise. Plutôt que de s'affirmer, le faux orgueil qu'il s'était composé depuis la délivrance d'Oriabel, se réduisait en poudre.

Une chanson perça le tumulte lugubre, et la voix qui chantait semblait épouvantée :

La dame fet les bains tremper
Et les deux cuves aporter ;
Devant le lit, tout à devise,
A chacune des cuves mise,
L'aue bouillant fet aporter
Où li sénescal deust entrer.

— Plus fort ! hurla un homme. Plus fort ou je t'étripe !

Le vacarme s'aggrava de quelques « *Plus fort* » ; le « *Je t'étripe* » devint « *On t'étripe* ». La voix était si jeune que Tristan n'aurait su dire si c'était celle d'une fille ou d'un jouvenceau. Elle tenta de forcir :

La dame vint parler au rei,
Et il la mist de juste sei ;
Sur le lit al seigneur couchèrent,
Et déduisirent et devisèrent... (1)

— Plus fort ou je t'étripe !

Il y eut un cri. Ce fut l'instant choisi par Bagerant pour s'engager sous l'escalier et pousser toute grande la porte qui s'y trouvait.

* *
*

La pièce était immense, aussi large que longue. Appendus sans recherche au plafond de bardeaux, charpenté comme une carène renversée, des luminaires de toute sorte répandaient leurs lueurs et leurs gouttes de suif sur une table de dimensions si énormes et d'une épaisseur telle qu'on eût dit l'abattant d'un pont-levis. D'un coup d'œil, Tristan aperçut une abondance de couverts, d'aiguières, de pichets ; un tonnelet ; des hommes dont les mailles, les pourpoints cloutés et les fers luisaient dans les buées et les fumées

(1) *Le lai d'Equitan*, par Marie de France. Au XIIIe siècle, elle écrivit des fables et quinze lais ainsi que des récits inspirés des contes celtiques.

d'une cheminée rutilante, et çà et là des chairs nues : épaules, seins dodus, bras sur lesquels coulaient des chevelures. Une chaise ou un banc tomba, un rire s'acheva en pleur ; une voix cordiale ébrécha le tumulte et un homme en cotte d'armes sur son jaseran déchiré aux coudes s'avança simplement vers le seuil :

— Bagerant !... Tiercelet !... Vous méritez vos noms de Tard-Venus pour vous montrer à la mi-nuit !... Mais qui sont ces deux-là ?

La voix, dans la question, était demeurée avenante, quoique nuancée d'une certaine hauteur. Celle de Bagerant fut condescendante :

— Des amis... Tristan de Castelreng, un seigneur dévoyé autant que nous le sommes... Il s'est escampé avec Tiercelet de la geôle où notre brèche-dent l'avait rejoint...

— Bien ! Bien !... Dis donc, gars de Chambly, vois mes coudes... Va falloir que tu me les refasses en bonnes mailles... Et *elle,* qui c'est ?

Défiant le regard qui venait de la dénuder, Tristan posa sa dextre sur l'épaule d'Oriabel :

— Ma fiancée.

— C'est à Brignais, dit Bagerant, qu'il m'a promis de l'épouser.

Le routier sourcilla. « Bien ! Bien ! » fit-il alors que son regard, toujours collé à la poitrine d'Oriabel, exprimait une déception à la mesure d'un appétit qu'il se savait d'emblée tenu de refréner.

— Amis, déclara Naudon de Bagerant, je vous présente Garcie ou Garciot du Châtel (1).

Tristan s'inclina cérémonieusement, appuyant sur le dos d'Oriabel pour qu'elle en fît autant.

— Ton visage me plaît, dit le chef de route. Sois le bienvenu. Elle aussi.

Tout à coup, un homme en froc de bure fut auprès d'eux :

— Hé là !... Serait-il question de mariage ?... Par le sel de mon baptême, c'est bien la première fois qu'on emploie un tel mot dans

---

(1) D'après Aimé Cherest : *« L'Archiprêtre, épisodes de la guerre de Cent Ans »* (Paris, 1879) et P. Allut : *« Les routiers au XIVe siècle, les Tard-Venus et la bataille de Brignais »* (Lyon, 1859), les principaux chefs des routiers rassemblés à Brignais étaient : Jean Aymery, un Anglais ; Garcie du Châtel (qui était encore damoiseau en décembre 1361, et dont on ne sait comment et par qui il fut fait chevalier), le Bourg (bâtard) de Breteuil, Bérart de Labort, Espiote, Bertuchin, Pierre de Montaut, Jean de Hazenorgue, le Petit-Meschin et Harnault de Thillebort. Aimé Cherest écrit : *Au commencement de 1360, les compagnies anglo-gasconnes reconnaissaient comme principal chef Garcie ou Garciot du Chastel. C'était, d'après le témoignage d'Espaing de Léon, rapporté par Froissart, un Méridional né dans le voisinage des Pyrénées comme l'indique son prénom de Garcie et le diminutif souvent usité de Garciot. C'est à tort que certains chroniqueurs en firent un Breton, fils de Tanneguy du Chastel et de Thiphaine de Plusquellec.* L'auteur note, sans rien en déduire, que le nom d'Arnaud de Cervole apparaît une fois dans une pièce à côté de celui de Garcie du Châtel. Il est vrai que son ouvrage est une plaidoirie en faveur de l'Archiprêtre. L'orthographe de tous ces prénoms et patronymes varie selon les chroniqueurs.

ce tinel (1). Je vous marierai à la chapelle d'en-bas, bien qu'elle soit nue et laide... Il me faut ajouter que les chanoines de Saint-Just en avaient négligé l'entretien.

« D'où sort-il celui-là ? » se demanda Tristan.

Il y avait un Christ accroché à un mur, non loin de là. Sans croix. Les routiers s'étaient exercés sur lui à l'arc et au couteau. Du front aux pieds, il était hérissé de flèches et de lames.

— A faire pleurer de jalousie Sébastien ! ricana Bagerant. Mais tu vois, Castelreng, je t'ai parlé mariage et voilà un miracle : notre bon presbytérien, Angilbert le Brugeois, célébrera votre union !

Le clerc grassouillet, au visage aimable, se pencha devant Oriabel avec un respect certainement insincère. Bagerant ricana en tapotant de sa main dégantée, la tonsure luisante de sueur :

— Même chez nous, vois-tu, pucelle, il prend grand soin de sa rognure ! Elle est si bien polie par le fil du rasoir que tu pourrais te mirer dedans !

— Place ! Place !... Et qu'on se taise !

Serrant Oriabel contre lui tandis qu'il avançait derrière Bagerant et Tiercelet, Tristan s'aperçut que le religieux portait une miséricorde à sa ceinture, toute proche d'une croix de bois qui en heurtait le fourreau. Un moine guerrier. Cette engeance de clercs affriandés de tuerie existait donc. Son père lui avait raconté qu'à Crécy, trois évêques impatients d'occire des Goddons avaient tué à coups de crosse, du haut de leur cheval, les mercenaires de France qui leur empêchaient la voie. A Poitiers, lui-même, incrédule, avait vu un mitré violent et hargneux semoncer son suzerain : Renaud Chauveau, l'évêque de Chalons, en Champagne. Alors que le roi Jean allait accepter les propositions de paix des deux médiateurs du Pape, les cardinaux de Périgord et d'Urgel, ce prélat s'était répandu en violents reproches contre une résignation qu'il réprouvait. Il voulait rougir l'arestuel (2) de son bâton pastoral, aiguisé comme un fer de lance, dans des ventres et des poitrines anglaises. Il était mort victime de sa haine.

— Partez, femelles ! hurla Garcie du Châtel.

Il y eut un frémissement de chairs pâles, un remuement de bancs, de vaisselle, quelques chutes d'écuelles et de hanaps accompagnées de cris d'effroi : des mains frappaient violemment des dos, des croupes, des nuques. Toutes ces nudités disparurent dans une chambre ouverte à l'opposé de la porte par laquelle les « tard-venus » étaient entrés.

---

(1) Grande salle destinée aux réceptions.

(2) Ustensile de fer conique ou lancéolé fixé à l'extrémité de la hampe d'une arme d'hast, d'une lance ou d'une crosse épiscopale.

Cette fuite de dix ou douze femmes et jouvencelles ayant accompagné la ripaille des hommes débraillés, impudiques et fiers de l'être, consterna Tristan et l'immobilisa ainsi qu'Oriabel, transie.

— Avancez, dit Bagerant. Ils ne vous mangeront pas !

— Obéissez ! nasilla Héliot dans leur dos.

Tristan se tourna vers cet adolescent trapu, englué dans sa force. Il avait le regard d'un veau et le mufle d'un âne ; il fit un mouvement vers la hanche d'Oriabel mais un *« Non ! »* de Bagerant le changea en statue. Alors, indifférent en apparence à cette présence désagréable, Tristan considéra, dans le brouillard du feu et des mangeailles chaudes, tous ces nuisibles, propagateurs d'un nouveau fléau, la peste rouge, et qui les observaient béatement, Oriabel et lui.

Il se souvint d'une façon nette, foudroyante, d'un de ses entretiens avec Tiercelet, sur la paille d'une grange, avant que le sommeil les prît. Un des hommes qui sûrement soupait là ce soir entourait les récentes captives de révérences de Cour, puis leur demandait d'avoir l'obligeance d'extraire du fond d'un bassinet, un des cailloux qui s'y trouvaient réunis. Chaque tireuse croyait à un jeu. C'en était un, terrible : un galet rond et blanc la livrait à un chef ; un gris à un sergent ; un noir à la truandaille. « Certes », avait commenté Tiercelet, « il n'y en a que deux noirs pour une trentaine d'autres, mais il advient qu'une femme, une pucelle, ait la male chance d'en tirer un. On ne la revoit plus vivante, ni d'ailleurs un ou deux des gars qui se sont disputés pour l'avoir en premier. » Il s'était insurgé contre de telles pratiques. Tiercelet était convenu de leur atrocité. Puis il avait souri : « Un jour, on a assailli un couvent... Tallebarde a fait tirer toutes les nonnes et l'abbesse... » Il s'était tu et, involontairement sans doute, s'était signé.

— Approchez ! Approchez ! dit un jeune barbu habillé d'une huque de velours garance dont le blason, cousu à gros points sur le cœur, portait *de gueules à deux épées mises en sautoir, les pointes en bas, d'argent garnies d'or, les poignées d'or.*

— C'est Jean Aymery, l'Anglais, dit Bagerant. Et près de lui, Jean Daalain, son capitaine... Anglais également... Venez, faisons le tour de cette sainte table !... Voyez, messeigneurs, ce que nous amène Tiercelet : Tristan de Castelreng, chevalier... Désormais, il sera des nôtres... Il prendra femme céans, devant nous !

Paroles à double sens qui suffoquèrent Oriabel. De gros rires éclatèrent, que Bagerant interrompit d'un geste :

— Holà, compagnons !... Tristan va épouser *vraiment* sa colombe. J'exige qu'on les laisse roucouler en paix !

— Mais quand il sera las de cette épouse... commença un homme à grosse tête hirsute dont le cou débordait comme un goitre d'une gorgière de fer.

— Je ne m'en lasserai pas, dit Tristan d'une voix sèche, dure comme la lame qu'il tapotait. Avis vous en est présentement fourni.

— Qui t'a enseigné l'estremie (1) ? demanda un homme maigre, couvert de mailles empouacrées de vinasse et de sueur.

Une expression de son pays surgit dans l'esprit de Tristan : « *Es propré couma uno barra de galinié* (2). » La réplique vint, aisée :

— Tu connaîtras ma réponse si tu dois mourir de ma main.

« Je me gonfle comme un paon ! » se dit-il.

Mais n'était-ce pas le seul moyen dont il disposait pour s'imposer à toute cette crapule ? La preuve : nul ne s'ébaudissait de sa mise en garde.

Il devait, cependant, se montrer circonspect : le respect rudement conquis dans la taverne d'Eustache allait maintenant lui manquer. Si Bagerant pouvait attester de son audace et de celle d'Oriabel, son témoignage, ici, était irrecevable : ces quinze souldars désoccupés de bombance, mécontents d'avoir été soudainement privés de leurs esclaves, ne sauraient jamais rien de cette échauffourée. L'eussent-ils apprise qu'ils s'en fussent montrés insoucieux : ils étaient sevrés de tout, sauf de cette luxure où ils puisaient et épuisaient leur plaisir.

« Misère !... De quelle volonté sommes-nous les jouets ? Dieu ou Satan ? »

Tristan devait accomplir de violents efforts pour dissimuler son écœurement et dominer l'angoisse qui l'étreignait et portait un nom : Oriabel. Peut-être eût-il été plus à son aise si cette rencontre avait eu lieu de jour ; si le soleil avait saupoudré de ses ors cette tablée immensément lugubre. Quelque acoquiné qu'il fût à ces écumeurs, Tiercelet lui-même semblait anxieux, attentif aux regards, mouvements et sourires.

— Venez, les fiancés, dit Bagerant. Vous ne verrez pas le meilleur d'entre nous : Seguin de Badefol, le roi des compagnies, mais ceux qui sont présents méritent qu'on les connaisse (3) !

Serrés l'un contre l'autre, moins étroitement toutefois que lorsqu'ils avaient franchi le seuil abominable, Tristan et la jouvencelle,

(1) L'escrime.
(2) Il est propre comme une barre de poulailler.
(3) Né dans les sites sauvages du Périgord noir, Seguin, fils aîné du sire de Badefol et de Berbiguières, vit sa célébrité atteindre son apogée lorsqu'il s'empara de Brioude, le 13 septembre 1363. Il avait pour lieutenant son frère Tenet. Le Père Anselme (*Hist. généal.* VII, p. 318) et Kervyn de Lettenhove l'ont confondu avec son père, Seguin de Gontaut, sire de Badefol, qui testa le 23 août 1371 et fut enterré à l'abbaye de Cadouin.

à la suite de leur hôte, contournèrent les festoyants. Bagerant disait un nom et ils s'inclinaient juste ce qu'il fallait.

— Le Bourg de Breteuil, Espiote... Bertuchin... Pierre de Montaut... Arnaud de Thillebort qu'on nomme Tallebarde...

« C'est ce singe borgne qui fait tirer au sort les prisonnières ! »

— Le Petit-Meschin... Jean Hazenorgue, qui vient des Allemagnes... Creswey, un Anglais... Bérart d'Albret, parent de Perducas d'Albret que certains nomment Bertuchin...

Un gros taciturne, un maigre affreux, un chauve au visage chevalin traversé d'une plaie — front et joue — cicatrisée mais suintante et qui devait au jour être d'un rose pâle. C'était une succession de face brutales, répugnantes, dont l'enjouement bref et simulé aggravait la laideur. Tout en surveillant les regards et les mains, Tristan s'évertuait à garder le sourire. Bien que guérie depuis longtemps, sa blessure à l'épaule, mouillée de sueur, le démangeait sans qu'il osât se gratter de crainte que ce geste eût quelque conséquence inattendue contre sa personne.

Et Bagerant continuait sa litanie :

— Jean Doublet qui est nouveau parmi nous... Le Bascot de Mauléon...

Et soudain, du ton qu'il eût crié : *« A l'arme ! »* :

— Va falloir vous serrer, compagnons, car nous avons grand-faim.

Il se baissa, ramassa une chemise légère et l'offrit à Oriabel :

— La veux-tu ? C'est un beau présent de mariage.

Oriabel secoua sa tête pâle. Négativement.

— Crois-moi : celle qui l'a perdue ne te la réclamera pas.

— Non, dit la pucelle, d'une voix menue, craintive.

— Soit !

Bagerant lança le vêtement dans la cheminée.

— Vois-tu : rien ne compte céans hormis notre amitié.

Hériot avait débarrassé une extrémité de la table des ustensiles qui l'encombraient. Après avoir fouillé dans une crédence bancale, il déploya un drap qu'il jeta sur le plateau comme un pêcheur d'épervier. Oriabel ébaucha un geste pour l'aider. Tristan s'y opposa : elle se fût dégradée irrémédiablement.

— Prenez place, damoiselle, dit Bagerant cérémonieux.

Peut-être, ailleurs que dans cette tanière, se fût-elle absentée un moment. Présentement, c'eût été d'une imprudence folle.

— Toi, l'ami, à la dextre de ta fiancée ; toi, Tiercelet, à sa senestre : ainsi se sentira-t-elle en sécurité... Moi, près de toi, Castelreng...

Bagerant s'empressait sans effort apparent. Tristan s'inclina une fois de plus, et le moine Angilbert qui s'était tenu immobile et muet, les mains réunies sur son ventre, recouvra vie et parole :

— S'ils mangent, ils ne pourront communier !

— Nous n'avons pas d'hosties, dit le Petit-Meschin. Tu les marieras au mieux, Angilbert, quand Bagerant et moi en auront décidé...

Il avait une face plate, aux pommettes si fortes qu'on eût dit deux gros abcès en voie de mûrissement. Une barbiche teignait son menton d'un peu de blond. Ses cheveux touffus, épais, lui donnaient un air de ribaude — n'eût été cette barbe qu'il tortillait avec un air de satisfaction, comme s'il venait d'émettre une idée digne de figurer dans un livre.

— Mais, protesta le moine, il me semble que le plus tôt serait le mieux !

La consternation alourdissait ses traits déjà épais. Tristan voyait mieux, aux flammes d'un chandelier posé par Héliot, les chairs flétries de son visage, les pattes d'oies qui lui griffaient les yeux, le grain épais de la peau de son nez piqué aux vers, le menton mou, soutenu par un bourrelet de graisse. Ce qu'il avait pris pour les stigmates de l'âge, de la lassitude ou du repentir d'être le *sacerdos* de tous ces malandrins, témoignait d'une existence effrénée, tout entière consacrée aux plaisirs. Peut-être même à ceux des sens.

Héliot versa du vin dans les hanaps d'argent. Si véhément que fût, pour Oriabel, le désir d'étancher sa soif, un coup d'œil lui signifia d'attendre que Bagerant eût vidé sa coupe, ce qu'il fit lentement, comme s'il se délectait moins de la saveur de cette boisson rosée, que de l'attente des assoiffés.

— Non, dit-il en s'essuyant la bouche d'un revers de main, il n'est pas enherbé, ce bon vin ! Les moines qui avaient fait de Brignais leur cellier possédaient de fins palais, bien qu'ils eussent vécu comme en chaumière. Ils avaient entassé dix barriques en bas, au frais. Nous, on a converti leurs caves en prison pour ceux et celles qui se regimbent... Porte-moi la santé, Tristan.

A contrecœur, le jeune homme leva son hanap, imité par Oriabel et Tiercelet, maussade.

— Sachez bien que truand je suis, mais lorsqu'il est question d'honneur, je me conduis bien mieux qu'un chevalier de l'Etoile... Je vous adjure d'être quiets. Si quelque malheur devait vous advenir, je n'en serais point cause... car en vérité, je vous le dis : je veillerai sur vous comme un père !

Un hurlement issu de l'extérieur perça l'épaisse risée que ces propos suscitaient. Tristan sentit la cuisse d'Oriabel, collée à la sienne, se reculer puis revenir. Il fallait accepter ce cri de douleur et d'effroi ; accepter le présent tel qu'il apparaissait : noir et sans issue. Nul n'avait bronché autour de la table. Le chant d'un coq eût fait à ces gens plus d'effet.

— *Amen,* dit Angilbert.

Savait-il ce qui venait de se passer ? La malheureuse semblait jeune...

Haletant comme après une course terrible, le moine loua les mérites de Bagerant, qui n'en demandait pas tant, avant de regretter de ne disposer que du nécessaire pour un mariage qu'il eût aimé célébrer en grand bobant tant les promis lui plaisaient. Comme Oriabel restait pâle et froidie d'horreur, Espiote, imperturbable, interrogea Bertuchin :

— Crois-tu qu'elle soit...

Bertuchin hocha évasivement la tête.

— Fallait lui foutre une mordache ! s'écria le Petit-Meschin. Il y en avait deux dans le coffre aux ciboires... Même que je me suis demandé ce qu'elles y faisaient !

— Qu'est-ce donc ? chuchota Oriabel.

Fronçant les sourcils, Tristan lui enjoignit le silence. Il lui dirait, plus tard, qu'une mordache était un bâillon de bois que, dans certains couvents, l'on mettait aux moines ayant enfreint la règle du silence. Une espèce de mors pour homme, ni plus ni moins.

— Mon maître fut quelque temps Nicolas Oresme (1), dit le moine Angilbert.

« Il ment certainement », songea Tristan. « Il n'a pas pu connaître ce saint homme ! »

— ... mais c'est à Bruges, mes enfants, que j'ai surtout exercé mon ministère... Enfin, tout près de Bruges : en l'abbaye de Doest, proche de Lisseweghe. Mon exemple en tant qu'homme et en tant que frère en Dieu est un moine qui vécut là peu de temps avant mon arrivée... Guillaume de Saftinghe...

— Ne recommence pas ton histoire ! tonna, de loin, Jean Hazenorgue en se levant, ou tout moine que tu es, je vais te donner la fessée !

— Laisse-le, dit Bagerant.

Il semblait s'ennuyer. Profitant de ses bonnes dispositions à son égard, frère Angilbert reprit le fil de son récit :

— Guillaume de Saftinghe était dur, pieux, austère comme un saint... Quand en juin 1302, Robert d'Artois, sur commandement

(1) Né aux environs de Caen vers 1300, mort à Lisieux en 1382, grand maître du collège de Navarre (1356), évêque de Lisieux (1377), précepteur de Charles V, Nicolas Oresme est l'auteur d'un traité des monnaies et d'une traduction d'Aristote.

de Philippe le Bel, marcha vers Courtrai avec soixante mille hommes, exillant tout sur son passage et tuant tout ce qui vivait, des gens jusqu'aux chiens, frère Guillaume voulut aller se battre contre l'envahisseur, ce qui lui fut refusé. Il vola des chevaux et les vendit à Bruges. Il acheta des armes et en ceignit sa bure. Guillaume de Juliers en fit son conseiller...

— Voilà bien, Angilbert, coupa Jean Aymery, ce que je te refuserais !

Il y eut des rires tout autour de la table. Allons, pour le moment — hormis ce cri de souffrance ou de mort —, les événements suivaient un cours sinueux, tout à la fois pénible et rassurant.

— C'est grâce à la clergie de ce moine que, contre toute espérance, vingt mille Flamands vainquirent, le 11 juillet, les Français... Guillaume fut terrible, une cognée au poing, une lame dans l'autre...

Il y eut des sifflements d'incrédulité dont frère Angilbert n'eut cure.

— Frère Guillaume tua tant qu'il pouvait, sans merci : follement. Puis il revint au couvent. A peine cheminait-il dans le cloître qu'il reçut, pour sa conduite, de tels reproches d'un abbé qu'il lui sauta à la gorge... Le prieur intervint pour les séparer, aggravant ainsi le courroux de l'homme à la bure sanglante...

— Seul le vin peut teinter la tienne ! releva Naudon de Bagerant.

— Le père abbé s'enfuit, mais se retourna avant de franchir le seuil de la chapelle : *« Souviens-toi de la nuit de Noël, il y a six ans »,* cria-t-il. *« Anathème ! Anathème !... Tout sera divulgué ! »* Guillaume pris de peur se jeta sur cet homme effrayé. On dit qu'il l'égorgea ainsi que le prieur, puis qu'il alla se réfugier dans une tour... Bientôt il y fut assailli par des hurons et des hommes d'armes... Il consentit à se rendre et fut emprisonné à Bruges, au *Steen,* la maison forte... Dieu lui vint en aide : il s'évada.

— Dieu ou Belzébuth ? questionna le Petit-Meschin, hilare. Que devint-il, ce moine que j'aime mieux que toi, car il savait tenir une épée... et une hache en même temps...

— On dit qu'il franchit la mer et vécut en Syrie. Il abjura et devint mahomet... Il eut même des femmes... Puis il fut pris de remords et mit fin à ses jours en sautant dans la mer...

— Le remords ! cria Naudon de Bagerant. Qui, ce soir, connaît cette chose-là ?... Qui d'entre nous se sent capable de la décrire ?

Il se leva et se mit à contourner la table, posant sa main sur l'épaule de chacun de ces hommes avec lesquels il avait tout commis.

— Toi, Aymery ?... Toi, Bertuchin ?... Toi, Jean Creswey, de passage parmi nous ?... Toi, Espiote ?... Allons, parlez !... Savez-vous ce que c'est qu'un remords ?

— J'en vois pas sur la table, dit en feignant de chercher, Arnaud de Thillebort.

Garcie du Châtel, penché, regarda entre ses jambes :

— Ni à mes pieds... Il n'y a que miettes et osselets...

— Ni dans les pensées qui fermentent maintenant dans mon crâne, dit Pierre de Montaut en dévisageant Oriabel.

Bagerant se pencha vers Tristan, tout encuirassé de méfiance :

— Tu vois comme ils sont tous ? C'est l'unanimité. Même Angilbert, s'il connaît la contrition, ignore ce que c'est qu'un remords ? Et toi ?

Tristan sentit sous lui s'ouvrir un nouveau piège. Hésiter à répondre, c'était se déprécier dans l'esprit de ces malandrins.

— Le remords, dit-il, c'est un même poison pour l'âme et pour le cœur. Je conçois donc que vous n'en puissiez éprouver.

Les deux bras allongés comme s'il s'envolait, Naudon de Bagerant apaisa quelques cris de colère et des ricanements, cependant que Thillebort se levait :

— Car évidemment, selon toi, nous sommes dépourvus de cœur et d'âme ?

Du regard, Tristan défia ce borgne qui, pour s'égayer un brin, faisait extraire par ses captives des cailloux contenus dans son bassinet.

— Je pense que certains d'entre vous ne manquent ni de cœur ni d'âme ; donc le remords peut les atteindre... Toi, Tiercelet, tu as un cerveau bien plein, et même bourré d'astuces... Et ton cœur est de belle taille et lourd de sentiments... blancs et noirs, qui parfois se contrarient... Il en va de même pour toi, Bagerant. J'ai appris en fort peu de temps à te connaître, et tu le sais : si je ne puis te tenir en estime, je te respecte !

Encore des rires, mais cette fois moins bruyants, et teintés, eût-on dit, de vergogne. D'un geste plein de négligence, Tristan montra Thillebort du doigt :

— Mais toi qui n'as qu'un œil et dont j'ai su les appertises (1) face à des femmes sans défense, je doute que tu sois...

— Tudieu ! interrompit le borgne en se dressant.

De rage, il écumait ; il vida son hanap si brusquement que le vin lui sortit des narines, d'où un éternuement dont Tristan s'ébaudit :

— On dirait que tu as des cailloux dans la gorge !

Thillebort voulut tirer son épée. Le Bourg de Breteuil lui saisit le poignet et repoussa dans le fourreau la lame sortie d'un tiers.

— Toi, le Petit-Meschin, il va de soi que si tu éprouves du remords, il est aussi menu que ta personne, toute valeureuse qu'elle soit !

---

(1) Prouesses, actions d'éclat.

Il y eut des sifflets et des rires, et Tristan s'aperçut que seul Thillebort s'embourbait dans son courroux. Bagerant, satisfait du tour que prenait l'algarade, revint à son banc, prit délicatement l'écuelle pleine de lentilles et de lardons qu'Héliot venait de déposer à sa place, et l'offrit à Oriabel qui le remercia d'un sourire mince, mais avenant.

— Compères, dit-il, tourné vers la tablée que son obligeance envers une femme — presque une captive — ébahissait ; compères !... Vous voyez tous que Castelreng n'est pas un trigaud (1). Il est de notre trempe. Que Dieu le garde !... Pas vrai, frère Angilbert ?

— Dieu le garde ! S'il est aussi hardi, les armes à la main, que les mots à la bouche... il sera digne de vous !

— Permettez que j'en finisse, mon Père... Je tiens à dire à cette assemblée que si je suis capable d'éprouver du remords, je n'en ai jamais eu à occire du Goddon, à Poitiers, où j'ai failli trépasser.

— Est-ce pour moi, pour Creswey, Daalin et les autres Anglais qui sont sur cette motte que tu parles ainsi ?

Jean Aymery s'était exprimé sans colère. Tristan leva son hanap dans sa direction :

— J'ai pris soin, messire, de vous parler avec franchise, afin qu'il n'y ait aucune ombre entre nous.

Il avait tenu à ce que sa voix fût enjouée. Y était-il parvenu ? Pour le savoir, il se tourna vers Tiercelet, mais le brèche-dent s'appliquait à broyer des lardons entre ses mâchelières.

— Je n'ai jamais — ah ! non, jamais — rencontré un gars comme toi, dit Bagerant doucement. Quel sang bouillant tu fais !... Je ne sais plus si je t'apprécie ou si je te déteste !

— L'avenir, dit soudain Tiercelet, te permettra de faire un choix !... Allons, Tristan, avale ta pitance !

Il fallait manger, en effet, pour maintenir en soi vigueur et vigilance : plus qu'ailleurs, à Brignais, on devait respecter la force et la défiance et dédaigner ou malmener les hommes de faint (2) courage. Bien qu'il n'eût guère d'appétit, Tristan ne laissa rien au fond de son écuelle.

Héliot apporta une chaudronnée de fèves noires et de tranches de bœuf. Oriabel, faussement repue, refusa qu'il la servît. Tristan, sollicité, se tapota le ventre et dit qu'il était plein. Tiercelet accepta leurs parts et les consomma, simulant une voracité qui n'était point dans sa nature.

---

(1) *Trigaud :* quelqu'un qui n'agit pas franchement.
(2) Faible.

— Quel plaisir d'avoir des amis qui partagent ! s'écria Garcie du Châtel. Prêteras-tu bientôt ta femme au brèche-dent ?

Tristan sentit le genou d'Oriabel toucher le sien. C'était une invite à éluder tout esclandre. Il vida son hanap et ne répondit pas, mais la peur ne cessait d'altérer son courage *« Seigneur ! Seigneur ! Quand pourrons-nous abandonner cette maison, cette boce* (1) *et tous ceux qui y vivent ? »* Les regards de tous ces hommes ords (2), puants, délaissaient parfois sa personne pour se porter sur sa fiancée. Il feignait la quiétude mais flambait sous sa peau : pourvu qu'il ne fût pas amené à tirer l'épée !... Parfois, penché, Tiercelet lui adressait un clin d'œil. Bagerant, qui semblait maintenant ignorer sa présence, parolait avec l'un ou l'autre de ses compères et les informait de ce qu'il avait vu et appris lors de sa chevauchée. Pour lui, il ne faisait aucun doute que Brignais serait assailli par l'armée royale : Tancarville concentrait des troupes à Autun.

Angilbert de Bruges avait disparu.

— Tu as quitté la souille de maître Eustache, dit Tristan à l'oreille d'Oriabel, et te voilà présentement dans un gîte plus affreux où l'on boit dans des hanaps d'or, comme le tien, ou d'argent, comme le mien, et où l'on mange dans des écuelles si belles que c'est un crime d'y mettre ces aliments.

— Je préférerais qu'elles soient en étain et que nous soyons loin, bien loin...

— Je sais... As-tu sommeil ?

— Point trop.

Tristan étouffa un bâillement. Ce n'était pas tant le caractère singulier de cette masure convertie en taverne et l'accueil froid, bien qu'intéressé, qu'ils y avaient reçu qui amollissaient sa personne et ses gestes, c'était l'effet de contraste entre le fourmillement, le vacarme et le flamboiement du dehors et la quiétude enfermée sous ces voûtes boisées, illuminées profusément pour une ripaille obscène. Quelles étaient ces femmes affolées dont certaines n'étaient encore que des enfants ? Des ribaudes ou des captives ?

— Ainsi, tu crois qu'ils vont nous assaillir ? demanda Jean Aymery à Bagerant.

— Je ne crois pas : j'en suis acertené. Lyon est plein d'hommes d'armes !

— Nous les vaincrons, Naudon. Rien ne nous résiste : Charlieu, Marcigny-les-Nouains sont tombés dans nos mains comme des fruits pourris... Tout ce qui vit, des bords de la Saône et du Rhône

---

(1) Ou *bosse :* colline, éminence, tertre.
(2) Hideux.

jusqu'aux bords de la Loire et de l'Allier nous appartient. Le roi Jean a beau dire et beau faire : nous lui sommes supérieurs (1) !... Un jour nous régnerons sur le pays de France !

— Il nous faudra un roi, dit le Petit-Meschin en se grattant le front comme s'il y sentait le poids d'une couronne. Que sais-tu de Tancarville ?

— Les hommes d'armes placés sous son commandement devaient être à Autun le jour des Brandons (2), adonques, dimanche. A Lyon, Jacques de Bourbon rassemble la chevalerie et l'écuyerie d'Auvergne et celles du Limousin, de la Provence, de la Savoie, du Dauphiné de Vienne... Bourbon a son fils près de lui ainsi que le comte de Forez... Il dit qu'il va leur montrer comment on écrase des malandrins !

Il y eut des rires, des grognements, un rot, même, autour de la table ; Aymery insista :

— Tancarville est plus inquiétant que Bourbon. Que sais-tu de lui encore ?

— Il conduira la noblesse de Bourgogne, Champagne, Sénonais, Auxerrois, Nivernais... et grand'foison de guerriers... comme d'ailleurs Bourbon.

— Nous avons vu ces armées lors des retraites de ces dernières semaines, dont je ne suis pas marri qu'elles nous aient conduits en ces lieux... Mais c'en est fini des reculs : nous sommes à Brignais et y demeurerons !

— Je l'espère !

— Comment veux-tu, Naudon, qu'il en aille autrement ? s'étonna Bertuchin, courroucé. Les chevaliers, les écuyers auront à cœur, comme toujours, de se prouver leur vaillance. Leurs soudoyers seront moins fiers.

— Ils se débanderont, affirma un homme qui, bras croisés, avait écouté, immobile, sur le seuil.

— Ah ! Béraut de Bartan ! s'exclama Aymery. Tout va bien sur notre Mont-Rond ?

— Nos gars y sont de belle humeur et prêts à tout... quoique certains demandent quand on va s'abutiner (3).

---

(1) Par des lettres données à Beaune, le 25 janvier 1362, le roi avait constaté l'urgence de constituer un commandement militaire unique dans le duché de Bourgogne, les comtés de Champagne et de Brie, les bailliages de Sens, Mâcon, Lyon, Saint-Pierre-le-Moutier ; les duchés d'Auvergne et de Berry, les comtés de Nevers et de Forez, les baronnies de Donzy et de Beaujeu. Le comte de Tancarville devait y exercer les fonctions de lieutenant du roi. C'était à lui que revenait la mission de refouler les têtes de colonne de la Grande Compagnie en marche vers le nord, pendant que le maréchal d'Audrehem, investi de fonctions analogues en Languedoc et contrées voisines, pourchasserait l'arrière-garde attardée dans le Midi. Marchant à la rencontre l'une de l'autre, les deux armées devaient anéantir les routiers tout en se prêtant des appuis réciproques.

(2) Le dimanche 6 mars. Nous sommes, ici, dans la nuit du 7 au 8.

(3) Partager le butin.

L'homme prit un banc qu'il posa auprès de Jean Daalain. Il se saisit d'un pichet qu'il vida d'un trait. Tandis qu'il s'essuyait la bouche d'un revers de main, son regard tomba sur Oriabel :

— Qui c'est ?

— Ma fiancée, dit Tristan.

— Qui es-tu ?

— Castelreng.

Le nouveau venu se mit à rire :

— Je te salue et t'envie, damné compère.

Aymery, de sa cuiller, martela son écuelle :

— Silence !... Silence !... Continue, Bagerant.

— Je continue pour vous dire que l'Archiprêtre est avec Bourbon.

Cette nouvelle fit son effet. Thillebort leva ses poings noirs de poils :

— Il nous trahit !

« Qui sait ? » songea Tristan. « Il va toujours du côté de son intérêt. Il peut demain forfaire à l'honneur une fois encore. Le roi est un sot de lui accorder sa confiance... Cet homme me hait : il sait qu'à Poitiers j'ai vu sa couardise et surtout sa déffaute (1). Il a feint de se battre et il a disparu. »

Il ne bougeait plus, cessant même de mâcher un morceau de pain assez tendre et surveillant ces convives repus de tout. Il se sentait soudain fortifié, apaisé d'être ce qu'il était face à ces maufaiteurs. Bien qu'ils fussent jeunes encore, tous avaient des traits rongés, fripés. Sans doute, pressentant qu'ils ne disposaient que de peu de temps pour vivre l'existence de leur choix, s'adonnaient-ils follement, bestialement, à tous les plaisirs que pouvait leur dispenser cette force énorme contre laquelle, jusqu'à présent, se rompait celle des honnêtes gens.

— Il a fui à Poitiers, dit Tristan... Pourquoi ? Pour que les Anglais le fassent prisonnier, lui sauvant ainsi la vie... Et c'est Audrehem qui paya sa rançon.

— Tout lui est bon, approuva Bagerant... C'est lui qui, le premier, eut l'idée de rançonner le Pape !... On dit que, désireux de se fixer en Bourgogne, il est sur le point de contracter un brillant mariage avec Jeanne de Châteauvillain-en-Champagne et de Thil-en-Auxois.

— Bon sang, enragea le Petit-Meschin, sa première femme est à peine froide.

(1) Manquement au moment du besoin.

— On dit que la seconde est opulente en tout (1) !... Fortune et corps, il saisira la manne et la dame à pleins bras.

Et Bagerant repoussa son écuelle. Il n'y restait qu'un morceau de gras de viande. « Mais », constata Tristan, « il n'y a ici ni chats ni chiens ! » Bérart d'Albret vida son hanap et se gargarisa avec son contenu. Le vin avalé, il cracha son opinion :

— Cervole a tout d'un truand qui voudrait passer pour vertueux. Je ne m'y suis jamais fié. Il n'est ni avec le roi ni avec nous ni contre le roi ni contre nous...

— Il est pour lui et pour lui seul, dit un routier en s'approchant de la table. Et c'est pourquoi, sous peu, il nous aidera. Hein, Naudon ?

L'homme était grand, solide, et vêtu simplement : une cuirie noire, des hauts-de-chausses rouges comme s'il sortait d'un cuveau de sang. Il avait le crâne rasé. D'épaisses moustaches brunes lui tombaient au menton. Il les tortillait de ses mains — des mains si grosses, si sales et bombées sur leur revers qu'on eût dit des tortues.

— Qui est-il ? demanda Tristan à Bagerant.

— Le Bâtard de Monsac. Il a servi d'Archiprêtre jusqu'à l'an passé. Mais comme il était las de ses retournements, il nous a rejoints.

Garcie du Châtel tapa sur la table. Muselant ainsi tous les convives, il affirma :

— Cervole allait se placer sous le commandement d'Etienne Marcel quand le prévôt des marchands fut occis !

— Je sais aussi cela, dit Tristan. C'est ce qu'on raconte.

— En quels lieux, compère, dit-on ces choses ? questionna Jean Aymery.

---

(1) C'est Arnoul d'Audrehem qui paya la rançon de Cervole et c'est en juillet 1357 que celui-ci envahit avec ses hordes, le comtat d'Avignon. Il exigea du Pape 40 000 écus d'or pour s'en aller.
Peu après le désastre de Poitiers-Maupertuis, l'Archiprêtre avait épousé Jeanne de Graçay, veuve d'André de Chauvigny, seigneur de Levroux, dont il conserva les terres en dépit des réclamations de ses héritiers : la force prime le droit. Cette première épouse était fille de Regnaud, baron de Graçay, seigneur de l'Isle, Savigny, la Ferté-Nabert, etc. Son premier mari était le dernier représentant mâle d'une branche cadette issue de l'illustre Maison des Chauvigny, barons de Châteauroux, vicomtes de Brosse, etc. De cette union, aucun enfant ne restait ; la riche succession revenait à des collatéraux dont l'Archiprêtre n'eut cure. Le 16 mars 1357, il s'intitula seigneur de Levroux et conserva *tout* après la mort de sa femme (mort dont on ne sait rien), malgré l'opposition des héritiers légitimes d'André de Chauvigny.
En 1355, sans avoir brillamment participé à une bataille, il avait été armé chevalier. On ignore par qui. Il dut perdre Jeanne de Graçay entre le 30 mars 1359 et le commencement de l'année 1361.
Sa seconde épouse avait été mariée tout d'abord à Jean, sire de Thil et de Marigny dont elle avait eu un fils : Jean. Ce fut ensuite Hugues de Vienne, sire de Saint-Georges dont elle eut également un fils : Guillaume. Cervole vint après (le 2 mai 1362). Elle lui fit deux enfants, Philippe et Marguerite, qu'elle déshérita avant d'épouser, après la mort de l'Archiprêtre, Enguerrand d'Eudin, compagnon de celui-ci.
Elle vivait encore en 1386.

Tristan hésita. Sujet à caution, il devait obtenir l'agrément de ces vautours : il aurait plus d'aisance à trahir la confiance des uns, à déjouer la surveillance des autres. Son admission dans leur sinistre consistoire dépendait de sa sincérité.

— Dans l'entourage du roi Jean, dit-il sèchement.

Il y eut un silence chargé de stupeur et de haine. Impossible de rester serein en présence de tous ces regards. Ils étaient *perçants.*

— Ainsi, tu fréquentais la Cour, dit Naudon de Bagerant.

La couleur noire, stridente, des yeux de ce forcené, exprimait plus que de la haine : l'abomination de la désolation prédite par Daniel. Cet homme était davantage qu'un suppôt de Satan : il était son fils bien-aimé, son disciple.

— Alors, cette Cour ? Réponds... Tu parais empeuré !

— Non, *compère,* tu ne m'effraies point. Cette Cour...

Tristan reprit son souffle. Son regard soutint celui du routier :

— Disons plutôt, Naudon, que je la traversais... Qu'aucun de vous ne se fasse de fausses idées sur moi ! Je ne suis qu'un petit hobereau, né en Langue d'Oc, qui s'est efforcé, en perdant ses illusions sur la Couronne, de perdre son accent pour qu'on ne s'en gausse pas !

Tristan se tourna vers Oriabel, lasse mais attentive. Il posa sa main sur la sienne. Dix coquins virent ce geste ; puis davantage. Il se sentit envié tout autant que détesté. Plus le sentiment qu'il vouait à la pucelle lui semblait menacé, précaire, plus il se magnifiait. Il l'aimait. Aucun doute, et Bagerant le savait. Ces amours nées devant lui, de par lui, ahurissaient ce coquin. « Même si je lui sauvais la vie, il ne me tiendrait pas quitte d'une créance qu'il rendra impayable ! » Il soupira tandis qu'Arnaud de Thillebort, un doigt tendu, demandait :

— D'où viens-tu ?

A quoi bon répondre à cet être ignoble qui n'était pas un chef, tout juste un lieutenant. Tristan vida son hanap. Une fatigue doucereuse s'insinua dans son corps, du cou jusqu'aux jarrets. Il devait, pourtant, feindre l'intérêt pour tout ce qui se disait autour de lui, et si l'occasion en valait la peine, interroger Bagerant, sachant à l'avance que la réponse qu'il recevrait serait claire, utile, édifiante :

— N'avez-vous aucun chien pour garder vos troupeaux ?

— Les chiens ? On les a jetés au feu pour galer (1). Les chats ?... Tu sais qu'ils portent malheur, surtout quand ils sont noirs !... On les a cousus dans un sac et jetés parmi les chiens... Et pour faire

(1) Pour s'amuser.

bonne mesure, ce jour-là, on a jeté sur le bûcher un arbalétrier qui s'était permis de violer une des femmes de Thillebort !

Travaillé en parties égales par deux espérances : celle de pouvoir fuir avec Oriabel et celle d'atteindre au plus tôt son pays natal pour s'y placer au service d'un seigneur irréprochable, Tristan se rendit soudain compte que Tiercelet faisait son éloge et que Bagerant abondait dans le sens du brèche-dent. Il eût pu s'en trouver heureux ; il en conçut de la gêne. Voilà ce qu'il avait un moment redouté en s'asseyant près de Bagerant : que toute cette tablée crapuleuse éprouvât pour lui de l'intérêt sinon de la considération. Il ne pouvait crier : « Jamais je ne serai des vôtres ! » et de s'en abstenir lui labourait le cœur. Oriabel serra sa main dans la sienne. Aussitôt, il s'apaisa.

— Quelle confiance as-tu en moi, m'amie ! Et pourtant tu ne me connais pas... Il est vrai que je ne sais rien de toi, hormis que tu es belle...

— Vous êtes bon, messire, et me l'avez prouvé.

L'était-il vraiment ? Pouvait-on être bon quand on tranchait de l'homme ? La bonté — s'il en possédait — pouvait-elle être une qualité en ces années de méfaits et d'abusions de toutes sortes ? Et n'était-il pas vain qu'il s'interrogeât ainsi sur cette inconnue et sur lui-même alors que la mort pouvait immédiatement les saisir, pour peu qu'ils déplussent, par un acte ou un mot, à l'un de ces malandrins ?

— Je ne te sens guère à l'aise, releva Bagerant, soudain. Notre société te répugne-t-elle... terriblement ? A moins que ce ne soit moi !

— Dois-je te l'avouer ? Tu me parais moins noir, moins cruel que certains de tes amis, murmura Tristan tout en défiant le regard qui voulait pénétrer le sien. Je crois que dans le mal, tu dois parfois t'efforcer de surpasser tes compères pour te prouver, avant que de leur prouver, que tu es bien de leur espèce ! Tu pouvais nous châtier dans l'auberge d'Eustache. Certes, il y a la rançon d'Oriabel !... Elle n'est pas la raison de ta mansuétude.

Bagerant haussa une de ses épaulières où subsistait la trace d'un coup qui eût pu le rendre manchot si le fer n'avait été de qualité.

— Je ne saurais te dire le pourquoi d'une bienveillance qui me trouble autant que toi... Une sorte de merveillement, sans doute : cette fille qui se défend du viol comme une lionne, contrairement à la plupart de celles que j'ai approchées... sauf les mères acharnées à protéger leurs pucelles... Et toi, prompt, hautain, prêt à trépasser pour le sauvement d'une inconnue avec laquelle tu n'avais même pas forniqué !... Oui, vous m'avez ébahi l'un et l'autre et j'ai pensé, je crois : « Le beau couple ! »... Que te dire d'autre sinon que je ne sais pas ce que je ferais de vous si vous deviez recommencer.

— Si la querelle avait lieu céans ?... Eh bien, je vais te le dire : tu livrerais Oriabel à cette racaille qui se tient là, devers nous, après, sans doute, en avoir abusé... Tu me ferais périr dans des tourments affreux !

— Tu n'en sais rien. Je n'en sais rien... Mais il se peut que tu aies raison : nous vivons tous en amis, mais surtout en hommes d'armes ; adonques, pour être dignes les uns des autres et maintenir la hiérarchie, nous sommes voués à montrer une émulation dont tu peux être atteint un jour.

— Dieu m'en préserve !... Chacun de vous, pour ne pas déchoir de son rang, s'emploie à faire mieux, dans l'abjection, que ses compères.

— Ta formule est parfaite. C'est comme aux enchères, sauf que *« Qui dit mieux ? »* devient *« Qui fait pire ? »* C'est en enchérissant qu'on se fait respecter.

Bagerant s'était exprimé lentement, et Tristan crut l'avoir percé d'une façon définitive : cet homme-là, une fois engagé dans la truanderie, n'avait jamais rien tenté pour sauver son âme. Sa nature foncièrement indolente, malgré les tumultueux éclats d'une activité tout entière vouée à la guerre, avait puisé dans les excès même des pillages et des batailles, des satisfactions suffisantes pour qu'il ne voulût plus changer d'existence.

— As-tu, Naudon, une concubine ?

— J'en ai quatre. Nul n'oserait y toucher... Elles m'aiment.

Il voyait de la séduction là où il n'y avait que contrainte.

— Tu prends le viol pour une offrande, soupira Tristan. Je ne pourrais jamais trouver quelque plaisance là où il y aurait une tout autre exigence que celle d'un amour que l'on veut partager.

— Tu as la bonne chance d'être ce que tu es. Si tu t'étais vu éconduit et moqué par la femme d'un seigneur ami après qu'elle t'eut fait des avances, puis bafoué par sa fille... qui voulait sans vouloir... Menacé par trois damoiseaux déjà fort adurés aux armes...

Tristan s'efforça de ne point hausser le ton :

— Mais c'était sur eux et non point sur des innocents qu'il te fallait te revancher !

Bagerant eut un sourire morose, offensant :

— Innocents ? Il n'y a plus, de toutes parts, d'innocents sur cette terre. Que crois-tu que font les commandants des armées royales ? Et les soudoyers qui passent derrière eux ?... Seulement, eux, voilà : ils ont le droit que leur confèrent les lis de France !...

Seuls les gens des cités bien pourvues en pierres et en armes de défense peuvent encore prétendre à la pureté... N'étant point envahis par les uns et les autres, ils vivent dignement, du moins en apparence... Car ils forniquent, eux aussi... Pourquoi ? Parce que c'est dans la nature humaine... Les pauvres, en deçà des hauts murs, vendent leurs filles aux riches... ou bien les hommes riches les culebutent aussi rudement que nous, sans que les violées et leurs parents émettent des protestations... Crois-moi, l'ost de France est aussi laid que notre *sociale.* Et comme il perd toutes ses batailles, il se venge de ses échecs sur ceux dont il ne craint aucune représaille ! Tout homme qui porte une arme en ce royaume pourri est digne d'adhérer à notre compagnie. Je suis d'accord avec le fils d'Edouard d'Angleterre quand il dit que l'épée lui tient lieu de droit et de raison. C'est du moins ce que prétend Aymery (1).

Tristan se contenta d'un hochement de tête. De son coude, le routier heurta le sien, exigeant ainsi qu'il redoublât d'attention :

— Tu t'es moqué de Thillebort qui fait tirer des cailloux aux femmes pour décider de l'usage qu'il en fera... Il est un truand infâme, je te l'accorde... Mais que penses-tu de Jean d'Andrezel, capitaine général et favori du roi Jean, qui s'amuse à faire sauter les femmes par-dessus un bâton pour décider, ma foi, de leur destin ? Il fait même sauter les épouses de ses amis mais, bien sûr, s'abstient d'y toucher (2) encore que je n'en sache trop rien. Crois-moi, l'homme est mauvais, pernicieux, d'une lubricité dont il n'oserait faire état ni à Dieu ni à son meilleur ami si tant est qu'il en puisse avoir.

---

(1) M. Allut, dans son ouvrage sur les routiers a noté très justement — et il est le seul des historiens de son époque ! — : « *La plupart des preux de ce temps-là, s'ils revenaient en ce monde, seraient fort bien en peine de maintenir leurs droits à l'auréole dont leurs panégyristes et la croyance populaire les ont longtemps environnés.* » Il se trompe, cependant, au sujet du Prince Noir dont il écrit qu'il fit grâce aux chevaliers qui avaient défendu Limoges en 1356, mais qu'il se délecta du sang des bourgeois et du menu peuple, puisque 3 000 hommes, femmes et enfants furent massacrés. Or, Edouard de Woodstock n'assaillit jamais Limoges lors de sa chevauchée de 1356 au midi de la Loire. Partis de Bergerac le 4 août, les Anglais passèrent par Brantôme (le 9), Rochechouart (12), la Péruze (13), Lesterps (14 et 15), Bellac (16), Lussac (19), Saint-Benoît-du-Sault (20), Argenton (21), Châteauroux (21 et 22), le Bourg-Dieu, aujourd'hui Déols (22), Issoudun (24 et 26) La Ferté et Vierzon (28). Périgueux ne souffrit guère de leur venue ; en revanche, Bourges et Issoudun furent ravagés. Ce massacre d'innocents eut lieu 14 ans plus tard, en septembre. Autre notation intéressante, celle d'Alfred Rambaud, dans son *Histoire de la Civilisation française,* tome I, page 263 : « *Pendant les guerres dites anglaises, ce sont les Français qui ont fait le plus de mal à la France.* » Il n'est pas nécessaire de remonter bien loin dans le temps, pour ce qui concerne le saccage et les dévastations imbéciles des biens français par des compatriotes. En 1939-1940, avant la débâcle, ce furent nos soldats qui ravagèrent et pillèrent des villages du Nord et de l'Est dont les habitants avaient fui. Les Allemands n'eurent rien à faire : toutes les exactions — viols y compris — avaient été commises par les nôtres avant même que l'offensive ennemie eût commencé, donc dans une sorte de paix !

(2) Voir *le Ménagier de Paris,* édition Pichon, tome I, pages 148 à 153.

— Je savais ce que tu m'as dit sur Andrezel, mais nous ne sommes pas tous à sa semblance... ni à la tienne ni à celle de tes compères !... Non, Bagerant, nous ne sommes pas tous ainsi !

— Toi, sans doute. Mais cet amour tout frais pour lequel tu te mis en péril de mort, il se peut qu'un jour il te pèse et que tu déplores cette rencontre chez Eustache.

— Jamais.

C'était net, tranchant comme un taillant d'épée.

Ah ! pouvoir goûter quiètement à cette chair de femme... Obtiendraient-ils, Oriabel et lui, un peu de solitude ? En quel lieu pourraient-ils se soustraire à la tyrannie de ces mécréants ? Leur turpitude avait des relents maléfiques...

Tristan se tourna vers la jouvencelle et s'en trouva tout aussi ému que lorsqu'il avait voulu l'arracher à son sort. Elle était légèrement penchée en avant, mettant innocemment en valeur un sein rondelet et une épaule d'albâtre entre les déchirures de la tiretaine grise. Quelques fines gouttes emperlaient son front : toute la malfaisance enclose dans cette grand-salle s'était depuis longtemps répandue en elle, et peut-être ainsi sentait-elle mieux son corps, ses contours et jusqu'à son grain de peau. Quoique furtif, le regard qu'ils échangèrent n'échappa point à Bagerant. Le routier feignit de reporter son attention sur Thillebort, cependant que Tristan demandait :

— N'es-tu point lasse, Oriabel ?

Il enferma entre ses doigts une main fiévreuse et tremblante, geste si peu fréquent, ici, où l'empoignade prévalait, qu'il sentit une fois de plus l'intérêt des malandrins s'accrocher à leurs personnes — davantage sur Oriabel que sur lui.

— Il serait temps, dit-il à Bagerant, que nous quittions nos amis.

— Vous vous demandez où vous allez coucher…

Deux *« Ah ! Ah ! »* entrèrent dans l'oreille de Tristan comme des fers de sagettes. Il s'apprêtait à répondre au routier quand Oriabel le fit pour lui.

— Pas dans cette demeure, dit-elle fermement.

— Et pourquoi, damoiselle ?

— Elle sent... la mort.

Les exhalaisons des viandes et des légumes, la senteur des boissons répandues sur la table et surtout les sueurs de ces hommes sales, plus ou moins ivres, composaient une mitte presque insoutenable. Bagerant rit ; sa gaieté paraissait sincère :

— Elle est aussi franche que toi, Castelreng !

Tristan sourit, bien qu'il fût lui aussi accablé par tout ce qui l'entourait, le palpable et l'impalpable, le visible et l'invisible : ces désirs de guerriers à l'affût, contenus de moins en moins dans ces têtes sauvages et ces entrailles toujours insatisfaites. Côtoyer Bagerant lui devenait pénible.

— Soit !... Puisque vous refusez une chambre en ces lieux, je n'ai que l'écurie à vous offrir... Héliot !

L'écuyer se tenait de l'autre côté de la table, près de Thillebort. Il accourut.

— Combien y a-t-il d'écoutes (1) à l'écurie ?

— Trois comme de coutume, Naudon.

— C'est trop pour cette nuit. Un seul suffira. Qu'il reste sur le seuil.

— Mais il y a aussi...

— Peu me chaut !... L'écurie, c'est mon domaine, tu le sais. Nos deux amis coucheront sur la paille... Tiens, tu prêtes l'oreille à ce que je lui dis !

Tiercelet secoua sa grosse tête puis regarda Héliot comme il eût regardé une bouse ou un crottin :

— Toi, je te connais bien... Sache que lorsque j'aurai vidé ce hanap, j'irai veiller sur eux... de sur le seuil.

— Mais, protesta l'écuyer, il y a là-bas... des choses à ne pas voir !

— Ils vont vivre en notre compagnie, de quelque façon qu'on prenne ce mot, trancha Bagerant. A présent ou demain, il faut qu'ils s'accoutument !

Tristan se leva, Oriabel en fit autant. Ils saluèrent et ne suscitèrent que des grognements.

— C'est maintenant qu'ils vont médire de nous, chuchota la pucelle.

* *
*

La nuit puait aussi : viandes rôties, vins aigres, immondices. Des cris montaient de toutes parts : chants, ovations, disputes ; plaintes aussi, sans que l'on pût savoir qui souffrait et pourquoi. On entendait hennir et saboter non seulement dans l'écurie, mais derrière le mur d'enceinte.

— C'est là, dit Héliot en s'arrêtant devant l'entrée béante du bâtiment couvert mi-partie d'essentes et de chaume. Attendez-moi que je renvoie les gardes.

Il entra. Il y eut aussitôt des bruits de voix, des gémissements, puis des heurts assourdis comme des coups sur un corps. Quelque chose grinça — sans doute une poulie.

(1) Guetteurs, factionnaires.

— J'ai peur, dit Oriabel, malgré votre présence... Peur de tout, à commencer par cet Héliot.

Tristan toucha de sa bouche un front pâle que fraîchissait un vent moins dru qu'à leur arrivée... Nuit de sang et d'incertitude. De sang, oui : cette tête quasiment vivante par son horreur sur la pointe d'un vouge... S'ils s'étaient trouvés ailleurs qu'à Brignais, il eût porté Oriabel dans ses bras jusqu'au seuil de leur chambre dont il eût repoussé l'huis d'un coup de pied. « Enfin », se fût-il dit, « je l'ai pour moi seul. » Il n'éprouvait aucun émoi sur ces hauteurs jonchées de brasiers aux flammes moins ardentes.

Héliot réapparut, précédant deux hommes assez courts, robustes, aux têtes mafflues coiffées d'un chaperon. Des tourmenteurs. Ils passèrent, hautains, et l'un d'eux recommanda :

— Surtout qu'ils aillent à dextre et non pas à l'envers... Faut pas leur couper l'appétit !

— Par là, dit l'écuyer. Il vous est interdit d'aller voir à senestre... et il vous en coûterait de désobéir !

Tristan n'osa lui demander ce qu'ils trouveraient s'ils enfreignaient ce qu'il pouvait appeler, dans la plus parfaite acception du terme, une mise en demeure. Il poussa une porte. Héliot dit : « C'est bien », et disparut.

— On ne voit rien, s'inquiéta Oriabel.

— Je suis accoutumé aux ténèbres, m'amie. Et d'ailleurs, voilà une odeur familière : nous sommes dans leur fenil.

Tristan distinguait peu à peu le visage de la pucelle. Il s'apprêtait à la rassurer quand un gémissement venu de l'autre extrémité du bâtiment la jeta contre lui suffoquée de terreur.

— On dirait... quelqu'un qui se meurt... Quelqu'un qui souffre la géhenne.

Elle tremblait ; il lui toucha la joue : elle claquait des dents.

— Si nous devons ouïr cela toute la nuit, je crains d'en devenir folle !

On toqua à la porte, et de sa paume, Tristan contint le cri d'horreur et de désespoir qu'il avait senti prêt à jaillir de la gorge d'Oriabel.

— Taisez-vous !... Soyez aussi forte que vous l'étiez chez Eustache !... Eloignez-vous un peu... Je vais ouvrir.

C'était Tiercelet.

— Je vous souhaite une bonne nuit... Je dormirai là, sur ce seuil, comme un chien... Ainsi, on vous laissera quiets...

— Il y a eu des plaintes par là... tout près, dit Oriabel. Et les hommes qui sont sortis avaient des faces de bourreaux !

— Crois-tu, Tiercelet, qu'ils turlupinent des otages ?

— Comment le saurais-je ? C'est la première fois que je mets les pieds à Brignais... Mais si tu me permets un conseil, abstiens-toi de savoir ce qui se passe à l'entour. Tu l'apprendras assez tôt !... N'es-tu pas las ? N'es-tu pas épris d'*elle* ? Bien que contradictoires, voilà, compère, deux bonnes raisons de te montrer oublieux de tout !

Il y avait dans ces propos, apparemment légère, l'injonction impérative de renoncer à toute curiosité susceptible de courroucer la racaille.

— Et si je voulais voir, simplement, s'ils ont soigné mon cheval ?

— Ces gens, compère, sont plus soucieux des chevaux que de leur personne !

— C'est une femme qui gémissait, dit Oriabel, blottie contre l'épaule de Tristan. Ne peut-on rien faire pour elle ?

Elle étouffa un sanglot tandis qu'au coin de son œil, une brillance apparaissait.

— Si tu m'aimes, Tristan... N'es-tu pas chevalier ?

— Captif, dit Tiercelet... A la merci de tout !

— Si tu m'aimes...

Oriabel insistait, suppliait... tutoyait. Tristan décela, au fond de cette double instance, une autorité qui lui rappela d'un trait la promptitude et la force avec lesquelles, peur et rage mêlées, elle avait frappé — grâce à lui — un rouquin trop avide d'elle. S'ils avaient eu la bonne chance qu'il se fût trouvé, parmi les malandrins réunis dans la taverne d'Eustache, un Bagerant d'humeur charitable, rien ne prouvait que le routier renouvellerait une indulgence dont peut-être il s'étonnait — et enrageait.

— Je t'aime, Oriabel, et c'est pourquoi je veux que nous ne bougions plus.

Il savait, tant à cause de sa beauté que de sa façon d'être, quels périls imprévus elle pouvait susciter. Ce qu'il éprouvait maintenant à son égard l'étonnait par sa disjonction. Tout d'abord, il avait horriblement peur pour elle ; ensuite, elle l'excédait : elle connaissait aussi parfaitement que lui les menaces qui les cernaient. Il craignait qu'elle ne fît un mouvement fatal ; qu'elle n'exprimât d'un regard, vis-à-vis de tel ou tel barbare de Brignais, un mépris certes craintif, mais tellement avéré qu'elle s'exposerait à une punition sans aucune mesure avec son irrévérence. *Il pressentait qu'elle allait commettre* quelque chose *de trop,* et qu'il la défendrait âprement sans espoir d'obtenir une sûre clémence. Un Thillebort se réjouirait de les voir déliés de la protection de Bagerant pour dépendre de lui et de tous ses compères. Quant à Tiercelet, rebuté par trop d'erreurs, il les abandonnerait à leur sort.

— C'est une plainte, dit le brèche-dent... Un sanglot... C'est d'une femme... Holà !... Demeurez !

Prompte, Oriabel avait franchi le seuil et s'avançait vers une porte entre-close derrière laquelle remuait une lueur.

— Non, chuchota Tiercelet. Faut pas !

Mais il était trop tard : elle allait hardiment. Tristan, furieux, la saisit en haut du coude ; elle faillit se dégager puis renonça. Elle lui en voulait d'avoir atermoyé. Ensemble, ils avancèrent et Tiercelet suivit.

Le sol de terre battue, jonché de paille et de cailloux, grésillait sous leurs semelles. L'ombre s'allégeait. Craquements, frottements ; un hennissement même : les chevaux sentant leur venue devenaient inquiets, voire agités.

« Ils ont *déjà* leurs nerfs », se dit Tristan. « Et pour une autre raison que notre intrusion. »

Les rongements des dents sur le bois des mangeoires et des râteliers, les frottements et claquements des queues sur les croupes, les heurts des sabots sur les litières produisaient un bruit mat, quelquefois étouffé, déplaisant. Tout le mystère de cette écurie de vastes dimensions, tout ce qu'elle pouvait contenir de dangereux et qui n'émanait pas des bêtes alignées de part et d'autre de la travée centrale, semblait frémir sous les souffles épais et le trépignement des fers. Accrochée à un étançon, au milieu de la construction, une torche brasillait ; près de s'éteindre, elle crachotait son feu plutôt qu'elle ne le répandait, enveloppée d'une poussière lumineuse comme en suscitent, en plein jour, les flèches du soleil au travers d'un lieu ombreux.

Tristan vit *la chose* remuer, mais ce fut Tiercelet qui parut effrayé.

— Reculons !

— Non, refusa Oriabel dans un murmure.

Depuis le commencement de la nuit, une angoisse opiniâtre, grandissante, n'avait cessé de la posséder. Elle en semblait soudainement guérie par l'horreur même de ce qu'elle découvrait.

Suspendue le long d'un des piliers soutenant le toit et séparant deux parcloses occupées par des roncins aux croupes musculeuses, une femme était attachée très haut par les poignets, de sorte que pour apaiser la douleur de la corde, elle devait se maintenir sur la pointe des orteils. Par un raffinement de cruauté, on avait couvert sa nudité d'intestins et de fressures d'animaux — mouton et porc sans doute. Deux grosses tripes noires, suintantes, ceignaient ses hanches minces, et le pentacol enroulé à son cou se composait d'un double rang de tripailles visqueuses. L'une d'elles coulait entre ses seins dont on avait tranché les tétins. Quant à la coiffure, ce pouvait être un estomac fendu, extirpé des entrailles d'un veau, à en juger par son volume.

— Il n'y a que des bouchers de Brignais pour imaginer cela !

— Non, Oriabel, dit Tristan. Ce que tu vois, Saint Louis l'a fait à Césarée (1)... Hé oui ! Le noble roi fit exposer ainsi apprêté, sur une échelle, un orfèvre blasphémateur.

— Ces deux chevaux sont nôtres, dit Tiercelet.

— Tu as raison, fit Tristan à voix basse.

La puanteur des viscères et l'odeur de la martyre incommodaient ces bêtes si placides à l'ordinaire.

— Regarde, dit Tiercelet.

La femme se vidait de son sang par le bas : l'intérieur de ses cuisses et de ses genoux gluaient de traînées brunâtres.

Tristan sentait son cœur dans sa bouche. Il ne pouvait parler. Il n'osait bouger. Il ne savait qu'imaginer pour mettre un terme à cette vision terrifiante.

— Pitié, gémit la femme, sa face blême penchée vers Oriabel.

La pucelle demeurait immobile, bras pendants, accablée d'impuissance et de désolation, pétrifiée de dégoût, de honte et de perplexité. Enfin, Tristan vit ses mains se joindre dans une intention pieuse, sans doute, mais elle se tourna vers lui, et c'était davantage une supplication qu'une prière qu'elle lui adressait d'un regard dont Tiercelet surprit la véhémence.

— C'est laid, Oriabel, dit-il. Mais si tu fais quoi que ce soit pour elle, tu subiras sa punition... Sois-en assurée !... Toi, compère, songe que tu t'es montré suffisamment outrageux envers les capitaines. Garde-toi de commettre une imprudence, et dis-toi que sauf ce grand conart de Thillebort que tu as aiguillonné, ils semblent avoir du respect pour toi... Ne faites donc rien l'un et l'autre qui vous soit dommageable.

— Mais... commença Oriabel.

— Il suffit ! Pleure à t'en cuire les yeux... Et assomme-la, Tristan, si elle se regimbe. Voilà les seules choses sensées que vous puissiez faire !

Des larmes roulaient aussi sur les joues de la prisonnière, épaisses, nacrées, larmes de désespoir plutôt que de souffrance. Une soudaine lueur du flambeau en fit des gouttes de sang.

— Merdaille ! enragea Tiercelet dont la voix s'était toutefois adoucie. On va la soulager en plaçant cette selle que je vois là-bas sous ses pieds. Mais par Dieu, plus rien d'autre si vous tenez à la vie !

(1) En 1256. Ce fait est rapporté par Joinville.

— Elle a mon âge ou un peu plus, dit Oriabel.

« Eh oui », songea Tristan. « Beaux bras et belles hanches en dépit de cette tripaille infernale... Avec quoi ou à combien l'ont-ils violée ? Elle saigne affreusement... Elle va mourir. »

Quelque accoutumé qu'il fût aux blessures humaines, il n'osait regarder ni les seins profanés ni les cuisses pâles où les coulures de sang formaient d'abominables macules. Il fallait agir. Il ne pouvait plus demeurer ainsi !

— Holà ! que faites-vous ? demanda une voix.

Une ombre tenant un flambeau apparut. La flamme révéla progressivement un visage glabre, tondu, sans oreilles, au nez réduit à deux trous.

— Le dernier vegille (1), dit Tiercelet.

Le garde clochait, nu des épaules au nombril —un torse et des bras couverts d'une mousse noire, épaisse, brillante. Un badelaire pendait à sa ceinture d'armes.

— Ce qu'on fait ? s'étonna Tiercelet. On venait voir nos chevaux... Leur donner un baiser avant d'aller dormir... On est arrivés ce soir avec Naudon de Bagerant.

— Je t'ai reconnu... Je dois pourtant te dire : n'avance pas.

L'homme à tête de mort remuait son flambeau comme une arme. La flamme courte, fumeuse, crépita. Tiercelet fit un pas :

— Si j'ai envie d'avancer, j'avancerai, compère. Qu'un Garcie du Châtel ou un Aymery me commande, j'obéis... Mais toi, va te faire refaire la hure plutôt que de vouloir brûler la mienne !

Tristan s'approcha. Aussitôt le geôlier fut devant lui, si près qu'il recula pour éviter la flamme que l'homme lui passait sous le nez.

— Je ne te connais point... ni d'ailleurs cette fille que je vous conseille d'emmener vélocement... Es-tu venu pour cette pendue ?... La connais-tu ?... Veux-tu lui venir en aide ?

Cette fois, l'homme recula sous la pression de Tristan qui le poussait des deux mains, sans trop peser, grimaçant de sentir tant de poils tièdes sous ses paumes.

— Si j'avais liberté de mouvements, oui, je serais venu en aide à cette femme, ne serait-ce que pour adoucir son trépas. Tu sais que l'odeur de la tripaille excite les chevaux... Regarde ce qui pendouille sous le ventre de ce moreau !

— Il va ruer comme à la monte et l'écloper comme à la guerre.

— Non !... Ces deux roncins ne rueront pas, compère.

Tristan retira ses mains poisseuses de la poitrine du geôlier.

— Nous allons mettre ces bêtes ailleurs. Elles sont nôtres.

---

(1) Garde, sentinelle.

— J'en installerai deux autres à leur place... Quelques sabotements dans les cuisses ou les reins... Tallebarde appelle ça les derniers hommages.

Le poing dextre de Tristan sauta en direction du visage hideux sans toutefois l'atteindre : Tiercelet venait d'en arrêter le vol.

— Ne l'abîme pas : c'est un gars de Thillebort.

— Tu me prives d'une jouissance extrême. Comme t'appelles-tu ?

L'homme eut une espèce de ricanement qui le rendit plus effrayant.

— Thomas de Nadaillac... Hé là !... Pourquoi tires-tu ton épée ?

Tristan s'adressa à Tiercelet :

— C'est une grande horribleté que nous avons vue là... Nous ne pouvons toucher à cette malheureuse... Je me console en me disant que nos chevaux ne seront pour rien dans sa mort.

— Mais... commença Oriabel.

— Non, m'amie... Il faut nous résigner. Veux-tu finir ainsi ?... Libérer cette femme, c'est nous condamner. Tu mourras, je mourrai ; Tiercelet aussi... Et pourquoi ? Pour une bonne action dont Dieu peut se courroucer : Il est aux aguets de cette âme et la veut recevoir bien souffrante... L'Eternel a parfois des désirs détestables.

— Tu blasphèmes !

— Il se peut, mon cœur... Mais je ne puis m'en retenir.

Il y eut un rire : celui du geôlier occupé à suivre les roncins que Tiercelet menait à la longe. Ils étaient sortis doucement. Ils pénétrèrent sans se regimber entre des bat-flanc disponibles et le brèche-dent les mit à l'attache. Tout en y procédant, il leur parlait à voix douce — une voix que Tristan ne lui connaissait pas.

— Il me reste à savoir, dit-il au geôlier, ce que cette fille avait fait.

— Elle a craché au nez de Thillebort pendant qu'il la besognait.

— Seigneur ! bredouilla Oriabel.

— Après s'en être repu tout de même, Thillebort l'a offerte à ses compères... L'un d'eux, qu'on appelle Durandal, l'a enconnée avec son perce-mailles (1)...

Tiercelet tapota l'épaule d'Oriabel :

— Tu vois ce qu'ils font aux rebelles ?

(1) Qu'on ne crache pas de dégoût à propos des « mœurs sauvages » du XIVe siècle dont Siméon Luce, Georges Chérest et bien d'autres historiens ont brossé, quant à celles des routiers et des Jacques, des tableaux hallucinants — sans pourtant « forcer la dose ».
De nos jours, la lecture des faits divers nous prouve que les hystériques du crime existent toujours. Au XIVe siècle, la répression des délits de sang fut exercée rigoureusement. Il est vrai que les « intellectuels », adversaires de la peine de mort, et les aèdes de la bénignité humaine et du « rachat » salvateur des âmes n'existaient point.

Elle baissa la tête et se mit à frissonner, à pleurer tout en frottant ses mains, pendant que la fureur de Tristan prenait une vigueur nouvelle. Il s'était résigné à l'idée qu'ils vivraient parmi des guerriers ignobles ; il commençait à flairer la Mort, à se sentir épié par elle. Il comprenait qu'Oriabel eût atteint les abîmes de l'écœurement et du désespoir. Ah ! combien dans un tel enfer, la présence d'un Tiercelet pouvait être réconfortante.

Le brèche-dent considéra les croupes des deux chevaux que leur queue fouettait à peine. Leur nervosité s'était apaisée.

— Tu vois, Nadaillac : nos roncins sont quiets. Il me reste à finir une petite chose.

— Quoi ?

— Placer, comme je l'ai décidé, une selle sous les pieds de cette pauvrette... Par Satan, notre patron, tu ne pourras m'en empêcher !

Il avança, suivi du geôlier.

— Si tu tires ton badelaire, menaça Tristan, tu es mort.

— Vaut mieux que tu nous accompagnes, Castelreng, dit Tiercelet sans se retourner. Tiens-le à l'œil !

Tristan obéit, la main d'Oriabel crispée sur sa ceinture : elle avait dû clore ses paupières.

La pendue ne gémissait plus. Tiercelet s'en approcha, se souleva sur les pointes de ses heuses afin de considérer son visage.

— Bon Dieu ! dit-il. Bon Dieu de merde !

Pris d'un accès de rage, il fit choir une selle de son perchoir, et s'acharna sur elle à coups de pied.

— Holà ! fit Nadaillac. Cesse donc : c'est celle d'Espiote.

— Espiote ou un autre...

Alors qu'il saisissait le siège de cuir noir par le pommeau et le troussequin pour l'abattre sur l'empêcheur, le brèche-dent aperçut quelque chose au fond de l'écurie. Laissant tomber son fardeau, il se mit à marcher sans souci des protestations du routier et de l'animation qu'il répandait chez les chevaux dérangés de leur repos.

— Tu ne m'interdiras pas, face de mort, d'aller ou je prétends aller !

Nadaillac tira son arme. Tristan bondit. L'estoc de son épée piqua la chair velue entre les épaules.

— Si tu tiens à garder ton existence abjecte, compère, jette ta lame ou remets-la dans son fourreau... Approche, Oriabel... Place-toi là, dans le renfoncement du mur et veille bien... Si quelque fureteur passe et s'approche, crie... Nous serons aussitôt près de toi.

Elle acquiesça. Il la baisa sur les lèvres et rejoignit Nadaillac indécis, ahuri, tandis que la jouvencelle demandait :

— Une autre femme ?

— Oui... Hélas ! dit Tiercelet... Surtout, fillette, bouge pas : tu as eu ta suffisance d'horreurs... Et toi, Nadaillac, lève ce flambeau à la flamme aussi maigre que ta hure... Ah ! malheur...

— Je vous avais bien dit, triompha le geôlier, de guerpir pour pas voir ça !

Elle était nue, suspendue, elle aussi, très haut par les poignets. A ses pieds, rougeâtres tant les liens en étaient serrés, on avait accroché un grand panier d'osier bourré de cailloux. Elle vivait encore mais son souffle rauque était un râle ultime.

— Bon sang, enragea Tiercelet. Je n'étais pas trop accoutumé à ces choses, mais je les supportais... Est-ce ta présence, Tristan ? Celle d'Oriabel ? J'ai le cœur qui cogne et le ventre en charpie !

Tristan restait coi. Il regardait la suppliciée. Elle avait de beaux seins et ils étaient intacts. Plutôt que de les occulter sous leur masse ondoyante, ses cheveux coulaient entre eux comme un flot d'or. Beaux bras et belles hanches. Elle était épilée : c'était donc une noble dame. *Qui ?* La mort par étirement : une mort impitoyablement lente ; la martyre se sentait se rompre en morceaux. Sous le poids du corps et des cailloux, et le serrement des liens, le sang avait jailli de sous ses ongles. Elle pouvait avoir trente-cinq ans.

— Thillebort ?

— Non, dit Nadaillac. Le Petit-Meschin.

A la pauvre lueur de la torche, les paupières abaissées s'ouvrirent de moitié. Les yeux qui, sans doute, étaient clairs *avant,* révélèrent une résignation atroce. La malheureuse fit un effort terrible pour parler ; une mousse de sang lui suinta des lèvres.

— Ce linfar lui a fait rompre les dents ! grommela Tiercelet.

Il cracha. Il avait souffert d'un pareil châtiment. Un grondement sortit de sa poitrine ; il demanda, en éloignant l'épée de Tristan prête à trancher la corde :

— Que lui reprochait le Meschin ?

— Elle passait non loin de Brignais avec sa fille... l'autre pendue... Elles allaient en litière... Quinze hommes autour d'elles. Tous morts... Quand le Meschin s'est jeté sur sa fille, elle a voulu l'occire avec un petit poignard.

— Ensuite ? demanda Tristan, accablé.

— Le Meschin ne les a ni forniquées ni offertes à la piétaille, comme parfois. Thillebort a pris la pucelle ; la mère a eu droit au cheval.

— Au cheval ? s'étonna Tristan.

Il s'attendait à tout dans l'horrible, et n'osait se détourner vers Oriabel. Il savait qu'elle écoutait ; il avait honte pour toute la race des hommes.

— Au cheval ! reprit Nadaillac. Pas au-dessus, bien sûr... On l'a liée ventre à ventre sous la bête, les mains attachées à l'encolure, les jambes écartées au troussequin (1). Nul ne sait qui du cheval ou de la dame a joui le plus !

— Il faudrait, dit Tristan, écœuré, il faudrait...

— Tu ne peux rien ! fit Tiercelet. Rien !... Mets-toi ça, Castelreng, dans ton crâne de preux !... Ne la regarde plus. Tente de l'oublier... N'essaie pas de jouer au chevalier méritoire. Pense à Oriabel... Pense qu'elle est belle et qu'un jour vous vivrez hors de cette géhenne !

Il entraînait Tristan vers la pucelle. Il ne se souciait plus de Nadaillac dont le pas boitillant s'accompagnait d'un rire :

— Vous avez voulu voir ? Vous avez vu !

Tristan se détourna et piqua de son épée le cou du garde :

— Nous n'avons pas touché à tes captives. Si tu nous dénonces, je t'occirai à petits coups. Tu souffriras toi aussi la malemort !

— Je me tairai... Parole d'homme.

— Parole de merdeux ! enragea Tiercelet. Si mon compère ne le peut, je saurai te bazir (2) et j'y mettrai le temps.

Nadaillac ricana :

— Tu es comme moi, Tiercelet, un enfant de la mathe (3). On ne se trahit pas entre nous. Et même si tu m'as quelque peu malmené, soit quiet et ton compain aussi : je fermerai ma goule.

La face de mort dodinait, avenante. D'une brève mais pesante bourrade, Tiercelet se dégagea de la dextre qu'on lui tendait :

— Ah ! non... Point de serrement de main... Et souviens-toi : si j'apprends que tu as langagé, tu mourras... Et si j'étais à ta place, je viendrais en aide à ces pauvres femmes.

— Comment ?

— Par l'occision.

Tiercelet prit Oriabel et Tristan par l'épaule.

— Rengaine ta lame, Castelreng. Sortons... Allons de l'autre côté, sur la paille... Ce n'est pas celle des cachots.

Il eut une espèce de rire :

— Pas envie ni toi ni elle de vous aimer !

— Oh ! non, dit Oriabel.

— Il nous faut guerpir, dit Tristan.

— Pas maintenant. Ils vont vous tenir à l'œil... Quand ils vous croiront bien au chaud dans la famille, alors il sera temps.

---

(1) Rapporté par Siméon Luce. Les chevaux de cette époque étaient « entiers ».

(2) Tuer, dans l'argot des truands, particulièrement celui des coquillards.

(3) Un enfant du gibet.

— Mais s'ils nous reprennent ?

— Non, m'amie : ils ne le pourront !

Dans l'ombre, plus dense à présent que Nadaillac et son flambeau cessaient de les accompagner, Tristan distingua, sur ce qu'il voyait du visage d'Oriabel, de fines et émouvantes luisances. Tout comme Tiercelet, au réconfort d'autant plus bourru qu'il était sincère :

— Crois-tu, fillette, que si je vous aide et pars avec vous, ce sera pour qu'ils nous rejoignent ? C'est douter de mon ingéniosité ! Je m'en pourrais offenser !

Il poussa la porte du fenil. Les yeux exorbités pour y voir davantage, Tristan aperçut le spectre du brèche-dent. Il avançait en remuant les bras comme s'il écartait des toiles d'araignées. Il heurta du pied quelque chose :

— Une poutre... Approche Tristan. Nous allons la manier pour nous clore solidement.

— Bouge pas, Oriabel.

Bientôt, l'huis fut affermi dans son chambranle, mieux, sans doute, que s'il avait été verrouillé. Tiercelet se frotta les mains :

— Allez au fond vous faire un nid. Moi, je demeure auprès de cette porte.

Menant Oriabel par la main, Tristan la conduisit à l'extrémité du fenil. Il y voyait à peine et craignait de heurter un obstacle. Il se baissa :

— Par ici... Cela brille un peu... C'est de la feurre (1).

— Je ne vais pas plus loin, décida la pucelle. Je suis tanée... Il va falloir me pardonner si... (Elle frémit.) Oyez ce remuement dans l'écurie !

Il y eut un cri. Un hurlement de femme, puissant, lugubre. Tristan reçut contre sa poitrine la jouvencelle frémissante. Elle le ceintura à pleins bras, puis dénoua presque aussitôt son étreinte pour se clore les oreilles. En effet, le cri se renouvelait, issu d'une autre gorge : un hurlement d'angoisse et d'ultime fureur.

Il y eut un bruit de course dans la cour, puis un rire, celui d'Héliot :

— Elles sont mates !... Hé dis, Petit-Meschin : elles sont mates (2) !

— Bien fait !... Va te coucher, maintenant, et dors bien !

* *
*

(1) Paille, paillasse.
(2) Mortes.

Tristan laissa Oriabel se mouvoir seule, devinant ses gestes aux petits bruits que suscitaient ses pieds ainsi qu'aux froissements de sa robe. A quoi bon lui parler, la rassurer encore. Elle devait avoir, dans la quiétude, des mouvements lents, gracieux, à commencer par celui qui libérait ses longs cheveux. Parfois, il devinait ses yeux, ses mains, taches vives dans ces ténèbres qui semblaient affermir, protéger leur asile. Tout proche, à quelques pas, Tiercelet froissait la paille ou le foin, puis s'allongeait dessus avec un soupir d'aise.

« Moi, Tristan, qui dans la cruauté croyais avoir tout vu ! »

Il ne se sentait aucune envie d'étreindre la pucelle autrement que chastement. Les nudités martyrisées avec délices le hantaient. Il lui advenait de leur substituer le corps inconnu et le visage clair d'Oriabel.

Elle vint s'allonger près de lui. Dans une véhémente poussée de tendresse, il la serra si fort qu'elle se méprit.

— Je ne pourrai pas, chuchota-t-elle. Ce que j'ai vu... Et puis, je ne sais pas...

Il sourit, déglutit une gorgée de salive, tandis qu'elle le saisissait aux épaules.

— Je suis effrayée... Ici, rien n'est amour : tout est mauvaiseté !... Soyez bon pour moi, ce soir... Je ne pourrai pas... même si j'ai envie...

Elle lui parlait doucement à l'oreille, sur un ton de supplication. Sa voix n'était qu'un souffle ou un sanglot retenu. Lui-même aurait-il pu, si elle s'était montrée consentante ? Oui, évidemment, mais leur embrassement dans cette obscurité poussiéreuse, en ces lieux maudits des femmes, lui eût semblé une espèce de viol.

Oriabel frissonnait, moins de froid que d'une angoisse inaltérable.

— Comment passerons-nous la journée de demain ?

— Chaque soir, m'amie, tu me poseras cette question. Et je m'interrogerai sans guère te fournir de réponse apaisante.

S'il ne pouvait la surveiller, il faudrait que ce fût Tiercelet. Jamais elle ne devrait rester seule. Or, Bagerant, Espiote, Thillebort ou le Petit-Meschin ne feraient-ils pas en sorte d'isoler la jouvencelle pour profiter de ce corps dont lui-même se refusait la possession cette nuit ?

« S'ils y touchent, je les tue ! »

Sottise ! Il succomberait soit sur un coup franc, soit par un coup de traîtrise. Ces démons feraient en sorte d'annihiler le secours que voudrait lui porter Tiercelet.

Oriabel devinait-elle son trouble ? Son désespoir ? Sa tête remontait : elle cherchait certainement ses lèvres. En d'autres lieux, il s'y fût goulûment abreuvé, puis tout eût commencé : les corps qui se dénudent et se touchent ; les mains qui volent, glissent, s'égarent, tandis que les bouches s'unissent, frémissent et s'enhardissent comme des mains...

— Qui craignez-vous le plus parmi ces mécréants ?

Bien qu'elle vînt de le baiser — légèrement, comme pour recueillir un peu de sa force et s'endormir rassurée —, Oriabel songeait moins à leur étreinte qu'à celle qu'elle pouvait subir d'un des chefs de route.

— Je les crains tous... Pourtant, si ce Thillebort est un affreux truand, le Petit-Meschin me déplaît davantage...

Il l'avait observé à table. Ce houssepigneur sorti du commun séchait d'envie entre ses compères chevaliers : ils avaient reçu la paumée (1) pendant qu'il essuyait des coups. Sa vanité blessée le tourmentait. Chacun des propos quelque peu soignés d'Aymery ou de Bagerant, de Garcie du Châtel ou de Pierre de Montaut lui prouvait combien sa condition restait piteuse même si, lui aussi, à force d'occisions et rapines, de viols et embrasements, prétendait à la renommée.

— Prends garde, désormais. Défie-toi de tout, même d'une porte entre-close.

Il sentit Oriabel frémir et reçut son souffle contre son oreille.

— J'ai moins peur de ces gens que de vous perdre.

Il enferma la jouvencelle dans ses bras ; sa paume et ses doigts contournèrent un sein qui se soulevait lentement, mais sous lequel battait un cœur affolé. Elle appuya ses mains sur cette main en conque.

— J'ai douté de Dieu quand ils m'ont prise et abandonnée à Eustache. Je doute encore plus de Ses bienfaits et miséricorde après ce que j'ai vu.

Comme, sous l'étoffe rude, ce sein semblait beau, tiède et doux !... Il fallait qu'il le sentît mieux encore ; qu'il insinuât sa main dans l'encolure étroite et l'eût tout entier sous sa paume, nu, avec juste au milieu des lignes où les Egyptiennes lisaient l'avenir, le tétin dur et tendre.

Le soupir qu'Oriabel exhala prouvait tout le plaisir qu'elle prenait à ce tâtonnement. Jamais, murmura-t-elle, on ne l'avait attouchée ainsi.

— Pourtant, dans le châtelet où j'étais...

Il lui ferma la bouche d'un baiser : Tiercelet venait de remuer. Etait-il aux aguets de leurs pauvres ébats ?

---

(1) Coup assené sur la nuque, rudement. Il terminait la cérémonie de l'*adoubement* qui faisait d'un guerrier un chevalier.

— Nous serons unis bientôt, et je t'aimerai comme nul homme n'aima son épouse... Peu me chaut que ce gros presbytérien qui nous unira vive parmi des malfaisants !

Il lui importait beaucoup, au contraire, mais à quoi bon le révéler. D'ailleurs, d'honnêtes inquisiteurs n'étaient-ils pas pires que certains bourreaux de Brignais ? Il se pouvait qu'Angilbert le Brugeois appartînt à l'espèce ecclésiale bonne et craintive, qu'il s'apitoyât sur le sort effrayant des victimes et les bénît avec une ferveur sincère tout en vouant leurs tourmenteurs aux gémonies.

— J'étais chambrière à Montaigny, chuchota la pucelle. Mes parents, il y a un mois, m'ont confiée à la baronnesse qui est veuve, en secondes noces, d'un chevalier occis à Poitiers... Elle a près d'elle une cousine : Marie... et autour quinze hommes d'armes commandés par un chef déplaisant : Panazol.

Tout cela, pour Tristan, semblait sans intérêt. Au diable le passé !

— Un grand seigneur, trois fois, leur a rendu visite. Je ne sais rien de lui sinon qu'il s'appelle Arnaud et que Marie en était toute estorbée (1)... Une nuit, la semaine dernière, j'ai vu passer les Tard-Venus par l'archère de ma chambre. Ils éclairaient à grands feux leur chemin. J'ai pris peur. J'ai voulu revenir chez les miens... d'autant plus hâtivement que ce Panazol m'effrayait... A l'aube, quand le pont-levis tomba, j'ai couru... Je me suis cachée le jour, j'ai marché la nuit. Quand j'étais proche de Caluire, des malandrins m'ont prise. Les uns ont voulu abuser de moi, mais la plupart ont préféré m'offrir à Garcie du Châtel... Ils se sont arrêtés chez Eustache. Lui et sa sorcière les ont incités à boire. En pleine beuverie, Eustache a offert à leur chef de me jouer aux dés... Ce chef n'était pas parmi ceux de ce soir.

— Qu'importe... Tu fus bien inspirée de quitter cette baronne... Quinze hommes, c'est peu pour soutenir un siège...

— Ils n'ont pas assailli le château (2) lors de leur passage, et cela m'ébahit encore !... Panazol les a vus passer sans même crier *« A l'arme »*...

(1) Troublée.

(2) Montaigny (ou Montagny), première baronnie du Lyonnais, fondée sans doute au XIIe siècle, fut le berceau d'une famille éteinte au XVIIe siècle. Vers le début de ce siècle, on pouvait voir dans l'église du village, trois écus des seigneurs disparus. L'un était illisible ; le deuxième, de la famille de Montagny, portait *d'azur au lion d'argent chargé d'une cotice de gueules brochant sur le tout,* une cotice étant une bande étroite traversant diagonalement le blason. Enfin, du troisième écu on n'apercevait qu'un mur crénelé.

En 1775, Mme de Viriville de Sénozan était encore baronne en ce lieu, puis le château connut la destinée de tant d'autres : une belle carrière de pierres pour les gens d'alentour.

Il n'en subsiste rien.

En 1349, H. de Montaigny et quelques nobles des terres d'Empire et du Royaume, avaient pris la ville et le château de Brignais et les avaient pillés. Le roi sanctionna cet acte de brigandage.

C'était effectivement une étrangeté, mais cette nuit, le silence était préférable aux confidences.

Abandonnant le sein palpitant des battements d'un cœur empli d'émoi, Tristan glissa sa main sur la hanche dure et descendit vers la cuisse immobile, pinçant parfois la robe afin de la remonter. Tout devait paraître innocent dans cette approche à laquelle consentait la pucelle. Certes, il se refusait à se livrer complètement. Les événements qui les avaient angoissés, indignés, l'obligeaient, en dépit de la présence de Tiercelet, à un redoublement de vigilance : Nadaillac pouvait les avoir vendus.

Pourtant, comme il était agréable, après un jeûne d'amour extrême, de toucher cette fiancée inattendue !... De baiser ses yeux clos, ses lèvres succulentes... Opulence du plaisir... Bien qu'il fût affamé d'elle, c'était nue qu'il voulait l'avoir entre ses bras... « Plus tard... Seuls ! » Toutefois, avant ce *plus tard,* il pouvait couvrir de sa main, doucement, un genou qui remuait à peine et, prudent, attendre.

Quel visage avait-elle à présent ? Souhaitait-elle qu'il devînt plus hardi ? Etait-ce la première fois qu'elle consentait à de pareils effleurements ? Elle tremblait. De crainte ? De froid ? Allait-elle, d'un petit soupir ou d'un léger déglutissement lui signifier son contentement d'oublier pour un temps... Mais qu'allait-il penser ! Tout comme lui, elle ne pouvait rien oublier ! Ils se creusaient tendrement, dans l'horreur, un gîte doucereux aux limites pourries, éphémères... Leur amour ne pouvait les guérir de la peur... Il s'était demandé quel était le visage d'Oriabel. Eh bien, il émergeait de la jonchée de ses cheveux épars avec une sorte de force, comme pour exorciser les démons éparpillés dans cette obscurité toute pleine des odeurs confondues, épaisses, presque charnelles, des herbes assemblées là. Et ses yeux cillaient, attentifs, tandis qu'il dépassait son genou...

Ses gestes, partout ailleurs qu'en ce fenil, eussent témoigné de sa passion solide, ardente ; leurs nudités les eussent encouragés, elle et lui, à cet emportement, cette fièvre où rien n'existe que deux corps, deux âmes, deux cœurs en sursis de se confondre. Ils eussent chu dans des abîmes de délices d'où ils seraient remontés pâmés, émerveillés, le sang aux joues... Mais à Brignais, après ce qu'ils avaient vu !... L'abandon d'Oriabel, cette nuit, semblait plus près de celui d'une captive que de celui d'une pucelle attendant, espérant cet orage de plaisir auquel elle avait rêvé certains jours et surtout certaines nuits. Lui-même y avait aspiré à Montierneuf et Fontevrault. Sa culpabilité, son remords empoisonnaient sa conscience... Pas cette nuit... Non, pas cette nuit !... Il buvait à petites gorgées un bonheur si délectable qu'il en reprenait confiance : on ne pouvait mourir lorsqu'on aimait autant.

Oriabel saisit sa main. Pour la repousser ? L'accompagner où il voulait aller et l'immobiliser longtemps avant de...

— Oyez..., chuchota-t-elle. Des gens bougent au-dehors...

Il eut soudain comme elle conscience d'un remuement dans cette nuit massive et qui semblait rassasiée de feux et de fumées, de rumeurs et de cris. Il cessa son étreinte ; Oriabel rabattit sa robe.

Quelque chose se préparait : il y avait, lointains, des bruits de conversations et des rires. Bien que volontairement assourdis ou trahis par une porte demi-close, ils trouvaient un écho sur le ciel et les murs. Cette effervescence nouvelle, insuffisamment maîtrisée, divulguait sans la moindre équivoque les apprêts d'un assaut nocturne lors d'un siège ou d'une embuscade. Cette impression de menace en germe, qui ne cessait de se dilater, fut si douloureusement perçue par Oriabel que repoussant la main immobile sur sa hanche, elle ceintura Tristan à pleins bras. Du côté de Tiercelet, la paille crépita.

— Tu ne dors pas, Castelreng ?

— Non.

Tristan se gardait de laisser percer sa fureur et son inquiétude.

— Ils vont venir. Ils se sont tus mais leurs pas les dénoncent... Qui sait ce qu'ils nous veulent... Tout de même pas que vous fassiez comme les rois et les reines, les princes et les princesses...

— Que font-ils Tiercelet ? chuchota Oriabel.

— Hé ! Hé ! Ils forniquent devant témoins afin de prouver que leur union est consommée.

Tristan sentit la tête de la jouvencelle s'appuyer contre sa poitrine.

— Surtout, compère, tire ton épée, recommanda le brèche-dent. Et toi, la fiancée, enfonce-toi au plus profond de ta couche et ne bouge pas !

Déjà quelqu'un frappait à la porte et la voix de Naudon de Bagerant passait à travers l'ais de bois tendre :

— L'as-tu chevauchée, Castelreng ? Es-tu heureux et fier de ta copulation ? Etait-elle vierge ou a-t-elle déjà servi ?... Il serait étonnant que tu dormes !... Vas-tu répondre ?

— Laisse-les en paix, Naudon, dit Tiercelet.

Il y eut un silence marquant la déception et la surprise, pendant que Tristan se demandait si toutes *leurs* nuits seraient ainsi troublées.

— Ton indiscrétion me touche, Bagerant, dit-il. Va donc besogner tes concubines !

— Je voulais seulement savoir si tout se passait bien !... Tiercelet n'a pu se rincer l'œil... J'aurais dû vous fournir un flambeau... Moi, compère, j'aime voir ce que je fais !

— Moi aussi !

C'était la voix du Petit-Meschin.

— Et moi donc !... Laisse-nous voir son cul et nous te laisserons en paix.

Celui-là, c'était Thillebort.

— Vous connaissant parfaitement, mes beaux sires, dit Tiercelet, j'ai pris mes précautions. Nous avons tous les deux notre épée dans la main. Entrez, et quelques-uns d'entre vous ne verront point l'aube prochaine.

Il y eut un conciliabule. Tiercelet le domina :

— Il me serait pénible de vous passer une aune d'acier dans le corps, mais je le ferai, Belzébuth en sera témoin !... Je vous ai dit que ces deux-là sont mes amis. Gare à vous si vous l'oubliez !

Des coups de poing ébranlèrent la porte tandis que des hurlements et menaces éclataient. Puis lentement les pas s'éloignèrent.

— Je crois qu'ils ont compris, Tristan. Tu dois te faire à cette idée que nous passerons la nuit ensemble... Va te coucher. Demain, il nous faudra des forces.

V

L'aube vint, froide et pâle ainsi qu'en plein hiver. Tiercelet s'ébroua au creux de sa litière, éveillant Tristan qui n'osa faire un mouvement de crainte d'abréger le repos d'Oriabel. Elle gisait sur le flanc, une jambe obliquement allongée contre les siennes comme si, dans son sommeil, son désir d'être aimée se donnait libre cours.

« Serons-nous seuls bientôt ? De quelle malignité Bagerant va-t-il nous accabler ? »

Du dehors et tout proches s'éparpillèrent les clapotements métalliques d'un troupeau — sorti d'où ? — qu'on devait mener paître. Rien n'accompagnait ces tintements : ni la voix du pâtre ni les frappements de sa houlette ni les bêlements ou les meuglements des bêtes. Tristan crut entendre un pleur de femme et se dit qu'il se méprenait : les malheureuses entrevues à la table des capitaines devaient dormir, toutes repues de lassitude et d'horreur.

Il referma ses paupières. Quand il les rouvrit, les clochettes tintaient toujours. Il faisait grand soleil, maintenant : des lambeaux d'or infiltrés dans le chaume grossier fournissaient au fenil une lumière parcimonieuse, mais il pouvait voir les amas de paille, de foin, et la porte que Bagerant et ses amis avaient voulu forcer.

Tiercelet bâilla bruyamment, puis rampa. Sa tête livide, couverte de fétus, émergea soudain du fourrage.

— Bien dormi, chevalier ?

Tristan lui répondit d'une moue dégoûtée.

— Comme moi, dit le brèche-dent. Cette nouvelle journée va nous sembler rude... et longue !

« La vivrons-nous tous trois et tout entière ? » se demande Tristan.

Déjà, sous la meilleure des apparences, le silence criblé de petits heurts métalliques se chargeait d'une espèce de moquerie à lui seul réservée.

— Ils dorment encore, dit Tiercelet. Il faudrait obtenir d'être logés au château.

Il se mit debout et prit ses aises : bras tendus, ventre en avant, dos rentré, tout cela effectué en bâillant longuement, ce dont il était peu coutumier et révélait une nuit d'aguets complète. Il avala une grande goulée d'air empoussiéré, moins pernicieux que celui du dehors.

— Je vais sortir, trouver un seau, un chaudron d'eau et une serviette pour *elle*... Nous tournerons le dos quand elle se nettoiera. Elle pourra se mettre nue : je n'ai pas d'œil derrière la tête.

— Et nous ? chuchota Tristan, car Oriabel avait bougé.

— Nous irons nous plonger dans la rivière d'en bas, chacun notre tour afin de veiller sur ta conquête. Un filet d'eau qui s'appelle le Garon, à ce que m'en a dit Espiote... Peut-être Bagerant nous fera-t-il accompagner. Il te faudra, toi aussi, observer comment sont les lieux, s'il y a des gardes ; si, du château, des hommes peuvent nous voir guerpir... Il nous faut savoir quelle est la meilleure des voies pour réussir notre entreprise.

— Tu veux donc abandonner tes compères !... Il t'en coûtera plus qu'à nous s'ils te reprennent !

— Faites-lui confiance.

Oriabel venait de se lever sans bruit. Tandis qu'il la contemplait, Tristan se dit que même ainsi, sans le plus petit apprêt, dans la confusion du réveil, elle était toujours aussi belle. L'éclat de ses cheveux tout hurlupés, qu'elle tapotait du bout des doigts, ne rendait que plus crayeux son teint pâle. Il lui offrit ses mains ; les siennes avaient la fraîcheur de l'aurore.

— Je t'ai contemplée dans ton sommeil... Et j'en fus réjoui : tu paraissais avoir tout oublié.

S'il l'avait éveillée doucement, se serait-elle abandonnée de bonne grâce après un sourire tel que celui de maintenant ? Sans doute. Or, dans les conditions où cette union se serait accomplie, qu'eussent-ils éprouvé ? De la joie ? Du plaisir ? A Brignais pouvait-on éprouver du plaisir ? Non. L'amertume les eût envahis avec la certitude que cette première fois eût été délicieuse ailleurs, et qu'à précipiter ces humbles accordailles, ils en avaient gâté les charmes.

— Pourquoi me regardez-vous ainsi ? As-tu vu, Tiercelet, comment il me regarde ?

Tristan la considérait avec une tendresse neuve où cette fois le désir de protection n'intervenait pas. Dans sa robe de pauvre aux plis et cassures orfévrés de brindilles d'or, elle se détachait sur le fond blême et poudreux de leur gîte comme la figure même de la félicité. Tiercelet la regardait aussi et son admiration n'était pas feinte. « Ils sont tous deux de la même gent, autant dire de la même famille... » Plutôt que d'assombrir son émerveillement, la ferveur du brèche-dent le renforçait, au contraire. D'ailleurs, le clin d'œil qu'il lui adressait signifiait tout bonnement : « N'aie crainte : ce n'est pas parce que je l'admire qu'il te faut m'en croire amouré. » Vrai ou faux, ils n'étaient pas trop de deux pour veiller sur la pucelle.

* *
*

Un seau d'eau claire puisée dans un abreuvoir. Un autre demi-plein.

— C'est mieux que rien, dit Tiercelet en les déposant aux pieds d'Oriabel.

Ils la laissèrent à ses ablutions tout en s'entretenant, assis sur la poutre qui, la nuit, avait condamné le seuil du fenil.

— Seul Tallebarde est levé, dit Tiercelet. Il ne m'a pas vu... Dans l'écurie, vide des deux femmes, j'ai pu prendre ce pan de robe qui fait office de serviette...

— Maudits soient ces malandrins !

— Ils ont moult autres noms... Tu connais celui de *Tard-Venus*, parce que cette racaille-là, comme tu dis, est arrivée après les Jacques... On les appelle aussi *les fils de Bélial* depuis qu'ils firent trembler le Pape en Avignon. On les nomme *brigands* parce que certains portent une brigandine ; *Foillars, Feuillards,* à cause de la feuillée qui les protège, ou alors *Gaudius, Godins,* car on dit bien, pour désigner une forêt : la gaudine (1)... Mais ils aiment qu'on les appelle les *sociales* (2) de *socius* — compagnon, selon Angilbert le Brugeois... On appelle certains les *bacons* (3) à cause de ceux qu'ils prennent dans les villages... Et même les *mesnies* (4)...

— Des porcs !

— Ne le leur fais pas trop sentir... Essaie de t'en faire des amis : tu les abuseras bien mieux !

L'eau tintait dans leur dos, et pour laisser Oriabel plus à son aise, ils se parlaient sans se regarder, en considérant leurs mains,

(1) Le nom de *Gaudius* ou *Godin* dérivait du mot teuton *Wald,* dont la basse latinité avait fait *Gualdus* par le changement du *w* en *g,* de *al* en *au : wald, waldus, Gualdus, Gaudin.*

(2) On peut être surpris de voir apparaître ce mot-là ! Une des compagnies avait pris le nom de *societas del Acquisto* (des acquisitions).

(3) Ancien nom français du jambon.

(4) Les *familles.*

leurs pieds ou cette porte qu'il allait bien falloir déclore. Et pour découvrir quoi ?

— Le troupeau est toujours là.

— Quel troupeau ? s'étonna Tiercelet.

— Hé ! je ne suis pas fou !... J'entends bien des clochettes, des sonnailles, et toi aussi !

— Va falloir te déboucher les oreilles ! Elles sont toutes pleines de poussière pour que tu te méprennes à ce point !

Tiercelet entrouvrit la porte ; le mouvement de sa tête signifia : « Regarde », et Tristan obéit. Ce qu'il vit le fit tressaillir.

Vêtus de hardes qui dissimulaient mal leur nudité, il y avait là une quinzaine de femmes et de jouvencelles, et trois garçons dont le plus âgé devait avoir douze ans et le plus jeune, huit. Tous avaient deux ou trois petits pots de cuivre suspendus au cou, et des gobelets troués attachés aux poignets et aux chevilles.

— Voilà tes carillons ! triompha Tiercelet. Ces mal heureux ne peuvent se mouvoir vivement sans éveiller la méfiance de leurs gardiens... Et vois cette femme que Nadaillac tient en laisse comme une chienne... Il va la promener un peu, puis la reclure à l'ombre.

— Pourquoi ?

— ... n'écarte pas les cuisses ou les nasches (1) assez volontiers... Ou bien, elle s'est trop défendue...

— Comme des bêtes ! Et les garçons ?... Il y a des sodomites parmi les chefs ?

— Hé oui !... Ils ont moult plaisir à composer des spectacles... Leur est advenu de faire forniquer le père et la fille, la mère et le fils, le chien et la pucelle... Tout ce qui peut passer d'idées luxurieuses dans des esprits en rut !... A Reuil-sur-Marne, un presbytérien a été contraint de forniquer avec une abbesse. Peut-être que ces deux-là y ont trouvé plaisance, même s'ils l'ont fait dans l'église, sur l'autel et devant cinq ou six cents routiers assis là comme pour une messe...

Tristan n'osa dévisager Tiercelet ; celui-ci devina pourquoi.

— Non, je n'ai pas fait ces choses-là... Je me suis offert deux bourgeoises qui, ma foi, à ce que j'en ai éprouvé, avaient été privées d'amour depuis longtemps... Deux pucelles, une fois... Et des femmes du commun... Je me disais : « Si ce n'est pas toi, ça sera un autre qui, sans doute, les occira après... » Il y a des degrés dans le mal... Je n'ai pas descendu ceux qui vont en enfer.

— C'est... infect.

---

(1) Fesses.

— Je te l'accorde... Et tes bons amis de France en font autant... Nous nous sommes connus, toi et moi, à Auxerre... Eh bien, j'étais passé avant par Ratilly... Le capitaine qui y tient le château au nom du régent et du roi se fait apporter toutes les filles qui ont été violées par les brigands et abuse d'elles en toute sérénité : puisqu'elles ont été connues charnellement, hideusement, par la racaille, elles sont devenues pires que des ribaudes !

Pour Tristan, les sonnailles avaient maintenant des accents lugubres. L'eau dont Oriabel s'aspergeait tintait aussi, mais gaiement. Qu'elle prît bien soin de ce corps qu'il connaissait à peine et qu'il protégerait, qu'il chérirait, qu'il...

Tiercelet le toucha du coude et, à voix basse :

— Et dis-toi que tu ne peux rien pour ces enfants et ces prisonnières... Tout geste malencontreux ou hardi de ta part provoquerait le courroux des capitaines, et plutôt que de se rassembler sur toi, leur vengeance serait pour Oriabel... Car c'est la lâcheté qui les rend redoutables... Pris séparément, tu pourrais leur imposer ta loi, encore que certains sachent tenir une épée... Assemblés comme tu les as vus, ils sont invincibles... Pour mieux la protéger, feins d'être à leur semblance ; vous n'en vivrez que mieux !

Bien que la vue de tous ces infortunés emplît son cœur d'affliction, de malerage et d'un sentiment qui le terrifiait — l'impuissance —, Tristan ne pouvait se détourner de ce honteux spectacle. Quelques captives pleuraient silencieusement ; elles avaient subi les pires sévices, une journée recommençait dont elles ignoraient s'il leur serait permis d'en voir la fin ; une fin qui, dès la vesprée, serait un recommencement de débauche — à moins que d'autres femmes eussent été robées dans un hameau ou au détour d'un chemin.

Héliot apparut, un fouet de veneur au poing ; il en fit claquer et siffler à plaisir la longe dont la mèche semblait de fer barbelé :

— Allons, femmes, et vous, les morveux, prenez toutes ces bannes pleines de linges sales qui sont appuyées au muret... Vous allez les laver soigneusement dans le Garon... Cette bonne buée (1) accomplie, vous pourrez faire trempette... Par Satan, à votre odeur, vous avez tous le cul merdeux !

Tristan aperçut de grands paniers débordant de nappes ou de draps maculés d'une espèce de rouille — vin ou sang. Dans un tintamarre de pots et de gobelets aheurtés, les femmes prirent deux à deux, une charge, laissant trois bannetons aux garçons.

— Holà, moins de vacarme... Votre aubade va éveiller nos amis et maîtres. S'ils se fâchent, c'est vous qui en pâtirez !

(1) Lessive.

« *Margaritas ante porcos* », songea Tristan. Et pressentant un accès de fureur d'Héliot : « *Tirarié dë san d'uno pêiro* (1). »

— Certaines, dit Tiercelet, sont en mesure d'acquitter le prix de leur rançon, mais le temps que les écus arrivent, tu penses bien que nos gens en profitent... Et puis, faut le dire, il y a des époux fort heureux d'être ainsi débarrassés d'une femme encombrante.

— Combien demandent-ils, ces malandrins, pour libérer un otage ?

Le ton sur lequel était posée la question fit roucouler Tiercelet :

— Tu penses bien que c'est selon l'estoch (2), l'âge, la beauté, le sexe... Deux ou trois cents écus pour les enfants, garçons ou filles... Trois mille et même quatre pour les femmes nobles... J'ai vu, une fois, une jouvencelle très belle, fille de notaire, échangée contre quinze chevaux... Ah ! les chevaux... C'est leur passion : tu verras ce matin qu'ils ont autant de coursiers, haquenées, juments et mules que dans une armée dite honnête !... Il y a céans, j'en ai la certitude, tout ce qu'il faut pour vivre : fèvres et fourniers (3), tanneurs, selliers, bouchers, sommeliers... Certaines ribaudes et femmes qui ont consenti à demeurer dans la *sociale* sont devenues couturières... Tu as vu un moine pour soulager les maux de l'âme ? Il y a aussi, pour soigner les maux de la chair, des mires et des chirurgiens... Les vitailles et les boissons abondent... Rien ne manque !

— Si : le cœur.

Les captives passaient non loin d'eux, à leur insu. Tristan les observa en se promettant de ne plus jamais céder à cette curiosité malséante. Comme l'une des premières, blonde et jeunette, portait sur le front une flétrissure en forme de croix, il ne put qu'imaginer le fer rouge et fumant profanant cette peau laiteuse. Sa compagne avait reçu des coups de poing armé d'anneaux : de sa bouche suintait une bouillie noirâtre. Une autre, la plus âgée, récemment éborgnée, avait un trou saignant à la place du nez.

« Dieu qu'on dit de bonté, Votre gloire serait-elle à côté des bourreaux ? »

Les yeux clos un moment et la gorge serrée, Tristan imagina, contre sa volonté, Oriabel nue, et Bagerant, Tallebarde, le Petit-Meschin et d'autres tournant autour, la palpant, l'empoignant, la forçant.

— Les frayeurs et meurtrissures, Tiercelet, composent l'essentiel de la guerre. Mais à Brignais !... La lubricité la plus noire ne saurait justifier ces horreurs !

---

(1) Ne jetez pas des perles devant des pourceaux. - Il tirerait du sang d'une pierre.
(2) Le rang.
(3) Forgerons et boulangers.

Il lui sembla qu'Oriabel demandait : « Que dites-vous ? » et que l'eau avait cessé ses tintements.

— Plains ces femmes, ces gars pour les tourments qu'ils endurent. Rien de plus ! Sais-tu ce que m'a dit hier, à table, ce petit putois d'Espiote ? *« Nous avons choisi de nous loger sur ces hauteurs parce que nous sommes au-dessus de tout, et surtout au-dessus des lois. »* Et sais-tu comment il appelle ces trois petits qui passent devant nous ?... Eh bien, il les nomme ses pages (1). Quand l'envie lui en vient, il en fait passer un sous la table.

— Cesse !

Tristan en avait assez. Les captives et les garçons avaient disparu, mais leurs sonnailles continuaient de tinter. Une main se posa sur son épaule. Oriabel. Visage pur, enchâssé d'or. Fermant les paupières, il se laissa un moment aller au simple bien-être de la savoir présente, attentive et confiante, décidée, elle aussi, à affronter les *Tard-Venus* abominables. Lui-même, à cette idée, se sentait les jambes rompues. Un de ces malfaisants lui chercherait sûrement querelle pour savoir ce qu'il valait, une arme à la main. Il ne pourrait éluder ce défi : ces monstres se riaient des propos dilatoires ; il devrait faire immédiatement visage (2)... Et Bagerant ? Quelle astuce emploierait-il pour lui donner fureur et mésaise ?

— On vient, dit Tiercelet.

Tristan craignit qu'Oriabel n'eût perçu son frémissement d'angoisse. Elle recula sans hâte et se tint derrière lui, illusoire protection dont il fut satisfait, tout de même, tandis qu'il dégageait son épée d'un bon tiers.

— Bagerant, souffla Tiercelet en refermant la porte. Je reconnais le tintement de ses éperons à grosses molettes.

Tandis qu'il retirait son arme du fourreau, un poing de fer tonna contre l'ais de la porte.

— Castelreng !... Es-tu éveillé ? Bagerant te somme d'ouvrir.

Il fallait répondre aussitôt sans paraître incommodé.

— Nous nous apprêtions à sortir. Que veux-tu *mâtin* ?

Il avait pris plaisir à jouer sur ce mot. Pour dominer son émoi, la jactance mêlée de moquerie lui semblait composer un remède efficace. A travers les lames de bois fruste, mal jointes, il entendit un bruit de gorge violent comme si le routier, à force de s'ébaudir, était sur le point d'étouffer.

— Mais je veux ton bonheur, compagnon !... *Votre* bonheur.

---

(1) Les pages étaient des aides de cuisine ou d'écurie issus du peuple. Ce furent les Valois qui valorisèrent ce mot et changèrent leur fonction.

(2) On ne disait pas « faire face ».

— Permets-moi d'en douter.

Disant cela, Tristan accepta que Tiercelet ouvrît la porte. Son épée, nue, reposait à plat sur sa poitrine ; il en serrait la prise à deux mains.

— Allons ! Allons, *ami* !... Remets cette lame dans son feurre !

« Non », fit Tristan de la tête.

Il lui parut qu'au-delà de sa personne, le routier, en armure déjà, considérait Oriabel avec une convoitise dont la jeune fille pouvait s'épouvanter. Il ne se retourna pas pour juger de l'effet d'une telle concupiscence. D'ailleurs Oriabel se collait contre lui, au risque, s'il y avait bataille, de prendre un coup de lame.

— Je suis venu vous avertir qu'Angilbert a fait dresser un autel au château et que j'ai fait procéder au nettoyage du tinel où nous mangerons après la cérémonie. Vous aurez une chambre et un lit digne de vos amours.

— Qui donc nettoie ces lieux ? Les prisonnières ?

— Evidemment.

— Je les ai vues. J'ai vergogne pour toi et tes hardis compères.

Tristan s'était exprimé placidement, accoté, de l'épaule, au chambranle. Sa fureur avait pris une forme nouvelle : quelque chose de net la maîtrisait qui, sans doute, était de la résignation.

— Merdaille ! dit Bagerant tourné vers Oriabel. La fiancée a fait toilette ! Elle n'est point angoissée alors qu'elle le devrait.

Etait-ce une menace ? Une constatation simplette ? Tristan sentit la main d'Oriabel se crocheter à sa ceinture. Il résista au désir de la regarder afin, toujours, de se défier du malandrin qui s'inclinait pour un hommage spécieux.

— La parure mise à part, voilà ta roturière prête à devenir ton épouse.

— N'atermoyons pas, Bagerant. Si ce mariage, pour moi, sera valable et le restera, il ne représente pour toi qu'un déduit (1). Mais nous nous en contenterons.

Tristan remit sa Floberge au fourreau. Ensuite, passant son bras autour de la taille d'Oriabel, il lui baisa la joue et sourit au routier en lui rendant sa révérence.

— Vous me saurez bon gré, ce soir, d'avoir mené les choses rondement.

Il fallait, maintenant, user de malignité.

— Je t'en sais bon gré, dit Tristan. Mais si tu as décidé d'une cérémonie pour ce jour d'hui, je dois te prévenir que je n'y suis pas disposé.

---

(1) Amusement.

— Pourquoi ?

— Je n'épouserai pas une otage... Tu pourrais, dès demain, arguer qu'elle t'appartient... et me priver de sa présence ! Tu as tous les pouvoirs, tu peux disposer de tous les appuis... Je n'ai que Tiercelet. Son amitié m'est précieuse, mais tu saurais bien l'écarter d'une façon ou d'une autre s'il te gênait lui aussi.

Il était important qu'il feignît de négocier la liberté d'Oriabel. Et même, quelque évidente que fût pour lui l'impossibilité d'en acquitter la moindre parcelle, qu'il proposât de payer sa rançon. Dans le cours de la nuit, son dessein tout d'abord trouble, ennuyeux, avait pris forme et consistance.

— Moi qui croyais vous complaire en vous mariant ce mardi !

La déception de Bagerant se composait surtout de fureur et d'incertitude. Ses prunelles scintillaient, mais au-delà, dans leurs profondeurs noires, le mal couvait : aussi prévenant qu'il se fût montré envers ce couple qu'il pouvait dissocier d'un cri, et même anéantir, cette faillite inattendue lui inspirait un doute sur ses capacités d'autorité.

— Je te sais bon gré de l'attention dont tu nous entoures, Naudon. Il est vrai que nous te sommes chers... La rançon de ma fiancée...

Bagerant eut un geste comme s'il avait été tout près de l'oublier.

— N'êtes-vous pas bien aises, céans, que déjà vous songiez à nous vouloir quitter ?

Tristan retint sa respiration. Ses tempes battaient. Il fallait qu'il fût informé. A quoi bon atermoyer ?

— Combien ? dit-il tandis que Tiercelet reculait par discrétion ou indifférence.

Bagerant considéra Oriabel, tête basse et comme résignée à subir sa loi, sinon sa dérision. Elle n'était pour lui qu'une servante. Les circonstances avaient voulu qu'elle atteignît un coût excessif et il jouissait de l'avoir pour témoin d'une négociation qui la dépréciait en tant que femme tout en surhaussant sa valeur d'otage.

— Combien ? insista Tristan.

D'une démarche compassée, le routier s'avança vers l'un des seaux de chêne cerclé de fer que Tiercelet avait apportés.

— Deux ! gloussa-t-il. Tu te soignes, Oriabel... J'aime que chair de femme soit propre comme un lis. Tu les as vidés sur le sol et non sur la paille : c'est bien !

Il retourna le récipient de son pied, s'assit dessus et invita Tristan à l'imiter. « Ne l'offensons pas d'un refus », décida celui-ci tandis que Tiercelet, du crochet de l'index, priait Oriabel de le rejoindre, ce qu'elle refusa d'un sourire pincé.

— Sais-tu, Tristan, que chez Eustache tu pouvais avoir cette donzelle pour presque rien ?

— J'ai du contentement d'avoir fait ce que tu as vu.

— Petite satisfaction.

— Enorme !... Tu vois ces choses-là de l'abîme où tu t'enfonces. Je les regarde les pieds au ras de cette terre que tu te plais à mouiller de sang innocent.

Bagerant jeta ses gantelets sur la paille. Il allongea ses jambes alourdies de fer et immobilisa son épée sur ses cuissots. Le cuir du fourreau était semé de clous d'or et terminé par une bouterolle orfévrée. Il le tapota d'une main lasse, puis releva son visage mat, immobile, hostile. Tristan fut certain qu'une puissance terrible, maléfique, se concentrait dans cette tête dure, derrière ces yeux d'un bleu soudain ardent et cette bouche frémissante, anormalement rouge — comme si le routier avait vidé, dès son réveil, une écuellée de sang.

— Je ne crains pas cet abîme ; au contraire : il est plein de délices et de... ravissements.

Bagerant eut ce rire hoquetant et glacé dont il mésusait sitôt qu'en son cerveau s'installait quelque gêne.

— J'ai confiance, Naudon, en ta parole. Tu peux te fier à moi. Sache, cependant, que je ne me mettrai pas à genoux pour pleurnicher : *« Pitié ! Grâce pour moi et cette jouvencelle »*... que tu détestes parce qu'elle t'a échappé.

Il se détourna juste ce qu'il fallait. Oriabel avait une pâleur de cierge. Ses paupières battaient, écrasant des larmes. Soudain debout, il saisit sa main. Elle était molle et plus fraîche qu'il ne s'y attendait.

— Soit, dit Bagerant. Tu l'aimes très fort, adonques rançon très forte.

« Malandrin ! » enragea Tristan. « Tu ne vas pas me ménager ! »

— Tu n'es pas le roi de France. Tu vaux moins... Oriabel n'est ni reine, ni princesse, ni baronnesse, mais sa vie, pour toi, n'a pas de prix !... Pour Jean qu'on dit Bon, c'étaient quatre millions d'écus d'or de rançon. Puis on enleva un million... Il faut savoir être juste en négoce, pas vrai ?

Tristan attendait la suite dans les mêmes dispositions d'esprit que lors d'une journée brûlante : il redoutait un orage.

— Au commencement de l'an 59, nous avons fait prisonnier Gilles de Lorris, l'évêque de Noyon, et nous l'avons vendu à Edouard d'Angleterre... Ce prélat hautain comme un paon exigea sa liberté. Il l'obtint contre mille écus d'or, cinquante marcs d'argent de Paris et un bon destrier d'un prix de cent moutons d'or...

« Enorme ! » s'effraya Tristan. « Jamais je ne pourrai réunir pareille fortune... Où va-t-il en venir ce malandrin superbe ? »

Un regard d'Oriabel, une lippe de Tiercelet lui enjoignirent de mater son indignation. Il y parvint tandis qu'une sueur abondante picotait et glaçait son dos et ses aisselles.

« Seigneur ! Seigneur ! Délivrez-nous de tous ces suppôts de Satan ! »

— Tu es noble, Castelreng... J'aime grossement l'or, l'argent, les chevaux et les pierreries... les femmes et les pucelles... Toi, tu n'aimes, dis-tu, que cette donzelle... Te rends-tu compte que par elle, je te tiens fermement dans ma main ? J'ai tout avantage, pour t'y conserver longtemps, à fixer une rançon excédant ce que tu pourras m'offrir quand on aura, chez toi, vidé les coffres, monnayé les joyaux et les argenteries et vendu quelques bonniers (1) de bonnes terres !

— Tu parles d'or ! releva Tristan tout en simulant une gaieté qui lui broyait le cœur.

Il devait pourtant se ressaisir, sinon son désarroi et son courroux seraient considérés comme les preuves manifestes d'une incurable faiblesse de caractère.

— Nous sommes à ta merci, et je t'en préviens : quel que soit le montant de la rançon d'Oriabel, j'userai de tous les moyens dont je puis disposer pour l'acquitter. Il va de soi qu'il te faudra m'en laisser le temps : ma famille est bien loin de Brignais.

Il ne comptait absolument pas sur son père ; il devait cependant faire accroire le contraire.

— Où gîte ta parenté ?

— Près de Carcassonne.

— Tu ne me mens pas ?

— Je peux te le jurer sur la croix d'Angilbert.

Les lèvres de Bagerant s'incurvèrent, si serrées l'une à l'autre qu'elles en pâlirent.

— Tout de même, reprit Tristan, quelle belle âme d'usurier que la tienne ! Tu n'as presque rien offert pour *elle* à ce tavernier, et tu vas m'imposer un tribut excessif !

Le visage glacé, sans nuances, du routier, attestait qu'il discutait en vain ; mais il se devait de poursuivre. Ah ! ce froid gluant dans son dos et cette voix, *sa* voix, méconnaissable. Dans la colère et la volonté de persuasion, elle prenait un ton aigre, pointu, à lui-même désagréable. Une image insidieuse se glissa dans son esprit ; celle d'un affrontement nocturne entre Bagerant et lui... L'estoc de sa

(1) Mesure équivalente à 3 arpents.

Floberge sur cette cuirasse qui sans doute avait une épaisseur peu commune ; la fente qu'y ferait la pression de l'acier : *son acier,* l'acier de saint Michel ; l'acier de Vézelay. Mais sitôt trépassé, Bagerant aurait un successeur.

Une épaisse nausée lui échauffa la gorge, et ses entrailles furent ravagées par une colique qu'il domina en serrant d'un cran sa ceinture.

— Je ne pourrais jamais agir à ta façon !

Il fallait qu'il gagnât du temps. Selon ce qu'il avait entendu à la table même des routiers, l'armée royale se préparait. Il importait qu'elle fût assez forte et décidée pour chasser la truanderie de Brignais et, du même coup, délivrer tous les otages. Alors, la question des rançons, et particulièrement de celle d'Oriabel, ne se poserait plus.

— Dis-moi ton prix sans plus attendre !... Tu n'as point coutume de ménager ceux qui sont à ta merci !

— Mille écus d'or tout net, dit Bagerant. Payables d'un coup, quand tu voudras.

Tristan resta immobile, bien que ses pensées fussent celles d'un homme en péril de noyade.

— Oriabel, désormais, te sera doublement chère.

Aussi bas que cela eût été dit, Tiercelet l'avait entendu. Il alla se camper devant le chef de route qui, inquiet, se mit debout avec un semblant d'effort.

— Que te prend-il, brèche-dent ?

Ignorant la question, Tiercelet s'inclina devant Oriabel :

— Sais-tu que si ton époux, désormais, t'abreuve de *« ma chère »,* il aura bien raison ?

Il riait, faisant montre d'une assurance gaie, presque inaccoutumée. Sa faconde ordinaire s'effaçait devant quelque chose de fort et de concis : il se plaçait sans vergogne, par la résolution visible dans son regard, à la hauteur de Bagerant. On eût même dit qu'il le subjuguait.

— Mille écus ! dit-il sans rien changer à son sourire noir.

— Que te prend-il ? s'étonna le routier avec un tour d'épaule, comme pour rejeter un fardeau inattendu dont le poids sinon le volume, le gênait durement.

— Il me prend — et tu l'as deviné ! — que je voudrais savoir quelle valeur tu accordes à ta personne.

— Que t'importe !

— Tu délibères ou tu refuses ? insista Tiercelet, cette fois méprisant. Eh bien, je vais te le dire : tu es comme moi, comme nous tous, fils de porc et fils de truie, tu ne vaux rien du tout, selon nos ennemis... Mais tu te tiens toi-même en haute révérence... Alors, tu vaux combien ? Vas-y : estime-toi !

C'était inattendu de courage et d'astuce, car pour qu'il insistât ainsi, le brèche-dent devait avoir une excellente raison. Tristan retenait son souffle. Il avait pris Oriabel par la taille ; il ne la regardait d'ailleurs pas, trop attentif aux propos et gestes des deux hommes.

— Mille écus !... Si ta vie, Naudon, vaut ce prix-là elle aussi, souviens-toi que je te l'ai sauvée, il y a juste un an, à Frontignan (1), quand les gens de Montpellier sont accourus pour nous bouter hors de cette cité. Le Petit-Meschin voulait te laisser sur le pavement... Je t'ai chargé sur mon dos...

— Je n'ai rien oublié. Où veux-tu en venir ?

— J'ai soigné ta navrure au flanc. Profonde et large, pas vrai ? Tu avais soif et faim et la fièvre, elle, te dévorait... Tu m'as dit : *« Je te revaudrai cela un jour. »* Pas vrai ?

Tristan sentit ses yeux le picoter. Tiercelet encore et toujours à sa rescousse. Pour l'instant, son visage avait quelque chose de presque majestueux. Non : de dominateur ; et sa voix enjouée devenait celle d'un juge :

— Renonce à tes écus... En redevance de ce bienfait n'essaie pas, si un jour je me trouve en péril de mort, de sacrifier ta vie pour sauvegarder la mienne... ce dont d'ailleurs je doute !... Tu vois, c'est tout simple.

Jetant un coup d'œil sur Bagerant, Tristan s'aperçut qu'il était effroyablement sombre : sa contrariété se doublait d'une humiliation. Il leva sa dextre pour abriter ses yeux, comme si le regard de Tiercelet le blessait, et ni le brèche-dent ni lui, Tristan, ne purent entrevoir l'expression de son visage. Brusquement, il se pencha, saisit ses gantelets et les mit ; il en fit crépiter les mailles en les frottant l'un contre l'autre tandis qu'un grommellement confus sortait de sa bouche. Puis, avec une débonnaireté assez bien simulée :

— Je sais ce que je te dois, Tiercelet. Tu n'aurais cependant pas dû te mêler...

---

(1) En avril 1361, Seguin de Badefol, à la tête de sa compagnie, *la Margot,* s'empara d'Aniane. Puis il brûla Gignac, Villevay, Pomayrols, Florensac et d'autres lieux du diocèse d'Agde. Il se rabattit ensuite sur Frontignan où il entra le 13 avril. Le Petit-Meschin l'y rejoignit. Les gens de Montpellier accoururent, commandés par Robert de Fiennes, connétable de France ; Arnoul d'Audrehem ; le Bègue de Villaines, sénéchal de Carcassonne ; Jean Baudrain de la Heuse, amiral des Mers de France. Seguin de Badefol et le Petit-Meschin durent battre en retraite. Quatre mois plus tard, Badefol s'ajustait avec Bérard d'Albret et le seigneur de Castelnau du Quercy : Garsiot du Châtel... et bien d'autres. Ils entrèrent en Roussillon, trop appauvri pour nourrir leurs troupes, passèrent devant Carcassonne et Toulouse, bien défendues, et s'emparèrent de Montoulieu et Saint-Papoul.

— Holà ! je me mêle à mon escient : Castelreng est aussi mon ami !

— Comme tu es le mien, dit Tristan.

Cet aveu exprimé avec foi, plaisir et certitude, lui eût semblé, quelques jours plus tôt, consternant. Bagerant sourcilla, ébaubi par une situation inconcevable pour un homme de son espèce.

— Je pourrais me venger de ton outrecuidance, Tiercelet... Tu en fus le premier témoin : si je n'étais intervenu, chez Eustache, Castelreng serait mort, et toi sans doute aussi... Et *elle,* bien sûr...

— Tu l'aurais violée le premier... Mais parlons net, Naudon, en brigands hardis, de sens rassis !... L'or t'importe-t-il autant que tu le donnes à penser ?... Non. C'est tout bonnement par l'entremise d'Oriabel que tu veux, je le sens, t'attacher les services de Castelreng. S'il ne peut acquitter sa dette, *elle* t'appartient, donc Castelreng demeure auprès de toi ! Sans en faire ton écuyer, car tu as Héliot, tu en fais ton chien de garde !

Bagerant émit un sifflement admiratif. Tristan soupira. Tout ce qu'il entendait lui paraissait sensé, et les deux routiers devenaient très différents de ce qu'ils étaient au début de leur controverse. Pour le moment, Tiercelet semblait toujours détenir l'avantage. Il demanda :

— Es-tu capable, Tristan, d'acquitter la rançon d'Oriabel ?

— Oui.

Le mensonge était gros, Bagerant n'y prit garde :

— Voilà qui me plaît. Tiercelet voudrait égaler ma valeur d'homme à celle de cette fille pour un échange qui m'insulterait... Bien sûr, je m'y refuse. Il m'a sauvé la vie, soit. Si l'occasion s'en présente, je sauverai la sienne... Oh ! si, Castelreng ! Tu peux sourire... Néanmoins, je lui dois un gage d'amitié, de confiance, et je suis sûr que la proposition que je vais te faire te conviendra...

Tristan n'osa se réjouir. Et pourtant : sans qu'il ait eu à fournir le moindre effort de persuasion, la pensée de Bagerant cheminait vers le but qu'il s'était assigné dans la nuit.

— Si je te laissais partir pour assembler ces mille écus, Castelreng, et bien que tu prétendes aimer cette fille, qui sait si je te reverrais !

— Oui, tu me reverrais !... Tiercelet veillerait sur Oriabel.

— Soit... Je préfère te savoir près de moi... Tu es comme une richesse que je me dois de conserver en réserve... avec Oriabel.

Tristan eut un spasme de la nuque comme si Bagerant l'y avait frappé.

— Disons que, sans avoir encore estimé ma valeur, tu me considères tout de même comme un otage.

Bagerant acquiesça. Tristan se sentit bouillir d'indignation :

— C'est une infâme duplicité !... Une traîtrise !

— Une précaution. Tiercelet partira chercher la redevance. Joue-moi un tour en son absence et tu cesseras d'être mon hôte pour devenir mon otage.

La fureur de Tristan étincelait tellement dans ses yeux que Bagerant cilla des paupières. Ah ! pouvoir croiser le fer contre ce linfar. Jouir de sa mort ! Les mains crispées sur sa ceinture d'armes, il était comme ivre d'exécration. Un sombre besoin d'outrager le routier et même de le frapper, le pénétrait d'une fureur grelottante. Un regard d'Oriabel apaisa les maudits tremblements.

— Je ne crois ni à l'honneur ni aux serments. Mille écus et ta donzelle et toi serez libres !

— Rien ne me le prouve. Comment pourrais-je croire à tes serments ? Cela doit être un plaisir pour toi que de te parjurer !

— Tes parçons (1), Naudon, dit Tiercelet, ne te rehaussent pas dans l'opinion que j'avais de toi. Tu m'as indigné parfois ; maintenant, je te trouve puant !

Le brèche-dent pensait ce qu'il disait. Sa voix, son visage, son regard appartenaient à un autre homme. Il n'y avait plus aucun vestige de considération dans les lueurs de ses prunelles ; sa bouche elle-même se crispait de travers dans une expression dure, si violente même, que Tristan se sentit gêné pour Bagerant. Quant à lui, le sentiment d'un proche malheur l'accablait. Il s'efforça de bannir promptement de son esprit cette impression de mésaise et de froid, tandis que Bagerant ricanait :

— En attendant les écus, Castelreng, Oriabel et toi serez aussi libres que nous tous, à Brignais... Bien sûr, ne tentez pas de vous échapper... Vous le regretteriez fellement (2) !... Il va de soi que si l'armée royale nous assaille, tu devras l'affronter parmi nous, ne serait-ce que pour sauver ta peau !

— Prends garde à la tienne, grommela Tiercelet.

Puis, tourné vers Oriabel :

— Ah ! ma beauté, tu m'en fais faire des choses !... De Brignais à Carcassonne, il y a bien cent lieues...

— Davantage, dit Tristan. Au moins cent trente !

— Si tu pars maintenant, dit Bagerant, et à raison de douze ou quinze lieues par jour, tu peux être de retour à la fin du mois.

— Je vais partir, dit Tiercelet. Avant midi.

— Veux-tu un ou deux compagnons ? Les chemins sont peu sûrs.

(1) Arrangements.
(2) Durement.

— A qui le dis-tu ! s'esclaffa le brèche-dent. Je risque d'y rencontrer des routiers... qui peut-être seraient tiens !... Non, point de compagnons : le seul auquel je tienne, c'est Tristan. Puisque tu le gardes, je cheminerai seul.

Bagerant eut un mouvement du menton vers le haut, suprême démonstration du dédain :

— Je vais descendre au château. Je t'y ferai seller un de nos meilleurs coursiers... Tu en auras un de rechange... Je te ferai donner quelques écus...

— Que je devrai te rembourser ! trancha Tristan.

— Evidemment... Quand on prétend pouvoir en disposer de mille, on peut sans grand dommage en ajouter cinquante.

« Pense-t-il vraiment mon père riche à ce point ? Est-il si bête ? »

Soudain, Tristan crut *brûler* : en éloignant son seul appui solide, Tiercelet, le routier s'en débarrassait avec un argument infrangible : l'amitié, composée de confiance et de dévouement. Mais dans quelle intention perverse ? Il ne put satisfaire à ces questions : la porte venait de claquer, secouant fortement son chambranle.

— Ouf ! dit le brèche-dent.

— Le démon !

Oriabel se taisait, redoutant, semblait-il, la faillite d'une entreprise dont l'importance même émouvait Tiercelet. Après s'être recueilli un moment, l'ancien mailleur prit son « compère » par l'épaule :

— Ne perdons pas de temps. Réponds-moi sans ambages : crois-tu que ton père, s'il les a, versera les écus ?

— Il n'est guère fortuné... Observe-le soigneusement : ce sera *non* ou *peut-être*. En ce cas, il te faudra l'adjurer de faire quelque chose... *pour moi*... Nous avons de riches voisins à Caudeval, Chalabre, Festes, Bouriège, Roquetaillade... Je vais demander de quoi écrire. Il se peut que ma requête le laisse froid en apparence. Tu sauras deviner ses pensées... Surtout, entretiens-toi tête à tête avec lui et ne sois pas étonné si tu le sens courroucé contre moi.

— Pourquoi ? demanda Oriabel.

D'un sourire Tristan rejeta sa question. Quoique disposé à lui livrer sa vie, il lui semblait, en l'occurrence, malvenu de s'épancher. Le mariage de Thoumelin de Castelreng et d'Aliénor avait brisé un respect filial qui, jusque-là, n'avait jamais subi la plus mince fissure. Avec une sorte de plaisir niais, tout de surface, car au fond de lui-même il souffrait, il s'était refusé à leur fournir de ses nouvelles, fût-ce en quelques lignes brèves confiées à un chevaucheur ou, plus récemment, par Guillonnet de Salbris et Thomas d'Orgeville. En effet, au début du printemps dernier, ces deux chevaliers avaient quitté Paris pour rejoindre le Bègue de Villaines en Langue d'Oc et l'assister dans sa chasse aux routiers. Invité à se joindre à eux par le dauphin Charles désireux, plus que son père, d'être instruit promptement sur les résultats de cette opération punitive, il avait excipé d'une entorse à la cheville — bien réelle et douloureuse — pour éviter ce voyage. Que cette renonciation l'eût déconsidéré dans l'estime d'un prince maladif, il en doutait encore ; en revanche, ce dont il était certain, c'était qu'elle avait réjoui Salbris et Orgeville.

« Quel sot j'étais !... Je passais à Castelreng : *Bonjour, Père. Bonjour, Aliénor !* Je mangeais un morceau et buvais un coup, puis, d'un galop, j'allais me mettre à la disposition du sénéchal de Carcassonne. »

Maintenant, après un silence et une disparition de plus de six ans, pourquoi son père, qui l'avait sans doute honni d'un tel abandon, eût-il dû se montrer touché par sa male chance ?

« Il refusera de m'aider, arguant que j'ai pensé à lui avec une opportunité malséante. Et il est vrai que je m'offenserais à sa place... Quel surcroît d'indignation s'il apprenait que Tiercelet a parcouru toutes ces lieues moins pour mon sauvement que pour la délivrance d'une manante !... Aliénor en serait encore plus courroucée ! »

Il en demeurait persuadé : la jeune baronne régnait sur son époux et sa mesnie avec une jalousie, une avarice et une sévérité ignorées des nobles dames.

— Franchement, avoua-t-il, je n'attends rien de mon père. Même s'il disposait d'une fortune, il s'abstiendrait, je crois, de me venir en aide. Il se peut — j'insiste là-dessus, Tiercelet — qu'il me méprise... Tu sentiras cela.

— C'est une astuce, alors, que ce randon (1) ! Tu veux gagner du temps ?

— Le temps, *peut-être,* que l'armée royale vienne surquérir (2) Brignais.

— J'en doute. Tant que ceux d'Autun n'auront pas rejoint ceux de Lyon ; tant que Bourbon, Tancarville et les autres ne seront pas résolument unis pour attaquer les compagnies groupées sur cette montagnette et sur celles du voisinage... sans oublier les compères logés au château, tes rêves de délivrance seront vains...

— C'est bien parlé.

— Crois-tu, s'il y avait bataille — et bataille gagnée par les gens de Justice —, crois-tu qu'en te captivant ici, les chiens de la royauté ne te prendraient pas pour un chef de route ?

---

(1) Grande chevauchée, souvent impétueuse.
(2) Attaquer.

— Tu noircis tout !
— Non pas !... Le temps nous presse : dis-moi où je trouverai ton château et ton père.
— Quand tu seras à Limoux, à cinq lieues au sud de Carcassonne, on te montrera le chemin.
— Prie afin que ton père débourse ta rançon !... Car en fait, pour que mon plaidoyer l'intéresse, il faut que ce soit *ta* rançon ?
— Bien sûr... Sois un bon messager ! Enchante Aliénor !
— Qui est-ce ? demanda Oriabel.
— Celle qui a remplacé ma mère, morte de la peste noire... Abstiens-toi, Tiercelet, de parler d'Oriabel.
— Pourquoi ? fit la pucelle.
Voilà bien une chose qu'il ne pouvait, pour le moment, expliquer à la jouvencelle. Tiercelet vint à son secours :
— Tu comprends bien, ma belle, que le père de Tristan peut faire tout son possible pour sauver son fils alors que ta mésaventure lui paraîtra sans intérêt... Mais j'ai tout dit... Je ferai au mieux... Vous autres, refusez le sacrement d'Angilbert avant mon retour : mariés, Bagerant serait capable de demander une rançon pour votre couple !... Toi, Oriabel, tu deviendrais une noble dame et, tel que je le connais, ce coquin serait capable d'augmenter ton prix sans que l'indignation de ton époux lui fasse de l'effet !
Tristan, sa fureur et ses remords évanouis, recouvrait sa sérénité — ou du moins s'appliquait à la reconquérir. Il se tourna vers Oriabel, ne sachant guère ce qu'il devait faire. La baiser sur la joue, la bouche, ou simplement la serrer contre lui ? Prévoyant une déception dont la jeune fille souffrirait plus que lui-même, il préféra l'en prévenir, tout en s'adressant à Tiercelet :
— Je suis certain que tu reviendras les mains vides... ou presque... et que nous serons, Oriabel et moi, dans la même merdaille que maintenant. Il te faudra trouver un prétexte pour éloigner Bagerant de Brignais... Prétends que tu as les écus mais que tu les as mis en lieu sûr afin que la libération d'Oriabel se fasse aisément, et qu'après avoir fait cent pas, elle ne retombe pas sous sa sujétion... Il refusera de t'accompagner seul avec elle et, craignant un piège, il emmènera deux ou trois hommes... Tu demanderas que je vienne aussi... Il y aura bataille, mais lors de celle-ci, Oriabel pourra s'enfuir...
La jouvencelle voulut protester. « Non ! Non ! » fit-il en appuyant d'un doigt sur sa bouche, tandis que Tiercelet approuvait :
— C'est bien pensé, compère... Sois-en sûre, fillette, on en réchappera !
Serrant doucement entre le pouce et l'index le menton de la pucelle, Tristan caressa du regard ces grands yeux où l'angoisse

paraissait se dissoudre sous le flux d'une espérance que lui-même trouvait incongrue. Mais quoi ! Le rêve seul pouvait adoucir leur mésaise.

— Nous n'avons rien d'autre à faire, m'amie, que de nous fier à la divine providence.

Parviendrait-il à la rassurer ? Etait-elle dupe de ce mensonge ? Elle se tourna vers Tiercelet. Si la confiance de l'homme aimé la bouleversait et vivifiait, la force et la quiétude du brèche-dent constituaient le second arc-boutant indispensable à la stabilité d'une santé peut-être à jamais ébranlée.

— Vous vous affranchirez tous deux ensemble de cette malfaisance, grommela l'ancien mailleur sans trop croire à cette affirmation exprimée avec une rudesse due certainement à l'émoi d'une séparation imprévisiblement pénible.

Oriabel acquiesça et sourit. Mais ce sourire n'était dédié qu'à Tiercelet, non aux espoirs qu'elle était en droit d'attendre de Dieu, de son amour et de sa jeunesse. Tout en la contemplant, Tristan sentit son sang se froidir. Jamais son désir de liberté ne s'était exacerbé à ce point. Jamais son cœur ne s'était appesanti aussi douloureusement.

— Nous vivrons, dit-il. Nous vivrons un jour tous les trois loin de Brignais.

Oh ! Oui, vivre. Connaître dans leur immensité, leur intensité les plus drues et leurs couleurs les plus poignantes toutes les joies d'une existence heureuse ! Se sentir empli de bonté au lieu de se savoir constamment haineux, angoissé sinon désespéré. Depuis qu'il partageait sa vie avec Oriabel, depuis qu'il côtoyait Tiercelet, il avait appris à réfléchir, à comparer, à tirer les leçons des événements les plus ordinaires. L'avenir lui apparaissait comme un vaste champ inculte qu'il saurait défricher, ensemenser, et dont les récoltes le combleraient de bonheur. Plus de guerre. Plus de sang répandu. Plus de déceptions imméritées et de frayeurs interminables.

— Je t'aime... chevrota Oriabel.

Craignait-elle que la confiance qu'elle plaçait ostensiblement en Tiercelet ne le rendît jaloux de celui-ci ? Il lui sourit encore. Elle se suspendit à son bras, morose mais décidée à faire en sorte de ne point le décevoir. Une fois de plus, il se merveilla de leur entente, de cette parité d'âmes qui leur permettait de se sentir apte à défier les crapuleux de Brignais.

— Descendons au château, décida Tiercelet. Je vais dire à Naudon de vous donner une chambre qui peut se verrouiller... Gardez-vous d'aller fouler la campagne : les sagettes, les carreaux, les frondes pourraient faire une veuve avant d'une épousée !...

Refuse, Tristan, d'accompagner qui que ce soit où que ce soit. Tu en as le droit. Demeure constamment auprès d'*elle*... Accompagne-la aux latrines... Faites-vous porter l'eau de votre toilette et votre nourriture... Toi, compère, sois toujours armé : l'épée, le poignard que tu finiras bien par trouver quelque part et même, à défaut, un couteau de cuisine... Si l'envie vous prend de voir du ciel et de la verdure, accédez au faîte du donjon... Attendez-moi : je reviendrai... Qui sait si en chemin je ne trouverai pas un moyen de vous délivrer sans coup férir.

— Je... commença Tristan.

— Aimez-vous !... Aimez-vous ! poursuivit Tiercelet d'une voix soudain réduite à un souffle. Allons, venez : j'ai achevé mon homélie !

VI

— Il n'est pas allé loin ! observa Tiercelet. Voyez : il nous attend. Il a dû rencontrer Héliot et le charger de s'occuper de tout.

Le soleil orfévrait la pente du Mont-Rond sans toutefois toucher de ses enluminures les bâtiments du sommet vers lesquels, en deux files presque silencieuses, la plèbe des malandrins se transmettait des pierres. Bagerant, qui les observait, s'en détourna et sourit :

— Le Petit-Meschin nous dit souvent : « *Quel beau châtelet nous pourrions construire !* » Je ne partage pas ses regrets. Renforcer nos défenses ? Oui. Mais pourquoi bâtirions-nous quelque chose de mieux que ces murets quand nous disposons de la forteresse d'en-bas ?... Les moines de Saint-Just qui vivaient là ont retroussé leur froc pour courir plus vélocement quand ils apprirent notre venue (1).

---

(1) C'est en 1249 qu'Innocent IV, réfugié à Lyon par suite des persécutions de Frédéric II de Hohenstaufen, fit don de la baronnie de Brignais au Chapitre. L'acte de vente du château porte le nom de Clémence, veuve de Hugonin de Saint-Laurent, pour 100 livres viennoises. Elle possédait Brignais et Soucieux.

En 1303, Brignais figure dans le partage des biens de Guillaume du Vernet, chanoine de Saint-Just. Innocent IV en fit alors donation à l'Eglise, obéancier, chanoines et Chapitre de Saint-Just ainsi que des terres de Valfonne ou Valsonne (Vourles ?). Seul fait important dans la vie du château : sa mise au pillage par Henri de Montaigny et quelques brigands de ses amis.

La baronnie de Brignais et ses dépendances étaient en mainmorte. On entend par *mainmorte* deux types d'opérations :

• A l'occasion du décès d'un non-libre, le bien appartenant au seigneur, mis à la disposition du non-libre pour des durées variables (de 3 à 24 ans) ou pour la vie durant, retournait à son propriétaire, le seigneur, par suite de mainmorte, justement : celle du défunt. Le seigneur rendait ce bien aux héritiers directs (épouse, enfants) en prélevant un *droit de relief* (impôt actuel sur les successions, d'autant plus comparable à l'ancien, que le non-libre défunt avait, cependant, droit à une *réserve* non imposable comme maintenant). →

Tristan considéra le château contre lequel se pressaient des maisonnettes certainement vides : un gros donjon et sept tours dont une carrée (1) ; une barbacane pour la protection du pont face auquel béait l'entrée pourvue d'un tablier mobile. Il y avait un second pont-levis sur le fossé intérieur pour que l'on pût communiquer du seuil de la première enceinte avec celui de la seconde. Une chapelle pointait sa mitre dans le ciel. Bagerant tendit sa dextre :

— Voyez !... Une double muraille !... On emplit les fossés avec l'eau du Garon... C'est là-dedans que vous vivrez, mes tourtereaux, en attendant le retour de Tiercelet... Je vais vous faire aménager une chambre au donjon. Bien sûr, si vous voulez allez humer le bon air autour de ces parois, Héliot et quelques gars... ou moi-même... En toute amitié, bien sûr !

— Nous n'aurons nul besoin de tant de compagnie !... Je me merveille, Bagerant, de ta sollicitude !

Tristan se refusait à toute dérision : maintenant, il devait se montrer circonspect tant le routier l'enveloppait, persuasif et têtu, de son *amitié* moqueuse et détestable « Lui dirais-je que je veux être son lieutenant qu'il me ferait peut-être affronter Héliot afin que je le tue et occupe sa place ! » Mais Bagerant n'eût pas oublié pour autant la rançon d'Oriabel !

— Quand je vous attendais, un homme est arrivé de Sauges, que Pacimbourg, notre frère, avait conquise fin janvier. Il nous a dit qu'Audrehem mettait le siège à la cité, ce qui prouve qu'on se remue parmi les suppôts du roi (2) ! C'est pourquoi nos gars affermiront encore les défenses du Mont-Rond et feront en sorte de rendre le château d'en bas imprenable !

• Dans le cas d'une donation de bien à un monastère, abbaye ou organisation ecclésiastique permanente, par un homme libre, un vassal (ceci ne pouvait se faire qu'avec l'autorisation du seigneur propriétaire) la *mainmorte* devenait, pratiquement, celle du propriétaire en question, puisqu'il ne pouvait plus espérer percevoir de *relief* ou droit de succession par transfert. En effet, l'abbaye ne décédait pas, évidemment. Il y avait, toutefois, de nombreux arrangements particuliers qui permettaient d'éviter la mainmorte totale et définitive.
Nota : Il est parfois considéré que le terme *mainmorte* sous-entend cette main du défunt et le relief qui en provenait comme un dernier impôt payé par la main de ce mort. Mais cette acception n'est pas admise par tous les auteurs. D'ailleurs, le second cas évoqué n'entend pas qu'un décès soit intervenu. Pourtant, dans le premier cas, il s'agit bien d'un *droit de mutation,* suite à décès alors que dans le second, il n'est question que de perte de droit de mutation par absence de décès. Des cas sont cités où la donation de bien à une abbaye est effectuée par le biais d'un acquéreur ou d'un bénéficiaire fictif vivant (homme de paille) ce qui n'éteignait pas, alors, le droit de mutation de *mainmorte* normal.

(1) En 1379, il ne restait que deux tours à Brignais. La tour carrée fut détruite en 1789 ainsi que la chapelle.
(2) Petite ville aux confins du Gévaudan et du Velay, Sauges tomba le 27 ou 28 janvier au pouvoir de Pacimbourg, que le *Parvus Thalamus* nomme Penin Borra. M. Allut prétend qu'il était Allemand. Assiégé par Arnoul d'Audrehem, le routier quitta Sauges le samedi 25 mars 1362 *avec armes et bugages* !

Tristan avait pris le parti de se taire. Comme la veille, Oriabel s'accrochait à son bras et baissait les yeux. Les hommes de corvée murmuraient sur son passage, entre deux : « *Salut, Naudon* » et la peur, en elle, renouvelait son affreux serpentement.

— J'espère que les chevaux seront bientôt prêts, dit Tiercelet. Il me faudra aussi un manteau pour la pluie... Quant au reste, j'ai tout ce qu'il faut.

Puis sobrement :

— Je sais, Naudon, que lorsque l'oisiveté te pèse, tu t'occupes en vilenies. N'exerce pas ta mauvaiseté sur ces deux-là en pensant que je ne reviendrai pas. Je reviendrai !

— Que vas-tu penser ? Tout comme eux j'ai envie que tu reviennes.

— Je sais jusqu'où tu peux aller quand tu es saoul !

Bagerant sourcilla. L'idée d'avoir à modifier des intentions nullement arrêtées, mais en germe, sembla pénétrer son cerveau. Il rit et se disculpa :

— J'ai trop de considération pour Castelreng et trop de gratitude envers toi... Si je t'affirme que ton ami et sa... tourterelle seront en sûreté, ne mets pas ma parole en doute... Tiens : je te promets qu'ils se marieront devers nous !

Il en avait nasillé, haché ses phrases. Il regarda le ciel comme pour le prendre à témoin d'une confusion qui le mettait en rage et versait quelques gouttes de venin supplémentaire dans sa soudaine aversion contre le brèche-dent : qu'il lui eût un jour sauvé la vie constituait un événement de piètre importance, désormais, puisqu'il avait eu l'audace de le lui rappeler devant deux témoins.

Ils descendirent, contournant des tas de pierres, des rochers et déjections, et ce qui subsistait, fumant encore, des feux à cuire la mangeaille. Des os plus ou moins rongés jonchaient les cailloux et les herbes, certains jetés récemment, d'autres depuis longtemps, de sorte que les lambeaux de viande putréfiée qui subsistaient grouillaient de mouches et de vermisseaux. La fange, toujours. Les besogneux les observaient de loin ou de près, un sourire insolent sur leurs faces hirsutes, et les yeux clignotant d'un ébahissement peut-être véritable.

« Ils n'ont assurément point coutume », songea Tristan, « de voir des nouveaux venus honnêtement traités ! »

Plus il s'efforçait d'effacer de sa mémoire les énormités commises par ces hommes, plus elles lui marquaient l'esprit. Bagerant, qui les précédait de quelques pas, son bassinet serré entre sa cubitière et son flancart, sifflotait ; Tiercelet le suivait, une toise en retrait, et son attention semblait rivée sur le château.

« Et nous deux, Oriabel et moi, éperdus d'amour et perdus parmi ces monstres ! »

Angilbert semblait les attendre. Assis sur le montoir, au seuil du pont-levis, il faisait, à grands moulinets, ronfler sa croix de bois à l'extrémité de sa corde. Voyant de quelle façon les fiancés l'examinaient, il prit un air de componction et sourit de ses quelques dents brunes.

— Si vous le désirez, je vous marierai maintenant...

— Il te faut surseoir à la cérémonie, moine ! dit Bagerant. Attendre le retour de Tiercelet dans plus de trois semaines... De ce fait, nous aurons loisir de préparer ces épousailles, crois-moi !... Quelque chose qu'on ne voit ni chez les nobles, ni chez les manants, ni chez les rustiques !

Tristan se demanda s'ils apprêteraient pour l'occasion quelques divertissements indignes. Les souffrances des deux mortes de la nuit ramenaient obligatoirement sa pensée vers les menaces dont Oriabel se trouvait entourée. Tiercelet couvait d'un regard inquiet la pucelle et la plaignait sûrement, lui aussi, d'être enveloppée d'une robe de misère et chaussée de socques indignes. Comment savoir, maintenant, ce qu'il y avait sous ce front obstiné ? Le brèche-dent pensait-il vraiment convaincre Thoumelin de Castelreng de la nécessité de réunir en pièces, joyaux, riche vaisselle et contributions d'amis du voisinage, le montant d'une exorbitante rançon ? *« Je serai libre avec Oriabel, certes »*, songea Tristan, *« mais je m'enchaînerai à mes bienfaiteurs... si toutefois Père obtient quelques appuis... »* Etre redevable à Tiercelet de son dévouement sans faille et sans échange ne lui déplaisait pas. Toute autre espèce de sujétion lui semblait détestable.

— Venez, dit Bagerant. La chapelle est par là... Voulez-vous y entrer avant de venir au donjon ?

— En fait, dit Tiercelet, ils seront tes captifs.

Immobile soudain dans l'ombre d'une tour, Bagerant, du revers de son avant-bras, essuya son front pourtant sec. Tout au fond des arcades où ils s'abritaient profondément, ses yeux, si clairs l'instant d'avant, devinrent d'une noirceur d'abîme.

— Quatre murs et un lit, une bonne pitance — j'y veillerai — ; deux archères pour voir les oiseaux et le ciel... Et l'amour, Tiercelet !... Tous les gars de Brignais donneraient cher pour être à la place du fiancé !... Afin qu'aucun d'entre eux ne trouble leurs ébats, je mettrai un guisarmier ou un vougier sur le seuil de leur chambre... avec défense d'écouter à l'huis !

Après tout, c'étaient là des précautions rassurantes, mais il eût fallu être sot d'en convenir. Et puis, Tristan se dit que Bagerant lui portait sur les nerfs, surtout quand il feignait d'être « paternel » ou complice :

— Tu nous emprisonnes avec des raisons fallacieuses. Les hampes des armes de tes gardes ne seront, en fait, que les barreaux que tu placeras entre nous et le pays... Je me résigne... et te demande une faveur.

— Laquelle ?

— Que nous ayons accès au faîte du donjon.

— Afin de voir venir Bourbon et Tancarville !

Ils étaient de nouveau exposés au soleil. Des hommes passaient, la plupart guenilleux. Nulle femme. Tristan huma mélancoliquement le remugle des pierres et des crottins d'une invisible écurie ; quelque chose lui rappelait la basse-cour de Castelreng et son enfance prime, faite de petites joies et de sottises entrecoupées par les blâmes de sa mère. Si elle avait vécu, la rançon eût été payée. Elle était tellement douce et persuasive.

— Non, dit-il soudain. Je ne me soucie en rien de Bourbon et Tancarville. Je veux que nous nous sentions libres, tout simplement.

— Soit.

Entre les hauts murs, la lumière semblait abondante, laiteuse. Leurs ombres s'y allongeaient et s'y mêlaient. Oriabel, souvent, baissait la tête. Tristan remonta sa main sous son aisselle tiède. Intimité mousseuse autant qu'une autre à laquelle il ne pouvait que penser.

— Il me faut de l'encre et une plume, Bagerant... Et un morceau de parchemin... Je me dois d'écrire à mon père, sans quoi, comment pourrait-il agréer Tiercelet ?

Rieur, le routier grimpa deux à deux les marches accédant au seuil du donjon. La porte vermoulue en était entrouverte. Sur une table exposée au soleil, Tristan vit une écritoire.

— Hé ! Hé ! j'ai tout prévu, ricana Bagerant. Bonnes ou mauvaises choses, je prévois toujours tout !

Indifférent en apparence, Tristan s'avisa d'un tabouret, dans un coin et, lâchant Oriabel, s'approcha de la table. Ouvrant le couvercle de la boîte à écrire, il y trouva un morceau de palimpseste (1) pas plus grand que la main. L'encrier semblait plein d'une encre violâtre mais la plume d'oie avait été récemment retaillée. Bagerant, les yeux bas, dégaina son poignard :

— Je ne sais pas lire, Castelreng. Tu pourrais peut-être m'apprendre en attendant Tiercelet.

---

(1) Parchemin dont on a gratté ou effacé la première écriture afin de le réemployer.

— Demande à Angilbert !... Reprends ta lame... Cette plume est parfaite.

— Je comprends ton refus... Il te faut, si elle ne le sait, enseigner à ta conquête quelque chose de plus... euh... juteux que la lecture !

Portant sa main à sa bouche pour y comprimer un cri de fureur, Tristan perçut sur sa peau, entre le pouce et l'index, l'odeur d'Oriabel. Fleur et chair, délectable au point que seul, il y eut passé sa langue. Il en fut aussitôt plus serein et plus décidé : la plume égratigna la peau quelque peu gaufrée sur laquelle apparaissaient encore les grisailles teintées de rose d'une lettre enluminée.

Père... Après tant d'années de silence... Début absurde marqué d'une évidence pareille à un enfantillage, *voici ma vie grandement menacée. Le routier qui me tient prisonnier à Brignais demande mille écus de rançon...* Tout ceci était sec. Trop sec. Il suait le malaise. *Secourez-moi ! Tiercelet, mon seul ami, vous dira tout. Croyez-le !*

« Et s'il croit, lui, que Tiercelet est un malandrin ? »

Il ne pouvait écrire, cependant : *Ne vous défiez pas de son apparence ; c'est un brave cœur !*

Il mit soigneusement son paraphe et, sur l'*i* de Tristan, l'étoile qui rendait son message authentique.

— Tiens, Tiercelet... C'est sec... A lire cela, il va penser que je manque d'affection... Dis-lui tout comme tu le penseras... Je t'ai narré fort peu de choses de ma vie lorsque nous cheminions vers Lyon, mais j'ai confiance en tes qualités d'avocat.

Plus encore que Bagerant, froid, attentif, Oriabel mesurait l'ampleur de son émoi. Dans son regard oblique et nacré, des larmes se formaient. Un petit reniflement révéla son désespoir.

— A la grâce de Dieu, dit-elle.

— Qu'Il te protège, murmura Bagerant.

Il riait quand des crépitements montèrent des pavés.

— Tes chevaux, brèche-dent.

— Sortons les voir, veux-tu, Naudon ?... Non, vous deux, demeurez. Je pars. Pas de mots mielleux, de pleurs et d'embrassades.

Tiercelet agitait ses mains, et bien qu'il s'efforçât de sourire, sa pâleur révélait un trouble inhabituel.

— Il nous faut nous quitter comme ça... On s'est presque tout dit... On se comprend et s'aime bien... Je reviendrai, je vous... je vous le jure !

Il leur montra subitement son dos, et d'un pas qu'il affermissait à chaque foulée, il descendit les degrés du perron en glissant le message dans l'encolure de son pourpoint.

* *
*

— Vous voyez que j'ai fait bien disposer les choses !... Un lit solide où vous pourrez solacier (1) à l'aise. Des draps de lin et une couverture de camocas (2) tout propres : les lavandières ne nous manquent pas... Une table et deux bancs, deux cruches, une cuvette... Un rasoir... Deux serviettes... Cette porte, là-bas, s'ouvre sur de petites latrines... Vous serez dans la chambre d'un des premiers seigneurs de Brignais...

Pour en prouver la solidité, Bagerant frappa du poing le grand huis aux panneaux travaillés en ogives. Il l'ouvrit sur l'ombre froide du dernier palier :

— Et vous voyez : point de verrou à l'extérieur, mais celui-ci, fort gros, que vous pourrez manœuvrer de votre côté.

— Est-ce tout ? demanda Tristan sans âpreté. Tu nous loges royalement.

Cette saillie enchanta le routier : d'un geste nonchalant, il désigna la table :

— Veux-tu dessus un jeu d'échecs ?

— Je ne sais y jouer, murmura Oriabel.

Tristan gardait son air faussement ébahi.

— Il n'empêche, dit-il platement, que malgré ces excès d'attention, nous serons en geôle... et à ta merci, car une porte s'enfonce... Et je ne pourrai rien si tu m'envoies dix hommes...

— Il me semble que cinq suffiraient.

Tristan reçut le coup sans broncher mais sa Floberge pesa plus lourd contre sa hanche. Bagerant comprit aussitôt :

— Je te laisse ton arme. Pour moi, un chevalier sans épée, c'est un clerc sans croix, un taureau sans cornes... un gerfaut sans bec et je dirai même mieux : un vit sans coulles... Amen !

La porte se referma. Ils entendirent le pas du routier décroître dans l'escalier. Les bruits du dehors, atténués par l'éloignement et la hauteur du donjon, entrèrent par les archères, hypocritement doux car des cris s'y mêlaient. Tristan glissa le verrou dans ses vertevelles.

— Ce Bagerant !... Même ses regards me font mal, gémit Oriabel.

Elle s'approcha d'une embrasure et s'y pencha. Aussitôt, la tiretaine élimée de sa robe enserra son corps aux courbes doucereuses,

---

(1) Prendre des solas. *Solas* : plaisir.
(2) Etoffe assez fine composée de poil de chameau ou de chèvre sauvage.

accusant la partie la plus charnue de sa personne et le haut de ses cuisses fermes.

— Pensez-vous que Tiercelet ait déjà couvert une lieue ?

Tristan la rejoignit. Elle se releva d'un coup de rein vif et lui fit face. Ses joues demeuraient pâles ; ses paupières et ses lèvres tremblaient.

— J'ai peur... C'est comme une mesellerie (1) dans ma cervelle. Je me dis que vous et moi... ce mariage est impossible.

— Ce qui me paraît, à moi, impossible, c'est la male chance dont j'ai souffert avant de te rencontrer, murmura Tristan, sans trop d'amertume.

D'une main tendre — une main d'épouse —, Oriabel éloigna les cheveux collés sur son front. Il l'en remercia d'un baiser. A quoi bon des mots ! Il jouissait de lui caresser les flancs tandis que son regard se perdait dans celui de la jouvencelle quasiment assombri par les cernes d'une nuit difficile.

— Nous n'avons pas interdiction de nous aimer.

— C'est péché, sourit-elle, avant le mariage.

Il ne renouvellerait pas ses gestes du fenil. Il ne la chercherait pas par fragments dans ce vêtement grossier dont il dénouait la ceinture de chanvre. La pâleur argentée ruisselant des archères montait du dallage grenat, disjoint par endroits, jusqu'aux cheveux de la pucelle. Lâchant la corde, il se plut à pénétrer cette gerbe blonde tandis que le désir s'affermissait en lui, sans qu'il fût enclin à d'inutiles brusqueries, puisqu'il avait tout son temps. Elle le laissait faire et il s'accorda un répit en la baisant au front puis sur le bout du nez.

— On est bien, dit-elle, accrochée à ses hanches. Il me semble que c'est un miracle que nous puissions être en vie.

Ses petits doigts tremblaient. Elle avait clos ses paupières. Il la sentait aussi anxieuse qu'il l'était, mais pour une raison différente. Il s'évertuait à ne rien gâter de cette étreinte en germe ; Oriabel semblait craindre de le décevoir.

— Je te tiens captive de mon amour. Et je t'en préviens : tu ne pourras t'enfuir !

Il avait cru la conforter ; il jugea ces quelques mots médiocres, et même malséants.

— Pourquoi moi ?... Il y a tant d'autres femmes...

— Parce que tu es belle, hardie, et parce que c'est ainsi.

— Mais vous êtes noble ! s'écria-t-elle naïvement et ardemment à la fois.

Puis elle le contempla.

---

(1) Lèpre.

Il avait dû avoir cette expression béate et rassurée devant le saint Michel de Vézelay. Le regard d'Oriabel disait tout : l'adoration, certes, mais aussi la confiance, l'espérance, l'admiration. Elle apprenait de ses yeux maintenant plus téméraires, les contours de ce visage de « fiancé », et de ses mains le creusement de ses flancs au-dessus de sa ceinture d'armes. Elle apprenait de sa bouche tendue le goût de ces lèvres d'amant, toutes piquetées de barbe, à l'entour. Sa passion la brûlait, rosissant son front, ses joues, tandis qu'elle ne cessait de lever sur lui ces prunelles dont il avait été surpris d'emblée de concevoir précisément la noblesse.

— Quand nous serons hors de Brignais, je connais moult dames qui te jalouseront !

— Cette Aliénor ?

— La seconde épouse de mon père... aussi vrai que je suis Tristan.

Son regard pénétra dans le val du corsage. Une ombre soyeuse s'y blottissait entre les renflements clairs où pointaient les tétons. Ses paumes glissèrent sur ces fruits moelleux et s'en allèrent plus bas, après avoir effleuré les hanches, épouser d'autres contours plus opulents, fermes et délicieux.

Leurs ventres se touchèrent.

— Je t'aime, Oriabel.

Elle lui sourit d'une façon un peu douloureuse — ou incrédule — et se recula, le forçant à l'immobilité. Il vit ses sourcils se froncer, ses lèvres pincées s'incurver. D'un signe du menton, elle indiqua la porte.

Il essaya de percevoir un bruit suspect et n'entendit rien que leurs souffles.

— *Il* est derrière, chuchota-t-elle.

Elle avait raison : il y avait une présence. Quelqu'un se mouvait à pas légers. Un petit heurt témoigna qu'une arme ou une cubitière venait de toucher la muraille. Peut-être, un instant, une oreille s'était-elle appuyée sur l'ais sombre où luisait le faîte d'une ogive.

Lâchant Oriabel, Tristan fut à la porte. Il savait qu'il l'avait verrouillée sitôt après le départ de Bagerant. Alors, pourquoi vérifier ? Pourquoi avoir interrompu ces attouchements lents et doux lors desquels — miracle — il avait oublié tout ce qui n'était pas cette pucelle dont la fièvre d'amour magnifiait la sienne.

— Qui est-ce ? cria-t-il. C'est toi, Bagerant ?

Nul ne répondit, mais un pas furtif souleva une dalle. Il eut un geste du bras, par-dessus son épaule — « Qu'il aille au diable ! » — et se retourna :

— Hé bé ! dit-il, suffoqué.

Oriabel était nue, à peine protégée de ses bras et de ses mains. Il la considéra d'un regard descendant et, fasciné, s'approcha d'elle.

— J'ai cru... bredouilla-t-elle. C'est bien ce que vous vouliez hier soir, et que vous voulez maintenant.

— Certes ! Certes ! dit-il, le souffle court.

Elle était simple et singulière. Ce n'était pas par impudicité qu'elle avait ôté sa robe, mais pour lui complaire. Si franche, même, et si soumise à ses volontés que, mortifiant peut-être un repentir à la mesure de son audace, elle ne se dissimulait plus.

— J'ai mal fait ? Vous avez perdu votre sourire.

Elle lui fit un collier de ses bras. Tout ce qu'elle voulait, c'était qu'il fût heureux d'elle et par elle, et sans le moindre apprêt, la moindre réticence.

— J'ai mal fait ?... Vous ne me prenez pas pour une...

— Nullement.

— Je n'ai jamais fait cela avant...

Elle l'admirait bien trop et lui avait trop de gratitude pour qu'il eût perdu son temps à la dévêtir.

— Mais j'en aurais eu plaisir, sais-tu ?

— Il y a des femmes qui doivent vivre dans leurs vêtements comme des gens derrière les murailles de leur ville ou de leur châtelet... Je n'ai pas à me défendre, moi, devant vous, puisque je vous aime.

Sa bouche offerte, demi-close. La baiser tout en caressant la cannelure de son dos et des deux mains, plus bas, la préhension des fesses dures. Souffles, salives, rosées tièdes des corps embrasés. Tout s'abolissait autour d'eux, et le silence même qu'ils créaient de toute leur ferveur enivrée les enveloppait à grands plis lourds, tandis que leurs contours se cherchaient, se pénétraient, et que leurs pas menus les poussaient vers le lit.

Ils y tombèrent dans un frémissement de paille froissée. L'épée tinta contre le bois, et Tristan rit comme jamais il n'avait ri depuis Poitiers.

— Bon sang !... Cette Floberge... Ces malandrins en sont cause.

Il déboucla sa ceinture et l'arme tomba. Le pourpoint, les heuses, les chausses la recouvrirent. Oriabel roula sur le lit, auréolée, flammée de ses cheveux épars, tandis que la lumière pourtant ingrate ruisselait sur son dos, ses épaules, ses flancs, ses cuisses, transmutant leur albâtre en ambre chatoyant.

Il n'osa la toucher de crainte d'abîmer ces délices profanes.

— On dirait que tu te laisses emporter par un torrent.

— Non... Je pensais à un petit havre en forêt. Vous, moi... On s'aimerait dans des draps d'herbes folles... Nous aurions le ciel au-dessus de nous, au lieu de cette voûte sombre...

Il demeurait assis pour la mieux contempler. Il saisit la main qu'elle mettait sur l'encoche de son nombril et fut tenté de poser sa joue sur cette mousse blonde qu'une roulade lui dissimulait juste comme il se penchait.

— Vous réprouvez ce que je fais.

— Non, cent fois non.

— Cinquante fois sans doute.

Il restait décontenancé. D'où tenait-elle tant de simplicité ? Il se guérit de son inquiétude en se disant qu'elle détestait autant que lui les simagrées. Puis la peur lui revint : le prolongement heureux de ces amours de reclusoir, c'était la réussite de Tiercelet. Il n'y comptait pas, bien que sa passion pour Oriabel eût encore fortifié sa confiance envers le brèche-dent. Comme la jouvencelle exhalait un soupir qui cette fois n'était point d'aise, il pensa étouffer son angoisse sous quelques paroles enjouées :

— Tu es belle !... Je voudrais non seulement te le dire à l'oreille, te le crier, te le chanter, mais je voudrais le hurler au faîte du donjon, sur les toits des cités, tout en haut des arbres...

— A quoi pensez-vous *aussi* ?

— A toutes celles qui t'entourent hormis les mal heureuses de Brignais. Toutes celles de Lyon et de plus loin encore. Toutes celles de Paris, Toulouse, Carcassonne... Je me souviens d'avoir lu quelque chose sur une vierge tellement belle que les filles de Jérusalem versaient des larmes d'envie sur son passage... Attends... Comment était-ce ? Ah ! voilà, mot pour mot : *belle au milieu de ses compagnes comme le lis parmi les épines* (1) !... Tu es pour moi ce lis inégalable... Pourquoi n'as-tu pas peur d'être nue devant moi ?

— Vous l'êtes aussi... J'ai deux sœurs et deux frères... On se baignait dans le même cuvier que mon père vertoquait (2) parfois tant nous y barbotions.

Soudain tournée sur le ventre, elle enfouit son visage dans les draps :

— Nous vivions bien... Mon père était charron... Il est mort d'une ruade de cheval, il y a deux mois... Tout a changé, Tristan

Il cessa de lui flatter l'échine. Sa main descendit le long de son dos avec une légèreté de plume pour s'immobiliser sur le bombé de chair dure et tendre où ses doigts mouvants s'attiédirent avant que d'aller s'attarder sur l'autre, tandis que le souffle d'Oriabel se mourait pour renaître plus fort.

---

(1) *Cantique des Cantiques,* chap. 2, v. 2.

(2) *Vertoquer :* réparer un tonneau, un cuvier, une comporte.

Comme il était loin de la fumeuse solennité de dame Perrette ! Si maintenant un pur désir l'aiguillonnait, il savait le dominer, le laisser serpenter dans ses membres, soyeux et clair comme ce corps dont ses regards ne cessaient de se repaître.

Oriabel remua, remonta son coude, appuya son front sur son avant-bras, et ramena ses cheveux épars pour se dissimuler dessous.

— Toi qui te montres nue, tu caches ton visage !

Il la retourna doucement. Plaisir de sentir renaître dans ses narines chatouillées de blondeur soyeuse, l'odeur de cette aisselle largement offerte, puis de glisser vers un téton que sa dextre saisissait afin qu'il en pût mieux porter le bouton à ses lèvres. Dessous, un cœur se dégageait des brumes de l'attente, et son tocsin battait à grand émoi.

— Je t'aime... Tristan, je t'aime... Je ne sais rien de ces choses... Apprends-les-moi...

Elle le tutoyait. Leurs liens s'en trouvaient resserrés. Il suça cette bouche avancée vers la sienne ; caressa de ses lèvres ces paupières vibrantes qui se fermèrent quand il sinua vers le cou ciselé d'une veine palpitante.

Le val entre les seins où la puce d'un grain de beauté semblait s'être réfugiée... Et puis ce brouillard doré, mousse fendue d'un brun rosé qu'il caressa de ses mains, de sa langue ; tendre animal qu'elle lui offrait cabrée, les yeux clos, jusqu'à ce qu'il en saisît et mordillât le museau.

Elle gémit. « Continue ! » se délectant autant que lui de ces touchers brûlants, des soupirs échangés ; pénétrée de douceurs et d'attentes nerveuses. Il ne voulait parler. Il lui eût dit des mots sans suite, et plus fous que son cœur qui battait violemment : « Tu es succulente... or autant que chair... Admirable à contempler !... Tes poignets sont d'un si pur ivoire qu'un bracelet royal les préjudicierait... Et tes jambes aussi, disjointes, mais à peine... Blason au pal étroit auquel tes doigts déliés ajoutent un lambel que j'ôterai bien vite... Nous irons, ma jolie, aux joutes de Puivert... J'y vaincrai... Tu me donneras un baiser... Je trouve tes baisers innocents délectables. » Il se souvint soudain d'une de ses lectures :

— En Grèce, il y a très longtemps, on faisait à Mégare un concours de baisers...

— Pourquoi me dites-vous cela ?

— Tu remporterais le prix à la seule vue de ta bouche... Et tu n'en donnerais aucun, sauf à moi !... Et sais-tu comment les Grecs appelaient des seins aussi beaux que les tiens ?

— Non... Où avez-vous appris ces choses ?

— Sur le chemin de Poitiers... Le chapelain de Guillonnet de Salbris, qui a dû mourir au tout début de la bataille...

— Mes seins ? Comment ces Grecs les appelleraient ?

— Les oreillers de l'Amour.

— Vous êtes... vous êtes fou !

Eh bien, oui : il était fou d'elle. Il la touchait. Par son amour. Par ses doigts. De plus en plus hardiment... Langue, langues, langueurs... Mouvements aussi veloutés que sa chair de blonde ; sourdes véhémences amoindries d'un baiser, d'un regard, d'un frôlement. Sur les pommettes d'églantine, le rose affluait. Elle murmura : « Tu... » et s'abstint de poursuivre. Etait-ce : *« Tu viens ? »* Ou : *« Tu oses ? »* Entre ses cils, ses yeux étaient ceux d'un guetteur.

Elle le reçut avec une plainte qu'elle étouffa en le mordant à l'épaule. Et tout s'ensuivit, souffle à souffle, corps à corps. Leurs joies et leurs ardeurs, leurs frémissements, leurs contours se répondaient à coups de halètements et de reins, et rien ne pouvait plus émousser cette tendresse aiguë, turbulente, entrecoupée d'alentissements enfiévrés. Sur la pauvre pâleur des draps, leur amour menacé déployait ses richesses.

Consumé tout entier à la joie du plaisir, Tristan sentit Oriabel le lier par les jambes, appuyer sur ses fesses comme pour l'épouser mieux encore. Leurs ventres maintenant s'écrasaient l'un à l'autre, et leur lutte enchantée les roula jusqu'au bord du lit à tel point qu'un pied dans le vide, le garçon éloigna ses lèvres de celles de la jouvencelle :

— On tombe !

Oriabel le serra davantage comme si une peur vertigineuse l'empoignait.

— Non ! refusa-t-elle d'une voix expirante. Non !

Quelques secousses encore, et vint la pâmoison.

— Oh ! fit-elle en remuant un peu pour essayer de regagner le milieu de la couche. Il me semble que j'ai crié... Que mon corps a crié... Je ne sais comment te dire... J'étais comme brûlée... Non, non... Je ne sais pas...

Le visage rougi aux flammes du plaisir, elle cillait, aveuglée par son enchantement tandis qu'en un ultime coup de reins, il se dissolvait en elle avec des gémissements semblables aux siens, le visage enfoncé dans sa coiffure éparse.

Elle ignorait sa bonne chance. Pour la première fois — car c'était la première, il en était convaincu —, elle avait accédé à la félicité, bien qu'elle se fût donnée avec une avidité robuste et naïve. En sorte, elle avait pris les devants. Il lui enseignerait des lenteurs capiteuses.

Ils demeurèrent immobiles, conservant de la somptueuse violence de leurs corps unis et affrontés, ce goût de rassasiement et de trop peu qui picotait leur joie d'un aiguillon d'incertitude.

— Le bonheur... dit-elle avec un petit déglutissement dénonçant, peut-être, une angoisse.

Le bonheur, à Brignais, c'était cela, en somme : cette plénitude du plaisir partagé, ce scintillement de leurs sens pareil à quelque pierre rare enchatonnée de plomb. Mais qu'importait qu'en ce donjon la sertissure fût immonde : tout était merveilleux dans leur vil univers, jusqu'au ciel exigu, infiniment bleu, au bout de cette archère à l'extrémité de laquelle un pigeon gris et ventru se posait. L'entendant roucouler, ils basculèrent sur le flanc et ainsi se désunirent.

— Un coulon !... De ceux qui portent les messages, j'en jurerais !

— On dirait Angilbert ! pouffa Oriabel.

L'oiseau reprit son vol. Ils se regardèrent. Leurs lèvres distantes d'un cheveu se retrouvèrent et leurs mains s'égarèrent sur leurs chairs embuées.

Tristan savourait ce bonheur doucereux sans pouvoir y trouver de rassurants présages.

— J'ai froid, dit Oriabel.

Elle tremblait, les bras croisés sur sa poitrine. Il tâtonna, empoigna des deux mains un pan du drap et tira. La jouvencelle roula contre lui tandis qu'il apercevait, dans les entrelacements des froissures, un petit coquelicot dont la découverte le perça d'un émoi violent. Oriabel, dans sa nudité candide, avait pu s'exposer hardiment à sa vue ; elle était bien la vierge qu'il avait pressentie.

Il remonta le drap au-dessus de leurs têtes, de sorte qu'ils ne se virent plus qu'à peine. Oriabel se blottit contre lui. Sa joue collée sur son épaule, elle rompit le mince bruissement de leurs souffles accordés :

— Je voudrais dormir ainsi, longtemps, et m'éveiller loin de ce donjon, dans une chambre pleine de lumière et enfleurie comme... un vitrail.

Il la considéra dans l'ombre blême, les cheveux brouillés, la bouche pâle. Sa main libre coula jusqu'à ses seins, glissa encore.

— Reste, dit-elle d'une voix oppressée. Ne t'en va pas.

— Veux-tu recommencer ?

Quand le soir accrocha ses tentures aux archères, ils se revêtirent à regret, et comme la fraîcheur nocturne s'ajoutait à celle des pierres, Oriabel s'enveloppa dans la couverture.

— Vont-ils nous porter à manger ?... N'as-tu pas faim ?... Tu m'as aimée trois fois... J'ai trois fois plus faim que d'ordinaire... Pas toi ?

— Trois fois moins... Je n'ai fait que me repaître de toi !

— Tu es rassasié ?

Il la prit dans ses bras, la baisa sur le nez :

— Ma vie et ton amour n'y suffiront jamais... Tu auras un jour de longs cheveux de lin. Je serai le seigneur à la tête chenue, mais j'aurai bonne lance et bon souffle... Et nous nous livrerons à de belles quintaines !

Ils devaient échanger ces propos enjoués pour dissiper *le reste*. Or, comment eussent-ils pu l'oublier tout entier ? Des feux piquetaient le Mont-Rond. Des meuglements et bêlements d'agonie se mêlaient aux vociférations des victimaires. Nul cri de femme : la nuit commençait à peine.

— Sais-tu ce qu'on dirait de nous dans mon pays ?

— Non, bien sûr.

— *An vëndimia avant las crîdos* : ils ont vendangé avant les bans.

On frappa au grand huis. Un poing ferré, hargneux.

— Est-ce toi, Bagerant ?

— Hélïot !... Je t'amène une torche ainsi que ta pitance. Ouvre-moi.

Le verrou glissa dans les vertevelles. Héliot voulut franchir le seuil et recula, comme aveuglé par le flambeau dont un courant d'air poussait la flamme vers son visage, mais inquiet, en réalité, de sentir la pointe de la Floberge appuyée sur sa poitrine.

— Ne joue pas au forfante avec moi. Tu ne descendrais pas trois marches.

— Je ne songe aucunement à fuir, compère. Mais cette chambre est notre domaine. Je ne veux pas que tu la souilles avec tes pieds pleins de merde.

Tristan se doutait que Bagerant avait dû donner des instructions formelles à son affidé. Tant que Tiercelet ne serait pas de retour, rien ne menacerait la vie d'Oriabel et la sienne. Il empoigna la torche toute poisseuse de sève et de sueur.

— Bon !... Bon ! fit l'écuyer confusément respectueux. Nous excitons pas.

Il portait un pourpoint de mollequin gris, — d'où sa peur d'être transpercé. La transpiration qui le mouillait par endroits lui donnait l'apparence gluante d'une peau de limace. Il se tourna vers deux hommes dont les mailles des haubergeons scintillaient. Si l'âge les avait déchaumés, décharnés, leur regard conservait une insolence juvénile.

— Posez les pichets de vin et d'eau devant moi... Donnez cette miche à la donzelle... Tiens, prends ce chaudron et ces cuillers...

C'est du mouton aux lentilles. Et voilà deux gobelets l'un dans l'autre, comme vous !

— Il vous restait des gobelets ? s'étonna Tristan, forçant la dose. Je croyais qu'ils ne servaient qu'à embellir vos prisonnières !... Pose-les là.

Héliot se recula sans quitter du regard la Floberge.

— Je hais ta jactance, Castelreng. Tu m'as fait une belle branle (1) en ouvrant cette porte. Ne recommence plus... Ne me titille plus !

— J'ai encore une chose à te dire, messire !... Demande instamment à ton maître un manteau, un surcot... Un vêtement chaud pour cette damoiselle.

— N'est-ce point nue que tu la veux ?

Il y eut un rire, puis deux autres. Oriabel ramassa les gobelets et les posa sur la table. Tristan poussa la porte et la reverrouilla.

— Ce malandrin, dit Oriabel, a oublié les écuelles !

Tristan l'observa tout en introduisant le manche du flambeau dans un des anneaux de la muraille. Aucun doute : il restait ébloui comme le soir de leur rencontre. Ses rondeurs voluptueuses enveloppées d'étoffes rudes aiguisaient, maintenant encore, ses sens pourtant émoussés. Et il pouvait s'émerveiller d'observer combien cette chambre enveloppée de ténèbres, de périls, de rumeurs, traversée de souffles d'air et tout aussi poudreuse qu'un moulin, lui était agréable du seul fait qu'il en partageait les inconvénients avec Oriabel, et qu'ils les oubliaient dans un lit de pauvres.

— Où est Tiercelet, désormais ? dit-elle doucement.

— Qui peut le savoir, sauf lui.

— Pense-t-il à nous comme nous pensons à lui ?

— Je le crois.

Ils mangèrent presque gaiement, riant même de la dureté du pain dont chaque bouchée, posée dans la poche d'une fronde, eût occis un homme à cinquante pas. Puis ils se couchèrent après une toilette brève, ayant, pour mieux dormir, étouffé le flambeau.

— J'ai toujours froid, dit Oriabel en frémissant. Réchauffe-moi.

— Comment ? demanda-t-il une main sur son ventre.

— Tu le sais fort bien, murmura-t-elle en lui mordillant l'épaule.

* *
*

(1) Commotion.

Il ne s'était jamais nourri d'illusions sur sa valeur au combat. Il savait qu'il existait des centaines de guerriers dont l'habileté, la vigueur, la cruauté même faisaient autorité lors des batailles. Héliot était-il l'un d'eux ? Si redoutable qu'il lui parût, ou voulût le lui faire accroire, il se sentait apte à l'humilier avant que de l'occire. Quelle que fût l'âpreté de cette certitude, il lui était pénible de vouer cet homme à la mort. Une farouche leçon lui paraissait suffisante, d'autant plus qu'il la lui fournirait devant ses compagnons.

Or, voilà que le malandrin marchait à sa rencontre, l'œil froncé, la bouche arrogante, le sang aux joues. Voilà qu'il l'interpellait d'une voix mate, impérative :

— Tire ta lame, je veux savoir ce que tu vaux.

— A quoi bon te l'apprendre !

— Tire ta lame !

— Crois-tu que ce soit nécessaire ?

— Bagerant est d'accord et c'est lui qui m'envoie. Accepte ou tu vas passer pour un couard.

— Je ne le suis pas. J'en ai assez de manier l'épée. N'en as-tu pas aussi ta suffisance ?

Il éprouvait soudain une secrète angoisse. Il s'était souvent demandé par quel subterfuge Bagerant lui ferait affronter son écuyer. Il l'apprit d'un seul jet :

— Si tu refuses, ta beauté périra... Viens voir ce qu'on a fait de ton Oriabel.

Il suivit Héliot.

Elle était attachée au-dessus d'un bûcher, les mains liées par de grosses chaînes, le corps adossé à un poteau par des cordes aussi noires et visqueuses que les couleuvres de la Langue d'Oc. Ses longs cheveux défaits s'épandaient sur ses épaules nues et, tête basse, elle n'osait regarder la foule des truands assemblés autour d'elle, tous avides d'assister à son supplice.

— Alors, Castelreng, la veux-tu délivrer ?

Le cœur fou, la bouche scellée sur un cri de rage désespérée, il devinait combien la précarité de leur existence allait enfin parvenir à son terme. Il ne lui survivrait pas. Il se sentait tout à coup fragile, victime du monstrueux ascendant d'un Bagerant et de la concupiscence effrénée d'un Héliot.

— Immondes !... Vous êtes immondes !

— M'affronteras-tu ?

Le coquin exerçait sur lui, Tristan, un attrait monstrueux. Il riait dans l'ombre de son maître et demandait d'une voix que la certitude de vaincre altérait :

— Te faut-il tout un jour pour me dire oui ou non ?... Quand vas-tu te décider ? L'aimes-tu donc si peu pour balancer ainsi ?

— Je l'aime et te le vais prouver.

Le sourire était morne et le cœur des Castelreng barattait un sang glacé.

— Quand veux-tu ?

— Maintenant.

— Où ?

— Dans ce pré. Nos compères s'écarteront. Nous aurons de l'espace.

— Quelles armes ?

— Toutes.

— A pied ?

— A cheval.

— Je n'ai point d'armure.

— On te pouvoira en tout.

On lui avait fourni une cervelière, un jaseran, des jambières ; un écu d'azur à trois léopards d'or ; une épée et une hache d'armes. Il disposerait d'un cheval blanc. Héliot monterait un roncin noir. Son écu échiqueté d'argent et de sable semblait neuf et intransperçable.

— *Oriabel !*

La jouvencelle restait sourde à ce cri. Immobile, toujours, elle baissait une tête cireuse, pétrie de frayeur et de désespérance.

— *Oriabel !*

A peine avait-il hurlé qu'un galop lui signifiait de se défendre. Héliot se prépicipait sur lui.

Il empoignait sa hache et la serrait très fort...

— Tu me fais mal.

Il sortit des ténèbres la bouche pleine d'un sang imaginaire. Ce qu'il serrait, c'était le poignet d'Oriabel dont les yeux, dans l'ombre de l'aurore, semblaient emplis de larmes.

— Tu m'as fait très mal.

— Pardonne-moi, dit-il, penaud et transi d'une fureur qui, maintenant, s'en allait en lambeaux. C'est bien la première fois que je me surprends à busner (1).

Il entrevit la clarté d'un sourire.

— Tu pensais à moi ? Tu étais près de moi ?

(1) Le mot *rêve* n'existait pas encore dans le sens où nous l'entendons. *Busner* : rêver.

— Oui, ma belle.
— Que faisais-tu ?
— Je te défendais.
— Oh ! ça, dit-elle en étouffant un bâillement, ce n'est pas une nouveauté.

Il s'aperçut qu'il tremblait et demeurait sur une impression de soulagement et d'expectative. Il eût voulu pouvoir réintégrer son rêve et en finir avec Héliot. Géhenner ce démon, l'exorciser de ses songeries avant que de l'exclure des vivants devait, pour cette nuit, devenir son dessein. Quelle déception de l'avoir en quelque sorte épargné !

Bien qu'il eût clos fermement ses paupières, son retour au combat ne fut point exaucé : en bas, des cris venaient de jaillir. Et des rires. Une femme hurla. Viol ou meurtre. Les deux peut-être, l'un précédant l'autre.

Ne plus ouïr ces voix porteuses de mort. Elles n'effrayaient pas qu'Oriabel. A imaginer ce qui se passait, le cœur lui montait à la bouche et si son cœur frissonnait toujours d'une espèce d'angoisse, l'affrontement qui infectait son imagination n'en était plus cause.

Oriabel avait-elle entendu ? Dormait-elle à présent ? Songeait-elle à Tiercelet ?

« Je me dois d'occire Héliot. *C'est lui qui fornique la malheureuse !* »

Un Goddon, ce suppôt de Bagerant ? Non, sans doute. Sa vraie famille était celle des tigres. Cheveux noirs. Plus que noirs parce que touffus et sales. Thoumelin de Castelreng, qui avait des opinions très arrêtées sur divers sujets, prétendait que les hommes très bruns aux mains gantées de poils étaient les plus dangereux. Il ajoutait que la race espagnole, aux yeux de jais, devançait en cruauté les Goddons. Qu'eût-il pu dire ou conclure s'il s'était trouvé à Brignais ? Pourrait-il imaginer, si Tiercelet parvenait jusqu'à lui, quels hommes de toute nature et de tout poil avaient établi sur le Mont-Rond, leur tyrannie luxurieuse ? Plus encore que ceux de Bagerant, son idole et son maître, les yeux d'Héliot, en ce moment, devaient étinceler d'une satisfaction diabolique.

« Il me hait. Il me cherchera. Notre devise est : *de tout cœur*. Je le serai dans l'abomination ! »

A Poitiers, il avait regardé la mort en face. Il ne l'avait point redoutée, sauf lorsqu'il s'était affaissé, vaincu par le carreau enfoncé dans sa chair. Il craignait Héliot comme il eût craint une malédiction imméritée. Sans Tiercelet, allait-il avoir à supporter plus que d'ordinaire les provocations de ce drôle ?

— Tu ne dors pas, dit Oriabel.

Etait-ce un reproche ? L'expression d'une tentation nouvelle ? Elle se serrait contre lui en soupirant d'aise.

— J'aime être ainsi, murmura-t-elle. On serait si bien si Dieu le voulait.

Dieu n'avait que faire de leur malefortune. Après qu'Il les eut peut-être appariés, Son intérêt s'était porté sur d'autres.

— Mieux vaut avoir confiance en nous qu'en Lui.

— Je suis emmaladie d'espérance... et je n'ose prier : le Seigneur doit me croire en état de péché. Est-ce que je le suis, Tristan ?

A l'aurore de la jeunesse, cette incertitude hantait et tourmentait la jouvencelle. Dans ces lieux d'esclavage et d'iniquité, sans doute avait-elle peur d'être punie pour avoir si aisément cédé aux désirs d'un chevalier de rencontre.

— Angilbert nous mariera... Dors... Oublie tout.

Tristan ferma les yeux et rechercha Héliot en se sentant de force à endurer les terribles paroxysmes de leur incomplète bataille. S'il échouait dans cette quête, il se réveillerait le lendemain morose, la gorge amère et le cerveau pesant.

— Héliot, dit-il en étouffant un bâillement, c'est... c'est un second Mordred...

— Dors, chuchota Oriabel. Prends ma main dans la tienne et essaie d'oublier.

Elle trouva ses lèvres et son baiser fut comme un sceau délicieux sur toutes les pensées qu'il venait de tramer et dont, tout compte fait, elle était l'héroïne.

VII

Ils vécurent ainsi trois semaines, cessant de compter les jours, l'indifférence au temps qui passe leur ayant paru l'antidote le plus sûr contre la froidure, l'anxiété, la mélancolie, l'impatience de voir revenir Tiercelet. Ils s'évadaient par l'amour, selon le mot d'Oriabel, échouée sur les vaguelettes des draps un jour dont ils n'avaient plus souvenance.

La nuit, une lune frileuse s'emmitouflait de nuages duveteux comme pour résister au gel persistant qui les atteignait dans le lit. Le jour, un soleil de perle éclairait de ses brillances glacées la chambre-geôle que ne magnifiait en rien les féeries d'une passion sans rivage. Les nuances du sourire d'Oriabel, le charme de ses œillades, l'indécise douceur de ses désirs, la sincérité de ses abandons, la fraîcheur vive et caressante de sa bouche, soit pour donner un baiser, soit pour en recevoir, maintenaient Tristan dans une félicité d'où son esprit s'exilait à regret lorsque les rumeurs, les galops, les sonnailles le ramenaient aux contingences, aux menaces et, l'instant d'un cri de femme, aux vilenies irréparables. Quand le vent dissipait, à l'extrémité des archères, la taie des brumes nocturnes, il s'ébahissait de découvrir près du sien un visage, un regard d'une telle limpidité que leur contemplation, dans la pénombre blanchissante, revigorait sa constance assoupie. Il s'émouvait de frôler d'une lèvre tendre ce front poli comme un galet de rivière, de sentir la chatouille des cils battants, la ciselure d'une oreille ou le foisonnement des blonds cheveux épars ; et sa main enrobait de pures éminences et s'ouvrait des chemins dans des suavités.

Nulle autre femme qu'Oriabel n'eût pu lui inculquer à ce point cette certitude qu'elle était un don de la Providence et qu'en dépit des traverses et des adversités, leur vie serait riche de plaisirs de toutes tailles, couronnés par l'essentiel d'entre eux : la volupté. Parfois, quand la jouvencelle se coulait vers le lit sans plus de façons qu'une dryade en quelque secrète clairière, un frémissement de dilection, d'admiration et d'égoïsme — « Elle est mienne ! » — le parcourait avant qu'il ne l'eût rejointe. Elle était sa déesse. Par elle, l'appétence commune aux amants s'embellissait d'une vénération dont Oriabel se fût peut-être ébaudie, incrédule, s'il la lui avait révélée. Il mesurait combien, avant de la connaître, l'innocence d'aimer avait été le garant de cette tendresse dont il l'entourait d'autant plus hermétiquement que les menaces envers elle, envers lui, n'étaient en rien dissoutes. Par des comparaisons involontaires — et d'autant plus fugaces et importunes — il avait désormais la certitude que les sentiments qu'Aliénor lui avait témoignés n'étaient que des simulacres d'amour. Jamais il n'avait été suffisamment subtil pour percevoir dans ses abandons une volonté de possession qui, telles les ondes d'une pierre jetée dans l'eau, s'élargissait au-delà de leurs étreintes : jusqu'au château et terres de Castelreng. Ainsi, par la découverte de sa naïveté, comprenait-il pourquoi, après avoir jeté son dévolu sur lui, tout en lui suggérant d'imaginer l'inverse, Aliénor avait espéré, en le « tenant » juste ce qu'il fallait par les sens, le conduire au mariage.

Il était moins naïf qu'Aliénor l'avait cru. Et que la Darnichot l'avait pensé ensuite. Cette gaupe, après l'avoir emprisonné longtemps pour qu'il fût éperdument épris de liberté, de nourriture, d'espace et... d'elle-même, l'avait vu dédaigner ses pâtisseries aphrodisiaques et les appas de sa personne !... Niais, lui ? En avait-il l'apparence quand, accompagnant Orgeville et Salbris au Louvre ou à Vincennes, une femme lui adressait une œillade et un sourire empreints d'une éloquence putassière ? Ils pouvaient se gausser, mais comment, croyant au grand amour et attendant patiemment sa venue, se serait-il égaré dans des passades déshonnêtes ? Que lui eussent-elles apporté ? Aucun de ces prodiges dont son corps et son âme se trouvaient comme dévorés.

Quelque sot, essané (1) ou bec-jaune qu'il eût pu paraître à des hommes affranchis de tout, il ne regrettait pas cette simplicité. Il l'avait définitivement perdue, en somme, à la façon d'un second pucelage, quand Oriabel perdait le sien. Bâti différemment — chair, cœur, esprit — il serait peut-être passé près d'elle sans la voir, ou, s'il l'avait vue, sans rien apercevoir d'autre qu'un visage ; il ne l'eût pas protégée chez Eustache et se fût peut-être ébaudi de

---

(1) Hors de sens, bête, etc.

sa malaventure. Jamais ils n'évoquaient cette soirée autrement qu'en eux-mêmes, et tandis que les jours passaient, tandis qu'ils s'interrogeaient soit ensemble, soit intérieurement sur la pérégrination de Tiercelet, Tristan ne guérissait pas sa crainte de l'avenir en se disant que leur passion, quelque merveilleuse qu'elle leur parût, les préserverait du malheur si celui-ci figurait dans leur destinée.

L'incertitude des lendemains le triboulait plus qu'Oriabel. Elle avait fait de lui une espèce d'archange, *« mon saint Michel »*, disait-elle parfois sans savoir quelles images figées elle réanimait. Franchissant enlacés leur seuil, contournant le routier affecté à leur protection, ils accédaient deux à trois fois par jour au faîte du donjon semé de débris de toiture : tuiles rompues, émiettées, fragments pourris de poutres et de chantilles. Sans trop s'approcher des merlons, puisque le vide étourdissait la jouvencelle, ils regardaient plutôt qu'ils ne contemplaient la campagne assez plate aux entours de Brignais, jonchée, vers Lyon, de quelques boqueteaux, de rochers déboulés des parois des Barolles, et de quelques maisons dont il ne subsistait que des murs noirs. Alors s'engageait un dialogue muet, répétition de celui du premier jour, lorsque sur cette hauteur fouettée de vent, après avoir considéré certains merlons de pierres brutes, parfois déchaussées d'un mortier craquelé, Oriabel avait demandé : « Sais-tu vraiment où nous sommes ? » Il s'était fixé aux quelques explications hâtives de Tiercelet :

— Ici, c'est le Mont-Rond et le Bois-Goyet, l'un fortifié, l'autre non, à ce qu'il semble. Derrière, entre ces deux monts et cet autre, à senestre — le Tertre — c'est Saint-Genis... Si nous nous tournons plus au Nord, ces deux bosses ont pour noms le Janicu et le Bonnet...

Pour y avoir observé çà et là, constamment, quelques luisances brèves, Tristan était certain que les chefs de compagnies avaient rassemblé plusieurs centaines d'hommes sur chacune de ces hauteurs. Plutôt que de venir de Lyon par Saint-Genis, l'armée royale, si elle décidait d'assaillir les routiers, arriverait dans la plaine de Sacuny, fort large, où vingt chevaux pouvaient bider (1) ou galoper de front. En outre, d'une poussée de cavalerie, le château serait atteint et vivement cerné par la piétaille.

— Si tu vois venir, au-delà du Janicu et du Bonnet, des brillances innombrables, aucun doute : ce seront Tancarville, Bourbon et l'ost bien fourni. Jamais, à moins que les maréchaux et capitaines aient perdu la raison, ils ne viendront par Saint-Genis : la vallée est étroite, propice aux embûchements... Ils accourront vers ce château

(1) Trotter.

qu'ils croiront plein d'hommes, et ce sera le piège : après l'avoir encerclé, ils seront encerclés à leur tour !

— Mais alors, pourquoi ces défenses au Mont-Rond ? Pourquoi ces hommes au Bois-Goyet ?

Tristan croyait comprendre :

— Tous les malandrins s'attendent à la venue des guerriers du roi par la voie que je t'ai dite. Ils les assailliront au Bonnet et au Tertre, conjointement, puis au Janicu, s'ils progressent. Comme les montagnes des Barolles les contiendront, ils leur feront opposition, non seulement en ce château, mais tout au long du chemin d'Irigny, de sorte que cherchant une diversion et voyant le Bois-Goyet et le Mont-Rond occupés aussi par la truandaille, les chevaliers galoperont vers eux sans se douter que ces démons se sont bellement pourvus en défenses. Je ne connais rien à l'art de la guerre, pour autant que ce soit un art, mais s'il doit y avoir une grande bataille, elle aura lieu dans la plaine de Sacuny d'abord, dans celle des Aiguiers ensuite, et finalement dans celle des Basses-Barolles avec les débordements derniers — et meurtriers — du Bois-Goyet et du Mont-Rond... Vois-tu, c'est une bonne chance pour les hommes de Justice que nous soyons au début du printemps. La terre est froide encore de l'hiver, et les eaux de pluie qui forment çà et là de petits marécages ne l'ont pas trop imprégnée. Dans deux mois, un affrontement serait folie en de tels lieux : les chevaux et les hommes chargés de fer et d'acier s'y embourberaient. En ce début de mars, la bataille est possible. Et si les ondées sont rares, elle pourra se faire au commencement du prochain mois.

— Que ferons-nous alors ?

— Si nous pouvons guerpir au plus fort des mêlées, il nous faudra courir jusqu'au Garon et y patauger soit vers l'amont soit vers l'aval en priant Dieu de ne pas tomber sur quelque compagnie de réserve.

— Et tu crois que cette male gent sera vaincue ?

— Bien sûr.

Cependant, plus il persuadait Oriabel de sa confiance, plus il énumérait ses raisons d'espérer, plus les arguments dont Tristan disposait afin de rassurer la jouvencelle lui paraissaient faibles et mal fondés. Tout aussi fermement qu'elle, il cherchait à se rassurer quant à la force de cette armée, aux capacités d'ardeur, de courage et d'obéissance des archers, arbalétriers, vougiers, guisarmiers ; au discernement des seigneurs qui les conduiraient. Plus encore que la perfidie et la témérité des capitaines de Brignais et de leurs meutes, il craignait, comme avant le massacre de Poitiers, la jactance et l'entêtement des maréchaux. Toutes ses prévisions lui semblaient hasardeuses, sauf une : si l'armée royale, décidée à la bataille, précédait le retour de Tiercelet, Bagerant placerait Oriabel en lieu sûr et l'inviterait instamment, lui, Castelreng, à mettre sa Floberge au service des Compagnies.

— Et tu le ferais ? s'inquiéta Oriabel un soir qu'il revenait sur ce sujet.

— Pour protéger ta vie, je me vendrais au diable.

— Sans remords ?

— Comment voudrais-tu que j'en aie, s'agissant de ta sauvegarde.

Tandis qu'il la réconfortait, serrée contre lui pour apaiser des frissons dus à la froidure autant qu'à l'angoisse, il maudissait la chape de pluie (1) qu'Héliot avait jetée dans la chambre au lieu du manteau demandé.

* *
*

Un matin, une idée traversa son esprit : ce n'était point à son père qu'il eût dû demander mille écus ; c'était à Jean le Bon.

« Non », se dit-il ensuite, les yeux clos pour résister à l'envie de se lever. « Tiercelet se serait refusé à cheminer vers Paris persuadé, à juste raison, de l'inutilité de ce voyage... Et le roi, s'il avait pu l'atteindre ? Outre sa déception de ne point savoir son gendre parmi les routiers de Brignais, il aurait refusé de traiter, même de loin, avec des hommes qui l'ont humilié, rançonné, à son retour d'Angleterre (2). Le brèche-dent m'eût ri au nez si je lui avais demandé de solliciter en mon nom et place une audience. »

Et lui, Castelreng, s'il réapparaissait à la Cour ?

«Personne ne croira au moindre de mes dires. »

Même s'il avait pu maintenant gagner Lyon afin d'éclairer Bourbon, Tancarville et leurs capitaines sur les positions et le nombre des Tard-Venus assemblés à Brignais, aucun de ces grands seigneurs, sans doute, n'eût accordé le plus maigre intérêt à ses

---

(1) Grande pelisse à manches dont le seul mérite était l'imperméabilité.

(2) Le 13 juin 1360, Jean II avait quitté la Tour de Londres. Le 8 juillet, il était en vue de Calais. 5 navires transportaient ses bagages et sa suite. Contemporain des événements, Pétrarque raconte, dans une de ses lettres, que le roi, avant de prendre le chemin de Paris, fut réduit à traiter avec les brigands des compagnies. Il dut leur payer rançon pour cheminer à travers son propre royaume et retrouver, en toute sécurité, une capitale où il fit une entrée « à la César » en dépit de l'humiliation qu'il avait reçue à Poitiers. *« Chose lamentable et vraiment honteuse »*, écrit Pétrarque. *« Quel est l'habitant de ce beau royaume, je ne dis pas qui l'eût pensé, mais qui eût pu se le figurer même en rêve !... Quomodo vero credent hoc posteri !* (La postérité refusera de le croire.) » Le roi était à Boulogne le 25 octobre, les 3 et 4 novembre à Saint-Omer où de belles joutes lui furent offertes, le 11 décembre à Saint-Denis et le dimanche 13 à Paris.

recommandations. Et qui sait si, soupçonné de compérage avec les malandrins, on ne l'eût tourmenté jusqu'à son dernier souffle.

— Oublie tout... sauf moi, murmura Oriabel.

— Je pense à toi et n'oublie rien... J'enrage de pouvoir observer ces démons tout en demeurant incapable de leur nuire.

Plus les jours passaient, plus il entrait de la vergogne dans cette nullité forcée. En l'employant pour une haute quête, Jean le Bon avait fait un mauvais choix.

— Jamais je n'oserai, à l'avenir, me présenter devant lui.

— Devant qui ?

— Devant le roi.

— Tu le connais !

Il y avait moins de merveillement que de surprise dans l'exclamation d'Oriabel, soudain à demi dressée sur un coude.

— Je l'ai servi jusque-là de mon mieux.

Il s'en étonnait, d'ailleurs, car cet homme, jamais, ne l'avait subjugué. Servir la Couronne était son credo, son mystère. Mais servir ce roi qui toujours n'avait été qu'un perdant... Ce monarque sentait trop le parvenu pour être digne d'estime. Comme son père, il s'était inséré dans une continuité qui n'était pas sienne. Comme son père, il avait bâti sa gloire — pour autant qu'il crût en avoir — sur des charniers.

Or, un nouveau charnier se préparait si l'armée des Justes obéissait à des chevaliers imbus de leur personne et gavés des principes qui, toujours, avaient conduit les lis de France à la défaite.

Tristan soupira. Regardant le ciel prisonnier d'une archère, il songea que Dieu devait trouver ses craintes irrecevables. Les maréchaux de France en eussent fait autant s'il avait pu les exprimer devant eux, lors d'un de leurs innombrables et stériles conseils.

* *
*

Un soir, cédant au découragement, Tristan joignit ses mains à plat, geste qu'il n'avait plus accompli depuis son passage à Vézelay. Des mots fanés et fervents glissèrent de sa bouche :

— *Quidquid tibi exposco, hoc mihi impertibis...*

— Que dis-tu ? s'étonna Oriabel occupée à passer sa chape de pluie.

— C'est du latin. Quand le Saint-Père s'adresse à Dieu, il prononce ces mots-là... C'est du moins ce qu'on m'a raconté.

— Cela veut dire quoi ?

— *Ce que je te demande, Tu me l'accorderas.*

Oriabel se dégagea doucement d'une étreinte dont la force l'avait ébahie. Elle sourit :

— Holà ! messire, il n'y a pas que le Pape qui puisse dire cela... Dans ta bouche, j'ai cru que c'était une plainte... Suis-je accusée de te priver ?

Elle ne le privait de rien. Elle s'enhardissait et se prodiguait, au contraire. Pensif, les paupières battantes, il contempla son nez, son cou de lait, et bien que sa pelisse l'enveloppât fort mal, la forme de ses seins sous le tissu sévère : tous ces trésors d'un culte qu'il célébrait nuit et jour, sans jamais se lasser du moindre de ses rites. Si saint Michel en personne était entré maintenant dans leur geôle pour lui signifier : *« Lâche cette femme et quitte ce donjon. Rien ne viendra s'opposer à ta fuite. La mission dont le roi te chargea sera couronnée de succès et Jean II te fera connétable de France »,* il n'eût guère été enclin à obéir. Jamais il n'abandonnerait Oriabel qui, elle, s'était abandonnée à lui corps et âme. La voir ainsi, sous son vêtement de pauvresse où il la caressait avec une religion douce, attentive, était une félicité. L'or du soleil couchant qui la touchait aussi, des cheveux aux épaules, avivant l'éclat de ses pupilles, l'illuminait d'une gloire presque solennelle.

— Je ne me prive pas, moi, de te contempler.

— Tristan, tu me fais peur... Je crois voir au-delà de tes yeux. Il y a comme une ombre triste... et froide. Tu ne m'as pas tout dit. La fureur que je t'ai connue face à ces malandrins, et surtout devant Bagerant, n'était pas seulement due à de la détestation. Tu nourris en toi un remords : tu as dû renoncer à faire quelque chose et cela te corrompt les sangs.

Il préféra s'abstenir de répondre. Il avait trouvé les routiers trop fiers d'être ce qu'ils étaient pour supporter le joug d'un Charles de Navarre. Le roi demeurerait dans l'ignorance de cette conclusion. Si, avant Jean le Bon, des guerriers devaient être informés de la force terrifiante des hôtes de Brignais, c'étaient ses maréchaux et son armée tout entière. Quel que fût son désir d'accomplir son devoir, il devait se résigner dans une attente dont les conséquences funestes le tourmentaient. C'était cela, l'incessant repentir dont Oriabel se souciait.

Ils n'aperçurent aucun chef lors de leurs trois semaines de vie recluse — ou presque. Ils eussent pu croire qu'on les avait oubliés si Héliot, midi et soir, n'était venu, avec ses deux compères, leur porter l'eau, le vin, la nourriture. Parfois, le bruissement d'une chevauchée lointaine ayant pris son erre aux abords du Bois-Goyet ou du Mont-Rond, troublait la quiétude d'avant l'aube. Tristan fermait les yeux, n'osant rien imaginer. Son immobilité n'avait aucun pouvoir de conjuration magique : des chevaux trottaient dans les ténèbres... Où cheminait celui que Tiercelet montait ?

Le soir même ou le lendemain de ces départs, la cavalerie réintégrait le château. Certains de ces retours s'assortissaient de cris de femmes, tellement affaiblis par l'épaisseur des pierres qu'Oriabel feignait de ne pas les entendre. Et la nuit revenue, elle aussi, les délogeait, enlacés, pour les pousser au sommet du donjon. Tout autour, des feux s'allumaient par centaines, constellant le Mont-Rond, le Bois-Goyet, le Janicu et le Bonnet. Il y en avait même, à présent, dans la plaine. Pareilles à des puces d'or, des torches sautillantes parcouraient cet archipel lumineux, et des bouffées de vent apportaient avec des rires amincis par la distance, des odeurs de viandes chaudes.

Où était Tiercelet ? Avait-il atteint Castelreng ? En revenait-il ? Se défiait-il suffisamment des embûches ? Etait-il seul ? Se réjouissait-il de sa réussite ou bien, déçu et furieux, préparait-il quelque discours captieux destiné au seul Bagerant ?... Heureux homme tout de même : il était libre !... Et si les astronomiens levaient les yeux vers le ciel étoilé pour y déchiffrer l'avenir, Tristan baissait les siens, cherchant il ne savait trop quoi parmi tous ces feux terrestres — peut-être, dans l'agglomération de certains d'entre eux, le signe d'une assemblée de séditieux préparant un départ, une discorde... Il en doutait : le mal qui unissait cette racaille semblait un mortier indestructible.

Oriabel l'observait avec insistance, essayant de comprendre ce qu'il pensait sans oser le lui demander. Dans les ténèbres livides à force de lueurs, l'émeraude de ses yeux violissait. Elle jetait un regard anxieux sur le Mont-Rond, songeant sans doute aux captives.

— Revenons, disait-elle. J'ai froid.

Sans plus faire attention qu'à l'aller au guisarmier chargé de leur surveillance — à tel point qu'ils n'eussent pu décrire son visage —, ils pénétraient dans leur chambre dont d'un coup sec, destiné à être entendu, Oriabel poussait le verrou.

* *
*

Bagerant réapparut à la fin d'un après-midi de pluie et de grêle. Armé de toutes pièces, l'œil vif et la mine enjouée mensongèrement, il s'était annoncé de la voix, non du poing.

— Salut, les tourtereaux !

Quelque précaution qu'il prît à la dissimuler sous un sourire, la fureur imprégnait ses traits. Ses gestes, pour avares qu'ils fussent — car son bassinet le gênait à la hanche — révélaient une nervosité qui n'emporta ni la curiosité de Tristan ni son respect des coutumes : il ne répondit au salut turbulent que par une faible inclinaison de la tête.

— J'étais absent. Héliot vous l'a-t-il dit ?... Je viens prendre de vos nouvelles.

Contrairement à ce qu'il avait auguré, sans doute, Tristan ne lui demanda rien : ni le jour qu'on était ni d'où il venait et quelles « prouesses » il avait accomplies. Il avait décidé de verrouiller son insolence tout aussi fermement qu'Oriabel, chaque soir, condamnait cette porte contre laquelle Bagerant s'adossait comme pour en interdire le passage.

— Comment vont les amours ?

— Bien.

— Il te contente, Oriabel ?

Elle eût pu lui répondre : « En quoi cela vous concerne-t-il ? » Elle choisit le ton boudeur que le routier venait d'employer :

— Il m'offre plus encore que vous ne le pensez.

— Bien ! Bien !... Vous ne trouvez céans que solitude, égards, bienveillances renouvelées...

— Ne prétends pas que cela se paye *aussi* ! Tiercelet se verrait contraint d'accomplir une nouvelle chevauchée.

— Je pense qu'il tarde... Est-ce ton avis ?

— Je n'en ai aucun.

— Si je savais par où il passe, je serais allé à sa rencontre.

— Pour t'emparer de la fortune et revenir céans, faussement consterné. Tu prétendrais que tu n'as pas vu le brèche-dent et qu'il a sûrement été occis par quelques malandrins.

— Hé ! Hé !... C'est bien pensé... Tu pourrais être des nôtres si tu savais employer ta malice !

Bagerant marcha jusqu'à la table et s'assit sur un coin, d'une fesse. Il fit aller et venir sa jambe pendante. Un fer de son pédieux dextre avait été arraché ; l'une de ses grèves portait des taches de boue et sa genouillère quelques criblures de sang.

— Savez-vous quel jour nous sommes ?

— Non, dit froidement Tristan.

Au début, il avait essayé de compter, Oriabel également. Toutefois, ils aggravaient ainsi leur anxiété au sujet, précisément, du brèche-dent. Ils avaient renoncé. Cela ne les empêchait pas d'imaginer des campagnes, des cités et des chemins fastidieux.

— Dimanche 27 mars.

— Ah ?

Un instant, ils demeurèrent tous trois immobiles, silencieux, plongés dans une espèce d'incertitude d'où Tristan préféra s'extirper le premier.

— Dimanche !... Venais-tu nous chercher pour nous conduire à vêpres, bien qu'il soit, je présume, un peu tôt ?

Cette pointe, réprouvée d'une lippe d'Oriabel, fut sans effet sur le routier :

— Non... Je suis venu en ami... En *cher* ami, si tu préfères... N'est-ce pas, *chère* damoiselle ?

Tout en l'exécrant, Tristan fut contraint d'admirer cet homme. Qu'il fût ou non en armure, il ne cessait de lui donner une forte impression de maîtrise, de souveraineté, avec ce visage net où l'aigreur des sourires, l'agressive densité des regards ne se tempéraient jamais d'une expression avenante ; et ces mains sèches, uniquement faites, semblait-il, pour saisir une épée, manier le tournoyant fléau d'armes, et qui parlaient, elles aussi, un langage d'une âpreté telle qu'on ne pouvait les imaginer tâtonnant un corps de femme.

— Point de vêpres, messire chevalier, dit Bagerant cependant que la pâleur du jour prisonnier de la chambre mettait en évidence les profonds sillons de son front. La messe que je t'offrirai sera celle de ton mariage.

Tristan acquiesça, maussade. Dans le flottement de son désarroi et de ses espérances, cette affirmation apportait au moins une certitude : ils seraient, Oriabel et lui, encore ensemble à cette occasion. Et c'était bien la seule évidence à tirer de ces propos proches du commandement.

— Je reviens de Sauges... ou plutôt : des abords de Sauges.

— Ah ? fit Tristan, derechef.

Il eût pu ajouter qu'il se moquait de ce qui se passait dans cette cité dont il méconnaissait l'emplacement et l'importance, mais Bagerant n'eût guère été dupe de ce mensonge.

— Je n'ai pu pénétrer dans Sauges avec mes hommes, puisque le gros Audrehem s'apprêtait à y entrer... D'ailleurs, elle était ceinte par quatre ou cinq mille guerriers honnêtes... Après moult négociations avec le maréchal, et pour préserver des vies des deux côtés, Pacimbourg a pu s'en aller vendredi avec ses gars et leur butin.

— Dans l'honneur, en somme ! releva Tristan. Et sans doute l'as-tu amené au Mont-Rond avec sa petite armée ?

— Non... Ils sont restés dans la forêt de Sauges... Ils nous seraient précieux, je te l'accorde, si Tancarville, Bourbon et l'armée royale venaient à Brignais... Je peux bien te le dire, puisque tu ne peux t'enfuir et nous préjudicier : si nous apercevons l'engeance du roi de France, le Petit-Meschin galopera vers Sauges et nous amènera ces renforts... Je pense qu'avant même de voir arriver l'ost royal, nous serons prévenus de sa venue par nos espies de Lyon et d'ailleurs, ainsi que par les guetteurs que j'ai apostés partout...

— Pourquoi me dis-tu tout cela ? Je ne suis ni ton complice ni ton confident... encore moins ton admirateur !

Bagerant remua ses bras aux cubitières lourdes et coniques, et posa son bassinet sur la table tandis que Tristan imaginait une charge de chevalerie lancée, dans le formidable tambourinement des sabots, sur la plaine de Sacuny.

— Je te dis cela pour que tu ne t'abuses pas. L'armée des Justes peut venir : nous faisons et ferons tout pour la déconfire.

— Je n'en doute pas. Si bataille il doit y avoir, je plains ceux qui périront, ceux qui perdront un membre... ou deux... Je plains jusqu'aux chevaux victimes des guisarmes et qui mourront dans un effroi auquel tu n'as jamais songé.

A nouveau l'inquiétude empoigna Tristan. Puis une croyance folle chassa les miasmes de la désespérance : Tiercelet avait plaidé victorieusement sa cause. Il revenait. Il chevauchait un des roncins que Thoumelin de Castelreng avait échangé contre les deux siens. Bagerant sourit. On eût dit, précisément, un cheval rongeant son mors.

— Le brèche-dent revient... Rieur ou maussade ?

Voilà qu'ils avaient eu la même pensée. Une menace diffuse les titillait de façon différente. Avec, sans doute, la même acuité.

— Attendons.

Tristan se tourna vers Oriabel. Dans la douceur mais aussi dans l'expectation où ses pensées et ses souhaits s'égaraient, elle incarnait tout à la fois la féminité, l'amour et la confiance. Elle apportait une certitude à cette attente : si Tiercelet revenait les mains vides, son esprit ingénieux apprêterait quelques astuces qui vaudraient leur pesant d'or.

— Voilà, dit Bagerant.

Et sans un mot de plus, après avoir saisi son bassinet, il s'en alla, le front bas, son épée heurtant à grand bruit le fer boueux de sa jambe.

Oriabel verrouilla la porte et, contournant le lit, s'approcha d'une archère. On y voyait une forêt que le Garon coupait droitement de son mince fil d'eau claire. Ils avaient entendu parfois, de ce côté, des chants de femmes et des roulades de tambourins sans jamais entrevoir quiconque à travers les feuillages. Des ribaudes devaient vivre là. Et des captives « converties ».

— Parfois, je crains que ce château lui-même nous retienne dans ses pierres... Je me disais cela aussi à Montaigny... Comment est fait le tien ?

— Comme un petit morceau de Carcassonne.

— J'aimerais le voir.

Elle s'était gardée de dire qu'elle eût aimé y vivre, avec un petit soupir et des clignements d'yeux — comme Aliénor autrefois. Sa condition de manante lui avait interdit les grands desseins. Occupée aux inconvénients et soins du ménage avec sa mère tandis que ses sœurs aînées œuvraient chez un tisserand et que ses frères aidaient leur père au charronnage, « tout près de la halle aux grains », son enfance infiniment plate avait fait d'elle une jouvencelle un peu morne, soumise, que de longues songeries entraînaient vers des châtelets ceints de hautes tours qui, de loin, semblaient des cierges coiffés d'or. Dans leurs cours pavées de marbres miroitants, une haquenée à la robe immaculée l'attendait pour la conduire au galop vers « un grand bonheur ». Tristan sourit. Peut-être, dans cette imaginaire félicité, incarnait-il pour elle Tristan de Léonois au lieu que d'être tout simplement Castelreng.

— Tu verras ce château, mais nous aurons le nôtre...

C'était bien marmouserie que d'affirmer cela. Surtout dans l'état où ils se trouvaient.

— Je me contenterais d'une chambre... si tu la partageais avec moi.

D'un bras, il ceignit la taille d'Oriabel, humant l'odeur de ses cheveux tandis que sa main libre la cherchait et découvrait sous sa robe. Il sentit sur sa joue cette veine qui se gonflait à son cou de lis, et qui battait, battait dès les premiers émois des sens.

— Tu veux que... dit-elle en reculant vers le lit.

Bien sûr, elle pouvait lui donner davantage, mais la venue de Bagerant avait instillé dans leur intimité quelques gouttes d'un poison dont il ne se guérissait pas.

— Attendons... Tout cela n'en sera que meilleur.

Il marcha jusqu'à une archère : celle par laquelle on apercevait le Bois-Goyet, le Mont-Rond et le chemin dodelinant vers Saint-Genis.

— Jamais ils n'apparaîtront par ce côté... Mais viendront-ils seulement par un autre ?... Et s'ils viennent, devons-nous penser que ce sera une bonne chose pour nous ?

Oriabel ne dit mot. Il se trouva morose, pesant, et constatant cela, il prit conscience qu'il ne s'était pas exercé au maniement d'armes depuis sa capture par les hommes de dame Darnichot. Faisant jouer son épaule touchée dans la forêt de Cravant, il fut heureux de la sentir souple, solide, prête à tous les mouvements, donc à toutes les violences.

Il empoigna, au chevet du lit, la Floberge qu'il tira de son fourreau.

— Bon sang ! dit-il en voyant quelques taches rousses à l'extrémité de la lame. Elle commence à s'enrugnir (1).

Il ne sut s'il devait en rire. Oriabel, sans doute, également.

— J'ai vergogne d'avoir négligé ma compagne.

Il baisa la croisette de son épée avec une ferveur qui n'était pas feinte, et bien que la chambre offrît un espace restreint pour ces sortes d'exercices, il se mit à frapper le vide, à le pourfendre et l'estoquer cependant qu'Oriabel, prudente, se réfugiait dans les draps.

— Tu te bats contre qui ? dit-elle sans sourire.

— Héliot... Je sais que je devrai faire armes contre lui.

Qu'ajouter ? Rien. Maintes fois par jour, désormais, il s'astreindrait à manier sa lame. A répéter tous les mouvements qui lui épargneraient des coups et lui permettraient d'en fournir jusqu'à ce que l'un d'eux, foudroyant et irrésistible, atteignît où que ce fût son adversaire. Souvent, face à Bagerant et à son infernal suppôt, il s'était roidi corps et âme afin de conserver intact sa faculté de se dominer. Il changerait. Aux passions fermement domptées de l'esprit, il substituerait la forcennerie. A la violence, il opposerait la violence et aux affronts l'audace. Il ne lui suffisait plus d'être impassible. Un besoin d'action — et d'action sanglante — le démangeait.

— Il faut que j'occise Héliot. Sa mort sera pour moi comme une guérison. C'est ainsi que j'obtiendrai de Bagerant un respect... définitif.

Il saisit son épée par la prise et le milieu de la lame. Il l'éleva à bout de bras, l'abaissa devant sa poitrine et récidiva encore et encore jusqu'à ce que son sang s'échauffât d'une ardeur belliqueuse, jusqu'à ce que les charnières de ses coudes et de ses épaules lui fissent mal ainsi que ses biceps. Alors, il s'approcha de l'archère au-delà de laquelle Oriabel aimait à regarder la campagne.

— Les prés sont vides, dit-il. Désespérément vides.

(1) Se rouiller.

Sous le coup d'une mélancolie aussi subite qu'inattendue, la chanson d'un trouvère, Jean l'Anselme, lui vint aux lèvres :

Me dois de partir à la guerre
En te laissant,
Pour y affronter l'Angleterre,
Suis tout dolent.
Baille-moi l'arme de mon père,
D'acier tranchant,
Sera ma garde en la croisière (1) *;*
En la prenant,
Baise-la et que ta prière,
Ainsi qu'un chant...

Il entendit un sanglot et s'interrompit.

— Non, dit-il en se retournant. Non !... Tu pleures !... Voilà l'effet de cette chanson... Tu veux donc que je sois malheureux d'avoir provoqué ta peine ? Il posa sur le lit sa Floberge et prit les mains d'Oriabel dans les siennes. Elle pleurait toujours, tout amollie de chagrin, contre cette poitrine où, la nuit, elle se préservait du froid et des mauvais rêves.

— Sois quiète... Il te faut, il nous faut avoir du courage.

Elle n'en était point dépourvue, mais inopinément celui-ci lui avait fait défaut. Il but ses larmes. Ils restèrent muets, enlacés, enveloppés d'une même anxiété et pénétrés du même doute sur la qualité, la solidité de leur devenir.

— J'ai peur de tout sauf de toi, chuchota Oriabel.

Tristan acquiesça, la gorge si serrée qu'il douta de pouvoir exprimer sa pensée :

— L'espérance, m'amie, est notre seul trésor.

Il le pressentait autant qu'elle : ils perdraient bientôt l'innocence de leur intimité. Si Tiercelet tardait, ils deviendraient les jouets et les proies d'une haine dont, s'ils n'en pouvaient évaluer l'ampleur, ils pouvaient augurer la fureur. Leur amour net et clair comme, précisément une lame, ne les garantissait pas du piège dans lequel, autant que leurs corps, leur jeunesse pourrait choir.

---

(1) Ou *croiserie* : croisade.

VIII

Trois jours plus tard, à la mi-nuit, quelques coups à la porte désenchantèrent les amants.

— Bon sang ! enragea Tristan, c'est la première fois que cela nous advient !

Dans les ténèbres, un rai lumineux, au ras du pavement, indiquait le seuil de la chambre.

— Qui est-ce ? demanda Tristan, une main sur la prise de son épée.

— Moi, Tiercelet.

Le verrou grinça. Le brèche-dent entra, portant un flambeau. D'un regard il vit les pichets sur la table. Il restait du vin, qu'il but goulûment. Puis, s'essuyant les lèvres de son avant-bras :

— Bon sang, ça fait du bien... J'arrive... Je ne suis pas allé au Mont-Rond... Je connaissais les gars de garde au pont-levis... Celui qui veille à votre porte n'a fait aucune objection : j'avais un écu dans la main, mon perce-maille dans l'autre... Il m'a même offert de quoi nous éclairer !

— Tu es le premier visiteur que nous accueillons avec joie !... Parle !

Considérant Oriabel, mal ensevelie dans sa rude chape grise, toute frissonnante de joie et d'un reste d'étreinte, et lui, Tristan, ceint de ses braies encore gonflées sur le devant, Tiercelet se permit un sourire :

— Ressaisissez-vous, si j'ose dire !... Asseyez-vous sur le lit ; moi, je prends ce banc...

Son regard pâle et comme fané de lassitude se posa derechef sur la jouvencelle et s'adoucit encore. C'était un regard de frère, bien que l'admiration en fût immense.

— Raconte-nous, dit-elle avec la ferveur d'une prière.

— A trop penser à ce que j'allais vous dire, voilà que mes idées s'éparpillent.

— Prends ton temps, dit Tristan. Tu es présent. C'est bon de te revoir !

Tiercelet était son aîné. Il subissait déjà son ascendant. Et quel besoin d'apprendre le démangeait !

— J'ai vu ton père. Il m'a reçu courtoisement.

Des images ténébreuses envahirent la tête de Tristan : Thoumelin de Castelreng, méfiant à juste raison, accueillait Tiercelet. Il lui offrait un siège et un hanap du vin de ses vignes. Puis l'entretien commençait. Décevant ? Sans doute. Mais ne s'attendait-il pas, lors du départ du brèche-dent, à éprouver dès son retour l'angoisse et l'espèce de fureur qui, maintenant, lui tordaient les entrailles ?

— C'est non. Je m'y attendais... Et il t'a dit pourquoi... Il m'en veut de l'avoir lâché...

« Peut-être », songea-t-il, pour la première fois, « s'est-il douté de ce qui s'est passé entre Aliénor et moi. »

Lors de ces six ans de séparation, il avait souvent imaginé la vie nouvelle et les propos de son père. Il l'avait entendu maugréer contre lui en marchant lentement dans la pénombre du tinel, les mains au dos, vêtu de son surcot de lin grenat, ses heuses de daim grinçant en touchant l'échiquier des dalles rarement jonchées de paille. De l'automne au printemps, sans trêve, un feu de sarments rutilait dans une encoignure, entretenu par Marguerite, l'épouse d'Edmond Barthès, le palefrenier-veneur-écuyer du baron. *« Il marchait, j'en suis sûr, et Tiercelet le regardait. »* A elle seule, tandis que son esprit la cernait mieux encore que s'il y avait assisté, cette scène acquérait un pouvoir pétrifiant, un mystère qui le faisait frissonner plus que la froidure nocturne. Tiercelet lui apportait un *Non* pour toute réponse. Un *Non* parce qu'il avait quitté le château en reprochant à Thoumelin d'avoir trahi sa défunte femme au profit d'une... L'avait-il proféré, ce mot affreux ? Bien sûr. Parce qu'il le pensait et le pensait encore. Et voilà que par un messager au visage dur — il fallait en convenir ! — il avait eu l'audace de se rappeler au souvenir des êtres de Castelreng pour obtenir leur aide.

— Il a dû crier à l'infamie.

— Non... Ton père m'a fort bien reçu en son tinel. Sa jeune épouse était présente... Belle, douce, avenante... Savais-tu... Non : tu ne pouvais pas savoir qu'ils ont un enfant... Un gars.

— Hein ? souffla Tristan.

Ce retour, déjà, s'accompagnait d'une déplaisance. Mieux encore : d'une stupéfaction. S'il avait cru Thoumelin de Castelreng capable de forniquer, il n'avait jamais pensé qu'il pouvait procréer. Certes, il n'était pas un vieillard. Une existence énergique et sobre avait préservé sa virilité. En tant que fils d'abord, puis en tant qu'homme, il avait toujours admiré la force agile de son père, cette sorte de jouvence qui lui chauffait le sang et passait dans sa voix, dans ses rires et jusque dans ses mains qui savaient manier la cognée aussi parfaitement que la hache de guerre. Comment s'étonner qu'il eût fait un fils à Aliénor ?

— Un garçon, dit-il d'un ton qu'il trouva trop placide. Quel est son nom ?

— Olivier. Il a dans les six-sept ans. Il jouait sur un cheval de bois quand je suis entré dans la cour. Un cheval bleu houssé de rouge.

— Ce cheval était mien.

— Il est blond cet enfant…

— Un demi-frère... Cela te déplaît ? demanda Oriabel.

Tristan n'osa la regarder. « Non », mentit-il de la tête.

Depuis le remariage de son père, il avait cru pouvoir effacer la demeure ancestrale de son esprit. Sans y parvenir. Il se disait qu'Aliénor étant, elle aussi, maîtresse du châtelet et des terres à l'entour, il n'aurait pas l'audace immonde de l'en chasser si son père décédait. D'ailleurs, comment eût-il pu être informé de cette mort ?... Thoumelin vivait, Dieu merci ! et rien n'avait subi la moindre corrosion dans sa mémoire : il avait suffi que Tiercelet fût allé là-bas pour que les images ternies, les joies et les peines prétendument effacées eussent repris leurs contours et leurs couleurs, leurs qualités, leur goût amer comme les vrilles de la vigne.

Tiercelet roula son chaperon en boule et s'en débarbouilla :

— Je lui ai dit dans quelles conditions tu lui avais écrit pour qu'il sache bien que ta sécheresse était involontaire. Je lui ai raconté que tu étais venu à Auxerre dans la petite armée de Tancarville, dont j'étais, et que nous revenions à Paris quand les routiers nous ont assaillis. J'ai ajouté que tu ne t'abusais guère sur les conséquences de ton message, non pas parce que tu pensais que lui, Thoumelin, ne t'aimait pas malgré un différend dont j'ignorais tout, mais parce que tu connaissais l'état de sa fortune... Il s'est mis à marcher du seuil du tinel à la cheminée, les mains au dos... Son épouse, qui cousait, je crois, une chemise, levait parfois les yeux de son aiguille, puis me regardait, l'air plaintif...

— Viens-en au fait, compère.

— On dirait que tu ne l'aimes pas, releva Oriabel.

— Je n'ai ni à l'aimer ni à la détester. Dans ma vie, elle n'a fait que paraître et passer...

Aussi juste qu'eût été cette formule, Oriabel parut douter d'une indifférence pareille. Et Tiercelet ? Il aplatissait son chaperon. Pour passer le temps lors de sa chevauchée de la Langue d'Oc à Brignais, il avait dû jeter au crible tout ce qu'il avait vu, appris et supposé des Castelreng. Il en subsistait quelque chose. Mais quoi ?

— Elle a dit : « *Thoumelin, il vous faut aider Tristan.* » Elle parlait fermement et — comment dire ? — avec bonté... Ou plutôt, une insistance douce. Et crois-moi : le cœur y était !

Aliénor avait plu au brèche-dent. Hormis une ambition qui n'était, après tout, qu'un moyen de s'assurer une vie convenable, ne l'avait-il pas trouvée, lui, Tristan, au commencement de leurs « amours », belle et irréprochable ? Il soupira et, dérobant son regard à Tiercelet :

— Soit, le cœur y était... Comment en douterais-je ?

— Ton père lui a dit : « *Tu sais bien que je n'ai que ma suffisance. Cent écus d'or, soit. Deux cents ? C'est impossible... Alors, comment en réunir un millier ?... Et tels sont ces gens qu'ils ne se contenteront pas d'erres* (1) *aussi minces que cent écus, assortis de promesses de paiements futurs !* » Elle a répondu : « *Ne pouvez-vous demander de l'aide à l'entour ?... Vous avez des amis nombreux...* » Car elle lui dit *vous* et c'est tout juste si elle ne lui dit pas *messire...* Et j'ai accompagné ton père à Roquetaillade, Chalabre, Caudeval... Rien d'autre que de bonnes paroles apitoyées !... Pourtant il proposait de vendre quelques terres... Nous sommes allés chez le père d'Aliénor, à Mirepoix. C'est un petit bourgeois... Il a gratté partout et rassemblé trente écus...

Oriabel tordait et détordait l'encolure de sa chape grise. Un silence net, désespéré, s'était installé, à peine troublé par les grésillements du flambeau que Tiercelet tenait toujours. Il l'approcha de celui que la jouvencelle avait éteint juste avant de se glisser dans le lit. Il fit plus clair. La chambre en devint plus misérable encore.

— Qu'allons-nous faire ?

— J'ai amené cinquante écus pour ton usage.

— Si je les donne en acompte à ce coquin...

— J'ai dit *pour toi,* interrompit Tiercelet. Pas pour Bagerant ! Baissons la voix... Dis-toi qu'avec cinquante écus, tu pourrais obtenir quelques accointances si par malheur la fallace (2) que j'ai en tête tournait mal... Adonques, je les conserve pour le moment car si tu les possédais, tu commettrais des erreurs de jugement et de personnes... En fait, il me paraît qu'il n'y ait qu'un seul gars sur lequel

---

(1) Arrhes.
(2) Ruse.

nous puissions compter... Et c'est Jean Doublet, qui était à la table des chefs, le soir de notre arrivée...

— Je m'en souviens... Il parolait très peu.

— Il m'a dit quelques mots... Je crois qu'il est ici contre sa volonté.

— Il peut devenir notre allié !

— Notre allié ?... Non... Mais imaginons qu'il commande à des hommes lancés à notre pourchas... Il peut faire en sorte de les retarder ou de les égarer... Nous n'en sommes pas là. Ce qu'il faut, c'est penser à tout. Au meilleur comme au pire...

Il y eut dans la nuit des sabotements sourds. Tiercelet s'en alla regarder par une archère. Le martèlement dura plus longtemps qu'à l'accoutumée.

— Des torches... Au moins deux cents hommes et, détaché d'eux, un chef en haubert blanc, une guisarme à la main : le Petit-Meschin, j'en jurerais.

— Où vont-ils ?

— Comment le savoir, compère ? Et puis pour nous, quelle importance ?

La fausse aurore qui, du fait des lueurs, avait un long moment éclairci les embrasures, se résorba lentement. Tiercelet revint s'asseoir, vit un reste de pain sur la table et l'écrasa entre ses mâchelières. Puis il vida le reste du pichet :

— Je n'ignore rien, Tristan, de ce que tu penses et ressens. J'ai fait au mieux... On ne peut même pas payer ce fumier de Naudon en monnaie fourrée !

Oriabel n'était plus tentée de dire un mot. Elle occupait le centre de cette déconvenue prévisible avant même que Tiercelet ne fût parti pour Castelreng. Tristan baisa la jouvencelle au front, baiser de déception et d'ennui plutôt que de réconfort ; elle l'en remercia d'un battement de cils et se jeta sur le lit, se glissa dedans et sanglota, la couverture au-dessus de sa tête afin d'étouffer ses pleurs. Tristan voulut se pencher.

— Non, lui enjoignit Tiercelet en l'empoignant par l'épaule. Tu la consoleras quand je serai parti. Parlons entre hommes ! Si tu m'obéis, vous serez sauvés.

Disant cela, l'ancien mailleur exigeait davantage qu'une attention : une dépendance sans faiblesse, une énergie qu'il croyait peut-être dissoute dans l'amour et la réclusion.

— J'ai perdu une demi-journée, mais je suis allé à Lyon. La cité n'est pas belle à voir pour un homme comme moi : elle regorge d'hommes d'armes. Ils vont venir, c'est sûr, devant Brignais.

— Quand ?

— Cela ne saurait tarder. En mangeant dans un bon hôtel... grâce à un emprunt que je te rembourserai, j'ai su que cette grosse bête de Tancarville, qui avait réuni une partie de l'ost à Autun, n'avait rien trouvé de mieux que de passer commande d'échelles et de mantelets aux charpentiers de Lyon. Plutôt que de les prendre au passage en marchant sur Brignais, il est venu les chercher avec cent hommes et vingt haquets pour les emmener à Autun. Ce qui prouve non seulement qu'il est un sot, mais qu'il a l'intention d'assaillir cette belle demeure où nous sommes !

— S'il avait vu ce château, il aurait su qu'on le peut envahir en passant par les toits des maisons qui l'entourent à demi !

— On dit aussi que ses guerriers grognent de plus en plus car ils n'ont pas touché leur solde. Quant à Bourbon, il clame à tous vents qu'il va détruire tous les routiers dès que Tancarville et ses batailles l'auront rejoint. Or, ils ont quitté Autun et cheminent lentement du fait d'un lourd charroi et de la mauvaise volonté des hommes !

Une sorte de violence tangible — ou d'impatience — entrait comme un couteau dans le cœur de Tristan. Il sonda le regard glacé de Tiercelet :

— Quels sont tes desseins ?... Sachant ce que tu sais, tu aurais pu retarder ton retour et nous laisser patouiller dans la merde où nous sommes. Et tu es revenu ! Je t'en sais bon gré, mais...

L'expression pensive du brèche-dent changea avec une rapidité foudroyante. Il rit, et cette moquerie-là, Tristan pensa qu'en tout autre lieu, il s'en serait offensé :

— Sais-tu qu'Oriabel pourrait souffrir de ton emportement. C'est peut-être de l'outrecuidance, mais vos deux vies sont sous ma protection.

— Cette vérité-là ne me contrarie pas.

La face hâlée de Tiercelet se referma sur ce sourire noir qui devait effrayer les honnêtes gens. Sa voix devint chuchoteuse :

— Il nous faut essayer de flouer Bagerant. Je vais, pour ça, lui dire que ton père a réuni la moitié de la somme et que je l'ai apportée avec moi. Sans qu'il ait le temps de placer un mot, j'ajouterai que messire Thoumelin, homme avisé, se fait fort de réunir l'autre moitié... qu'il lui portera lui-même.

— Ce démon exigera de voir ces cinq cents écus que tu prétendras posséder !

— Je lui dirai que connaissant sa fausseté, je me suis garanti contre elle et que je tiens à ce qu'il vous rende la liberté loin de ce pays, par crainte qu'ayant reçu la rançon, il ne vous fasse enchartrer (1) sous un nouveau prétexte...

— Et ces écus qui n'existent pas ?

— Je prétendrai que je les ai enterrés dans une cité voisine de Brignais dont ton père m'a fourni le nom et où il doit nous rejoindre.

— Laquelle ?

— Givors, à moins de cinq lieues d'ici. J'exigerai qu'il vienne avec Héliot et l'avertirai que du haut du clocher, on voit fort bien ce qui se passe à l'entour. Ainsi, pour le cas où il essayerait de se jouer de nous, il devrait renoncer à ses maudits écus !

— Mais nous ?

— S'il accepte, je partirai en avant. Vous viendrez sur ton cheval avec ces deux démons. Il me croira avec ton père...

— Qui ne sera pas là !

— Je dirai à Naudon que nous avons décidé d'une date : le dimanche 10 avril à midi. En fait, c'est en partant pour ton pays et en contournant le château de Givors que cette idée m'est venue. Bien sûr, ton père n'aura pas quitté sa demeure. Bien sûr, je n'ai pas cinq cents écus d'or, mais il faut affriander Bagerant, le faire quitter le Mont-Rond avec Héliot et vous deux. Le trésor sera enterré, soi-disant, dans le petit champ qui entoure l'église. Ce sera à toi de le déterrer. Sois certain que Bagerant sera pourvu d'une bêche. Or, sais-tu ce qu'est cet outil ? Une arme, et des meilleures, pour qui sait s'en servir... Je suis sûr que l'impatience de ces deux malandrins leur fera quitter leur selle. Ils s'approcheront... Une bonne pelletée de terre dans la hure de l'un... Je m'occuperai de l'autre...

— Et Oriabel ?

— Elle courra se jeter dans l'église. J'ai acheté le tonsuré.

— Es-tu sûr que Bagerant te croira ? Rien ne peut attester que mon père a déjà réuni cinq cents écus !

De l'index et du majeur assemblés en pince, Tiercelet extirpa un étui de cuir noir à l'abri d'une de ses heuses. Oriabel sécha ses pleurs et se leva tandis que Tristan tirait le message de son enveloppe.

— Prends ça soigneusement, l'ami !... La lettre que tu tiens est écrite par la main de ton père... N'en brise surtout pas le sceau ! C'est à Bagerant de l'ouvrir puisqu'elle lui est destinée.

Tristan découvrit, profondément enfoncé dans la cire vermeille, le petit sceau aux armes de sa famille : *De gueules à deux tours d'argent.* La suscription portait, écrite effectivement par son père : *A messire Naudon de Bagerant.*

(1) Emprisonner.

— Thoumelin de Castelreng promet d'acquitter entièrement la rançon et dit qu'il sera le 10 du prochain mois à Givors pour verser le complément des cinq cents écus qu'il m'a confiés...

— Pourquoi n'avez-vous pas choisi un jour plus proche ? Le dimanche 3, par exemple ?

Tiercelet leva les yeux au plafond :

— Trop tôt. Il me fallait compter large pour ce retour. Si tout s'était bien passé à l'aller, je pouvais être retardé par des pluies, une crue du Rhône, qui est fort gros. Je pouvais aussi avoir un cheval malade... ou rencontrer des Tard-Venus et devoir parlementer avec eux... De plus, pour le cas où je cheminerais quiètement, il me fallait faire accroire à Naudon que ton père éprouvait des difficultés à réunir la première part de rançon. C'est pourquoi nous nous sommes accordés sur ce dimanche 10. Qu'en dis-tu ?

— C'est bien pensé... Bagerant, à ce qu'il prétend, ne sais pas lire.

— D'autres savent : Garcie du Châtel, Pierre de Montaut, Angilbert le Brugeois... Crois-moi : tous devront lire ce parchemin pour qu'il soit assuré de ce qui est écrit dessus.

En dépit d'une angoisse tenace, Tristan fut réconforté par tant d'astuce. Il s'autorisa une objection, tout en pressentant qu'elle serait sans effet :

— Et si le comte de la Marche, Tancarville et l'armée surviennent devant Brignais avant ce dimanche-là ?... S'ils engagent la bataille ?

— J'y ai pensé comme à la pire des choses !... Il nous faudra nous dépatouiller.

Tristan se retourna. Oriabel penchait la tête comme si le poids de sa chevelure faisait fléchir son cou. Elle était apparemment sereine, mais son visage restait exsangue. Le baiser qu'elle reçut sur la joue y fit paraître un peu de rose.

— Aie confiance, beauté ! murmura Tiercelet.

— Tu es un génie, un bon génie ! affirma Tristan. Empêtré dans son charroi, Tancarville mettra, pour venir d'Autun à Lyon, plus de temps que ne l'espère le comte de la Marche... Ils seront après le 10 à Brignais !

Tiercelet rassura la seule Oriabel :

— Allons, m'amie, n'aie crainte : nous saurons quitter ces lieux dans les prochains jours. Et si les honnêtes gens de France viennent contrarier mes desseins, j'en puiserai moult autres dans mon sac à malices !

En était-il si sûr ? Toute fortifiée qu'elle parût, la jouvencelle posa une question que Tristan trouva essentielle :

— Que va décider ce démon jusqu'au paiement de la rançon... Je veux dire : jusqu'au 10 du mois prochain ?

Le front sourcilleux de Tiercelet se détendit :

— Rien qui ne vous préjudicie. Il va devoir attendre... Comme nous !

— Attendre...

Oriabel saisit la dextre de Tristan, qu'elle caressa de sa joue, de ses lèvres, sans crainte que Tiercelet ne se rie de ses façons.

— J'ai tous les courages, dit-elle. Toutes les patiences. Parce que tu m'aimes.

A l'entendre, on eût pensé que dans cette lutte continuelle contre l'incertitude du lendemain et les difficultés d'une vie pernicieuse, elle se fortifiait chaque jour davantage. Tristan savait qu'il n'en était rien. Elle tremblait à chaque bruit suspect. Elle se bouchait de plus en plus souvent les oreilles lorsqu'un cri jailli d'en bas montait à leur rencontre pour leur signifier que la violence existait toujours et que née avec l'aurore elle ne s'accoiserait que tard dans la nuit. Contrairement à ce qu'elle affirmait, une résignation la prenait. Il la voyait pâlir, perdre de sa vivacité, se confiner — brièvement, certes, mais maladivement — dans une méditation profonde, énigmatique, dont elle émergeait en frissonnant sans qu'elle eût froid. Il savait mieux encore que Tiercelet attendri par le teint de lis d'Oriabel, quelle somme énorme de confiance, d'énergie et de volonté, représentait pour la jouvencelle cette lutte inégale d'une âme pure contre la réclusion, la prostration, la méchanceté du temps. Il eût voulu compatir plus encore qu'il ne le faisait à cette détresse latente. Maintenant, bien que le retour du brèche-dent eût comblé ses espérances, il s'accusait de présomption, de folie, et s'indignait d'avoir cru en la réussite d'une duperie que Bagerant pourrait éventer s'il décelait sur les visages et les comportements de Tiercelet, d'Oriabel et de lui-même, quelque singularité qui le ferait douter de leur loyauté.

Tiercelet ne put retenir un bâillement d'ennui ou de lassitude.

— Tiens, dit-il, encore une cavalerie... Celle-ci semble revenir au Mont-Rond... Il y a des cris d'hommes qu'on doit mener durement...

Il se recoiffa de son chaperon, offrit sa main à Tristan et baisa Oriabel au front puis, soulevant son flambeau :

— Confiance, patience et cautelle (1). Je reviendrai veiller sur vous dès que j'aurai dormi un tantinet. J'obtiendrai de vous faire sortir d'ici dans la journée...

Il déverrouilla la porte et sortit. Oriabel repoussa doucement la targette puis enlaça Tristan, tout proche, si fortement qu'il en chancela. Ses mains la touchèrent sur cette chape malséante qui ne pouvait l'enlaidir. Contact rêche, presque semblable à celui des pierres

(1) Ruse.

de leur chambre. Cette sensation le rendit à la réalité : ils demeureraient en geôle ; rien n'était gagné dans le jeu terrible qui les opposait à Bagerant, mais leur amitié pour le brèche-dent s'était encore affermie.

— Crois-tu... dit-elle les yeux brillants et la bouche indécise.

— Je me fie à Tiercelet... Il est mon maître. Tout, entre nous, n'est composé que de dissemblances et plus le temps passe, plus je bénis Dieu de l'avoir rencontré... Il nous sauvera, j'en suis sûr... Oh ! tu trembles... Viens te coucher...

IX

— Le soleil est déjà très haut, à ce qu'il semble.

— Midi bientôt, ma douce, sûrement.

— Et *il* n'est pas revenu.

— Ne crains rien pour lui. Il était si las, cette nuit ! Il a besoin de repos. Dès qu'il le pourra, tu le verras paraître.

Tristan s'approcha d'Oriabel un peu courbée devant l'archère d'où l'on découvrait le Mont-Rond. Elle se releva et lui offrit ses lèvres. Il huma l'odeur miellée des cheveux qu'elle avait lavés à son réveil.

— Il reviendra, dit-il, en se laissant aller au bien-être de l'étreindre.

La probable survenue de Tiercelet l'obligeait à la sagesse, et l'impatience qui faisait battre son cœur n'était point celle du désir. En fait, il se rongeait d'inquiétude. Le courage quelquefois défaillant d'Oriabel le tourmentait. Il fallait que, ses doutes et ses angoisses révolus, elle se sentît emplie d'une confiance à toute épreuve, moins en lui, Castelreng, qu'en Tiercelet dont, jusqu'à Givors, il ne serait que le vassal. Pendant quelques semaines, la distance entre eux et le brèche-dent lui avait semblé, à mesure qu'elle grandissait, jonchée de pièges mortels ; il s'était fréquemment substitué à lui sur les chemins peuplés ou déserts. Il fallait qu'il le fît pour croire en sa réussite. Si ce retour impliquait un soulagement, une joie, une espérance énorme, il n'effaçait aucune des menaces qui les opprimaient.

— Es-tu content de savoir que ton père t'aime encore ?

Certes, il était soulagé. Oriabel allait-elle l'entretenir d'Aliénor ? Et d'Olivier, ce demi-frère inattendu ? Non. Quelqu'un frappait à la porte.

— Qui est-ce ? demanda-t-il.
— Nous, répondit Bagerant. Ouvrez !
Le routier devança Tiercelet d'un grand pas. Tous deux, l'un envers l'autre, paraissaient dans les dispositions les meilleures.
— Je vois, dit Tristan affrontant Bagerant de face, que tu es aussi heureux que le roi Midas !
— Connais pas... D'où est-il ?
— Il changeait tout en or, il y a fort longtemps.
Un rire. Tiercelet rit aussi, d'autant plus grossement qu'il était anxieux.
— J'ai décidé de célébrer ce jour d'hui le retour du brèche-dent, annonça le routier. Pourquoi ? Parce que le 10 avril, si la rançon est acquittée, vous ne serez plus parmi nous... Alors, pourquoi ne ferait-on pas d'une pierre deux coups ?... Flèche de tout bois ?... Voilà ce que je me suis dit... Et vous ? Savez-vous qu'un tiens vaut mieux que deux tu l'auras et que mieux vaut tenir que courir ?
— Où veux-tu en venir ? interrogea Tristan dont la suspicion s'aggravait.
— Que ce jour d'hui, jeudi 31 mars, nous célébrerons à la fois la revenue de Tiercelet et votre mariage... Rien ne s'y oppose, à présent, et c'est mon désir le plus...
— Dis plutôt, interrompit Tiercelet, que ton désir est un commandement.
Il semblait en plein accord avec le routier. Son clin d'œil, tout en rassurant Tristan, signifiait : « Accepte. Ne le contrarions pas. » Oriabel semblait résignée. D'une main, Bagerant éprouva la mollesse du lit. Sa gaieté se convertit en menace :
— Angilbert est prévenu... Il dira la messe... Allons, allons : vous verrez, mes enfants, ce sera magnifique... Vous pourrez forniquer sous le regard de Dieu !
Bien que cet homme eût perdu la Religion, il venait d'adopter l'onctuosité, la démarche, les gestes larges et solennels des presbytériens à l'office. Il n'avait qu'une foi, une divinité : la Puissance. Rejeter ce témoignage de fausse amitié sous n'importe quel prétexte, c'était lui déplaire, et lui déplaire, c'était encourir sa rigueur.
— Soit, dit Tristan. Après tout, jusqu'au dimanche 10, nous ne sommes pas maîtres de notre destinée.
Cette observation fut sans effet. Elle impliquait pourtant que, passé midi de ce dimanche essentiel, ils jouiraient, Oriabel et lui, d'une liberté complète.
« Ce coquin machine lui aussi quelque chose. Veut-il m'occire pour profiter d'Oriabel ? Il l'a dépréciée, maintenant, il l'admire ! »

Bagerant lui *sortait des yeux* comme une statue sortait de la pierre. Plus il le maudissait et le craignait, plus le routier prenait du relief. Son immobilité soudaine lui donnait, dans l'ombre où il venait de s'arrêter, un caractère surnaturel : il était le mal incarné ; une énigme vivante et maléficieuse.

— Nous vous marions tantôt (1)... Viens, Tiercelet... Et vous deux, suivez-nous.

Avant de franchir le seuil, Tristan prit soin d'empoigner sa Floberge.

— Tiens, remarqua Oriabel tandis qu'il bouclait sa ceinture d'armes, nous n'avions pas de regard (2).

— Tout de même pas un si beau jour ! dit Bagerant.

Ils descendirent l'escalier. Dehors, le soleil les saisit dans ses mille mains jaunes et leur réchauffa le sang. Le ciel, d'un bleu léger, moutonnait. On subissait, à se sentir dessous après tant de jours passés sous les arceaux de pierre, une impression d'aisance infinie. L'ombre elle-même avait une douceur, un moelleux plein d'un charme revigorant. Angilbert qui marchait à grands pas dans la cour, lâcha sa cordelière : le crucifix qu'il tourniquait lui heurta un genou.

— Oh ! grimaça-t-il, comme je suis bien aise de vous revoir.

— Tu aurais pu, moine, reprocha Tiercelet, leur porter tout là-haut le réconfort de la bonne parole, plutôt que de te soûler la goule !

— La chapelle sera pleine, annonça Bagerant. Le château n'aura jamais reçu tant de beau monde... Ne me regardez pas tous ainsi !... La Chevalerie, l'écuyerie, l'archerie, les frondeurs et toute la piétaille assisteront à cette union peu commune d'un preux et d'une bachelette... il est vrai valeureuse !

La méfiance éclata en Tristan comme une sonnerie de trompettes :

— Et si je récusais tes invités ?

— Tu parles net, mais ta voix et ton cœur sont déjà résignés.

A quoi bon répondre. C'eût été se rabaisser.

— C'est moi qui, ce jeudi, détiens le commandement suprême, crut opportun d'ajouter Bagerant tout en quêtant la caution de Tiercelet qui préféra suivre le vol d'un pigeon, et celle d'Angilbert qui la lui fournit à grands coups de tonsure. Tu es mon obligé, Tristan de Castelreng, et cela pendant dix jours encore. Je ne sais pas lire mais je sais compter jusqu'à dix et même au-delà : jusqu'à cinq cents... et mille, si je me fais bien comprendre... Nous ferons en sorte que tu te souviennes de ton mariage... et toi aussi, Oriabel !

---

(1) *Tantost :* aussitôt.
(2) Gardien.

Tous les chefs des compagnies réunies à Brignais vivaient dans une émulation continuelle. Leurs orgueils s'affrontaient autant lors des batailles qu'au cours des festivités qui les en délassaient. La fierté de Bagerant exigeait qu'il puisât aux abîmes d'une imagination sans cesse sollicitée, mais riche encore de nouveautés luxurieuses, quelques « joyaux » susceptibles d'éblouir ses compagnons.

Oriabel avait compris. Son regard vif signifia : « N'aie crainte, je serai forte. » Tristan n'en fut guère apaisé.

— Tu ne peux épouser ta donzelle dans l'état où tu es, et elle ne peut porter cette robe piteuse. J'ai demandé qu'on te prépare une armure et que la mariée ait du beau linge à sa disposition... Non, ne refuse pas : c'est une sommation à laquelle il vous faut dire *amen !...* Pas vrai, vous deux ?

Tiercelet grommela : « En effet ! En effet ! » et Angilbert en fit autant.

Ils étaient parvenus au seuil de la chapelle. Jetant un regard par la haute porte déclose, Tristan vit la nef vide et s'en montra surpris.

— Tous les sièges ont servi à cuire la pitance, expliqua le moine d'une voix contrite. J'ai prié, prié pour que Dieu leur pardonne... Ils ont même cramé le grand Christ de bois et Notre-Dame...

— Vous allez voir qu'il va verser des larmes ! ricana Bagerant. Holà ! le Brugeois, mène-les à la sacristie.

Angilbert courba l'échine ; Oriabel le suivit au bras de Tristan.

— Non, Tiercelet, dit Bagerant dans leur dos. Demeure avec moi... Ne crains rien : il n'y a qu'un harnois de guerre et des gipons et une gonne (1) de femme derrière ce petit huis épargné jusqu'ici par les flammes.

Tristan croisa le regard apeuré de sa fiancée :

— Obéissons, dit-il à voix basse, ou il nous mésarrivera (2).

* *
*

— Tu es belle, m'amie.

Deux larmes roulèrent sur les joues d'Oriabel.

— Je n'aurais pas voulu m'habiller ainsi. Ce vêtement a sûrement appartenu...

Elle s'interrompit. Tristan la berça, les lèvres dans ses cheveux.

— Je te comprends, dit-il doucement. Et je mesure aussi la bonne chance que nous avons eue de vivre au donjon, loin de

(1) Robe.
(2) « Ou notre comportement aura une issue funeste. »

tout… Bien que tu puisses m'accuser justement de couardise, je voudrais oublier ces femmes... On dirait, ajouta-t-il en s'éloignant un peu, que cette robe fut faite pour toi...

Elle avait été taillée dans du velours ciselé, dit de Gênes, d'un vert sombre. Ses pans, à fleur de terre, étaient enjolivés de guipures des Flandres, couleur d'or, et le col adorné d'écureuil de Calabre. A chaque manche, ridée as las (1), maintenue entrouverte par des aiguillettes de fil d'archal, pendaient quatre ferrets d'argent gros comme des cerises. Un frontal formé d'un galon d'or et de pierreries accusait la pâleur d'Oriabel. Une crépine de soie dorée retenait ses cheveux dont elle avait roulé les tresses en templières (2).

— Me voilà cointe de la tête aux pieds, fit-elle en dégageant du vêtement un fin soulier de basane. Toi, tu ressembles à saint Michel...

— Je n'en ai que l'épée, dit-il avec un enjouement qui lui parut trop affecté, mais cette armure est seyante et légère. Je jurerais qu'elle vient de Milan.

Dedans, il se sentait à l'aise : les spallières et les cubitières, bien ajustées à ses épaules et à ses coudes, lui permettaient tous les mouvements capables d'assurer sa défense, et ses cuissots et genouillères ne pouvaient entraver la marche et la course. La cuirasse, ample, ne comprimait pas son torse, et par bonne chance, les solerets n'étaient prolongés d'aucune poulaine. Un grand bassinet à bec de passereau complétait ce blanc harnois.

Il s'éloigna de deux pas d'Oriabel et l'admira derechef :

— Si c'est à l'infâme Naudon que tu dois ces merveilles, on peut dire qu'il a un coup d'œil magique... C'est à en devenir jaloux !

Il l'aimait plus encore dans cette robe qui rendait justice à sa poitrine et à ses flancs bellement incurvés, soulignés par une ceinture de cuir sans ornement d'aucune sorte. Belle d'une beauté divine et redoutable : tous les compagnons de Bagerant ne pourraient être que séduits.

— Nous devrons nous méfier de moult convoiteux...

Il ne put achever car la porte s'ouvrait sans qu'on y eût toqué. Bagerant entra et siffla :

— Une princesse est née à Brignais ce jeudi !

Ce merveillement pour Oriabel le tourmentait. Il avait eu l'inconséquence de ne pas se l'approprier. Son regard l'enveloppait, la dénudait, la pénétrait. Il avait tout vu, tout éprouvé, mais il sentait

(1) Manche lacée.
(2) Dans cette coiffure, les nattes étaient roulées sur les oreilles.

qu'il était étourdiment passé à proximité de quelque chose. Il n'y voulut sans doute plus penser :

— Je vois que cette armure te convient et te la donne. Elle ne m'a rien coûté, tu t'en doutes. Celui qui la portait a péri de ma main.

Tristan ne sut que dire. Dehors, il y avait, tout ensemble, des clapotements de fers sur les pavés et des bruissements de semelles. « Ils viennent ! Qu'allons-nous devoir endurer ? » Il passa son bras chargé de fer sur l'épaule d'Oriabel, sachant qu'il irritait Bagerant dont il outrageait la concupiscence.

— Sortons... La chapelle et la cour commencent à s'emplir. Je conduirai la mariée à l'autel... après que nous aurons fait un petit tour parmi les hommes !... Cette sublimité se doit d'être admirée.

Il fallait se résigner. Oriabel posa sa dextre sur l'avant-bras de Bagerant qui ne put s'empêcher d'exhaler un soupir :

— Quel beau mariage nous aurions dû faire !

Tristan se contraignit au silence tout en regardant les hanches de la jouvencelle osciller comme lors d'une danse. « Jusqu'où ce renié (1) va-t-il pousser son avantage ? » Il fut heureux de retrouver Tiercelet et de voir qu'il n'appréciait aucunement le cérémonial que le routier venait d'exiger d'un ton plaisant, mais sans recours. Le brèche-dent le toucha du coude, lui enjoignant ainsi de digérer sa déception et de redoubler de vigilance. Devant eux, divisés en deux groupes afin de libérer un passage médian, quarante ou cinquante malandrins attendaient, qui ne pouvaient être que des subalternes ; dans la cour, c'était le grand brouillis (2) de la basse crapule. Il y avait des hommes au sommet du donjon, sur les tours encore accessibles et sur toutes les longueurs des courtines. Tristan sentit son épée lui peser ainsi que le bassinet qu'il serrait contre sa hanche. Il passa sa paume dextre écaillée de fer sur ses joues. Oriabel l'avait rasé ensuite de leurs ablutions vigoureuses. L'eau était glacée, mais suffisante. Maintenant, ils trempaient leur corps dans une foule immonde qui, pour peu que l'envie de viol vînt à un seul ribaud, les engloutirait comme un raz-de-marée.

« Un tour ! Bagerant nous impose un tour de cour complet !... On nous presse !... Tous ces souffles, ces puanteurs de charognes ! »

Ils revinrent dans la chapelle et devant eux l'on s'écarta davantage, surtout par déférence envers un capitaine. L'autel avait pour parure une brassée de chardons rouillés par l'hiver et quelques

(1) Renégat.
(2) Bruits, vacarme.

feuilles de frêne, le tout enfoncé dans un tonnelet. Angilbert, qui procédait à leur arrangement, se détourna et s'avança :

— Lâche Bagerant, ma fille, dit-il à Oriabel. Castelreng, renonce à cet air hargneux. Je n'ai pas de celebret m'autorisant à dire la messe en tout lieu, et il y a belle lurette que je ne l'ai pas dite... Dieu me pardonnera si je commets quelques fautes...

Des rumeurs et bruits de sabots couvrirent le reste de la phrase. Tristan devina Jean Aymery, Garcie du Châtel, Thillebort et quelques autres à cheval, le regard plus volontiers posé sur Oriabel que sur sa personne. Il sentit Tiercelet se placer derrière lui pour le protéger de son corps.

— Commençons, dit Angilbert. Faites honneur au Rédempteur, mes enfants !

Il y avait, au-dessus de l'autel, le Christ manchot entrevu dans la grand-salle du Mont-Rond. Sans flèches ni poignards dans le corps ; cloué sur une croix composée de deux branches. Oriabel fit une génuflexion, Tristan l'imita, éprouvant du même coup la souplesse de ses genouillères.

— Bien ! fit Angilbert, qui parut hésiter à poursuivre, comme si la mémoire lui manquait.

Il alla et vint devant l'autel, occultant sur son passage le ciboire, la patène et jusqu'à la peau de truie dans laquelle la Sainte Bible était enfermée — s'il s'agissait toutefois du Sacré Livre, car Tristan lui trouva l'apparence d'un morceau de chevron.

— Attendu, mon fils, que tu es sans fortune et Oriabel également, je ne ferai pas de lecture solennelle du contrat de douaire ou de constitution de dot... En outre, constatant votre indigence en dépit de vos vêtements princiers, j'annonce qu'il n'y aura pas de distribution de gros sous à la sortie de cette messe !

Il y eut, poussé par l'assistance, un hurlement de déception et de fureur puis des rires et des huées, un tumulte de bataille quand tous ces hommes firent tinter leur épée ou leur couteau soit contre leur cuissot, soit contre leur barbute. Contrevenant à ce qu'il avait résolu, Tristan se retourna et vit d'un coup d'œil Thillebort, maussade, à cheval, les bras croisés sur sa poitrine de fer, Thomas de Nadaillac, sa tête de mort coiffée d'un chaperon rouge, Jean Aymery, hilare, l'épée au clair.

— Nonobstant ces faits, poursuivit Angilbert quand le silence fut revenu, je vous unirai avec joie, car ce sera le premier mariage que...

— Hâte-toi ! hurla Thillebort. L'envie de chier me prend et je ne peux pas lâcher ça sur ma selle !

Angilbert eut une moue désolée. Tiercelet fit un pas et ouvrit sa dextre :

— Les anneaux.

D'où les tenait-il ? Déjà le presbytérien s'en était saisi et glissait le plus petit à l'annulaire d'Oriabel en marmonnant des mots que Tristan ne comprit pas et qui peut-être n'existaient que dans la langue de la truanderie. Derrière lui, derrière *eux,* on s'impatientait. Sous les hautes voûtes claires, ciel de pierre que les malandrins n'avaient pu profaner ou détruire, le mécontentement devenait pareil au grondement lointain d'un orage.

— Finis-en, coquin ! hurla Thillebort, qu'on puisse admirer autre chose que la croupe de la mariée.

« Maintenant », songea Tristan, « cinquante ou soixante paires d'yeux sont dessus ! »

— Tu me diras, mon fils, que je galope, se plaignit Angilbert, mais il ne fallut qu'un jour pour que Bernard de Narbonne épouse la fille du duc de Brubant ; pour que Garin, chassé par son père de cette même Narbonne, épouse à Anseüne, qu'il avait délivrée des Sarrasins ; la fille du duc de Naimes, Eustache à la tête blonde... Et je n'en finirais pas : Aelis et Garin, Béatrix et Bègue de Belin...

— Il suffit ! commanda Naudon de Bagerant ! Passe-leur les anneaux, bénis-les et quittons ces lieux !

Le presbytérien se courrouça ; ses yeux éraillés défièrent l'importun :

— Merdaille !... Laisse-moi officier, païen, ribaud qui n'a jamais rien su de l'amour !

Un silence où grumelaient quelques rires s'étendit sur l'assistance, et un homme éternua au moment où Angilbert, poussant l'anneau sur l'annulaire de l'époux, mâchonnait quelques mots et concluait :

— ... jusqu'à ce que la mort vous sépare.

Tristan regarda la main du moine qui traçait dans l'air empuanti par la présence des hommes et des chevaux, une croix légère et comme indifférente. Elle était d'un jaune blanchâtre, tavelée de taches brunes, striée de veines bleues, saillantes comme des cordelettes, cornée d'ongles longs et noirs. Et molle... C'était cette main-là qui les unissait, Oriabel et lui !

— Joignez, mes enfants, vos dextres l'une sur l'autre... Celle de l'épousée en bas, en signe de soumission... *A tout jamais, dans la foi de Dieu et dans la mienne...* Répète un peu ça, Oriabel...

Oriabel obéit d'une voix basse, apeurée.

— ... *saine ou malade je promets de la garder...* Répète un peu ça, Tristan !

Tristan obtempéra sans foi, en se hâtant. Le signe de croix lui avait suffi pour qu'il tînt ce mariage pour valable.

— Que le Créateur et le Conservateur du genre humain, que le Donneur de la grâce et de l'éternel salut fasse descendre Sa bénédiction sur ces enfants !

Tristan se tourna vers son épouse, et tout en éprouvant du regret pour la rudesse d'une cérémonie qui n'en était pas moins un mariage, il se dit que vraiment il aimait Oriabel et méprisait le clerc qui les avait unis.

— Viens, dit-il en ceignant d'un bras la taille de la jouvencelle.

Ils firent face aux malandrins qui les ovationnaient. Seul Nadaillac restait froid, immobile, pareil à la mort dévisageant ses proies. Bagerant souriait : ce mariage était son œuvre.

— Vilains tuffes ! Bomules ! Fils de porcs, marmonna Tiercelet.

Pour certifier à tous que la cérémonie était aussi valide qu'une autre, malgré ce Christ martyr pour la seconde fois et devant cet autel branlant au corporal douteux, cette patène et cet ostensoir crasseux, vides d'hosties, tous robés dans des églises qui peut-être n'existaient plus, Tristan baisa sa femme sur les lèvres.

— Comme ils s'aiment ! ricana Thillebort.

Et son œil vivant, à la sclérotique tachée de rouge, cillait ainsi que celui de son cheval, borgne comme lui, et qui encensait, de sorte qu'il semblait approuver cette admiration redoutable.

Bagerant s'approcha, morose :

— Vous devez me savoir bon gré, j'espère, d'avoir apprêté ces choses-là rondement.

Courtoisement incliné devant l'épousée, il en saisit la dextre réticente dont il baisa brièvement, par deux fois, le revers, avec une ferveur dont Tristan, flairant la provocation, se demanda si elle était fausse ou sincère. Sitôt que le routier les eut quittés, Oriabel frotta sa main contre le velours de sa robe.

— Pouah ! fit-elle imperceptiblement.

— Le festin de noces sera un repas de tous les jours, dit Aymery en mettant pied au sol. Simplement, eu égard à la beauté de notre nouvelle compagne, nous en exclurons les femmes.

Il était, lui aussi, en armure. Il avait conservé son bassinet en tête, une lourde coupole à bretèche (1) orfévrée qui, quelques mois ou quelques années plus tôt, avait dû coiffer un seigneur de haut rang. Il souriait simplement à Oriabel dont il baisa la senestre, comme s'il répugnait à poser ses lèvres là où Bagerant venait d'appuyer les siennes.

— Je vous ai fait céans apprêter une chambre par nos concubines...

Concubines ! Par ce mot même, il avilissait aussi les captives !

— Je serai avec Angilbert quand il ira bénir votre lit nuptial...

« Ce démon veut nous effrayer », se dit Tristan. « Et susciter les ébaudissements de ses pairs ! »

---

(1) Nasal mobile.

— Quand tu seras parti dans les pas du moine, gloussa Thillebort, elle n'aura plus scrupule à quitter ses affiquets pour se mouvoir, devant lui, aussi nue que notre mère à tous : Lilith, comme dit Angilbert !

— Elle murmurera : « *Mon petit baron, mon seigneur adoré* », hoqueta le Bourg de Monsac. Nous, c'est ce qu'on exige de nos femmes.

— Mon gros vit ! hurla Héliot, invisible.

— Aime-la tant que tu voudras, dit Espiote. N'oublie pas que si l'amour durcit son homme, il finit toujours par l'amollir. C'est à ce moment-là que je te la prendrai !

Les males gens tournèrent bride et trottèrent jusqu'au seuil du saint lieu, acclamés par les piétons peu enclins à refluer dans la cour. Angilbert leva son regard vers le Christ, se signa et s'enfonça dans la cohue à grands coups de coudes. Bagerant le rejoignit et parut l'admonester. Tiercelet, souriant, baisa Oriabel au front et, à l'intention de Tristan, plia et replia sa dextre par deux fois :

— Dix jours... Cela paraît mince et c'est... énorme. Si tu l'aimes autant que tu le prétends, contrains-toi à n'offenser personne !

La main retomba et l'ancien mailleur, sa longue épée sur l'épaule, ouvrit la voie aux mariés comme un massier lors d'une procession. Dans la cour, toujours juchés sur leurs roncins, les chefs répartis en deux haies formèrent au-dessus du couple une voûte de leurs lames tandis que des « *Noël ! Noël !* » jaillissaient des gorges de la piétaille.

— Vont-ils nous laisser seuls ? demanda Oriabel.

— J'en doute, dit Tiercelet. Bientôt, nous allons margouiller (1) à leurs frais : un festin où nous devrons ouvrir l'œil plus que la bouche !

Devant, après avoir franchi le pont sur le Garon, les piétons s'éparpillaient, les uns marchant en direction du Janicu et du Bonnet, les autres allant vers le Mont-Rond et le Bois-Goyet, harcelés de la voix et du geste par leurs capitaines, eux-mêmes stimulés par Espiote, Bertuchin, Hazenorgue. Si Tristan se souvenait de la plupart des noms et des visages, les caractères de ces bourreaux demeuraient autant d'énigmes qu'il rechignait, d'ailleurs, à démêler.

— Nous nous sentions plus en sûreté là-haut, dit-il en désignant vivement le donjon. Nous ne pensions ni aux hommes ni à leurs visages... et rarement à leurs pratiques...

---

(1) Manger salement.

Coiffé d'une barbute, le torse couvert d'un haubergeon de grosses mailles treslies, et sans autre arme qu'un bâtardeau serré sur le devant de sa ceinture, Jean Doublet s'approcha des mariés :

— Soyez heureux dans ce petit enfer dont je vous souhaite de sortir tout comme je ne cesse de me le souhaiter !

Et il s'éloigna en hâte, seul, sans doute vers le Mont-Rond. Tiercelet qui le regardait filer à grands pas, comme s'il était menacé lui aussi, commenta sans presque remuer les lèvres :

— Il n'est pas un routier de cœur. Au besoin, il nous aidera.

Sous le porche ombreux, Bagerant et Thillebort, tous deux à cheval, se concertaient. Ils se séparèrent et Bagerant, au petit trot, s'approcha de Tristan.

— Eh, Tiercelet, où vas-tu ?... Tu recules en entraînant la mariée ? Lui fais-je si peur que cela ?

Le brèche-dent ne répondant pas, le routier redevint froid, comme fortifié de mépris ou de haine :

— Inutile de remonter dans ta chambre, Castelreng. Vous pouvez tous les trois contourner le château tant qu'il vous plaira, sans vous en écarter. On vous appellera pour prendre place à table... Et voyez : on veillera sur vous comme sur mille écus d'or !

Des archers et des arbalétriers semblaient jouer à cache-cache derrière les merlons des tours et des courtines.

— Les meilleurs, Castelreng... Quand un traître s'enfuit et qu'ils ne le percent pas à mort, c'est eux qui sont percés... Crois-moi : cela les incite à l'habileté ainsi qu'à la vigilance... Qu'en penses-tu ?

— Si je te disais ma pensée, tu t'en offenserais.

— Oh ! Oh ! tu as changé, ricana Bagerant. Il y a quelques jours, tu te serais dressé comme un coq prêt à lancer son cri. C'est à *elle* que nous devons ce petit miracle ?... Regarde-la... Elle sourit... Tiercelet, par ma foi, se met à fleureter... Peut-être l'aime-t-il plus encore que tu l'aimes.

C'était une flèche de Parthe décochée au galop. Déjà, Bagerant rejoignait Thillebort et, en s'ébaudissant, lui contait sa réplique.

Tristan, les bras croisés, les défia de loin. *Tiercelet !...* Le brèche-dent ne s'employait guère à des grâces malignes. Son visage âpre, son sourire noir, ses épaules massives n'incommodaient aucunement Oriabel. S'il l'admirait, c'était chose compréhensible.

Ils revenaient vers lui. L'ancien mailleur décida :

— Nous allons contourner le château. Regarde bien, compère, les fenêtres des maisons, les archers et les créneaux. Je verrai, moi, si l'on peut fuir par les terres ou en pataugeant dans le Garon... Tout ça, tu t'en doutes, pour le cas d'une déconfiture à Givors...

Ils revinrent déçus : la campagne chenue leur avait paru lointaine. Des archers veillaient un peu partout, surtout sur le chemin conduisant au campement des ribaudes.

— Essaie, Tristan, de leur montrer que tu as jeté ta présomption aux orties... Montons dans votre chambre : nous y serons à l'aise pour paroler...

Ils franchissaient le porche de la première enceinte quand Tiercelet jura. Une femme courait en sens inverse, poursuivie par un homme. Demi-nue. La pâleur de son teint se trouvait aggravée par la broussaille noire d'une chevelure abondante.

— Arrêtez-la !... Bon Dieu, arrêtez-la !

L'homme, c'était Héliot.

Oriabel s'écarta pour laisser passer la fugitive. Le temps qu'elle le frôla, Tristan vit sa robe en lambeaux, ses cheveux pailletés de fétus. « Cours », songea-t-il. « Mieux vaut que tu sois percée d'une sagette plutôt que de subir la forcennerie de ce porc ! » Un cri le fit tressaillir alors qu'il se tournait vers Oriabel. Deux archers venaient d'empoigner la malheureuse.

Héliot s'arrêta, attendant sa proie. Belle, assurément, bien qu'un coup lui eût bleui la pommette. Ses poignets gonflés portaient des marques rouges, et ces bracelets-là signifaient qu'on l'avait attachée durement. Elle lança sur Tristan un regard effrayé que son tourmenteur surprit :

— Holà, Margot... N'aie crainte : il ne te chevauchera pas. Il vient de se marier... De plus, il est honnête et sûrement bon chrétien !

Tristan considéra l'écuyer avec plus de répulsion que s'il s'était agi d'un scorpion.

— Ne me juge pas de ton haut, Castelreng ! Occupe-toi de ton épouse, sinon laisse-la-moi : elle ne te regretta pas !

— Ne t'avise jamais, Héliot, de poser un seul doigt sur elle : je te couperais en morceaux !

Rien. La menace était sans effet. Un regard glacé. Des yeux de poisson mort. Que valait ce garçon, une arme à la main ? Devrait-il un jour l'affronter comme dans son rêve ? Comme la fuyarde, affamée peut-être, posait une main sur son ventre, Héliot fit signe aux archers de l'accompagner.

— Viens, dit-il à la captive. On va t'en donner à satiété !

Oriabel pantelante avait baissé les yeux. Tristan ne put que l'étreindre sans mot dire. Toutes ses anxiétés assoupies s'éveillaient, lourdes et corrosives. Un rire le fit se retourner en même temps que Tiercelet : Naudon de Bagerant. Le gargouillis du Garon et les cris de la captive, tirée par Héliot et poussée par les archers, avaient couvert le pas de son cheval.

— Ne t'échauffe pas le sang, Tristan, pour cette prisonnière. Elle se prête bien à nos solas (1) depuis qu'on les lui a enseignés, mais elle est assez lunatique.

Répondre eût été perdre son temps. Bagerant s'offensa de ce silence inattendu. Son rire tinta : quatre notes brèves, coupantes.

— Tu n'es pas céans, chevalier, dans un châtelet hanté par de bonnes gens. Nous sommes différents des seigneurs que tu connais et de ceux de tes lectures... Fiers d'être des malandrins usant des droits que nous nous sommes arrogés par le tranchant de nos épées... Je t'apprécie... Franchement !... Tu es droit et l'on sait à quoi s'en tenir avec toi... Je ne te crains pas au sens où nous nous craignons les uns les autres. Je préfère tes coups de goule à des propos cauteleux... Je dirai même qu'il est dommage, pour moi, que tu doives nous quitter si Tiercelet ne m'a pas préparé un piège à Givors !

Une petite toux les fit se retourner. Tiercelet :

— Je n'oserais jamais, Naudon, tu le sais bien !

Tristan éprouva une infinie sensation de froid. Son sang s'était gelé. La peur ? Non : la frayeur. S'ils échouaient, Tiercelet et lui, la vengeance de Bagerant serait d'une horribleté sans égale. Du coin de l'œil, il vit qu'Oriabel offrait au routier un visage serein et se merveilla de son courage.

— Je ne me fie à personne, Tiercelet... Tu le sais !

— Tu t'es fié à moi, pourtant, quand je t'ai sauvé la vie !

— Encore !

Bagerant ignorait la gratitude. Son esprit ne se composait que de sentiments bruts, élémentaires et ténébreux. Il jouissait pleinement de se sentir en équilibre au-dessus de l'enfer. Il éprouvait même, ce faisant, cette sorte d'ivresse et de plénitude qui lui fournissait ainsi qu'à tous les Tard-Venus de Brignais, le sentiment d'une existence parfaitement vécue et d'une ambition soigneusement aboutie.

Tristan ne disait mot. En lui vibrait la haine. La haine d'Héliot spécifiquement. Il savait quelle joie animale gonflerait son cœur lorsqu'il parviendrait à l'occire.

Bagerant alentit le pas de son cheval.

— Toi, Castelreng, tu frémis comme ce coursier lorsqu'il est prêt à prendre le galop.

Insoucieux du roncin noir, nerveux, qui l'observait placidement, Tristan retrouva dans les yeux du malandrin la même expression de félicité sensuelle qu'il avait surprise dans ceux de l'écuyer.

— Héliot est une vipère.

---

(1) Jeux.

— Ah ! Ah !

— Je le tronçonnerai si l'occasion m'en est offerte.

Bagerant immobilisa sa monture, et tandis que le routier en caressait la crinière échevelée, Tristan se sentit menacé — non pas dans l'immédiat mais à court terme.

— J'aimerais te voir l'affronter.

— Pour que tu assistes à notre estekis (1), il faudra que ton écuyer me provoque.

— Ça viendra. Il te hait autant que tu le hais.

Tristan s'abstint de poursuivre. Cet échange suscitait en lui une fièvre si forte qu'Oriabel semblait en éprouver les effets : elle lui serrait le bras sans vigueur mais avec une insistance pénible tandis que sans crainte — pour une fois —, elle jetait un regard furtif sur le visage tiré de Bagerant, sur ses paupières basses — sournoisement basses. Quand le routier les releva, il riait :

— Je n'ai jamais rencontré, Castelreng, un outrecuidant comme toi.

Il se dressa sur ses étriers. Son cheval fit un petit bond comme pour exiger qu'il se remît en selle. Quand il y fut, le noiraud encensa et s'ébroua.

— Oui ! Oui !... On va y aller.

Une caresse sur l'encolure tenta de faire accroire, sans doute à Oriabel plus qu'à ses compagnons, que l'homme qui l'accomplissait n'était que douceur et mansuétude.

— Bientôt, dit-il en mettant pied à terre et en abandonnant le cheval à un Tard-Venu de passage. Bientôt, ma belle, il se peut que tu sois veuve.

Oriabel demeura figée, impassible.

— Tu peux partir, dit Tiercelet, indigné. On connaît les lieux.

— Je m'en doute. Vous y avez cherché des brèches !

Puis, avec prestesse et pour clore l'entretien, Bagerant tendit les bras vers la cour où passaient des femmes portant des plats, des pichets, des piles d'écuelles. Toutes étaient bien vêtues, sans sonnailles aux pieds.

— Allons voir le tinel où nous mangerons. As-tu faim, ma belle ?

— Un peu...

Oriabel avait rougi. Tristan sentit sa petite main saisir la sienne et la serrer très fort.

---

(1) Ou *estequis* : combat d'estocs.

X

Plus les rires sortaient des gorges avinées, plus Tristan se sentait atteint d'une mélancolie à laquelle s'ajoutait une forte part de méfiance. Il ne suffisait plus qu'il contemplât Oriabel en hâte pour se guérir de cette inquiétude tantôt grave et lisse comme une eau dormante, tantôt plus aiguë que son couteau. Bien au contraire. Chaque regard, chaque sourire que son épouse lui adressait aggravait ce mal sans remède. Il devait feindre d'être heureux : il s'y efforçait pour elle autant que pour les convives de ce banquet dont ils étaient, à leur corps défendant, les personnages essentiels.

Bagerant se tenait à la dextre du marié, Tiercelet à la senestre de l'épousée. Autour d'eux — la table formait un carré brisé en un seul lieu, pour simplifier le service —, tout était vacarme râpeux, vociférations, hoquets, mouvements vifs souvent achevés par des heurts de poing sur les plateaux abondamment garnis. Bien que le jour entrât pleinement dans la grand-salle, on en avait illuminé les quatre couronnes de fer : le suif et la cire débordant des bobèches tombaient sur les nourritures et les tabliers (1) encore blancs, et parfois sur les mains tendues vers un hanap, un gobelet, une cuisse ou une carcasse de volaille.

La nudité des murs avait surpris Tristan. Garcie du Châtel, affable et disert — puisqu'il semblait surtout s'adresser à la mariée — s'était flatté d'avoir donné des ordres pour que les tapisseries qui les revêtaient fussent découpées et converties en flancheries (2). Il advenait que le vent du dehors, fluant par les fenêtres

(1) Nappes.
(2) Pièces d'étoffes qui se mettaient sous la selle.

aux vitraux déchiquetés, atteignît la cheminée où le grand feu à cuire les moutons craquait comme si dix lépreux, cliquette en main, eussent dans l'ombre annoncé leur venue. Alors, un buisson de flammes barbelées d'or envahissait tout l'âtre et les visages des malandrins prenaient plus de relief et de mauvaiseté.

« Attendre, voir, espérer », se répétait Tristan.

De l'autre côté de la table, Jean Aymery, la barbe en friche, souriait. Jean Daalain, son capitaine, lui jetait des regards qu'on n'accordait qu'aux dieux. Tiercelet, lors de leur petit tour de Brignais, avait prétendu qu'Aymery était apprécié en raison de son « esprit de justice ». En fait, il ne différait guère d'un Thillebort. Peu avant le début de la festivité, il avait botté le séant d'un de ses hommes qui ne glissait pas assez vélocement un siège sous le sien. Sa violence, tout aussi évidente que le *nævus,* large et long comme une feuille de saule rouge, collée sur le dessus de son crâne précocement dégarni, n'admettait ni reproche ni résistance ; elle n'excluait pas des périodes de bénignité qui se traduisaient en bienfaits (1). Ainsi, et pour la rassurer sans doute sur son sort, il révéla d'un trait à Oriabel que l'avant-veille, il avait libéré une mère et son jeune fils avant qu'ils n'eussent été comptés parmi les hôtes de Brignais.

— C'est vrai ! certifia le gros Jean Hazenorgue en cessant de mâchonner un blanc de poulet enduit de sauce poivrade. Il a dit que la dame ressemblait à sa mère et que l'enfant, c'était lui quand il avait son âge. Mais ce n'est pas fini !

Le malandrin se rengorgea pour raconter la suite : on avait accompagné les deux captifs jusqu'à Orliénas et, les quittant, Aymery leur avait crié : « Bon vent ! » Et ce n'était pas tout, ajouta Espiote d'une voix plaintive, en s'ingérant dans l'entretien — ce qui eut pour effet d'irriter son compère.

— Non, ce n'est pas tout !... En revenant à leur cité de Chaponost, ils ont été attrapés par Yvonnet Bachelin, écuyer de chez nous, et ses hommes. Ils ont abusé des deux, malgré qu'ils leur aient dit qu'Aymery les avait graciés !

— Combien étaient-ils ? demanda Tiercelet.

— Dix en comptant Bachelin, répondit Jean Aymery. Je les ai fait tous pendre après qu'on leur eut fourré le corps du délit dans la bouche.

Jean Daalain, face brune, glabre, sous un chaperon de feutre sinople, haussa une épaule et vida son hanap. Il devait exécrer les pleurs et les supplications tout autant que les accès de charité de son chef. Aymery, voulant prouver sa magnanimité, prétendit qu'il

(1) Actions bien faites.

avait, malgré cet incident déplorable, fort bonne estime de sa piétaille, au point de la récompenser en lui livrant de temps à autre des captives dont il avait dédaigné de s'occuper le premier.

— J'ai mes faiblesses... Pas vrai, toi ?

Daalain acquiesça sombrement et l'attention de Tristan fut détournée par l'apparition de deux servantes.

Elles avançaient l'une derrière l'autre, tenant par les mancherons un bard apprêté de velours qui, au Mont-Rond, avait dû être employé au transport des pierres. Sur l'étoffe cramoisie fumait une immense lèchefrite de cuivre contenant un mouton rôti. Une robe de lin verdâtre habillait ces deux femmes. La première, une grande blonde ébouriffée, avait des meurtrissures au cou et à la commissure d'une lèvre ; l'autre, brune, coiffée presque à l'écuelle, clignait de l'œil sous un sourcil gonflé ; ses bras nus portaient des tavelures bleuâtres. Elles souriaient : quelqu'un les y avait contraintes. La blonde avait vingt ans, l'autre était plus âgée ; c'étaient assurément deux dames de bonne race ; la persuasion que l'on pratiquait à Brignais en avait fait des serves, et la male chance des putains.

— Ignore-les, conseilla Tristan à Oriabel. Il ne faut rien créer qui ne soit irréparable. Mange, bois, prends des forces... Tu sais qu'il nous en faudra ! Ne regarde pas trop ce salopiaud : il pourrait se méprendre sur tes sentiments.

Promu écuyer tranchant, Héliot se délectait à désosser et découper les viandes dorées ou saignantes, mais surtout à les pénétrer de son long couteau. Il advenait qu'il se léchât les doigts. Ensuite, sans les essuyer à la touaille accrochée à sa ceinture, il rempoignait le cuissot ou le rôti avec une sorte de gravité tout aussi malséante que s'il avait saisi le Nouveau Testament pour en lire, soudain, quelques versets. Il vit en souriant venir les deux captives. Après avoir posé leur bard sur le pavement, elles placèrent l'énorme lèchefrite au mouton sur la table où il officiait. Il les menaça de son arme et fit un geste éloquent vers son sexe tandis que, reprenant les mancherons de la civière, les deux femmes s'en allaient d'un pas vif, non sans être patouillées au passage par Thillebort et Bertuchin, qui annonça gaiement :

— Pendant que nous fêtons ce mariage, la Fleur des Chevaliers rassemble ses hommes d'armes !... Pauvre niais ! Jamais il n'en comptera autant que nous !

C'était ainsi qu'on appelait Jacques de Bourbon, comte de la Marche.

— Nous cueillerons cette fleur-là, promit Jean Aymery. Plutôt que de vouloir nous anéantir ces jours-ci, il serait mieux avisé de s'allier à nous. Je le maintiendrais dans ses titres et prérogatives et ce royaume malade nous appartiendrait.

Tristan se sentit observé. Bagerant. Il ne lui fournirait aucune occasion de discorde. D'ailleurs, n'appartenait-il pas, jusqu'à preuve du contraire, à cette confrérie de truands tout aussi voraces de pouvoir que de mangeaille ?

— Nous aurions dû assaillir Lyon, dit Pierre de Montaut. Souviens-toi, Aymery : je te l'ai conseillé quand nous sommes arrivés à Francheville.

— Mon ami Gohier, qui est charron à Lyon et vint me voir à Francheville, m'a dissuadé d'entreprendre ce siège car les bourgeois et les gens d'armes s'apprêtaient à nous recevoir !... Ils avaient même renoncé à donner leur Fête des Merveilles... A sa place, ils ont fait une procession pour implorer l'assistance divine tandis que deux mille maçons fortifiaient les murailles !... Nous avons bien fait de contourner cette cité, crois-moi !

— Il est vrai, dit Garcie du Châtel, que depuis que les manants de Charlieu ont repoussé les compagnies, la méfiance l'emporte trop sur la vaillance !

Pierre de Montaut secoua sa tête longue, presque chevaline. Il avait le visage ras, sombre, comme barbouillé de brou de noix. Il appartenait, selon Tiercelet, à une autre espèce que le Petit-Meschin — absent de ce repas — ou Thillebort : dès le moment que son écuelle était pleine, il rotait de satisfaction. Son voisin, Garcie du Châtel, se pencha :

— Nous ne tenons à rien en ce qui te concerne, Castelreng, sinon que tu nous montres, au cas où Bourbon et ses batailles surviendraient, comment tu tiens ton épée... Je te surveillerai... J'ai l'œil à tout ce qui se passe... surtout dans les pires mêlées ! Ton ami le mailleux ne te l'a-t-il pas dit ?

Tristan acquiesça. Il savait sur Garcie du Châtel tout ce qu'il fallait en savoir. Nonchalant ailleurs que dans les chevauchées où il se plaçait en tête, agréable envers les compagnons peu voyants hors des échauffourées et des assauts, attentif aux blessures qu'ils y recevaient, il savait entretenir l'admiration des pires coquins de son armée : alors que ses compères profitaient des bonnes prises de guerre alignées soigneusement, à leur intention, lors des conquêtes des hameaux et des cités, il avait ses largesses, offrant aux plus déshérités de la nature mais les plus hardis dans la presse et les échelades, les femmes qu'il appelait de premier choix, dont il eût pu user et abuser. Son cœur ne battait vraiment que devant les fillettes qu'il égorgeait après les avoir déflorées, moins par goût du meurtre, prétendait-il, que pour se délivrer de ces « remords vivants ».

— La Providence nous fut contraire, dit-il. Elle nous reviendra !

— Que de lieues parcourues ! gémit Angilbert le Brugeois, le regard levé, inquiet, comme s'il s'apercevait soudain de la lourdeur des poutres alignées au-dessus de lui. Je vague à pied et à cheval depuis sept ans, de compagnie en compagnie... Pensez : en août 57, j'étais chapelain d'une petite route établie dans l'île de Camargue, vis-à-vis du château de Lamotte !

— Avec Arnaud de Cervole ! tonna Béraut de Bartan, la face aussi vermeille que son pourpoint de velours.

— Non ! protesta le tonsuré. Quand ses hommes et les miens ont fait alliance, je suis parti (1). Cet Archiprêtre m'effraie !

On rit. Tristan trouva qu'on s'y contraignait. Une discussion jaillit à propos du comte de Poitiers que le dauphin, régent de France, avait envoyé à Nîmes (2) et qui avait été accueilli fort mal par le sénéchal de cette cité, Hugues d'Ademar.

— Ces Valois ! soupira bruyamment Jean Aymery. Rien ne les différencie des gens que nous sommes : à peine le gentil comte avait-il mis pied à terre qu'il tendit la main, exigeant des écus !... Et à peine en eut-il reçu qu'il engagea une partie des Compagnies et les fit entrer dans Nîmes... jusqu'à ce qu'on les en chasse (3).

---

(1) Sitôt que le maréchal d'Audrehem eut payé sa rançon, l'Archiprêtre (qui peut-être s'était accointé aux Anglais) se laissa entraîner par sa véritable nature : le brigandage. Son hagiographe, Aimé Chérest, prétend qu'il recruta les gens d'armes qui menaçaient le Limousin pour les conduire en Provence, soit à la demande d'un homme lige du sire des Baux, Jean Rabuffello (Robuffet) de Nice, soit pour complaire au roi de France après qu'il eut comparu à Paris, le 16 mars 1357, devant *« messeigneurs du grand conseil du roy, notre sire, et monseigneur le duc de Normandie, dalphin de Viennois, son ainsné filz et lieutenant »*, ce qui ne signifie pas qu'il eût reçu l'assentiment du pouvoir suprême pour opérer en Provence qui, dans les limites du royaume d'Arles, relevait de l'Empire d'Allemagne et se divisait en deux parties : le comtat Venaissin et Avignon ; le comté de Forcalquier et le comté de Provence. Toujours est-il qu'Arnauld de Cervole et son frère Pierre se conduisirent en brigands dans un pays dont il convient objectivement de signaler que certains seigneurs ne craignaient pas d'imiter les routiers.

Le jeudi 3 juillet 1357, les Cervole et leurs soudards franchissent le Rhône et bientôt Innocent VI dénonce au roi de France les excès commis par leurs gens : meurtres, tortures, viols, « corruption » des religieuses. Jean Ier d'Armagnac, de Fezenzac et de Rodez arrive à la rescousse des Provençaux, mais il n'est qu'un malandrin, lui aussi, et ses hommes commettent tant de ravages que le 13 septembre, les consuls de Nîmes se précautionnent contre lui et introduisent l'usage du tocsin comme signal d'alarme. Une armée anglaise est également présente (l'Archiprêtre n'est pas loin !) et une conspiration est découverte pour livrer Nîmes, Saint-Gilles, Beaucaire, Montpellier aux envahisseurs. Georges Rati, son instigateur, est décollé ; tous les étrangers doivent déguerpir sous peine d'avoir un pied coupé. Arnaud de Cervole va assiéger Aix (mars 1358). En vain. Les paysans détruisent récoltes et bestiaux. Cervole prie les Nîmois de le recevoir par une lettre hypocrite (30 mars 1358) et c'est alors que Pierre Maloisel, agent d'Etienne Marcel, apparaît en Avignon pour engager l'Archiprêtre au service de la ville de Paris au prix de 2 000 florins d'or (avril 1358). Vivant aux frais du Pape qu'il terrorisait, le brigand reçut la somme et demeura en Avignon jusqu'à ce qu'Innocent VI lui versât 40 000 écus (septembre 1358). Alors il s'en alla « opérer » en Nivernais et en Berry.

(2) Le 4 février 1358.

(3) Insatiable comme tous les Valois, le comte de Poitiers ne cessait de réclamer des subsides pour lui et pour l'énorme rançon de son père. Lors de l'assemblée du 21 octobre 1358, en même temps que les consuls nîmois décidaient de chasser les routiers du comte, ils créaient le *souquet*, un impôt sur le vin auquel le Clergé lui-même fut assujetti. Mais ils refusèrent la gabelle, qu'on voulait leur imposer.

— Tu le connais, toi, le comte de Poitiers ?

Tristan soutint le regard de Thillebort, un regard d'autant plus aigu qu'il émanait d'un œil unique, noir, dédaigneux.

— Je l'ai aperçu en chevauchant à la poursuite des Anglais... Oui, je l'ai suivi ou précédé jusqu'à Maupertuis.

Un grognement, et ce fut tout ; mais au loin, cessant de trancher le râble du mouton, Héliot exprima les sentiments du borgne :

— Tous ces gens de l'armée royale !... Ils ne doivent guère être fameux en champ clos pour s'être fait déshonorer lors de cette bataille !

— Ne t'avise jamais, Héliot, de savoir comment je tiens une arme... Tu l'apprendrais aux dépens de tes jours !

Sans plus faire aucun cas de l'écuyer, Tristan observa les convives. Les grands chefs échangeaient de-ci de-là quelques mots à mi-voix. Peut-être se concertaient-ils pour savoir s'il convenait d'envenimer ce tençon (1) ou s'il importait de l'apaiser provisoirement afin de jouir, plus tard, d'un affrontement à outrance. Aymery s'ébaudit ; tous en firent autant sauf Angilbert le Brugeois qui, à l'intention du marié, effleura sa bure d'un bref signe de Croix.

— *Benedictus Dominus meus qui docet manus...*

— ... *meas ad praelium et digitos meos ad bellum,* acheva Tristan.

Il s'était penché ; il se remit lourdement d'aplomb sur son siège : un baril posé de chant, vide de vin ou de cervoise. Aymery demanda :

— Qu'as-tu dit, moine ?... Et toi aussi, le novice ?

— Béni soit Dieu qui forme mes mains au combat et mes bras à la guerre, répondit Tristan, placide.

— Etais-tu un porteur de froc ? ricana Thillebort, son œil fauve dardé sur le marié. L'as-tu jeté aux orties ?

Tristan se tourna vers Bagerant et crut lire, dans son regard, une incitation à la réplique.

— Si tu pouvais, toi, jeter ta sale goule aux orties, ma vue, crois-moi, s'en trouverait soulagée !

Le borgne voulut se lever ; un geste d'Aymery le cloua sur son banc. Nul n'avait ri ni protesté. Tristan examina chacun des festoyeurs d'un large et discret mouvement des pupilles : de toute évidence, la plupart approuvaient sa repartie, donc ils devaient mépriser Thillebort. Sous le nid d'ombre où elle brasillait, l'unique prunelle lança une flamme mouillée.

« Il pleure de rage, ce démon ! »

---

(1) Querelle.

Soudainement Tristan s'aperçut d'une absence :

« Où est passé le Petit-Meschin ? Je ne l'ai pas vu depuis... Depuis quand ?... Ce matin ?... Hier était-il parmi nous ? »

Il sentit le genou d'Oriabel tapoter le sien et devina qu'elle s'apeurait et l'adjurait de se taire. Il y eut un moment de curieuse attente mais, contrairement à ce que ses pairs espéraient, Thillebort jeta un os derrière lui, et ce geste-là signifiait surtout qu'il se moquait d'une affaire dont Angilbert s'empressait de dissiper les séquelles : il n'irait pas au-delà de Brignais, déclara-t-il. Jamais il n'avait eu à sa disposition une chapelle aussi vaste que celle des moines de Saint-Just :

— Il est juste, hé ! hé ! de le dire... J'ai trop erré sur cette terre. Dommage que j'aie quitté l'île Camargue... J'y étais bien malgré les moucherons !

Au retour d'Avignon, une partie de la route (1) à laquelle il appartenait s'était dirigée vers le Mâconnais ; une autre était allée s'établir à Vilaines-les-Prévôtés, près de Semur, et pour déloger les intrus du château, trois mois de siège avaient été nécessaires. Tristan, attentif aux propos du moine, apprit que la troisième horde de malandrins avait gagné La Vesvre, près d'Autun, et qu'il s'en était fallu de peu qu'une quatrième, établie à Pesme-sur-Saône, n'enlevât le duc de Bourgogne. Les cités et hameaux entre Beaune, Châlons, Givry et Vermanton avaient été soumis à la terreur.

— Je me disais, continuait Angilbert, que je vivais bien en Mâconnais. J'y suis demeuré jusqu'à ce qu'une nouvelle route vienne s'allier à la nôtre... Charlieu a résisté hardiment... Et je suis parti *pedibus cum jambis* le long du Rhône, car nos chefs avaient décidé de rançonner le Pape et le Sacré Collège... Oui, mes compères : j'ai dû marcher jusqu'à Pont-Saint-Esprit !

— Ainsi soit-il ! ricana Bagerant.

Pour un peu, il se fût signé. Il vida son hanap et se leva pour emplir le gobelet d'Oriabel, mais elle n'avait bu que deux gorgées de vin.

— Bois, la belle ! Il faut pinter : l'amour et le vin vont de pair !

— Laisse-là, intima Tiercelet.

Tristan ne put voir le regard qu'ils échangèrent. Bagerant se rassit dans un grésillement de fer : il était le seul avec Héliot et Thillebort, qui eût conservé son armure complète, sauf le bassinet déposé à ses pieds. Se sentait-il menacé ? « Et moi, Tristan ? Ai-je bien fait de conserver la mienne ? » Elle gênait son dos, pesait sur ses épaules. Porter son hanap à ses lèvres lui demandait un effort.

(1) Groupe de routiers.

— Ah ! Pont-Saint-Esprit... s'exclama Angilbert. L'Archiprêtre l'avait déjà conquis et abandonné. Nous en atteignîmes les murailles peu après Noël et la cité fut nôtre jusqu'au hameau de Codolet. Le Saint-Père trembla sur sa chaise curule (1) !

— Mes gars et moi, dit à regret Bérart d'Albret, on est partis plus au sud. On a assiégé Montpellier, mais les bourgeois nous ont bellement résisté. Alors, on a cramé leurs for-bourgs... Puis la peste est venue, nous a poussés plus loin... Un homme, qui s'en trouvait tout proche, aurait pu nous aider à forcer Montpellier...

— Qui ? demanda l'Anglais Jean Daalain.

— Enrique de Trastamare.

— Pouah !... Il est désormais tout dévoué à Audrehem, grimaça Bagerant. Il lui lèche les pieds et le cul depuis Nîmes !... Il est auprès de lui avec ses hommes, à Sauges !

— Ce Castillan est un traître ! hurla Thillebort, approuvé par Espiote, Bertuchin et Pierre de Montaut.

Aymery s'adressa seulement à Tristan :

— Pour que les Espagnols sortent de Nîmes, à la fin de l'an dernier, Audrehem a exigé de cette cité six cents florins d'or. Cela parut insuffisant à moult d'entre eux, et c'est pourquoi si le Trastamare et ses fidèles suivirent le gros Arnoul, la plupart restèrent en ville, d'autant plus volontiers que certaines compagnies les y avaient rejoints. Les Nîmois consentirent à payer davantage pour se retrouver entre eux... Pas assez, bien sûr... On est demeurés là-bas jusqu'à ce qu'il n'y ait plus ni vierge à forniquer ni une goutte de bon vin !

Héliot abandonna ses couteaux et s'esquiva furtivement.

« Que va-t-il faire au-dehors ? » se demanda Tristan. « Et pourquoi Nadaillac le suit-il ? La nuit va tomber. Ils pourront tout se permettre. »

---

(1) Pont-Saint-Esprit fut occupé par les routiers le 28 décembre 1359. Ils y étaient encore l'année suivante puisque Innocent VI écrivit d'Avignon au sénéchal de Beaucaire, le 3 des nones de février 1361 — la onzième année de son pontificat — de laisser passer les troupes du roi d'Aragon, qui devaient expulser les brigands de Pont-Saint-Esprit. Le 13 du même mois, il envoya quelques-uns de ses nonces dans la ville pour traiter avec les chefs des routiers, et un mois après, le 24 mars, il put annoncer que les indésirables avaient quitté le pays. En fait, la cité ne fut définitivement libérée que le 13 avril.

Le Pape avait eu l'idée d'entreprendre une croisade contre les routiers (3 janvier 1361) ; il y avait renoncé, pressentant qu'elle serait à la fois stérile et sanglante.

Le *Petit Thalamus* de Montpellier, publié pour la première fois d'après les manuscrits originaux en 1840, confirme que Pont-Saint-Esprit fut ravagé la nuit des Saints Innocents et précise que les routiers étaient anglais et français. L'hexagone vivait dans la terreur, et particulièrement le Sud. Jean, duc de Berry, écrivit aux consuls de Nîmes, le 23 janvier 1360, de réparer et fortifier Sommières, *dans la crainte des Anglais de Pont-Saint-Esprit,* et il pouvait se montrer d'autant plus anxieux qu'il y avait une garnison anglaise au Puy-en-Velay. Il commanda également de fortifier toutes les places de la sénéchaussée de Beaucaire. Guéraud Ami, chevalier, seigneur de Rochefort et capitaine de la tour du pont d'Avignon, donna quittance, le 2 février 1360, d'une somme employée par lui pour mettre cette tour en état de défense contre les compagnies

— Sais-tu, lui dit Bagerant, que le Trastamare ne déparerait pas cette lippée de truanderie ?... Il a été reçu en fils bien-aimé par le Pape, et en même temps qu'il obtenait son absolution pour ses péchés, il commandait à ses hommes de rober, dans Avignon, tout ce qui se pouvait monnayer. Les Avignonnais s'étaient portés à la rencontre de ses compagnies sur le pont Saint-Benezet. Ils ont reculé sans coup férir. Le bel Henri leur a promis, parole royale, de leur restituer ce qu'il leur avait... emprunté lors de son séjour, sauf le pucelage des filles !

Malgré les rires, Tristan perçut nettement le soupir d'Oriabel. Thillebort se pencha vers lui, *vers eux,* l'œil sec et fixe :

— Il leur a dit qu'il leur rembourserait tout en puisant dans le trésor de Castille quand il aurait chassé son frère Dom Pèdre du trône... Il paraît que les joyaux et fortunes robés dans Avignon par ses Castillans s'élèvent à quatre millions de ducats, et qu'il a délivré aux magistrats de cette cité pieuse une reconnaissance en bonne et due forme.

— Ce prince-là, dit Tiercelet, ferait un bon trésorier de France !

— On dit, intervint Jean Doublet d'une voix de feutre eu égard à toutes celles des convives, on dit qu'il est entré, en mai de l'an passé, dans l'église de Saint-Côme, à Montpellier, et qu'il y a enlevé deux femmes et trois hommes en pleine messe...

— C'était moi ! triompha Arnaud de Thillebort. Hé ! Hé !... Or çà, veux-tu savoir, Castelreng, ce qu'ils sont devenus ?

Tristan hésita, regarda ses voisins attentifs à sa réponse, et surtout Oriabel, livide, et dont, malgré sa présence auprès d'elle, il prit enfin conscience du pénible isolement. Rien que des hommes autour d'elle. Et quels hommes ! Au risque d'aggraver son inquiétude, il devait, cependant, répondre au plus malfaisant d'entre eux :

— Avec toi, point de doute... Encore moins d'espérance ! Leur sort fut odieux... Mais je ris, vois-tu, à la pensée qu'un jour tu seras pris, jugé, condamné à mourir... Or, ne voulant pas trépasser, même plus hâtivement, plus proprement que tes victimes, tu supplieras le bourreau de te laisser la vie... Tu lui promettras monts et merveilles afin de sauver ta peau !... Tu peux secouer la tête : cela sera, je le sens... Car il n'est de pires couards, Tallebardon, que les goguelus de ton espèce... Ton œil, à lui seul, emplira un baquet de larmes et tes gémissements se feront ouïr jusqu'au fond des cavernes d'Ecosse !

— Si je meurs, Castelreng, tu ne seras pas loin, car j'ai beau n'avoir qu'un œil, il ne cesse et ne cessera de te considérer comme...

— Hé bien, parle !... Vas-tu trouver, sacrédié, le mot que tu veux m'attribuer ou faut-il que je te le souffle ?... Tu voulais dire *un preux,* sans doute ?

Tristan sentit une moiteur sur sa main : c'était la paume d'Oriabel, insistante. Et cette main fiévreuse avait un langage clair : *« Tu continues à me faire peur ! »* Il avait peur, lui aussi. Peur pour deux : elle et lui. Il avait pris la mesure de la haine de ces hommes, senti le poids de ces vocations du mal. C'était en les affrontant qu'il s'en dépêtrerait. Encore fallait-il qu'il s'y prît avec finesse.

— Je suis un sang bouillant, dit-il à contrecœur.

— Sais-tu, reprit Thillebort, que chacun de nous rêve d'être appelé *Bras-de-Fer* ou *Cœur-de-Lion* ?... *Sang-Bouillant* te va bien... Pas vrai, compères ?

Un hurlement d'approbations et de rires mêlés déferla vers le routier.

— Moi, lança Garcie du Châtel d'une voix vibrante d'orgueil, je suis *l'Ami de Dieu et l'ennemi des hommes* !

Thillebort qui buvait éternua et se pencha pour cracher à ses pieds le vin qu'il venait d'engouler :

— Vous êtes une quinzaine à vous nommer ainsi ! En fait, c'est notre frère en malfaisance, l'Archiprêtre, qui a dit cela au Pape !

— On prétend, intervint Aymery, que c'est Jean de Vernay, un gars de mon pays. Il eut longtemps ses quartiers à Codelet, près d'Avignon...

— Qui est ce Vernay ? demanda Tristan dans l'espoir de créer une diversion.

— Le lieutenant du roi de France.

Tourné vers frère Angilbert qui venait de brandir son poing en même temps qu'il lançait cette affirmation, Tristan apprit que ce chevalier, au service du roi d'Angleterre et banni pour des « crimes énormes », avait pris la qualité de lieutenant du roi de France comme représentant d'un coureur d'aventures, Gianni di Guccio, fils d'un marchand de Sienne établi et marié en France, et se disant Jean Ier, fils de Louis le Hutin, qu'on prétendait à tort mort en bas âge.

— Qu'en dis-tu ? demanda Bagerant apparemment pressé de rompre cet entretien.

— On murmure cette fable à Paris. Nul n'y croit, sauf peut-être quelques bonnes gens du commun, mais je vous avoue à tous que je m'en moque (1).

---

(1) Pour ce Gianni, voir surtout *Cola di Rienzo,* traduit de l'allemand de Papencordt par Tom Gar (Torino, 1844. Volume cité par M. Allut, page 137).

— On en dit des choses, intervint Tiercelet. Des bonnes, rares, et moult mauvaises. La France s'embourbe et c'est pas le dauphin qui la sauvera du péril des Compagnies… Paraît que Charles voudrait qu'on meurtrisse Navarre. Ils ont pourtant été longtemps d'accord pour occire le roi Jean !

Bagerant se tourna de côté :

— Savais-tu cela, Castelreng ?

— C'est de l'histoire ancienne.

— Il s'en sera fallu de peu pour que le royaume ait bientôt un suzerain parricide !

— Certes, acquiesça Tristan. Sache cependant que l'indignation d'un homicide à tous crins comme toi, Naudon, me lève le cœur. Demeure dans l'impénitence et ferme ton caquet.

— Ce que je vous dirai, moi, mes frères, grommela Thillebort, penché, c'est que si Charles de Navarre et l'Archiprêtre ont été reçus à la Cour, y a pas de raison qu'on en soit écartés puisqu'on est de la même famille.

Il y eut un remous parmi les convives et une clameur d'approbation. Le vin coulait d'abondance. Çà et là des rires jaillissaient sans raison apparente. Jean Doublet, dans ce concert d'ivrognes, semblait le seul qui fût sobre et incommodé. La société de ses voisins, ennemis de l'honnêteté, esclaves de leur bestialité, bravant les lois et les prisons, commençait à lui devenir odieuse. Qui était-il vraiment ? Avait-il le désir de fuir, lui aussi ?

— Bois, Castelreng, dit Bagerant. Et toi aussi, la belle.

Boire. Cette injonction épouvantait Oriabel, moins, toutefois, que l'éclair du regard qui l'avait effleurée. Une œillade de Tiercelet lui signifia : « Il est jaloux. Prends garde. » Tristan trouva ce conseil superflu.

— Oui, on vaut aussi bien que les rois ! tonna Thillebort sur un ton à la fois sordide et puéril. Oui, oui, Castelreng, notre règne est proche… Tu peux t'ébaudir, mais c'est vrai.

Quelque chose fermentait dans les ténèbres de ce crâne. Plus ce fesse-pinte buvait, plus sa forcennerie croissait ; plus elle croissait, plus il frappait du poing sur la table avec le plaisir évident de voir tressauter son écuelle dont la sauce éclaboussait sa main.

— T'as l'air d'avoir peur, Castelreng. On n'est pourtant pas au banquet de Rouen, même si Navarre et le régent auraient meshuy (1) leur place parmi nous !

Un hoquet secoua le borgne. Il parut hors d'haleine, vida son hanap, crachota et reprit d'une voix tout à coup geignarde :

---

(1) Aujourd'hui, maintenant.

— Sont comme nous… Ils ont voulu bazir le roi Jean (1)… T'es mieux parmi nous qu'à Rouen… Au moins, on te tranchera pas la tête en guise d'entre-mets… Mais tu verras bientôt ce qu'on peut te couper.

— Tais-toi ! hurla Bagerant. Faut qu'il soit ébaubi tout autant que sa dame.

Et tourné vers le marié :

— Thillebort te hait, Sang-Bouillant. Tu l'as avili. Tu es maintenant pour lui pareil à la viande de veau : tu lui restes entre les dents.

« Que trament-ils ? » se demanda Tristan.

Il levait son hanap quand retentirent des vrombissements de tambours. La main d'Oriabel s'inséra, tremblante, dans la sienne.

— Qu'est-ce donc que cela ? dit-il à Bagerant.

— Le premier entre-mets. Il faut bien rire un brin... Allons ! pourquoi parais-tu donc amer et contristé ? Ce ne sont que des bateleuses...

---

(1) Lire en annexe VI : *le Festin de Rouen.*

XI

D'un coup d'œil Tristan sut que c'étaient des ribaudes. Il en compta seize, toutes jeunes, ennuagées d'étoffes couleur d'or et d'argent, de pourpre et de sinople, ravies dans les cités et les châteaux conquis. Pieds nus, douze dansaient ; deux autres soufflaient dans un chalumeau ; les deux dernières tapotaient la peau d'une tarole (1) coincée entre leur bras et leur aisselle. Sautant ou dodinant entre deux pirouettes, les danseuses se groupèrent au centre du carré formé par les tables, et les convives de l'intérieur firent volte-face sur leur banc ou leur escabelle, tournant ainsi le dos à la mangeaille et à leurs interlocuteurs. Sans cesser de jouer, les musiciennes allèrent se jucher sur la table où Héliot tranchait ses venaisons, ses gigots et ses éclanches de mouton. Une tambourinaire en repoussa quelques-uns de son pied gainé de basane poudreuse.

Ce qui ébahit les mariés, Tiercelet et, sans doute, certains proches d'Aymery et de Garcie du Châtel, fut l'aumônière que chaque jongleuse portait accrochée à la cordelière liée à sa taille. Allaient-elles, une fois l'entre-mets terminé, ouvrir toutes ces bourses et jeter sur l'assemblée des pièces de monnaie ou des dragées ? Devaient-elles, au contraire, collecter des écus pour leurs maquerelles ? Elles offraient aux regards les visages et les corps les plus dissemblables : six brunes au teint sombre, élancées, flexibles comme des rameaux de printemps, échevelées comme des ménades ; trois rousses aux chairs pâles, dont les tresses chargées d'anneaux et de grelots sautillaient sur les seins ou les épaules ; trois blondes potelées — deux peignées en couronne, l'autre, à la

(1) Tambour plat dont le son est clair, sans porter loin.

grosse crinière amassée en queue de cheval. Les brunes étaient vêtues de pourpre et de sinople, les rousses d'or et les blondes d'argent. « Vêtues si l'on veut », songea Tristan, car leurs robes de taffetas, sciemment tailladées, ne laissaient rien ignorer de leur personne. Elles s'éployaient ainsi comme de grandes fleurs, et les feux vermillon des unes brûlaient l'or et l'argent des autres, tandis que l'émeraude ondoyait, brisant ces alliances colorées à chaque roulement des taroles.

Nul ne parlait. Seul le feu innocent crépitait et craquait. Plus la cordace prenait de l'impétuosité, plus les chairs s'exhibaient lors des vrilles fugaces. Toutes les tablées s'égayaient d'un pelage ou d'un sein entrevu. A défaut d'être au ciel, Angilbert était aux anges.

— Qu'en penses-tu, Tristan ? demanda Bagerant.

Il observait les filles une à une, et sans doute, dans leur harem, les princes mahomets avaient-ils eux aussi cette expression attentive et perplexe, ces mâchoires serrées, ces yeux terribles. Ses traits se durcirent : il regardait la blonde aux grands cheveux et, plus précisément, son escarcelle de velin gris. Le fond paraissait s'être teinté de rose.

— Tu m'as en ton pouvoir, Naudon, mais mes pensées ne peuvent t'appartenir. Cependant, pour ce qui est de ce spectacle, je peux bien te les livrer : il me laisse froid. Je me résigne à voir ces jungleresses (1) puisque je ne puis m'éloigner. Je suis sous ta sujétion et m'y maintiens... Tu peux t'enorgueillir de me tenir en bride pour dix jours encore.

La main d'Oriabel s'incrusta dans la sienne. Voyant leurs doigts se confondre, Bagerant eut un sourire de biais :

— Il n'est de pire sujétion que le mariage.

Tristan dédaigna l'opinion du routier. D'un sourire, il rassura son épouse et s'avisa de deux danseuses, deux brunes aux seins lourds et aux bouches lippues, joufflues, noiraudes comme des figues mûres. Soudain dressés, Creswey et Bertuchin les empoignèrent par leur abondante chevelure. Elles se libérèrent à grands coups de poing, suscitant dans l'assistance un tumulte de cris et de rires en défaveur des deux hommes.

— De vraies Tard-Venues ! jubila Bagerant. Vois-tu, Castelreng, le seul moyen de survivre, céans, c'est d'accepter son sort comme elles l'ont accepté. Ce sont deux tendrons de Pont-Saint-Esprit... Elles avaient cru, les bêtes, au droit d'asile et s'étaient mussées dans l'église. Notre bon droit primant tous les autres, Creswey et

---

(1) Nom donné aux danseuses et bateleuses. Elles dansaient tout, particulièrement la *cordace*, danse lascive héritée des Grecs.

son compain, Jean Hawkwood, Seguin de Badefol et Robert Briquet, qui avaient faim de Dieu et aussi de la Vierge, sont entrés dans le saint lieu leur goupillon prêt à l'office. Peu à peu, ces donzelles sont devenues des nôtres... Elles vivent et mangent bien ; leur corps est demeuré le même...

— Non : souillé à jamais !

— Oh ! Oh !... Quand mes amis les ont chevauchées, elles savaient déjà jouer des reins !... Sais-tu qui les avait forcées ?... Non, bien sûr : l'Archiprêtre...

De sa main libre, Tristan interrompit le commentaire. Que lui importait qu'Arnaud de Cervole eût commis ces viols. Il le savait capable de tout.

La musique, à présent, tournait à la douceur. Il y avait quelque chose de soyeux, d'alangui, dans les modulations des flûtes et les attouchements sur les peaux des taroles. Les filles mollissaient leurs gestes et gambades ; moins de bonds et sautillements, mais des glissements de pieds, de lents moulinets des bras brusquement interrompus, sur l'injonction des instruments, par une virevolte suivie d'une culbute qui les dénudait par le bas. Si elles riaient, tout en se redressant ; c'était d'un rire silencieux et terrible, le même rire insincère dans leurs faces différentes ; la même brillance dans leurs yeux moqueurs et résignés à la fois. Chauffées, semblait-il, aux feux des regards plus qu'à ceux de l'âtre et des luminaires, les chairs des rousses et des blondes, ointes de sueur, prenaient une teinte ambrée qui les assortissait aux brunes. Oui, elles étaient bien de la même famille, et cette communauté de mouvements, de cabrades, de tressaillements et de bonds achevés en chutes languissantes, célébrait leur parenté dans le vice où elles avaient été précipitées.

Tristan les plaignit. Oriabel aurait pu choir dans cette débauche. Elle ne les regardait point ; quant à lui, si attrayantes et amènes que fussent certaines, au dire des commensaux éberlués, son œil s'en était rassasié avant même qu'à la crudité des sauts et sursauts du début eût succédé cette langueur perverse. Car plus les mouvements devenaient lents, plus l'outrecuidance de ces filles follieuses devenait, pour lui, insupportable. Scrutant une fois de plus l'escarcelle de velin gris accrochée au flanc de la blonde à queue de cheval, comment eût-il pu douter encore que la fine peau de veau s'imprégnait de sang.

« Elles ne sont pas venues seulement pour danser ! »

Frappés maintenant du poing, les taroles roulaient en torrents, et les pas et mouvements de la cordace reprenaient vigueur ; les bras mouvants comme des herbes sous le vent recouvraient leur violence première. Une brune en robe pourpre s'approcha et fit un tel enjambement qu'on entrevit un peu de rose dans la ténèbre, sous son nombril.

Tristan, troublé, se détourna vers Oriabel dont la main avait frémi dans la sienne.

— J'ai peur, Tristan... Tout cela finira mal...

Cette peur inaltérée, comment eussent-ils pu s'en guérir ? Elle ajoutait aux tristesses d'une danse qui se voulait lascive, mais la lascivité n'avait que faire du vulgaire, et ces femmes infatigables en simulacres d'amour commençaient bel et bien à subir les effets d'une lassitude à laquelle contribuaient les injonctions des flûtes et des tambours. Les fréquentes roucoulades des premières les précipitaient devant les privilégiés de l'intérieur — et certains voulaient les happer de leurs mains ; les ronflements des seconds les déportaient au centre de la salle où elles toupinaient, révélant leurs chairs moutonnées de velours sombre avec d'autant plus d'audace qu'on ne les pouvait atteindre.

— Cela te plaît ?... Mes femmes m'attendant au Mont-Rond, mais j'ai envie de passer la nuit avec la brune, là-bas... L'émeraude... N'est-elle pas à ton goût ?

— Une seule me plaît, Bagerant : la mienne.

Le routier ne quittait pas des yeux la fille-proie. Dans ses prunelles flottaient des appétits ou des exigences terribles. Sa voix s'affina :

— Et si je te disais... si je te commandais : « Besogne-la maintenant » ?

— Je te répondrais non.

— Et si je te disais : « Besogne alors ton épouse » ?

— Je te répondrais non.

— Pourquoi ?... Ta pudeur en souffrirait, certes... Pourquoi ?

— Tu connais tout de la haine, Naudon. Rien de l'amour... Ton châtiment serait qu'un jour tu t'éprennes encore d'une femme et qu'elle n'ait que répulsion pour toi... Oh ! je sais bien que tu parviendrais à tes fins... Mais son regard, pendant que tu t'échinerais sur elle, son regard pour toujours deviendrait ton enfer.

— Sais-tu que tu m'éreintes avec tes beaux discours ?... Tu nous juges de haut ainsi que Dieu le Père, mais si tu acceptais de vivre sans contrainte, tu respirerais mieux, tu verrais mieux le bleu du ciel et des rivières... Regarde le Bâtard de Breteuil... Grosse face rouge... Il n'est pas encore tout à fait des nôtres, et pourtant, il approuve tout ce que nous faisons... Je ne sais ce qui sommeille en lui... Le mal, certes, mais aussi une ambition terrible... Aymery ?... Nous lui savons bon gré de nous avoir fait jeter nos arbalètes au profit de l'arc... Il provoque des jeux avec des récompenses : douze flèches dans le bersail (1) : une ribaude offerte par la compagnie ; six dans la mouche : une de nos hôtesses, mais pour un coup seulement afin de ne pas l'abîmer... Décidément, j'ai moult envie de cette brune. Sa chair est couleur de châtaigne !

— *Bêlo ës la castâgno, dëdin ës la magâgno.*

— Qu'est-ce que tu dis dans ton patois ?

— Que ta châtaigne est peut-être belle, mais qu'elle contient un ver.

Soudain, la voix de Bagerant changea et devint dédaigneuse :

— Regarde Jean Doublet !... Lui m'est suspect... C'est sans plaisir qu'il nous compagne. Il ne se commet ni avec les putes, ni avec les captives, ni avec des enfants... C'est un anormal !... Différent de Perducas d'Albret, dit Bertuchin ; de Bérard d'Albret son parent et de leur ami, Pierre de Montaut, des sires de Mussidan... Voilà d'excellents frères auxquels on peut se fier ! Deux sont de Bergerac, et de noble naissance — plus haut que toi ! — l'autre était leur voisin... C'est pourquoi ils sont toujours ensemble à la bataille, à la ripaille et même à la fornication !

— Je connais ces Albret de nom. Je savais qu'ils étaient pour l'Anglais. Je ne pensais pas, en les voyant sur ces hauteurs...

— Qu'ils étaient tombés si bas ?

— Tu peux rire !

— Ils ont combattu dans la bataille de Derby et ils étaient contre toi à Poitiers... Et ailleurs !... Tiens, ce gros lard ranci de Bérard... A ce qu'il prétend, il a commandé les forces anglo-gasconnes chargées de faire lever le siège de Saint-Jean-d'Angély... Il a même, à ce qu'il ajoute, au combat de Saintes, aidé à la capture d'Arnoul d'Audrehem (2)... Il se croit sorti de la cuisse de Jupiter...

— De Lucifer !

— Soit... Lui et son parent ont un peu plus que nous foi en Dieu... De sorte qu'ils sont plus indulgents aux vices et défaut de nos hommes, grâce à la charité que donne une religion bien comprise, qui admet que les repentirs sont des fardeaux pénibles, les résolutions formulées mains jointes des stratagèmes fallacieux... Ils n'acceptent ni les objurgations ni les reproches... Ainsi, ils ont occis... proprement... frère Gérard de Saint-Gratien qui un jour les sermonnait pour avoir deux par deux — comprends-tu ? — satisfait une de

---

(1) La cible.

(2) Ce combat eut lieu à Saint-Georges-la-Valade, sur la route de Saintes à Saint-Porchaire, le 8 avril 1351. Guy de Nesle et Renaud de Pons, prisonniers également, recouvrèrent leur liberté en juin ; Arnould d'Audrehem presque aussitôt. En effet, le 24 avril, il était à Angoulême et le 25 mai à Paris. Saint-Jean-d'Angély fut rendu le 7 août à Jean le Bon.

nos otages... Ah ! là là, Tristan... Te voilà pourvu d'une femme... Tu ne seras pas si aisé, désormais, pour monter celles qu'on monte sur le Mont-Rond, qui ressemble, as-tu vu, à un téton énorme !

Oriabel entendait-elle ? Il ne le semblait pas. Elle regardait les danseuses. Elle bâilla. Tristan fut tenté de lui parler, mais Bagerant emplit son hanap. Il était en argent niellé. Un grand seigneur jadis avait bu dedans.

— Les uns prêchent l'amour... Mais l'amour est un piège.

— Vous pourrissez la terre, les corps, les âmes ! Cesse tes parlures !

— La pourriture est partout, jusqu'au trône ! La débauche est partout ! Nous prospérons dessus comme de belles fleurs sur le fumier...

— Belles fleurs ?... Ces femmes qui dansent morisques et gambades (1) sont encore belles... Dans deux ou trois ans, vous les aurez flétries... Et leur vue vous sera peut-être si odieuse que vous les occirez !

— Non... Elles ne nous serviront plus pour l'amour...

— L'amour ! soupira Tristan, excédé.

— Mais elles nous seront utiles pour nous porter l'eau, le matin ; pour fourbir nos armures et repriser nos chausses !

Tristan vida son hanap d'un trait, sans pour cela quitter la main de son épouse puis, les yeux dans ceux, clignotants, de Bagerant :

— On dirait que tu veux me pousser à bout. Tu perds ton temps.

— Je ne fais que t'éclairer, ténébreux chevalier !

Tiercelet ne disait mot : il semblait que la vue des danseuses l'emplissait d'un indicible malaise. Parce qu'il avait aperçu l'escarcelle tachée de sang ? Pour lui, également, tous ces visages n'en formaient qu'un seul ; tous ces corps n'en faisaient qu'un seul, inexorablement féminin et fané de l'intérieur. Les filles, maintenant, tournaient et sautaient, groupées devant la mariée ; leurs faces, leurs sourires, leurs bras ondoyants se tendaient vers elle pour un hommage moqueur du vice à la vertu. Allaient-elles se dévêtir complètement ? Elles s'étreignaient deux à deux, joignaient leurs bouches, leurs seins ; pirouettaient, se penchaient afin de se frotter les fesses, se cabraient pour en faire autant de leurs ventres, puis se donnaient la main et carolaient en riant, roucoulant, gémissant d'une façon qui produisait son effet sur les hommes : deux d'entre eux se levèrent pour que leurs compagnons vissent leur haut-de-chausses gonflé. Des rires s'élevèrent :

— Montre-le, Hazenorgue ! Il paraît que tu l'as pas plus gros qu'une asperge.

---

(1) On appelait aussi *tordions* ces danses « agitées », opposées aux *danses basses* appelées *tresches* : caroles, etc.

— Tu ne dirais pas ça, Espiote, si tu l'avais au cul !

— Montre, Bertuchin !... Montre-le à la mariée... Vois, elle baisse la tête ! Qu'est-ce que ce sera quand elle l'aura vu !

Sur un geste impérieux de Garcie du Châtel et de Jean Aymery, les deux malandrins se rassirent. Tristan sentit son front se tremper de sueur : prochainement, d'autres hardiesses allaient suivre. Plus le temps passait, plus la morisque prenait une allure effrénée, plus il redoutait une espèce d'orage dont Oriabel serait éclaboussée. Il s'aperçut que le soleil tombait : les murs s'obombraient, ainsi que le pavement à l'extérieur de l'espace où évoluaient les jongleuses.

« Tiens, Héliot revient, se dit-il. Qu'est-il allé faire ? »

Une abominable amertume lui empâtait la gorge quand la gambade cessa. Comme frappées d'un même coup de fouet, les danseuses tombèrent au sol, face en avant, croupes en l'air tandis qu'un chalumeau, tout d'abord strident, modulait une sorte de miaulement sauvage. Il y eut au-dehors une sonnerie de trompes et l'huis s'ouvrit. Une femme apparut, nue, éplorée, soutenant un plat rond. Tristan sentit les petits ongles d'Oriabel percer sa paume.

— Pauvre dame !... Sa hautaineté doit souffrir !

— On dirait que tu la connais, de la façon dont tu en parles !

— Pourquoi porte-t-elle ainsi ce plateau d'argent puisqu'il est vide ?

Nouvelle Tard-Venue ou bien otage en sursis de sévices, l'arrivante s'avançait lentement, l'air humble plutôt qu'apeuré, saluant par de courtes inclinations de la tête, insensible apparemment aux sifflets et aux rires. Elle avait des seins gros mais fermes, des hanches fines, des cuisses vigoureuses. Sur le lait de sa chair moussait un peu d'or sombre. Tristan cessa de l'observer, trouvant son intérêt désagréable à Oriabel dont il avait senti le regard sur sa joue.

— Comment tu la juges ?

— Moins belle que toi.

La vénusté de cette femme le laissait d'autant moins indifférent qu'elle ressemblait à la déesse installée dans le gynécée de Perrette Darnichot, laquelle, sans doute, se fût complue dans cette fête.

— C'est tout ce que tu en penses ?

— Oui, m'amie. Je ne sais si elle est à plaindre ou à remirer (1).

Il eût pu cependant ajouter que cette beauté plus très jeune devait avoir eu beaucoup d'empire sur ses ravisseurs puisqu'il semblait qu'elle les eût privés jusqu'à ce jour de l'audace d'en jouir.

---

(1) Regarder plusieurs fois avec intérêt.

Elle retint mal un cri en apercevant Oriabel. Cri de rage d'être livrée sans rien sur le corps aux regards d'une jouvencelle qu'elle assimilait, sans doute, à toutes les follieuses de la truanderie de Brignais, tandis que Thillebort hurlait :

— Debout les jungleresses ! Vous savez ce qu'il vous faut faire !

Elles se relevèrent pour courir entourer l'officiante. Toutes détachèrent leur escarcelle, l'ouvrirent et vidèrent son contenu sur le plateau d'argent.

Tristan sentit son cœur cogner outrément sa poitrine tandis que, sur sa paume, il percevait, violents, les battements de celui d'Oriabel. Il souhaita une fin brève, définitive, à ce spectacle. Tout l'opprimait : ses poumons pesants, ses yeux qui le picotaient, l'odeur presque sanieuse des viandes et le faguenas (1) des convives. Tiercelet observait, sourcils froncés ; Bagerant souriait, l'air halluciné.

— Allez, Mathilde, va les lui offrir ! dit la danseuse à queue de cheval. Il va jouir, tu verras, en voyant ces trophées !

Le dépositaire, c'était Thillebort.

D'un pas qui chancelait, le menton haut, le regard au plafond, la prisonnière insoucieuse de sa nudité s'approcha du malandrin. Il parut évident à Tristan qu'elle avait vu le contenu du plateau et se refusait à une vision seconde. L'œil du routier, humide de chassie, scintillait comme une carapace d'escarbot — hanneton ou bousier — sans que sa paupière eût un frémissement. Il y avait dans la ferme concentration de ses traits, dans le serrement de ses mains, de part et d'autre de son écuelle, l'expression d'une puissance sereine, gloutonne. Et victorieuse.

Les taroles bourdonnèrent quand la porteuse, farouche et craintive à la fois, lui présenta ce qu'elle avait tenu aussi respectueusement qu'un tabernacle. Tristan, quasiment hébété par les fiévreux remous de sentiments contraires — mépris, tristesse, compassion envers Oriabel mais aussi envers la captive ; hargne d'être impuissant et curiosité — entendit s'ébaudir le Borgne, puis ses voisins penchés au-dessus du plateau, et enfin les filles follieuses.

— Qu'est-ce donc, Bagerant ?... Je devine que tu le sais !

— Tourne-toi, Mathilde ! hurla le routier. Le marié veut voir ces reliques !

La captive obéit tandis que Bagerant révélait :

— Ce sont les attributs de la virilité !... Approche, femme... Baronnesse de mes coulles !... Approche !... Tu peux les regarder aussi : je suis sûr que tu n'en as jamais vu autant à la fois.

---

(1) Odeur fétide et nauséabonde exhibée par un corps malpropre.

Essayant vainement de dissimuler son sexe, la femme appuyait une main dessus, portant ainsi le plateau assez bas. Son regard éploré alla d'Oriabel, la tête penchée, confuse, et les yeux soudain clos, à ce qu'elle tenait presque comme une offrande : des bourses et verges d'hommes soigneusement disposées comme un mets prêt au service et baignant dans une sauce purulente.

— Ouvre tes yeux, la mariée !... Vois ! Contemple !... Ça devrait t'énamourer ! tonitrua Thillebort debout, un pied sur la table, faisant ainsi pencher son écuelle dont le jus — sang de mouton et sauce de lentilles — débordait.

Oriabel luttait contre la pâmoison. Ses joues s'étaient teintées. Tiercelet lui tapota la main, ce qui déclencha des rires. Et tandis que Tristan découvrait du mépris pour son épouse dans le regard de la baronne humiliée, Thillebort précisait :

— Y en a douze, autant que de danseuses !... Hé ! Hé ! c'est elles qui ont fait cette besogne-là... Elles sont bien dignes de nous, ces femelles, et seront congratulées plus tard, comme il sied.

Les filles follieuses battirent des mains, et si Tristan baissa la tête, ce fut pour dérober ses yeux à ceux de la captive : il y avait découvert plus d'intérêt que de haine.

Il avait tout pressenti. L'escarcelle teintée de vermillon avait excité sa méfiance, une méfiance qui n'avait cessé de croître tandis que les appas des jongleuses, entraperçus, tantôt chair, tantôt toison, conféraient à cette liesse oppressive un aspect infernal dont ils étaient, Tiercelet, Oriabel et lui, les seuls à redouter un dénouement affreux. Eh bien, c'était fait : les danseuses lascives et luxurieuses n'étaient que d'infâmes bourrelles, et leur morisque un prélude à cette solennité sanguinaire. Thillebort en était l'ordonnateur, elles les exécutrices. Il suffisait d'entendre leurs rires pour comprendre qu'elles avaient obtempéré aux sommations du Borgne avec une volupté profonde, douze fois renouvelée. Tête basse, toujours, ainsi que son épouse, et quelque endurci qu'il se fût imaginé aux spectacles du mal, comment eût-il pu résister aux images qui s'imposaient à son esprit ? Il les voyait, ces carognes, avilir les compères qu'on leur avait livrés, tous hantés par cette horreur qu'ils avaient, en riant, exercée sur tant d'autres. En les émasculant, elles avaient épanché leur haine contre ceux qui les avaient possédées, qui les possédaient et les posséderaient. Leur bestialité n'était que le reflet de celle de leurs tyrans.

— J'avais jamais vu ça...

Tiercelet écœuré ! Levant enfin le front, Tristan vit que Jean Doublet l'était aussi. Une des ribaudes, prompte, l'enlaça : il la repoussa violemment et, comme elle insistait, la menaça de son poignard. Elle alla se faire mignoter par la fille à queue de cheval qui, l'étreignant d'un seul bras, farfouilla son corps sous les voiles avec une voracité de chienne affamée. Cette tendresse indécente incommoda Doublet. Il se leva et s'éloigna, les traits figés, le regard déjà comme sa personne — absent.

— Il suffit ! s'écria Thillebort... Vous, les gaupes, assez de vous fricasser le museau et de vous tâtonner le Mont-Rond... Je veux dire le Brignais... ou la motte !... Qu'as-tu à me considérer ainsi, Castelmerde ? Tu plains ces douze gars ? C'étaient des faux-frères !... Allons, Mathilde de mon cœur, fais le tour des tables, que nos compères voient ça !... Et ton fourrage s'ils en ont envie !... Lève tes bras plus haut !

La captive entama une marche hésitante. Peu d'hommes regardaient, ce qui scandalisa le Borgne :

— Holà !... Nul d'entre vous ne reconnaît un... comment qu'on dit, Angilbert ?

— Un *phallus*...

— Nul n'en reconnaît un ?... Il est vrai que vous n'êtes guère de Sodome ! Mais je suis sûr que même dans l'état où ils sont, si je posais la question à ces filles, elles mettraient un nom sur chacun de ces vits !... Il y avait deux juifs : Samuel et David ; ceux-là au moins doivent être reconnaissables !

Le silence était plein des craquement du feu. Thillebort se courrouça :

— Ils voulaient me quitter. Un traître me l'a dit. Ils ont profité du départ du Petit-Meschin pour Sauges, la nuit dernière, et se sont mêlés à ses hommes. Il me les a renvoyés... Ces bonnes filles savaient ce qui les attendait si elles ne démembraient pas ces apostats ! On les aurait écorchées et salées !

Il tendit vers Tristan un doigt accusateur — ou menaçant :

— Nous haïssons les déserteurs plus que nos ennemis !

Ces propos fulminants ne provoquèrent qu'un haussement d'épaules.

— La route, s'emporta le Borgne, c'est notre royaume. C'est comme un arbre immense : si quelque pourriture affaiblit une branche, on la tranche. Qu'as-tu à répliquer ?

— Ta justice est infecte. Je ne regrette qu'une chose, Thillebort : c'est de ne pouvoir combler tout à fait ton furieux appétit de vengeance.

— Hein ? Quoi ? s'étonna le Borgne dont l'œil cilla sous la poussée d'une larme de pus. As-tu un autre regret ?... Quel est-il ?

— De ne pas commander céans.

Il y eut un vacarme composé de rires et de *« Hou ! Hou ! »* moqueurs.

— Cessez de le bourder (1) ! s'écria Bagerant. Laissez-le achever. C'est son droit !

— Tu as la parole, Castelet, hoqueta Garcie du Châtel qui s'étouffait de joie.

Se penchant, Tristan échangea un regard avec Tiercelet, puis avec Bagerant. Aucun doute : tous deux lui signifiaient de poursuivre.

— Si je commandais, Thillebort, je te ferais avaler tout cela !... Et je t'eunuquerais ensuite, si tu vois ce que je veux dire, pour te forcer à te manger toi-même !

— Mais tu ne commanderas jamais ! ricana de loin Héliot, un couteau dans chacune de ses mains levées. Et bête comme tu es, tu vivras moins longtemps que nous !

— Je vivrai plus longtemps que toi si tu m'enfélonnes un peu trop !

On se tut. Les filles disparurent, entraînant avec elles la baronne Mathilde et son hideux plateau.

— Que va-t-elle en faire ? demanda Pierre de Montaut.

— Nous n'avons plus de chiens, regretta Hazenorgue.

— Mais les cochons ne manquent pas, dit Tristan avec une simplicité pesante.

On rit, contrairement à ce qu'il attendait, tandis qu'il dévisageait un par un les convives. Naudon de Bagerant, hilare, se pencha :

— Tu vois, si tu partais, bien sûr avant dix jours, et que je te retrouve, je pourrais faire en sorte que tu ne puisses plus satisfaire ton épouse...

Oriabel cachait dans ses mains son visage. Elle en avait trop vu, trop entendu. Plus ombrageux encore dans son amitié que dans son orgueil de routier instruit des pires actions punitives, Tiercelet se pencha, lui aussi :

— N'oublie pas que je veille sur lui comme un père. Non seulement il ne commettra rien qui te puisse indigner, mais pendant dix jours, il sera pleinement de la famille... Alors, garde-toi de le titiller !

Héliot quitta la salle une seconde fois. Aussitôt Nadaillac se leva de table et le suivit. L'écuyer revint assez promptement, devançant le palefrenier.

« Que nous préparent-ils ? », se demanda Tristan.

Dehors, la nuit avait déployé ses ténèbres.

Il fallut de nouveau boire et manger, même petitement. Parfois, la porte béait ; les deux captives apparaissaient, portant des corbeilles de pain, des pichets et chopines. Elles devaient les poser au

(1) Moquer, railler.

milieu des tables. Des mains volaient vers leurs seins, leur taille, leur croupe, et des rires s'élevaient quand elles se refusaient à ce que le Bourg de Monsac, prodigue en attouchements, appelait des « ferveurs ». Tristan se sentait l'estomac noué ; Oriabel semblait près de vomir.

— Songe, lui dit-il à mi-voix, que nous pourrions être morts. Tout ce que tu vois, tout ce que tu ressens doit te conforter dans l'idée que tu vis, qu'ils t'ont épargnée... et que tu ne seras jamais comme ces mal heureuses.

En était-il si convaincu ? Non, bien sûr. Mais ce mensonge et sa voix feutrée, aimante, composaient le seul remède qu'il pût administrer à la jouvencelle. Sur le mur, face à lui, envahi d'ombres mouvantes, les flammes du grand âtre au linteau fracassé lançaient leurs langues d'or et de pourpre. Ce feu bien vivant, c'était *eux*, et les ténèbres ces hommes aux visages apoplectiques. Il sentait sous certains fronts couver des appétits mystérieux et ne savait s'ils concernaient son épouse ou lui-même. Oriabel, c'était le viol, évidemment ; lui, c'était le trépas dans un combat qui peut-être constituerait le second entre-mets. S'il en sortait vainqueur, ce serait l'admission formelle dans la route. Mais qui le provoquerait ? La présence apparemment courtoise de Bagerant faisait obstacle à la plupart des intentions de chicane. Thillebort le haïssait. Tout proche, Nadaillac était, lui aussi, l'aversion incarnée. Aymery le considérait comme un marmouset et se demandait ce qu'il valait, une épée en mains. Quelque inconcevable que cela parût, Jean Doublet, qui revenait s'attabler tout près de Thillebort, paraissait lui vouer du respect. Il devait avoir vingt-cinq ans. C'était un homme à cheveux ras, au visage rond, gros et lisse. Des yeux noirs, rêveurs, une bouche maussade. Son silence, parmi tous ces braillards, eût pu passer pour injurieux s'ils avaient eu plus de discernement. Il répondait par de nonchalantes inclinations de la tête au Bascot de Mauléon et au Bourg de Monsac, ses voisins — deux gros soiffeurs barbus et chevelus, le torse empêtré dans un pourpoint à bossettes de cuivre si ternies, si sales qu'elles semblaient une éruption de furoncles dont ils se fussent l'un l'autre contaminés à outrance.

— Y aura-t-il un second entre-mets ? demanda Bertuchin en suçotant un os qu'un chien n'eût pas mieux déviandé.

— Oui, dit Aymery. Celui-là, compère, n'est pas de mon invention... Je vous en préviens tous dès maintenant. C'est Baudouin III, le roi Franc de Jérusalem, qui en eut l'idée, un jour de liesse à Tabarie... ou Tibériade, pour divertir quelques croisés nouveaux venus en Terre Sainte.

— Peut-on savoir ? demanda Béraut de Bartan, alléché.

— Oh ! oui... Dites-nous-en plus ! supplia Héliot, flagorneur, en cessant de découper un porcelet. Vous êtes un expert en plaisantes sémilles (1) !

Il était, de toute évidence, favorable à une ascension dans la hideur.

— Je ne mets pas en doute, compère Aymery, ta faculté de nous montrer des entre-mets agréables, commença le Bourg de Breteuil. Je me dis qu'il est dommage que notre compère Aymerigot Têtenoire ne soit pas des nôtres... Même en ces jours où nous eûmes le feu au cul, pourchassés par les gens de guerre, il nous en inventa qui nous égayèrent fort ! Ces filles qu'on a jetées...

— Tais-toi ! commanda Aymery.

Un homme ventru, à tête brune, ronde, se leva :

— Moi, Seguin de Badefol, seigneur de Castelnau et Berbiguières, prud'homme de la Maison de Gontaut...

— Prud'homme de mon cul ! grommela Bagerant à la seule intention de Tristan. Heureusement, il n'est que de passage.

— Moi, Seguin, puis vous garantir moult solas (2) tels que ceux de Beauvais et Soissons, Dôle ou Besançon...

— Non ! aboya Garcie du Châtel. Retourne d'où tu viens ! Nous sommes ce jour d'hui au mariage d'un valeureux compère ! Ayons respect pour lui et pour son épousée ! Mange et va-t'en demain retrouver tes compères !

Seguin de Badefol se laissa retomber sur son banc et, se penchant, glissa quelques mots à l'oreille d'Arnaud de Thillebort qui les approuva d'une lippe et d'un cillement de son œil unique sans oser formuler à haute voix les objections qui dansaient dans sa tête. Puis son intérêt se concentra sur Oriabel, seule femme pour laquelle on se priverait d'un agrément de choix :

— Cette porteuse de dards et de couillonnades est belle, pas vrai ? Aussi belle que toi, dit-il en frottant sa paupière comme pour raviver, à l'intérieur, l'image de la captive. Est-il vrai que cette Mathilde est baronnesse ?

— Oui, dit Héliot. Oui !... Oui !

Une vague fureur s'éleva chez ce malandrin ; pire même : un vertige de haine envers sa condition plus qu'en la convoitise d'un Thillebort ou d'un autre.

— C'est ma prise !... Je n'y ai pas encore touché !... C'est ma prise d'il y a six jours... Je l'avais mise en sûreté et n'ai pas eu le temps de m'en occuper. Mais ce soir...

---

(1) Inventions.
(2) Plaisirs.

Il y eut le fracas d'un poing heurtant la table.

— C'est du gros fretin dont tu t'es emparé, foi de Thillebort. Elle ne saurait être pour toi ! Tu n'es qu'un écuyer...

— Elle lui appartient, déclara lentement Bagerant. Certes, il n'eut aucun mal à s'en saisir : elle courait après son chien, à la tombée du jour, à deux ou trois cents toises de son châtelet... que nous devons respecter, puisque c'est le désir de...

— Pas de nom ! hurla une voix.

— Soit, pas de nom, grommela Bagerant mécontent. Tu te défies toujours de Castelreng, Aymery, et c'est ton droit. Pourtant, tu l'as ouï parler de cet homme.

A coup sûr, il s'agissait de l'Archiprêtre. Tristan sentit monter une tension entre Thillebort, Aymery et son voisin, qui déclara :

— Héliot est mon écuyer. Je n'ai guère l'occasion de lui montrer combien j'apprécie ses services. Je lui ai dit : « Garde-la mais ne l'abîme pas pour que nous puissions en tirer rançon. » Après tout, c'est le château de cette dame qu'on nous a demandé de respecter... Pas elle !... Es-tu satisfait, qu'Un-Œil ?

Un grognement fit office de réponse. Mécontent, Garcie du Châtel se leva :

— Tu me parais indigne de cette Mathilde, Héliot, n'en déplaise à Naudon ! Tu n'es qu'un galopin pour moi ; rien de plus ! Cette noble dame me plaît. Elle a de beaux tétons et un cul à damner le Saint-Père... Et je vais t'en dire davantage, puisque je parle du Pape : elle n'a pas l'air... Innocent ! Je te l'échange contre ma jument guilledine (1)... C'est une belle affaire car je me lasserai de la dame en quatre ou cinq jours... Tu garderas ma jument aussi longtemps que la vie !

— Chevauchez votre jument ! Je chevaucherai Mathilde !

— Ha ! Ha ! ricana Thillebort, avec ce qu'il a entre les jambes, il ne la comblera pas, cette bonne dame ! Mais vous vous échauffez pour rien, bon amis !... Demain, à l'aube, je partirai ; le soir, vous serez servis — et bien servis ! — en femmes, pucelles et jouvenceaux !

Il devait se maintenir dans l'estime de tous par sa faculté de les pourvoir en chair fraîche jusqu'à ce que, la satiété atteinte ou les « prises » trépassées, il lui fallût en chercher à nouveau. Il était récompensé de ses dons en mangeaille (il recevait les meilleurs morceaux), en orfèvrerie (des affiquets de femmes et des grelots

---

(1) Ou *guildine*. Un cheval *guildin* ou *guilledin* était un animal d'une espèce rare, bien dressé, dont l'allure guilledine était prisée des Ecossais qui, disait-on, l'avaient inventée. Elle participait du « traquenard » et de l'amble.

d'or paraient son pourpoint de velours cramoisi). Ainsi qu'un vent dévastateur, il devait, devant ses malandrins, s'abattre à la nuitée sur les hameaux paisibles, occire ce qui le gênait, rober ce qui lui plaisait et ne laisser, sur son passage, que des braises et des fumées. Maintenant, il avait un air à la fois provocant et satisfait, humble et renfrogné. Ministre des plaisirs, honoré par beaucoup, peut-être avait-il des ennemis. Aymery le traitait de haut, avec une considération narquoise ; Jean Doublet semblait le haïr.

Pour se retirer tout à coup, Pierre de Montaut excipa d'une grosse lassitude. « On sait où tu l'as ! », s'ébaudit Espiote sans que sa remarque atteignît l'homme qui s'en allait d'un pas pesant. Au passage, il avait échangé avec Béraut de Bartan, un regard de connivence. Jean Hazenorgue, l'Allemand, rota, puis tambourina sur son ventre et déclara que pour lui, le repas prenait fin, mais qu'il avait grand-hâte, avant d'aller dormir, d'assister à l'entre-mets.

— Patience ! Patience !

C'était Angilbert, épulon de ce banquet funèbre, qui lançait cela sans se départir de son air débonnaire. Sa dévotion n'était-elle qu'une hypocrisie sous laquelle fermentaient des cruautés vivaces ?

— Avons-nous besoin d'assister à vos jeux ?

Bagerant qui riait parut comme offensé :

— Es-tu homme, Castelreng ? Il me faut te morigéner (1) même si tu ne dois demeurer que fort peu parmi nous. J'exige ta présence et celle de ta femme. Elle verra au moins ce qui l'attend s'il lui prenait, avant le 10 avril, l'envie de guerpir avec toi !

Une expression de surprise et de dédain monta de la bouche aux sourcils du routier :

— Tu ne me réponds rien ?... Serait-ce votre intention ?

— As-tu fini de dire des bourdes ? fit Tiercelet, le sourire triste. Tel que je te connais, il doit être salé, ton entre-mets !

— Ce n'est pas le mien ! C'est celui d'Aymery.

— Un Goddon, fit Tristan plus rieur qu'agressif.

— Chez nous, il n'y a plus de France et d'Angleterre : il y a la fraternité, la liberté, presque l'égalité... Nous sommes égaux, libres et fraternels !

— J'ai vu, Naudon, où ces grands mots vous mènent. Je n'en connais pas de plus vains, car vous n'êtes ni égaux ni libres... encore moins fraternels : le premier entre-mets m'en a fourni la preuve, et cet Aymery me fait l'effet...

(1) Dans le sens médiéval : *élever, éduquer.*

— D'un grand chef ! coupa Bagerant. C'est une espèce de maréchal pour nous tous... Libre à toi de réfuter ses mérites, mais sous son commandement, nous te montrerons comment on gagne une bataille. Nos archers, nos frondeurs et nos picquenaires auront raison des chevaliers, des arbalétriers, guisarmiers et porteurs de goyardes (1). Et nous autres, bien sûr, qui t'offrons ce régal... Suivez-moi. Vous allez vous galer (2), je vous le garantis !

Il y eut un vacarme de bancs remués, d'éperons grattant des bois ; des rires, des soupirs et des éructations de contentement. Bagerant aida Oriabel à quitter l'escabelle qui lui avait été réservée. Tiercelet adressa un clin d'œil à Tristan ; c'était un encouragement à subir sans broncher cette nouvelle épreuve ainsi qu'un moyen de l'assurer qu'il veillerait sans trêve sur l'épousée. La joliesse et le maintien de la jouvencelle ne rendaient que plus abjectes la laideur et la turpitude des dévergondés qu'ils allaient devoir accompagner dans la basse-cour, puisque Bagerant annonçait que l'entre-mets précédant la mangerie des friandises aurait lieu en cet endroit.

— Encore la cruauté, murmura Tristan. Protège-la, Tiercelet, si je viens à manquer.

— Qu'ont-ils imaginé ? chuchota Oriabel.

* *
*

La basse-cour était illuminée par des lanternes accouplées au sommet d'une douzaine de poutres enfoncées de loin en loin dans le sol. Celles-ci servaient de point d'appui à une palissade de haies sèches érigée parallèlement aux quatre murs d'enceinte et permettant aux spectateurs de se mouvoir à l'aise dans un couloir large d'environ une toise. A l'intérieur de l'enclos, des palefreniers tenaient d'une main la bride d'un cheval et de l'autre un épieu. Il y avait six chevaux dont celui d'Héliot, un grand roux balzan des quatre pieds.

— Mon moreau ! s'indigna Tristan. Que signifie, Naudon ?... Pourquoi l'as-tu fait mener dans cet enclos ?

A peine venait-il d'avoir confirmation de la diablerie de ces hommes en assistant à l'une de leurs festivités, qu'un autre spectacle allait lui être offert ; et l'on y requérait sa participation !

---

(1) C'était une arme typiquement lyonnaise, consistant en un manche souple d'un mètre environ sur lequel était ajustée, par douille, une espèce de serpe. On la maniait en fauchant. Comme les armes d'hast bâtardes, c'était une modification d'un ustensile d'agriculteur.
(2) Vous allez vous amuser.

Bagerant le regarda, tranquille et plein de moquerie :

— Je veux savoir ce que tu vaux. C'est un solas qui nous a été enseigné par un clerc fort lettré, malheureusement hors de notre route.

— Ce Gérard de je ne sais où qui fut occis pour avoir un peu de cœur ?

Un coup d'œil. Non : plutôt la lueur d'un éclair.

— Ayant passé deux années en Terre Sainte, il lisait l'écriture des mahomets. C'est ainsi qu'il apprit qu'à Tibériade, lors de grandes fêtes données par les croisés, on avait fait courir des vieilles femmes pour attraper des verrats et des truies tandis que les chevaliers francs s'efforçaient de contrarier leurs mouvements (1). A Brignais, nous n'avons que faire des aïeules. Or, donc nous avons puni quelques jeunettes pour leur peu d'empressement à nous contenter. Elles sont six. Nous avons choisi six porcs, six chevaux et six hommes... dont toi.

— Si je refuse ?

— Oh ! Oh !

C'était d'une suprême astuce que de marquer, par un rire, une autorité pernicieuse et cependant irrécusable. Les yeux miroirs de l'âme, disait-on ? A la lueur sanglante des flammes frottées de vent, Tristan ne découvrait dans ceux de Bagerant qu'une profondeur d'abîme. Il était son débiteur. Il devait s'incliner. Il dit en poussant doucement Oriabel dans les bras de Tiercelet :

— J'ai cru que tu m'épargnerais la honte de molester des femmes qui ne m'ont rien fait.

— Pour que le jeu soit plus piquant encore, dit Aymery en s'approchant, tu pourrais essayer de les protéger... Or, à un contre cinq, c'est en piteux état que ton épouse te recevrait dans le lit que je vous ai fait apprêter sous votre ancienne chambre.

Un rire encore, mais abrupt : la supériorité faisait place au mépris. Un pli sinueux souda les lèvres d'Aymery tandis qu'il se frottait les mains :

— Tu ne pourrais rien contre Thillebort, Espiote, Bertuchin, Héliot et Hazenorgue : ils te haïssent. Crois-moi : mieux vaut être dans leur petit troppelet (2) que dans celui des femelles et des porcs !

— C'est façon de considérer les choses. Figurez-vous, tous deux, que ce troupeau où il y a des porcs me paraît être le vôtre.

Tristan avait atteint ses limites, mais plutôt que d'offenser Bagerant, il en obtenait un rire qui, cette fois, exprimait de l'admiration. Autour d'eux la nuit se peuplait de flambeaux.

---

(1) Ces fêtes publiques furent décrites par l'écrivain musulman Ousâma.
(2) Petite troupe.

— Avez-vous fini de paroler ? hurla Thillebort. On se refroidit !

Tristan eut un signe de la main négatif, et poursuivit :

— Tu pratiques, Naudon, la religion du mal, et cependant, il y a en toi quelque chose de clair que je ne saurais nommer... Je me demande de qui ou quoi tu es l'esclave. De ton corps ou de ton esprit ? Tu te distingues de la crapule par ta répulsion devant l'horribleté toute crue... Je t'ai vu rire et gloser sur ce que contenait le plateau, *mais tu ne le regardais pas* ! Et ce jeu cruel, maintenant, tu n'y prendras point part... Ton cœur en réprouve le cérémonial... Mais voilà : tu n'oserais t'en faire l'aveu !

— J'y ai joué. C'est un amusement de chrétiens.

— Il y a des chrétiens pires que les païens. Parmi tous les coquins assemblés à Brignais, presque tous, sinon tous, ont reçu le baptême.

Héliot, Espiote, Thillebort, Bertuchin et Hazenorgue étaient à cheval, leur hampe de frêne appuyée sur l'épaule. Tristan pointa un doigt vers eux.

— Quelque chose brille... Ces épieux sont ferrés comme pour une chasse au sanglier ! Est-ce ton idée, Naudon ?

— Non ! se défendit âprement Bagerant.

— Ces hampes, affirma placidement Aymery, n'ont qu'un rochet (1) à leur bout.

— Vos compères ne se contenteront pas de frapper ! Vous les avez armés pour qu'ils puissent occire !

Un cheval hennit ; un autre sabota violemment. C'étaient ceux de Thillebort et d'Héliot qui hurla :

— Commençons-nous ?

— Bientôt, dit Bagerant avec une sorte de lassitude. J'avais prévu, Castelreng, et Héliot aussi, que tu t'instituerais le défenseur des dames !

Il hurla :

— Compères !... Castelreng essaiera de protéger les femelles et les porcs !

D'un pas vif, il rejoignit Aymery, qui s'impatientait. Sitôt qu'il eut entendu ce qui pouvait être un conseil, l'Anglais hurla ainsi qu'un héraut d'armes :

— Oyez ! Oyez ! Oyez !... Il va y avoir là six femmes et six cochons. Les femmes devront se saisir des dits cochons et les remettre dans la cage où ils vont être amenés. Toute femme qui en tiendra un cessera d'être bâtonnée... sauf si sa prise lui échappe, car ces cochons sont oints de saindoux !... Nos effrontées seront

---

(1) Sorte de petit trident à pointes arrondies employé dans les joutes. Il défonçait aisément un bouclier.

empêchées dans leur quête par vous, messires, et par vos chevaux qui pourront sans fauter contrarier leur course... Vous relèverez celles qui tomberont à grands coups de frêne sur le cul !... Je répète que Tristan de Castelreng, refusant d'être des vôtres, est affecté à la protection des dames et des porcs !

Il y eut un silence. Héliot lui-même ne riait pas. Aymery, qui balançait entre l'admiration et la colère, interpella l'insensé :

— Sang Dieu ! Tu viens de te marier ; une belle nuit t'attend et tu vas follement t'opposer à la fureur de mes amis !... Tu en endommageras, certes, mais tu finiras par avoir le dessous et les femmes paieront pour ton outrecuidance !

— Tes amis, Aymery, sauf Héliot, sont trop saouls : ils videront les étriers sur une simple chiquenaude.

Tristan dévisageait l'Anglais presque nez à nez, sans reculer malgré le souffle aviné qu'il recevait à la face. Les yeux du Tard-Venu reflétaient les lueurs vivaces des flambeaux : il semblait que les pensées qui lui échappaient par la vue fussent teintées de sang.

— Hâte-toi, Castelreng, d'enfourcher ton cheval. Tu aurais dû penser à enfourcher ta femme... Bientôt, cela te sera impossible !

Cette moquerie ne suscita aucun rire. Tristan rejoignit Oriabel. Avant même qu'elle eût parlé, il l'étreignit très fort :

— N'aie crainte. Après cela, ils sauront qui je suis.

Tiercelet posa sa dextre sur l'épaule d'Oriabel :

— Tu es fou, mais je prie le Très-haut qu'il te garde.

— C'est un fou, approuva Jean Doublet. (Et plus bas :) Assomme-les ! Envoie un ou deux de ces linfars en enfer : l'air céans sera plus respirable !

Aymery réunit ses mains gantées de fer en cornet pour clamer :

— Les cochons d'abord, les femmes ensuite !... Qu'on se hâte !

Un portillon s'ouvrit sur de la clarté et des grommellements. Portée par quatre hommes torse nu, leur cagoule de bourreaux à demi décalottée, une cage de bois coiffée d'osier apparut, contenant des gorets d'apparence tranquille.

— S'ils ne font pas bien l'affaire, dit Thillebort dont le cheval avait les oreilles chauvies, on les mangera demain !

— Et ces femmes ? interrogea Héliot. Savent-elles ce qu'elles doivent faire ?

— Je les ai préve...nues ! ricana Garcie du Châtel.

— Sont-elles vraiment nues ? insista Thillebort.

— Comme le plat de la main ! affirma Bertuchin avec un évident plaisir.

En dépit du poids de son armure, Tristan s'était enfin juché sur son moreau sans qu'on lui tînt l'étrier. Il s'aperçut alors que

Nadaillac tenait le cheval par la bride et poignait l'épieu qui lui avait été attribué. Le choix d'un tel coquin éveilla sa suspicion.

— Holà ! permettez, mes bons sires. Aux joutes, je prends soin d'examiner pouce par pouce les lances qui me sont offertes.

Il se tourna vers l'assistance et se merveilla de la contrariété de Pierre de Montaut, qui le menaçait du poing.

— Je vous serais reconnaissant d'approcher un flambeau.

— En voilà des façons ! s'indigna Thillebort approuvé du seul Héliot.

Il y eut des grognements, mais comme Aymery lui-même approchait un falot, ils s'apaisèrent.

Tristan décida de prendre son temps. Non seulement il tenait à vérifier si la hampe de son épieu n'avait pas été soigneusement sciée ou ne présentait pas un nœud aidant, lors d'un coup violent à sa rupture, mais il voulait aussi provoquer chez ses adversaires avides d'horions, une impatience qui leur serait néfaste.

Il procéda à l'inspection de la hampe. Du bon frêne à peine sec. Le rochet à douille épaisse était assujetti au bois par deux rivets solides ; dessous, le manche n'offrait que peu de petits nœuds et le doigt glissait à sa surface comme sur un acier soigneusement fourbi.

— Ce sont là des manières par lesquelles un chevalier retors diffère son entrée en lice ! gronda Aymery, approuvé par ses satellites.

Tristan, le pouce posé au milieu de la hampe, demanda innocemment :

— Qu'est-ce donc que cela, messire ? Qu'est-ce donc sinon une entaille... une coupure faite avec une lame mince et bouchée proprement à la cire ?... Elevez, je vous prie, votre luminaire.

Il défiait l'Anglais les yeux dans les yeux. Son cœur battait paisiblement et, sous le fer qui la protégeait, sa poitrine se soulevait avec une régularité, une indolence dont lui-même s'ébahissait. Le tutoiement lui parut nécessaire :

— Vérifie, Aymery… Examine bien ! Je ne suis pas retors mais avisé.

L'Anglais, maussade, passa son index puis sa paume sur le bois, les sentit et convint qu'ils flairaient la cire et qu'il y avait une mince mais profonde entaille au mitan de la hampe. Avec une soudaineté rare chez cet homme qui ne devait vibrer qu'à la bataille, il leva sur Tristan un regard insondable :

— Penche-toi, Castelreng. Tu peux dire que tu nous incagues (1) !... Mais je te reconnais de la valeur, de la vaillance et ce qui me plaît aussi : de la prudence...

---

(1) Incaguer : non seulement couvrir d'excréments, mais aussi braver avec mépris.

Un hurlement fit suite à cette confidence tellement chuchotée que Thillebort et Héliot n'avaient rien entendu :

— Qui a fait cela ?

Silence. Le visage d'Aymery, figé dans son mécontentement, n'exprimait rien. Pas même la déception. Il connaissait son monde et savait que nul ne se dénoncerait.

— J'observe, dit Tristan — avec ta permission, bien sûr — que le courage n'est guère en usage chez vous. Il est vrai que la rigueur de vos châtiments ne saurait inciter le ou les fautifs de ce mauvais coup envers moi, à faire preuve d'un tantinet de bachelerie (1). Tes compères ne sont hardis qu'en présence de femmes nues... Encore faut-il qu'ils se mettent à plusieurs pour...

Le falot bondit vers les yeux de Tristan et ce mouvement effraya son cheval : il rua et transmit son émoi à tous ses congénères.

— Continue ta litanie, chevalier !... Or çà ! je t'en préviens : elle commence à m'échauffer les oreilles. Te voilà instruit : prends garde !

Sans que peut-être il en eût été conscient, l'Anglais s'était exprimé en soupirant trois ou quatre fois, révélant ainsi son courroux d'assumer seul la honte d'une basse besogne. Avait-il seulement des soupçons sur quelqu'un ?

— Si je ne m'étais garanti contre un malicieux coup de traîtrise, reprit Tristan, je serais maintenant meshaigné ou occis... Qui — sauf évidemment toi — peut m'assurer que je ne recevrai pas dans le dos ou là, en plein cœur, un carreau d'arbalète ?... Quelle que soit la perfection de cette armure, tu sais qu'un vireton lâché de près pourrait en traverser le plastron ou la dossière... Je dis : à entremets immondes, procédés immondes !

— N'abuse pas, Castelreng, d'un avantage que je te reconnais volontiers.

Rougi aux flammes du falot qu'il brandissait toujours, le visage d'Aymery avait la matité d'un fer tiré d'un foyer de forge. Il semblait que le petit scandale où il se trouvait impliqué eût aboli son impatience d'assister à un divertissement qu'il prisait entre tous. N'ayant jamais commis la moindre perfidie au détriment des siens, il ressentait l'offense faite au marié, au chevalier, ainsi qu'au protégé de son ami Bagerant, avec une acuité singulière. Tandis qu'une partie de lui-même s'évertuait à effacer ce malencontreux incident, des ulcères dus à la félonie de ses compagnons le démangeaient dans l'autre.

— Que veux-tu en réfection d'un pareil préjudice ?

(1) Vaillance chevaleresque.

— Annule cet entre-mets qui s'annonce déjà sous de funestes auspices.

Un rire où perçait un triomphe, mais qui manquait encore de fermeté :

— Quoi ? Renoncerais-tu à devenir le protecteur des prisonnières ?... Le saint Georges ou le saint Michel ou le saint Tristan béhourdant contre cinq dragons ?... Les craindrais-tu, réflexion faite ?... Je peux, après ce qui s'est passé, exiger sous peine d'expiation que le jeu soit loyal !... Je commande ici à tous !

Il y eut des rumeurs du côté des chefs. Cette primauté qu'Aymery s'arrogeait discréditait maintes présomptions. Naudon de Bagerant lui-même devait souffrir dans son orgueil. Il écoutait, les yeux mi-clos, le sourire étroit comme une boutonnière.

— Je ne crains rien de plus que la déloyauté. Garde cette lance bonne à cuire la soupe : elle me renforce dans la conviction que je serais trahi si j'entrais dans cette porcherie... et que, quelle qu'ait été ma position, soit avec ces hommes contre des innocentes, soit contre eux pour défendre celles-ci, j'étais perdu !

Il entendit un rire et se détourna :

— Tu peux t'ébaudir, Héliot ! On dit que l'oisiveté engendre tous les vices. Or, toi, quand tu avais tranché viandes et venaisons et que tu n'avais plus rien à faire de quelque temps, tu quittais le festin pour aller je ne sais où... Peut-être est-ce toi qui endommageas cette hampe... ou qui en chargé Nadaillac : il te suivait chaque fois que tu t'éloignais... Oui, Héliot : tu peux plus qu'aucun autre avoir voulu ma mort en lui donnant une apparence accidentelle !

— Prouve-le !

En quelque autre lieu et devant d'autres hommes, cette repartie froide, effrontée, eût condamné l'écuyer. Mais l'on était chez des gens pires que des truands, lesquels, tout en mésusant de l'honneur, savaient parfois se montrer loyaux et incorruptibles. Naudon de Bagerant, furieux, s'approcha d'Aymery :

— Bon sang, le temps nous presse ! (Et sans attendre un geste, un consentement d'Aymery, de Garcie du Châtel ou d'un autre :) Hé ! les hommes... Faites venir les femmes et qu'on s'égaye un peu !

Les porteurs de porcelets coururent jusqu'au seuil sur lequel ils étaient apparus, et l'un d'eux tira une porte invisible.

L'une après l'autre, échevelées, penchées, toutes pareilles en leur geste de pudeur rudoyée, elles pénétrèrent dans l'enclos. Des rires, des sifflets, des « Noël ! » les saluèrent, brusquement interrompus par les hurlements d'Héliot lorsqu'il reconnut la dernière : c'était Mathilde, *son* otage.

— Non ! Non ! s'écria-t-il... Il faut qu'on la remplace !... Je vous ai dit que je l'avais conquise ! Allez en choisir une autre au fond du souterrain ! Et si aucune d'elles n'est capable de courir, eh bien... prenez la mariée !

Tristan vit Tiercelet entourer de son bras les épaules d'Oriabel. Il mit pied à terre, trouvant qu'il existait des limites à ces préparatifs. Aymery recula tandis qu'il le dévisageait avec une commisération qui pouvait paraître moqueuse, mais qu'il ne ressentait pas :

— Voilà, messire, un second mécontent !... Pour peu que Thillebort veuille douze femmes au lieu de six, et que Bertuchin, lui, exige ensuite, dans cette lice, douze porcs à sa semblance, nous serons toujours là jusqu'à l'aube prochaine.

Sciemment, posément, il aiguisait des fureurs dont il n'avait cure. Aymery lui aussi pouvait être secrètement excédé par la fraude d'Héliot et sa protestation concernant *son* otage. Pour mieux dissimuler sa nudité, dame Mathilde s'était accroupie. La montrant du doigt à Nadaillac, impassible en apparence, mais dont les mains tremblaient, Thillebort lui demanda ce à quoi, selon lui, elle était occupée.

— Je suis sûr que ce jeu lui a donné la cacade !

— C'est vrai, Thomas : courir après des porcs lui baille la courante !

Penché en avant, Espiote s'esclaffa d'avoir entendu ces bons mots, sans se douter que plus ombrageux encore dans son orgueil que dans sa tyrannie, Aymery recevait les éclats de cette gaieté comme autant d'égratignures.

— Il suffit ! hurla-t-il. La partie est remise.

Un *« Oh ! »* de déception ouvrit toutes les bouches, sauf celles de Tiercelet, d'Oriabel et de Bagerant qui s'avança d'un pas lent, calculé, jusqu'à l'Anglais. Il paraissait furieux et content. De sa cubitière, il toucha celle d'Aymery :

— Que te disais-je, il y a peu ?... Ce Castelreng avec ses bons sentiments est un emmerdeur comme oncques n'en vit !... Que décides-tu pour ces femelles ?

Toutes debout, assemblées, transies, l'une contre l'autre, elles tendaient leurs faces blêmes de froidure et d'anxiété au-dessus de la cage aux porcelets près de laquelle elles s'étaient réfugiées. Aymery les enveloppa d'un regard vif, excédé, mais ne dit mot. Bagerant insista :

— Regarde-les !... A les voir ainsi chair contre chair, je suis sûr que certaines s'aousent (1) entre elles quand nous les abandonnons... Qu'en dis-tu, saint Tristan, le bon Samaritain ?

(1) *Aouser* : adorer.

— Je conçois que vos façons de les tâtonner et de les étreindre puissent les dégoûter de votre ferveur et les inciter à s'amourer autrement !

Il vit Héliot, qui venait de mettre pied à terre, dégainer son épée. L'écuyer pointa sa lame sur son plastron de fer tout en morigénant les deux compères :

— Quel temps perdez-vous, mes beaux sires, avec ce hutin qui ne songe qu'à nous fournir des leçons imméritées ! Allez-vous continuer de vous faire administrer par ce blanc-bec, des blâmes et des reproches ? Chiez-vous dans vos braies chaque fois qu'il vous conteste quelque chose ?... Que se passe-t-il à Brignais depuis qu'Angilbert y a dit la messe ?

Tristan considérait la lame scintillante. Elle ne pouvait traverser son plastron. Sous le large bord du chapel de Montauban, les yeux d'Héliot reflétèrent une sorte de triomphe :

— Tu n'es plus si falourdeur (1), hein, Castelreng, dès lors que je peux t'occire ?

— Baisse cet acier. Ce n'est pas un couteau de cuisine et tu pourrais te blesser !

Héliot grommela comme les porcs tout proches en portant à son détracteur une estocade à la tête. Tristan déjoua aisément le coup.

— Quand je te disais que seuls les couteaux et les viandes mornées semblaient à ta convenance ! dit-il en reculant entre son moreau et le cheval d'Héliot, le temps de décrocher son épée de sa bélière sans pouvoir toutefois l'extraire du fourreau.

Il apparut d'un bond devant son agresseur et du bout de sa Floberge engainée fit sauter son chapeau de fer. La lourde coiffe tinta et tournilla sur le sol devant les pieds de Bagerant qui l'enjamba, laissant à Espiote le soin de la ramasser.

Tristan profita de son avantage :

— On se découvre devant les prud'hommes !... Ne le savais-tu pas, Héliot ? Morbleu ! comment se fait-il que tu ne chantes plus ! As-tu peur ?

Vermillonné de honte et décidé à restaurer, devant l'assistance muette, immobile, sa fierté bafouée, Héliot chargea. Grognant contre une obstination dont il prévoyait et redoutait l'issue, Tristan, du picot de sa Floberge toujours enfermée, visa le malandrin à la tête. Pour le malheur de celui-ci, une virole céda, au-dessus de la bouterolle. Libéré des attelles de hêtre, le tranchant coupa le cuir fatigué, taillant, sous la force du heurt, la joue d'Héliot si profondément qu'elle atteignit et déchira son oreille. Pantelant de douleur

(1) Orgueilleux, présomptueux.

et de rage, il se ruait à la riposte quand une troisième épée le dissuada de poursuivre.

— Un combat de champions ! ricana Aymery. Disons, Héliot, que tu sera celui de Bagerant et toi, Castelreng, le mien. Comme il y faut une récompense, eh bien, le vainqueur pourra profiter à vie de cette Mathilde-aux-beaux-seins.

Tristan sentit les mains de Bagerant peser sur ses épaulières. Il n'osa se dérober à ce simulacre de compassion. Le routier souriait avec une sorte de bénignité que sa voix, d'ailleurs, démentit :

— Si tu meurs, je me rendrai à Givors. En somme, j'hériterai de toi, mais je t'en fais serment, Oriabel sera libre. Dans le cas peu probable où tu occirais Héliot, tu te verrais pourvu de deux femmes. Sache que si tu veux vivre paisiblement avec ta seule épouse, il te suffira de faire preuve de générosité en nous offrant cette noble dame pour le meilleur des usages !... Mais j'en doute : ta conscience, alors, souffrirait mille maux... Tu pourras aussi nous la vendre...

— C'est parfois, Naudon, une abomination d'ouïr tes propos !

Tristan ne découvrait rien d'autre à répliquer. Après un laps de temps d'indifférence, de quiétude ou de tolérance, Bagerant revenait à sa véritable nature. L'essence même de son caractère, sa force démoniaque et ses accointances avec Aymery et les chefs de Brignais le vouaient aux excès et à la dérision du mal, soit qu'il le fît, soit qu'il en laissât l'usage à ses pairs ou à la ribaudaille. Sans doute puisait-il dans l'événement malsain et inattendu de ce soir une sorte de volupté.

— Vous êtes fervêtus, dit Garcie du Châtel en s'approchant, mais tu as oublié, Castelreng, ton bassinet sous la table... Coûteuse négligence, car je t'interdis d'aller le chercher... Vous avez l'un et l'autre une épée, mais si vous en faites usage, votre affrontement durera jusqu'à la mi-nuit...

— Crois-tu ? interrompit Héliot en frottant de l'index son oreille ensanglantée.

Garcie du Châtel se tourna vers Tristan :

— Je suis certain que comme Héliot, afin d'en terminer vélocement, tu préféreras la hache à ta longue lame.

Tristan perçut au loin le gémissement d'Oriabel et, derrière lui, les murmures des captives. Héliot avait, semblait-il, tressailli, mais ce pouvait être une illusion due aux flammes et aux ombres mouvantes des chevaux désormais sans cavaliers. Thillebort crut bon d'émettre une approbation allègre :

— Tu n'as pas ton pareil, Garsiot, pour aviver les querelles !

Le chef de bande parut indifférent à ce compliment auquel Espiote et Bertuchin s'associaient d'un rire gras, souligné par de grands coups de tête. C'était un homme de forte complexion, une nature roide, réfléchie, morne et vicieuse.

— Daalain, va quérir deux haches à l'armerie ! cria soudain Aymery. Examine avec soin les manches, car si l'un d'eux se rompt autrement que par un coup, je t'en tiendrai pour responsable...

« Une hache », songea Tristan. « Tout devient réel. »

Il avait imaginé ce combat dans un rêve. Il allait devoir y engager sa vie et sans doute celle d'Oriabel.

Hélìot, furibond, marcha vers les femmes. Leur nudité ne l'intéressait pas. Toutes reculèrent en silence, délaissant dame Mathilde en grand état de détresse et d'épouvantement.

— Sais-tu, malfaisante, que c'est par ta faute ou par ta volonté que cette riote (1) se fera ?

Il exagérait. Il défit sa ceinture et, de sa boucle, menaça la captive qui, de son avant-bras, se garda d'un cinglon au visage. Une voix retentit :

— Plutôt que de soulager ta colère et ta perversité sur cette prisonnière, tu ferais mieux de réserver ta vigueur à mon intention ! Tu vas en avoir grand besoin, je t'en préviens !

Des rires et des quolibets s'élevèrent au-delà de la palissade. Cette joie de ses amis de longue date aiguillonna Héliot autant, sans doute, que quinze ou vingt piqûres de frelons. Doutant tout à coup sans doute d'un dénouement heureux en sa faveur, il remit fébrilement sa ceinture et tira le couteau qui pendait à sa dextre :

— Tu vas voir, carogne !

— Lâche cette lame, commanda Naudon de Bagerant approuvé par les chefs et toute l'assistance. Ce n'est qu'une femme nue à laquelle j'ai fait rogner les ongles, car lorsque je l'ai visitée pour estimer sa valeur, elle m'a voulu griffer.

La mine triste, Héliot invoqua son droit de prise et de fornication :

— Quand j'aurai vaincu ce huron, elle sera mienne !... Juste le temps d'essuyer ma sueur et le sang qui souillera ma hache !

— C'est un suaire qu'il te faudra, Héliot, nullement une serviette !... Je vais, malgré ton fer, te couper de partout. Tu as beau être, à l'occasion, un écuyer tranchant, c'est moi qui vais te démembrer !

— Tu n'as pas ton bassinet. Je t'essorillerai. Naudon me prête le sien et te ferai saigner comme un fût mis en perce avant de te décoller !

Sa présomption ainsi déclarée n'empêchait pas la peur de dévorer le malandrin aux entrailles. Tourné vers Bagerant, il rendit responsable de son humiliation présente, face à Castelreng, certains

(1) Combat.

chevaliers et capitaines qui restaient cois et semblaient lui « détacher l'amitié ».

— J'ai sur *elle* des droits formels ! enragea-t-il en désignant du doigt la captive éplorée, à croupetons dans le chambranle de la porte. J'élève sur elle des prétentions qu'aucun de vous ne peut avoir, et je vais les soutenir devant Castelreng et devant tous ceux qui voudront contrarier mes desseins !

— Voilà les haches ! dit Bagerant.

Daalain revenait, une arme sur chaque épaule.

— Chacune, dit-il, pèse au moins dix livres (1).

Tristan vit qu'il s'agissait de doloires, ces armes dont le fer évoquait un croissant de lune. Il y en avait trois à Castelreng ; il les avait maniées très jeune. Le manche court exigeait un combat rapproché, des reculades et des feintes rapides. A la lueur d'un flambeau tenu par Garcie du Châtel, les chefs examinaient les fers et les manches.

— Croyez-vous que cela vaille la peine que je vous tue un homme, fût-il un méchant goguelu comme Héliot ?

— Car tu es certain de l'occire ? s'étonna Bagerant, moqueur.

— Dieu soutiendra mon bras... Entre Dieu et Satan, comment pourrais-je douter de la victoire ?

— Si nous restions dans cette enceinte, nous serions trop peu à voir cela... Il faut que ce combat ait lieu au-dehors, devant tous les hommes... N'est-ce pas, compagnons ?

— C'est une bonne idée ! approuva Aymery... Quittons cette cour... Nadaillac trouve un paletoc (2), une houppelande et fais en sorte que cette noble dame soit couverte... Il faut qu'elle assiste à cela parmi nous... Non, Castelreng, reste auprès de moi... Point de baisers, de serments, de recommandations à ta belle. D'ailleurs, elle ne craint rien : Tiercelet la conforte !

Tristan regarda, le visage penché. C'était vrai : Tiercelet tenait Oriabel par l'épaule ; il en fut satisfait. Cessant de marcher, croisant les bras, il défia le routier du regard avant de rejoindre son épouse et le brèche-dent qui ne changea rien à son geste protecteur.

— Tu as le don, Tristan, d'envenimer les choses.

— Tu es fou ! reprocha Oriabel tandis qu'il la prenait dans ses bras. Depuis que je te connais, tu ne cesse de faire en sorte qu'ils te haïssent... Crois-tu que cette Mathilde en vaille la peine ?

Il se sépara d'elle de la largeur d'une main afin de la contempler autant qu'il était possible :

— Tu en parles comme si tu la connaissais.

---

(1) 4,895 kg.

(2) Vêtement porté sur l'armure : sorte de hoqueton à manches courtes et capuchon.

Elle baissa les paupières. Son visage renversé dans l'attente d'un baiser qui ne venait pas restait étrange, insondable. La lumière crue des flammes toutes proches ruisselait sur son front comme une pluie d'eau de rose et rendait plus pâles et plus nacrées à la fois, les deux perles de chagrin suspendues à ses cils. Elle s'en libéra en cillant des paupières :

— Je plains cette femme... et les cinq autres aussi alors que tu parais en faire peu de cas... Peut-être — qui sait ? — méritent-elles plus d'intérêt.

Même si elle éprouvait quelque compassion pour Mathilde et sa malaventure, il était évident qu'Oriabel détestait cette prisonnière. Pourquoi ? Avant que de la questionner, Tristan plaida :

— Si je pouvais les secourir toutes, tu sais bien que je le ferais !

Tiercelet s'approcha :

— Baisez-vous un bon coup, puis séparez-vous. C'est marmouserie que de parler comme vous le faites !

Il avait raison. Gêné dans son effusion, plein de rancœur et d'incertitude, Tristan appuya doucement ses lèvres sur celles de cette épouse qui pouvait être sa veuve bien avant l'aube. La douceur de cette étreinte lors de laquelle il lui semblait se vivifier mécontenta Tiercelet, qui redoutait le contraire.

— Il suffit ! grommela le brèche-dent. Hé, Doublet, viens voir !

Le routier s'approcha, la mine triste, un bassinet serré sous une aisselle, une main posée sur le manche du couteau qu'il portait de biais, près de la boucle de sa ceinture.

— Assure-toi avec moi que le harnois de Castelreng lui tient au corps.

Tandis qu'ils vérifiaient les attaches des plates (1), Tiercelet marmonna :

— Tu dois l'occire !... Je ne sais pas bien encore ce que tu vaux, mais je connais Héliot !... Ne crains pas de reculer même si les gars te prennent pour un couard... Te sens-tu à l'aise dans ces fers ?

— Oui.

— Il se peut que cette armure vienne de Paris. Quand j'y étais, je faisais visite au quartier de la Porte Saint-Lazare. Il y avait là moult armuriers, ciseleurs d'éperons, haulmiers, et une trentaine de fourbisseurs. J'allais leur louer la légèreté des mailles... Et c'est là que je veux en venir. N'as-tu rien remarqué, Doublet, sur Héliot ?

— Il porte une cuirasse et une dossière, et ses bras sont couverts d'anneaux que, pour ma part, je trouve tout aussi bons pour protéger les chairs que tout ce fer qui m'enveloppe à la bataille.

(1) Chacune des pièces de l'armure.

— Je te suis reconnaissant de parler ainsi... Mais est-ce tout ?
— Je crois...
— Hé bien, tu n'as rien vu !... Pour qu'un tissu de mailles résiste aux fers tranchants, il convient que les anneaux soient alignés de la senestre à la dextre... Or, Héliot a des manches dont les mailles ont été ajustées de haut en bas... Le moindre coup violent les fendra et la chair, en dessous, cédera comme un bois tendre. Il convient de l'atteindre aux bras... Dis-toi cela sans trêve, Sang-Bouillant !

Doublet prit à ses pieds le bassinet qu'il y avait déposé, le temps de vérifier les attaches du harnois :
— C'est le tien. Nul ne peut y trouver à redire : quand Garcie du Châtel s'est moqué de ta négligence, j'ai couru te le chercher ! Je te l'apportais.

Regardant près de lui Oriabel attentive, les yeux mouillés et la bouche pincée, Tristan fut pris d'un désespoir oppressant. Son cœur semblait sur le point d'éclater. Quelque chose d'âcre emplit sa gorge : du fiel qu'il ravala pour cacher son émoi à ces deux hommes, des amis sûrs dans le cloaque de Brignais. Il eût aimé demander à Doublet comment il était, lui, tombé dans l'obédience des routiers ; quelqu'un, Bagerant, l'en empêcha :
— Alors, s'écria-t-il, êtes-vous préparés ? Castelreng, tu me fais l'effet d'une donzelle qui s'habille !

Il était nu-tête. Tout proche, aidé par Espiote, Héliot coiffait son bassinet. L'écuyer avait préféré conserver son gorgerin plutôt que d'accepter celui de son compère. Tristan s'en félicita : l'air devait passer entre les deux pièces. Sans doute pourrait-il les disjoindre.
— Admire la belle tête de fer d'Héliot, Castelreng. Jamais une épée ne l'a égratignée... J'espère que ta coiffe est solide !... Bientôt, tu ne seras pas si fendant !
— Tais-toi, Tristan, conseilla Tiercelet. Il va tenter de t'exciter.
— Je n'aime point verser le sang, mais Héliot va saigner !
— Tu dois l'occire ! dit Doublet. Tu ne vengeras pas que des femmes malheureuses : tu vengeras des morts et des martyrs vivants... Tu ne portes guère de bourras, je présume, entre le fer et la peau, mais cette armure est solide... Tiens, mets ton bassinet... La gorgière de mailles est en parfait état... Hein, Tiercelet ? On va te l'accrocher solidement... Je prierai sans trêve pour ta victoire. Ne te soucie pas d'Oriabel : nous sommes là.
— Pourquoi fais-tu cela ? Tu ne me connais pas.

Les yeux noirs de Doublet ne rougissaient point aux flammes. Il frotta ses joues rases et lissa ses cheveux où le vent s'empêtrait :
— Je ne suis pas venu céans de mon plein gré, mais une fois qu'on s'est fourvoyé dans la sociale, il est malaisé d'en sortir !...

J'attends. Un jour, je trouverai une ouverture sur le monde des gens de bonne volonté.

— Héliot est un Goddon, dit Tiercelet pour ajouter un argument supplémentaire à la fureur de Tristan. Tous les routiers présents vont l'encourager. Tu n'es pour eux qu'un étranger suspect.

— Je vaincrai !... Ils m'ont appris la cruauté ? Au détriment de ce goujat, je vais en faire un usage terrible !

* *
*

Cent torches illuminaient les rives du Garon. Les routiers s'étaient pressés autour d'un carré de terrain limité par quatre cordes. Cette surface caillouteuse comptait cinq toises de côté. On avait tiré à la courte paille l'attribution de l'emplacement le plus favorable à l'un des combattants : l'espace sis dans une brève montée ; Héliot se l'était vu octroyer. Dans chacun des angles du haut se tenaient Bagerant et Garcie du Châtel, Jean Aymery et Thillebort. Tiercelet et Oriabel, Jean Doublet et dame Mathilde se partageaient les deux autres. Angilbert le Brugeois arbitrerait la rencontre.

— Es-tu prêt, chevalier ? demanda Bagerant.

— Oui !

Tristan abaissa la ventaille de son bassinet.

Tout bien considéré, les conditions de ce combat l'avantageaient. En trois mois de geôle, il avait acquis une vue de bête nocturne. Il ne s'en était pas désaccoutumé. Héliot, dans les recoins où sa vision faiblirait, trébucherait sur les cailloux et les gibbosités du sol, de sorte que ses frappements deviendraient malhabiles.

« Je m'en vais l'éclairer à grands coups de tranchoir ! »

Mais que cette hache était lourde avant même qu'il l'eût maniée !

Héliot rabattit sa visière et saisit son arme à deux mains, l'une près de la douille qui la fixait au manche, l'autre à la moitié de celui-ci.

— Le vois-tu bien, Tristan, derrière ta moraille (1) avant qu'il ne te tue ?

Mille cris, rires et huées accompagnèrent cette question de Bagerant.

---

(1) Autre forme de *visière*, qu'on appelait ainsi *carnet*. On lit ainsi, dans Froissart, cette phrase : « *Ils avalèrent le carnet de leur bassinet* », ce qui ne donne pas à penser qu'ils le mangèrent ! En effet, le verbe *avaler* signifie *descendre, abaisser*.

« Il me prend pour un enfançon !... Que croit-il ? Que je ne puis, en raison de mon caractère, m'élever au niveau de méchanceté d'Héliot ? »

S'il parvenait à refroider (1) ce malfaisant, tous les hommes rassemblés autour d'eux pour assister à sa défaite lui refuseraient la moindre admiration. Qu'importait ! La plupart prendraient acte de sa violence et de son habileté. Les autres, piteusement, et pour le dénigrer, prétendraient que sa victoire était le fait d'une injuste bonne chance sur un homme aduré aux armes, mais qui avait glissé, trébuché...

Il était là, Héliot, tel un fantôme de fer. Rouge déjà du sang fumeux des torches et des candélabres. Il fournit le premier coup : de biais, accompagné d'un ahan qui traversa les trous du nasal et du buccal du bassinet et fut entendu de tous.

Le fer de hache ouvrit le sol à un pas de Tristan. Des cailloux et des étincelles jaillirent.

« Un coup pour rien... Je n'en donne aucun... Je recule. Plus il m'en portera, plus je me garderai d'y répliquer... Plus je conserverai mes forces... Ces hommes-là n'ont pas de tête... Façon de penser car toi, Héliot, si je peux et si Dieu m'aide, tu perdras la tienne ! »

Il reculait. Des sueurs roulaient dans son dos, perlaient à son front. Sa respiration restait bonne. Bientôt, lors d'une grande dilatation de hardiesse et de hargne, il contraindrait Héliot à des parades et reculades précipitées. Pour le moment, sans feindre la peur, il se cantonnait dans l'astuce. Peu importait que le fait d'avoir éludé un coup eût à la fois mécontenté et réjoui tous ces loups à tête d'homme dont, à travers les parois du bassinet, il croyait sentir l'immense halenée. Son souffle demeurait ce qu'il était avant le commencement du combat, son cœur battait sans agitation. Le sol demeurait ferme sous ses semelles.

Un nouveau frappement le rejeta de côté. La hache d'Héliot s'en alla s'ébrécher sur un petit rocher qui en fit rebondir le fer. Il y eut une brève luisance. Le sol reprit sa couleur brune, tavelée de clartés roussâtres aussi changeantes que les mouvements des hommes autour de l'aire dont Angilbert de Bruges occupait le centre.

Encore un coup, une lueur, des étincelles. Tristan crut entendre Héliot cracher sa fureur et sa déconvenue.

— Couard ! hurla Bagerant.

A qui s'adressait-il ? Tristan vit les mains de son adversaire se déporter sur le manche de son arme, de façon à en allonger la portée.

(1) Refroidir.

Tant mieux : plus il tiendrait la hampe vers le bas, plus le fer lui paraîtrait pesant.

— *Clack !*

Cette fois, c'était lui, Sang-Bouillant, qui avait frappé. L'acier qu'il poignait fermement était parti à la rencontre de celui de son adversaire pour le désarmer. Percussion vaine ; cependant, la peur, cette vermine affreuse, avait dû s'enfoncer dans le cœur d'Héliot aussi sûrement qu'un clou dans un bois vermoulu.

« Je dois l'occire... Quelques feintes assorties de taillants et il mourra... Je suis le meilleur. *C'est démembré, saligot, qu'on te mettra en terre !...* Tu recules ? Je frappe et ne sens pas le poids de ma doloire !... Tu t'effraies à bon droit ! Je te trépasserai ! »

Tristan sentait déferler jusqu'au tréfonds de son corps les vagues d'une certitude qu'il voulut renforcer en frappant de biais, cette fois, sur le bras dextre. L'Anglais imita son esquive : prompt, il s'effaça. La hache s'enfonça dans le vide, si violemment qu'elle faillit échapper aux mains qui la serraient. Les bras gourds et le cœur gros, Tristan la ramena sur sa poitrine.

— Hâtez-vous ! cria Aymery. Qu'attends-tu, Héliot ? Tu te montres plus hardi devant les femmes !... Pense à Mathilde ! Elle prie pour l'autre !

Les routiers s'étaient tus. Leurs souffles et murmures composaient une énorme rumeur semblable aux prémices d'un orage. Il fallait descendre la pente à reculons, trouver des ténèbres et s'y réfugier pour préparer cinq ou six fendants terribles... Oui, lui, Castelreng, il reculait encore et devinait, ce faisant, la joie muette que le Goddon éprouvait à lentement le suivre. Sa doloire maintenue en travers de son torse, Héliot devait avoir le visage gonflé comme une vessie pleine de vent. Ruisseler de sueur... Lui, Tristan, le temps ne le pressait pas. Dans ce jeu malfaisant, il devait assurer chaque coup. Au diable l'outrecuidance...

« Hé là ! »

Il s'était dérobé *trop tard* ! La hache de l'Anglais avait frappé sa cubitière dextre sans en pénétrer le fer.

« Je veux l'atteindre aux bras et c'est lui qui m'y touche ! »

Il éprouvait le sentiment de s'éveiller. Une sorte de sommeil fait de sérénité, de confiance et d'abjection, surtout, envers cet écuyer infâme. Il en subissait même l'effroi physique : son coude, qui peut-être n'avait rien, semblait saigner, enfler. Sous ses paupières chaudes, battantes, et à travers les fentes de sa « vue », il prit tout à coup conscience qu'Héliot se reculait pour affermir un nouvel assaut.

Il devait le devancer, le frapper n'importe où, l'entamer... le meurtrir, fendre s'il le pouvait ainsi qu'un broussin d'arbre, cette coiffe de fer...

— *Houm !*

Un cri dans son bassinet. Inutile. Ses muscles avaient parfaitement épousé les articulations de sa coquille de fer, mais l'acier d'Héliot était venu repousser le jaillissement du sien.

« Il sait, maintenant, que j'en veux à ses bras ! »

Héliot attaqua encore. Mille hurlements le soutinrent, s'enflèrent, et des mains, des armes entrechoquées, firent entendre leur crépitement joyeux. Un, deux, trois coups ; inutiles, mais la vigueur du malandrin semblait inépuisable.

« Il ne m'est pas inférieur. Il m'est même... »

La pensée de Tristan s'éteignit. Partie du sommet de son bassinet, une douleur fulgura sous son front. Il écarquilla les yeux à la recherche d'une lumière, d'un équilibre, mais un soleil terrible embrasait sa cervelle... *Aveugle !*... Aveugle ?... Non... *Il voyait !* Il fallait qu'il vît. Qu'il vive ! Les cris, à l'entour, s'engouffrait dans sa tête et le glas consécutif à la charge d'Héliot continuait d'y sonner. Il n'était pas tombé. Il titubait encore. Il avait reculé...

D'instinct, levant son arme à la désespérade, il protégea sa tête et reçut un taillant sur son épaulière dextre dont le fer abîmé lui entra dans les chairs.

« Je saigne !... J'en suis certain !... La coupure est profonde... Il faut... »

Que fallait-il, sinon reculer encore et se faire un grand manteau de ténèbres.

Bagerant, tout proche. Et ce commentaire à ses compères :

— Je vous avais bien dit qu'Héliot ne se laisserait pas seigneurier (1) !

« Vivre ! Merdaille, ce que j'ai mal... Le bourras n'a servi à rien. Cette lame est aussi tranchante qu'un rasoir. Je dois occire Héliot ! Je le dois ! »

Pour cela...

— Prends ça !

La riposte de Tristan, dérisoire, provoqua des rires et des quolibets :

— C'est une femme !

— Un puceau !

— Héliot l'enfourchera juste après sa Mathilde !

— Hé, Castelreng ? Sais-tu la prière des morts ?

---

(1) Dominer.

Surtout ne pas céder à la rage ! Refuser la malefortune !

Il se sentait mieux... Sa plaie ne le cuisait plus ou, du moins le voulait-il ainsi... Cette buée qui commençait à ruisseler dans le bassinet...

« Il faut absolument que je ne sente rien... Je souffrirai après. »

Il avait affaire à un gars dont c'était le bonheur de meurtrir et de cogner. Cette saveur de sang dans sa bouche qui commençait à s'assécher... Dieu ! comme il se sentait seul malgré Oriabel, Tiercelet et Doublet. Enfermé dans son fer comme dans un cercueil. Il renonçait peu à peu à un châtiment exemplaire d'Héliot : exemplaire par sa promptitude et sa beauté. Car il y avait, parfois, de la beauté dans le geste d'occire. Il entrait dans l'incertitude. Il naviguait sur les graviers et les cailloux. Les feux, autour de lui, découpaient des visages et eux aussi semblaient mille et mille pierres juxtaposées les unes aux autres. Il n'était pas fatigué... Il venait de gauchir (1) un autre coup mortel... Sans quoi... Où en était-il ?... Dans ce carré, aucun refuge. Il soulevait sa hache. Hésitait... Danse d'Héliot. Rires de ses partisans : Bagerant, Thillebort... D'autres... Jamais, ah ! non, jamais il ne succomberait devant ces monstres. C'était à Héliot de périr !

Il fendit par deux fois de la nuit et du vide. Héliot ne reculait plus. Apprêtait-il un taillant dru et inévitable ?

« Tristan... Tu vas meurtrir ce drôle ! »

Il avait un immense appétit de chair saignante. En tuant ce Goddon, il blesserait Aymery, Cresway, Daalain... et quelques autres. Il humilierait Bagerant, Thillebort et ce millier de malandrins rieurs dont un lançait :

— Nous, on ne se fend que la goule !

Héliot, comme un gros oiseau miroitant avec son bec de fer en forme d'entonnoir.

« Il faut, l'Anglais, que tu meures ! » Mourir ! Mourir !

Il l'assaillit de trop loin. Son arme vrombit et n'atteignit rien. Rires. « Eh bien, riez !... Vous pleurerez bientôt ! » La sueur commençait à brûler ses paupières. Les lueurs des flambeaux assemblées dans ses larmes devenaient, sur ses pupilles, une espèce de tissu diapré où se mouvait une enluminure d'ombre et d'argent : Héliot. Il finirait par l'abattre !

« Accable-le ! Repousse-le ! Tranche-le !... Vas-y ! »

Joie ! Plaisir ! Exultation ! Il venait de fendre la pansière de l'Anglais. Héliot vacillait. Il y avait un bouillonnement dans la foule : son champion branlait avant de choir sur son cul.

---

(1) Gauchir : esquiver.

« Point de pitié pour ce scorpion ! »

Héliot prévit le geste et roula. Tristan s'apprêtait à redoubler son assaut quand Angilbert surgit, occultant l'Anglais qui se releva.

« Moine déloyal ! Je devrais t'occire aussi ! »

Tristan distinguait Héliot bien mieux. Sa fureur aggravée par le coup sur la tête, cédait la place à la bonace, aux rites et habitudes du combat. Les leçons d'autrefois lui revenaient à l'esprit. Reculer, danser, feindre de porter un coup, mais éviter d'accomplir, du moins jusqu'à son terme, la manœuvre éventée par l'adversaire. Le titiller par des va-et-vient d'une arme tantôt trop haute, tantôt basse et presque au ras de la terre. Mais s'assurer, ce faisant, une parfaite prise, car le manche glissait sous le cuir des gantelets imbibés de sueur.

Héliot se recula pour affermir un coup.

A nouveau, le tranchant du malandrin écorcha la cubitière dextre.

« Je n'ai pas lâché ma doloire... Je n'ai pas mal !... *Menteur : tu as le bras tout engourdi !...* Non ! Non ! Je n'ai pas mal !... *Il me tue !* »

Une taillade ! Il l'avait pressentie mais tombait en voulant s'y soustraire.

La lune fulgurante de la doloire adverse chut à un doigt d'une épaule vulnérable. Touchant le sol, son manche se rompit aux deux tiers du fer.

Crevant la clameur désespérée qui montait de la truandaille, Tristan perçut le cri d'Héliot, furibond.

Il fut debout, malgré le poids de l'armure, en un bond qui ressortissait au miracle.

Héliot avait voulu l'en empêcher d'un coup de pied, et il s'injuria de n'avoir pas tenté de rompre cette jambe de fer que le malandrin lui avait en quelque sorte offerte.

Face à face, mais cette fois, l'Anglais perdait tout avantage.

On cria. Voix de femme... Oriabel. Ce ne pouvait être dame Mathilde.

Tristan frappa.

« Las !... Il sait eschever (1) ce démon ! »

Héliot, désormais, n'essaierait plus de l'abattre ainsi qu'un soliveau. Il attendrait... Eh bien, non : la fureur, chez l'Anglais, dominait la raison.

« Prends ça !... Pourquoi ?... Pourquoi ne l'ai-je pas brisé ? »

---

(1) Esquiver.

Héliot avait reculé. Il reculait encore. Silence autour d'eux. Pas tout à fait : un grognement de bêtes qui sentent une proie agile, hargneuse et vigoureuse. Et soudain ce cri de Bagerant :

— Sang-Bouillant qu'as-tu fait de ton appertеté (1) ?

« Agis vélocement ! Il ne tient plus qu'un hachereau, une herminette ! »

Comme cette hache pesait lourd et comme il avait mal à l'épaule !

La douleur s'épaississait. Son corps se regimbait contre sa volonté.

Et c'était Héliot qui lui portait une attaque !

« Non, Goddon ! Non : tu ne m'atteindras plus ! »

Soudain, il entendit un rire.

« Thillebort !... Il m'a condamné à l'avance ! »

Le souvenir de son œil féroce avant le commencement du mortel face à face troua la mémoire de Tristan, précis, intolérable, et fustigea son énergie. Unissant, dans de vastes mouvements fauchants, sa fortitude et sa vigueur, il se rua sur Héliot à pleins bras, à plein corps, à pleine haine.

Les doloires volèrent simultanément, comme si leurs deux demi-lunes d'acier se rejoignaient pour ne former qu'un seul astre.

Une douleur terrible éclata sur le sommet de l'épaulière de Tristan.

« Et moi ?... Moi ! »

Il avait réussi !

Le bras gauche de son ennemi s'était détaché de son corps, sans toutefois tomber car retenu par des nerfs et quelques mailles intactes.

Ils hurlèrent tous deux de souffrance et d'effroi.

« M'a-t-il brisé l'épaule ? »

La foule vociférait. Déception pour les uns, admiration pour les autres... Ignorer ce qu'en pensaient les chefs. Il était debout, lui, Castelreng, malgré cette taillade écrasante.

Chancelant mais debout !

Il devait poursuivre, quelque écœuré qu'il fût de sa besogne.

Héliot, hébété, restait droit, immobile, haletant et geignant sous son bassinet.

« A deux mains, Tristan, ta doloire !... Marche ! »

La douleur affluait sur son arrière-bras. Ne pas s'en soucier. Son regard se troublait. Il fronça les sourcils. Héliot ! Héliot debout, sa hache immaculée solidement assujettie à son poing dextre.

---

(1) Habileté.

« Je l'ai eu ! Il pisse le sang juste au-dessous du coude... *Il peut, il pourrait vivre !* Il me faut le rapetisser ! *Attrempe-le* (1) *!* »

Il abattit son arme au moment où Héliot lâchait la sienne. Un mouvement tournant, des deux mains, à la hauteur de cette tête de fer sous laquelle il imaginait un visage effrayé.

Brisant la jointure du gorgerin, l'acier atteignit le cou. Le hurlement d'Héliot fut tranché, réduit à un gargouillement, cependant que le sang sourdait des trous de la ventaille et ruisselait sur la poitrine étincelante.

« Il choit !... *Mort ! Mort ! Mort !* »

Tristan crut glisser. Sous ses semelles, le sol grenu prenait la consistance du feutre. Oh ! comme il avait mal, maintenant... Des corbeaux semblaient lui déchirer l'épaule, se repaître de sa chair, la déchiqueter.

« Je l'ai vaincu !... Vais-je mourir aussi ?... Je saigne fort !... *Oriabel !* Cette arme qui m'échappe et que ramasse... Qui ?... Ne va-t-on pas ouvrir ma ventaille ?... Seul... Qui va se venger sur moi de la perte d'Héliot ?... Une ombre... Je tombe... Je tombe... »

— Holà !

— Tristan !

Tiercelet, Oriabel... On lui ôtait son bassinet : Tiercelet. On le baisait sur la tempe : Oriabel. On le soutenait : Jean Doublet.

— J'ai mal...

— Tu l'as vaincu bellement !

— Mon bras... Je veux dire : mon épaule ?

— Nous te soignerons, mon bien-aimé.

Oriabel dans son plein emploi d'épouse. Autour, des hurlements de crapules privées de leur pitance ; leurs flambeaux s'éteignaient comme leurs illusions : c'était lui, l'étranger, le suspect, le vainqueur. Les bouchers avaient eu du sang ; ce n'était pas celui auquel ils s'attendaient.

— Tiens, le voilà ! maugréa Tiercelet.

Bagerant s'approchait, une torche au poing. Un râle continuel lui emplissait la bouche. Il avait dû s'égosiller à encourager son écuyer.

— Tu ne me déçois pas. . Je te croyais niais, au sens que prend ce terme-là pour un veneur... Bon sang !... Je t'ai bien cru près de perdre la vie... Tu as dû penser follement à *elle* !... Ou à *elle* !

Il montrait Oriabel d'un mouvement de menton. Puis dame Mathilde, livide.

---

(1) Ajuste-le !

— Parle pas Tristan, conseilla Tiercelet. Tes forces s'envolent avec ton souffle.

Mais il avait envie de commenter sa victoire. Comme il avait été prodigue de cette vigueur qu'il avait craint d'avoir perdue ! Une vie nouvelle allait peut-être s'ouvrir devant Oriabel et lui, à Brignais. En prouvant son énergie aux pires criminels du royaume, il s'était désensorcelé.

— Tu m'as privé d'Héliot, reprocha Bagerant, penché.

Et alors ? Cette mort n'était-elle pas l'aboutissement naturel d'une aversion qui n'avait cessé de se développer ?

— Bien fait… haleta Tristan que Doublet soutenait avec peine.

Son corps semblait de plomb, tout à coup. Son estomac, sa gorge, ses entrailles étaient en feu, mais le manque d'air, surtout, le faisait souffrir. Jamais il n'avait eu des poumons si étroits. Jamais les battements de son cœur ne lui avaient paru si faibles et si désaccordés. Jamais il ne s'était senti cloué sur son habit de fer.

— Tu n'as cessé de penser à elle !

Bagerant n'en démordait pas : il désignait Oriabel éplorée que dame Mathilde semblait admonester. Tristan fit un effort pour demeurer sur ses jambes.

— Non, Naudon... J'ai simplement pensé à toutes vos victimes... Dieu a enforcé mon bras pour les venger petitement sur un seul d'entre vous...

Tristan tituba et n'entendit plus rien : son cœur, ses reins, ses genoux le trahissaient. Puis il devint aveugle.

XII

Une haleine sur son visage... Fraîcheur... Une tiédeur autour de son épaule et de ses coudes, parfois violemment accrue, comme si son sang bouillait.

« Réveille-toi, Tristan... Réveille-toi ! Tu l'as vaincu ! »

Il craignait de remuer, d'ouvrir les yeux. Autant qu'il pût s'en souvenir, il survivait à un grand tumulte et à la cruauté d'un homme.

— Héliot !... Il est mort ?... Est-il mort ?

La vie sécrète des souffrances : il souffrait. De moins en moins.

— Je crois que sa fièvre est passée... Touche son front.

Une main rugueuse, mais caressante.

— Il va mieux depuis hier... Si, je t'assure... Mais il a si peu dormi, ces dernières semaines, qu'il s'est laissé aller.

— Il n'a pas mangé...

— Qui dort dîne... Tu l'as bien recousu, sais-tu ?

— C'était une chose affreuse !

— Le défaut de l'armure, comme on dit... Le fer d'Héliot aurait pu briser l'os... J'ai déjà vu des coups pareils... Tiens, il ouvre les yeux...

Tristan se sentait en meilleur état que Tiercelet ne le supposait. Il avait dormi avec délices. Rêvé parfois. Aucun rêve de ténèbres et de sang, sauf celui de maintenant...

Oriabel souriait et le baisait au front ; Tiercelet lui tapotait la main. Au-dessus, de grosses poutres sombres et des entrevous d'un bleu de ciel printanier. Autour, des murs nus ; deux archères d'où pleuvaient les flèches du soleil. Et les bois carrés des colonnes du lit dont le baldaquin avait dû être converti en flancheries. Accroché au milieu de l'architrave reliant les colonnes du chevet, le chaleil (1) sans huile, sans feu.

— Où m'ont-ils conduit ?

Un rire d'Oriabel comme un pépiement d'oisillon :

— Dans ce qui devait être notre chambre nuptiale.

Leur baiser ne fut qu'un effleurement, bien que le brèche-dent eût reculé au bout de la pièce pour s'entretenir avec quelqu'un.

— Qui est là aussi ?

— La baronnesse.

— Je l'avais oubliée.

— Défie-toi d'elle... Je t'en parlerai plus tard... Tu vas bien, je le sens... Comme tu as dormi !... Sais-tu quel jour nous sommes ?... Le lundi 4 avril, messire, au beau milieu de la matinée.

Une ombre. Tiercelet. Derrière, quelque chose de blême et de brun : dame Mathilde. Elle souriait, se penchait, repoussant de son bras Oriabel suffoquée.

— J'ai plaisir à vous dire toute ma joie de vous voir ainsi.

Oriabel n'avait rien à redouter de cette femme. Certes, elle était belle et devait aimer qu'on lui fît l'amour autrement qu'à la façon de Brignais.

— Jamais je n'aurais pu penser, messire, qu'il y avait en vous tant de vigueur et de hardiesse... Je vous croyais des leurs.

Elle baissa ses yeux, d'un bleu insondable, et rougit — sans doute au souvenir de sa nudité passée.

— Dame, nous essaierons de vous tirer d'affaire. Ayez confiance en mon ami : il est la Providence en personne.

Elle n'en parut guère convaincue. Tiercelet la prit par l'épaule et la contraignit à reculer, ce qu'elle fit de mauvais gré tout en défroissant les plis de sa robe noire — celle qu'elle portait sans doute avant de tomber dans les griffes d'Héliot.

Tristan offrit sa dextre à Oriabel.

— Je vais bien. Je serai debout maintenant si tu m'apportes mes vêtements... Parfois, j'ai ouvert un œil, mais j'étais si bien... J'aimerais pouvoir avaler un gros repas... Ne manquez-vous de rien ?

Oriabel eut un geste las. Il s'émut de sa pâleur. Elle sourit :

— Nous pouvons sortir pour aller... aux latrines. On nous porte, comme dans la chambre au-dessus — celle où nous étions — l'eau, le vin et la nourriture. Bagerant est parfois venu. Il nous a proposé d'errer dans le château et ses cours... Ils ont enterré Héliot avec les égards dus à un prince... Thillebort pleurait. Tiercelet, qui les a vus

(1) Lampe plate dont la mèche brûlait à l'air libre et qu'on suspendait au-dessus du lit.

passer sous ces murs, nous l'a dit... Il a appris que l'armée royale, moult grosse, chemine vers Brignais.

— Qu'il vienne à mon chevet. Je veux en savoir plus... Il ne t'a peut-être pas tout dit... Hé, Tiercelet !... Approche.

Il vint, une main posée, protectrice, sur l'épaule d'Oriabel, comme si la jouvencelle souffrait aussi. Mais de quoi ?

Tristan respira si profondément que son souffle aviva la braise incrustée dans son épaule. Il se composa un visage aussi net et immobile que possible. Quand la douleur devint cendre — ou presque —, il sourit :

— Dis-nous ce que tu sais, Tiercelet, sur l'ost du roi et les routiers. Si cette Mathilde vient vers nous, éloigne-la. Tout ceci est notre affaire. Bien sûr, c'est notre devoir de l'emmener... Cesse de bouder, ma douce ! Je n'en suis et n'en serai jamais amouré.

Il surprit entre son épouse et le brèche-dent un regard de connivence après lequel Tiercelet se frotta la face comme pour y effacer les marques d'un souci dont il se pouvait qu'Oriabel fût cause.

— Elle te l'a dit : l'armée royale sera devant Brignais avant le 10, de sorte que notre dessein est le premier mort d'une bataille qui n'a pas encore eu lieu !... Bagerant est tellement sûr qu'elle adviendra cette semaine qu'il m'a demandé, ce matin, d'aller déterrer les cinq cents écus de Givors, preuve qu'il croyait à mes sornettes. J'ai refusé, disant que nous irions là-bas après la victoire... si nous étions toujours vivants. Il m'a appris que la nuit de mon retour, le Petit-Meschin était parti pour Sauges afin d'amener les hommes de Pacimbourg...

— C'est cette cavalerie qui faisait tant de frainte (1) !

— J'avais bien reconnu le Meschin, chevauchant le dernier, portant son blanc tabard et sa guisarme ! S'il revient à temps à la rescousse, avec les deux ou trois mille hommes qu'Audrehem a laissés sortir de Sauges avec leurs armes et leur butin dans lequel, peut-être, il a prélevé sa part, Aymery disposera d'au moins quinze mille hommes... D'après ce qu'affirme Bagerant, les Justes ne sont que douze mille.

— Qu'allons-nous devenir si la bataille est pour demain, après-demain...

D'un regard, Tiercelet rassura Oriabel :

— Je te l'ai déjà dit : nous fuirons. Mais laisse-moi enditter (2) ton mari.

---

(1) Bruit.
(2) Informer.

Et rieur, mais en se contraignant :

— Je sais ce qu'il faut savoir. Je n'ai pourtant quitté cette chambre que rarement, en prenant soin d'en verrouiller la porte avec ça... (Il tira une clé de dessous son pourpoint) que Bagerant me confia sans mal, car il craignait une action des compagnons d'Héliot contre nous... J'ai parlé çà et là, et vais satisfaire ta curiosité.

Tristan plia ses jambes sous les draps. Ainsi échappait-il aux œillades de dame Mathilde. Il comprenait qu'elle lui eût de l'attachement. Et même que cette reconnaissance fût devenue, au fur et à mesure des coups donnés ou reçus contre Héliot, de la passion. Il remontait d'un abîme, et elle était là, qui semblait lui dire : *« Je t'attendais... Ce n'est pas fini entre nous. »* Fût-elle apparue à ses regards avant Oriabel, eh bien, il se serait laissé tenter par ces appels : elle était belle, captivante ; capable de répondre aux plus folles exigences des sens. Mais il aimait Oriabel... En fait, dame Mathilde lui donnait un malaise... Maintenant, il ne voyait plus que le haut de ses cheveux ténébreux... Mais elle approchait : son front apparaissait. Elle devait avoir un air tout à la fois misérable et orgueilleux, comme lors de la présentation du plateau immonde. Misérable dans son esprit, orgueilleux dans cette chair qu'elle savait belle et qu'elle avait dû montrer, défendre. Quelque chose, en plus, d'affamé ou d'inassouvi...

Il se tourna vers Tiercelet, sourcils froncés, mécontent, mais de quoi ? De la présence de dame Mathilde ou de ce qu'il annonçait :

— Tancarville mènera une armée où sont rassemblés tous les prud'hommes de Bourgogne, Champagne, Senonais, Auxerrois, Nivernais... Jacques de Bourbon disposera de la Chevalerie et de l'écuyerie d'Auvergne, Limousin, Provence, Savoie, Dauphiné de Vienne, ainsi que de milliers de soudoyers fort adurés aux armes... L'Archiprêtre sera présent avec ses mercenaires...

— Il n'est pas un parfait allié. Le comte de la Marche s'en mordra les doigts.

« Pourquoi cette Mathilde a-t-elle fait un grand pas ? » se demanda Tristan. « Connaît-elle Arnaud de Cervole ? »

Non... Il se faisait des idées. Il était, cependant, de plus en plus lucide.

— Il paraît que Bourbon a évincé Tancarville au commandement.

— Voilà, Tiercelet, qui ne me surprend guère. Bourbon est un outrecuidant. Il ne suit aucun conseil... Tancarville lui faisait de l'ombre... Et c'est pourquoi, s'ils croient vaincre aisément les Compagnies, je crains qu'ils n'éprouvent des déconvenues.

— Il nous faut fuir avant que Bagerant nous fasse conduire au Mont-Rond, tellement ce château peut être conquis aisément.

Tiercelet pinça les lèvres dans une expression moins dubitative que volontaire :

— Les chiens de la royauté approchent, mais nul ne sait encore où la grosse meute apparaîtra... Quelques coureurs ont été vus à Saint-Genis...

— Ils sont fous à lier s'ils s'en viennent par là : il doit y avoir des malandrins tout en haut et tout le long des Barolles !

— Tu dis juste : il y a des frondeurs, des archers... Un conseil : si Bagerant vient te voir, feins d'être toujours grandement hodé (1). Nous devons demeurer céans pour fuir cette nuit.

— Hein ?

— Tous les quatre. Nous ne pouvons abandonner dame Mathilde. Ils se vengeraient de leur déception sur elle.

Tiercelet se pencha. Les veines de son cou se gonflèrent avec force :

— J'ai erré dans ce châtelet, offrant aux vegilles (2) le vin que Bagerant nous fait porter... Quelques-uns me connaissent... Un jour, prétextant que j'avais la courante et que je lâcherais tout dans mes chausses s'il me fallait monter aux latrines, j'ai découvert une cave contenant des futailles et un pressoir pourris qui n'ont pas excité l'intérêt de nos compères... Et sais-tu ce que j'ai trouvé derrière ?... Une poterne en mauvais état dont le vantail, côté fossé, doit être caché sous des ronces et des fougères. Plus bas, il y a le Garon qui n'a rien d'une grande rivière et peut se franchir aisément... Me suis-tu ?

— Depuis que je te connais, je passe mon temps à cela !

Tristan s'enfiévrait d'espérance. Un sang brûlant circulait dans ses veines. Fuir ! Ils pourraient peut-être fuir... Déjà il respirait un air de liberté. Une sueur qui n'était pas, pour une fois, désagréable, coulait à grosses gouttes sur sa chair. Il regarda tendrement Oriabel et tandis qu'il lui souriait pour lui donner courage et confiance, il vit ses yeux s'emperler. Bientôt, c'en serait fini des jours ténébreux et sanglants ; des nuits redoutables et angoissées. Tiercelet émit un rire fin et pointu : une aiguille de gaieté plantée dans le silence de la chambre.

— Je suis revenu là-bas à deux reprises. Avec le gras qui restait dans nos écuelles, j'ai frotté gonds et verrous... Et cette porte, je l'ai ouverte !

— Que ferons-nous une fois sortis ?

Tristan se voyait déjà, la main d'Oriabel dans la sienne, fuyant Brignais, ses démons et ses miasmes. Pourvu que cet événement

(1) Las, éprouvé.
(2) Gardes.

eût lieu ! Et que cette nuit du 4 au 5 avril, si proche et pourtant si lointaine, fût sans lune et noire comme le cul d'un chaudron !

— Cette poterne s'ouvre sur le champ des ribaudes, dit Tiercelet. Hé ! oui, elles se sont rapprochées puisqu'il y a péril.

— Elles nous dénonceront !

— Pas sûr... Elles craignent cette armée de gens honnêtes conduits par des clercs vénérés et pieux dont certains ne songent qu'à les chevaucher puis à les occire... Elles ne pensent plus qu'à aider leurs hommes et s'occupent à préparer de la charpie et des bandes, et à aiguiser leurs couteaux et ciseaux...

— Elles devineront...

— ... que nous sòmmes en fuite ?... Elles ont moult autres soucis !... Ces putes et leurs enfants, fils et filles, se transforment, lors des batailles, en mangoguets et hérédesses (1). J'en ai vu trancher aussi bien que des chirurgiens non pas des vits et des couillons, mais des membres qui pendillaient. Nous contournerons de loin leurs chariots...

— Si elles nous voient..., commença Oriabel.

— Deux hommes et deux femmes qui s'enfuient ? Ça en réjouira quelques-unes !... Au besoin, si elles sont bienveillantes, je leur donnerai... une poignée d'écus...

Le regard obscurci, chaud, païen, de Tiercelet, eut un flamboiement :

— Nous n'avons pas le droit de ne pas réussir !

Tristan l'approuva d'un clignement de paupières puis considéra Oriabel, immobile au pied du lit, négligeant manifestement la présence de dame Mathilde. Pourquoi s'en montrait-elle à ce point si jalouse ? Son profil gelé par l'inquiétude était d'une pâleur de neige fraîche.

— Rassure-la, Tristan, demanda Tiercelet. Elle en a moult besoin : *l'autre* lui fait ombrage. Elle va te dire sûrement pourquoi...

Il souriait, mais à peine, fraternel et charitable. Du regard, il interrogea Oriabel pour obtenir son assentiment. A propos de quoi ? Quel secret ? Quelle révélation peut-être superflue ?

Elle acquiesçait d'un mouvement furtif de la tête quand de violents coups de poing firent vibrer l'huis de chêne dans son chambranle.

— Merdaille, grommela le brèche-dent. C'est *lui.* Que nous veut-il ?

* *
*

(1) Infirmiers, infirmières-lavandières.

Bagerant apparut, maussade et déterminé :

— C'est bien, compères et commères, de ne pas vous verrouiller comme des maufaiteurs qui préparent quelque méchant coup !

Il n'était vêtu que de noir : cuirie, hauts-de-chausses, heuses ; un camail aux anneaux brunis de saleté couvrait son front jusqu'aux sourcils. Ainsi, on eût-on dit un suppôt du diable à la recherche d'une âme en peine.

— Tu vas mieux, Castelreng.

Ce n'était pas une question mais une certitude. Il avait appuyé durement sur le *mieux* ; une flamme dansait dans ses prunelles et, s'il était sans arme, cette lueur-là semblait celle d'une lame.

— Fais-moi voir tes navrures... Non ! Non ! Tiercelet, demeure ou tu es... Je ne vais pas l'endommager.

Bagerant épia, le temps de deux battements de paupières, le visage du blessé, puis abaissa ses yeux profonds, insondables, sur les linges propres qu'il dénoua et déroula, refusant d'un geste la proposition d'aide d'Oriabel.

— Son sang est si pur que je vois là de belles cicatrices qui ne l'empêchent en rien de mouvoir ces membres-là...

Bouche close, vouant à Satan son tourmenteur, Tristan laissa le routier tâter et plier ses bras et son épaule endommagée. « Ce linfar (1) veut m'employer sans retard... Mais à quoi ?... Il n'est pas de ces gens qu'on abuse aisément... Il sourit davantage. Il me *tient* ! » Il y avait, sous les façons tout à la fois abruptes et compatissantes du routier, une frénésie de curiosité qui paraissait inhabituelle ; un désir véhément de saisir, s'il existait, le dernier mystère de cet otage qui lui avait meurtri le meilleur de ses hommes. Tristan se sentit soudain plus nu qu'il ne l'était sous les draps, détaillé comme une marchandise ou une bête de foire.

— Tu peux conserver encore quatre ou cinq jours les fils qui ont recollé cette plaie... Bien recousue... Qui t'a fait ça, Tiercelet ou *elle* ?

— Moi, dit Oriabel, plus humble qu'il n'était nécessaire.

Bagerant apprécia cette humilité, puis, tourné vers le gisant attentif :

— Tu vas devoir te lever. Tu m'as ravi Héliot ; il est juste que tu le remplaces... Non, pas un mot, Tiercelet !... Quant à toi, la belle, il est ton mari même s'il me paraît difficile que vous ayez foutrassé légitimement avec ces deux témoins-là !... Pas vrai, toi, la Mathilde ?

---

(1) Dangereux, prêt à tout.

L'interpellée tressaillit ; une roseur afflua de ses joues à son front. Immobile, les bras croisés, la tête penchée, le dos un peu voûté, il semblait qu'elle eût très froid ou voulût s'exposer le moins possible à l'examen du routier. Elle dit d'une voix rauque et pleine de hauteur :

— Elle *dort* près de lui... Elle *dort* toute vêtue...

Elle appuyait sur ce verbe *dormir* avec une ardeur, une dérision farouche, mais qui pouvaient sembler concerner Bagerant. Lui, Tristan, et Oriabel, et même Tiercelet, ébahi, n'étaient pas dupes de cette fureur : cette femme était jalouse ; jalouse de leur misérable bonheur. Dans le lit, à coup sûr, elle se fût mise nue !

— Et cet homme et moi sommeillons là, sur ce pavement froid et rude !

Bagerant renversa la tête ; Tristan vit se gonfler son cou mangé de barbe et un rire jaillit dont les secousses s'éparpillèrent dans la chambre et durent être entendues hors des murs. Puis brusquement, avec une révérence lestée d'une férocité dont seule, sans doute, la dame ne sut évaluer le poids :

— Tu pourrais, femme, dormir dans une cave où dans une des chambres bordelières du Mont-Rond. Ne sais-tu pas ce que ça signifie ?... Tu peux rendre grâces à Castelreng et non à Dieu d'être en l'état où tu te trouves, car sans lui, tu aurais connu Héliot, puis Thillebort avant que de servir à notre ribaudaille !... Ce pavement est froid et rude ? Demande à Tiercelet de te prendre à pleins bras : il te réchauffera, tu sentiras moins la dureté des pierres... et celle de sa chair te donnera des envies !

La baronne outragée se tourna vers l'âtre vide, corné de suie. Tristan vit qu'Oriabel souriait. Elle perdit sa gaieté quand Bagerant la saisit par l'épaule :

— Tu vas soigneusement bandeler ton époux. Il faut que ces linges soient assez serrés pour qu'ils ne tombent pas, et assez lâches pour qu'il puisse mouvoir ses bras...

Encore ce rire de démon ; ces dents de loup-cervier. Tout le visqueux que cet homme portait en lui mouillait ses lèvres fines ; il s'en délectait en y passant sa langue, qu'il avait anormalement pointue.

— Apprête-le sans tarder, Oriabel... Castelreng, je m'en vais quérir ton armure... pour que tu t'enfermes dedans. Hé oui !... Je l'ai confiée à Nadaillac qui l'a remise en état. Elle est comme neuve. Tiercelet a dû t'apprendre que le comte de la Marche et son compère Tancarville s'acheminent vers nous en bel arroi et ordonnance. Nous allons les épier afin de prévenir leur empainte (1). Je me doute que tu as faim. Rassure-toi : il y a, en bas, ce qu'il faut.

(1) Ou *empeinte* : attaque.

— Et moi ? demanda Tiercelet sans parvenir à refouler son anxiété.

— Toi, tu demeures. Tu protégeras ces dames... Avoue, Tristan, que je suis bien bon !... C'est de l'honnêteté, reconnaissez-le tous.

— Honnêteté de mon cul, grommela Tiercelet.

A présent devant une archère, dame Mathilde se hissait sur ses orteils pour essayer de voir plus loin et plus bas. Quoi ? L'armée royale ? Oriabel paraissait comme assommée debout.

— N'aie crainte, murmura Tristan en lui prenant la main et en l'attirant vers lui.

Puis, happé, emporté par une colère qui ravivait le mal de son épaule tant il tremblait :

— Tu as craché ton fiel, Naudon. Laisse-nous seuls !

— Seuls ? ricana le routier. C'est façon de parler.

D'un menton dédaigneux, il désigna dame Mathilde :

— Et elle ? Elle ne compte pas ?... Je suis sûr qu'elle est prête à te livrer son corps, même devant ton épouse !... Pour la faire *bisquer,* comme on dit en langue d'oc...

— Oh ! fit dame Mathilde en haussant les épaules et en détournant son attention vers l'archère où venait de se poser un corbeau dont le plumage semblait terne à côté de sa chevelure.

Puis faisant front :

— Je vous interdis !... Vous êtes une... ordure !

Sa fureur semblait prouver que Bagerant avait touché juste. Et d'ailleurs, Oriabel *et Tiercelet* n'étaient-ils pas inquiets de sa présence ? Tristan se souvint d'un baiser reçu au cours de la nuit passée. Tiercelet ronflait fort, Oriabel semblait dormir... Un long baiser ardent, sans douceur. Ou plutôt sans légèreté. Oui, c'était elle qui avait remonté les draps jusqu'à son cou, attardant sur ses bras ses paumes. Il la revit nue et désarmée au festin de mariage. Elle s'indignait, certes, contre son sort, mais elle vivait cet opprobre comme une ténébreuse aventure dont elle se pâmerait plus tard en se touchant pour se prouver qu'après tout, elle en était sortie comme vierge.

— Tu dois être fier, Tiercelet, de compagner ces dames aux latrines ! On t'a vu et me l'a rapporté. C'est un usage auquel je ne te croyais pas destiné.

— Va te faire..., commença le brèche-dent courroucé.

Mais sur un rire, Bagerant s'en était allé.

Oriabel refit les pansements. « Serrés », dit-elle, « mais point trop ». Elle caressa les fils croisés de la couture à l'épaule dextre. Les lèvres mauves, enflées, suppuraient encore. Elle tendit en se détournant — ce qui fit s'ébaudir dame Mathilde — la chemise et les braies de son époux, puis elle l'aida, rougissante, à passer le surcot et les chausses de bourras qu'il avait portés sous son armure. Le vêtement du torse était taché de sang.

— Ils nous fournissent trop peu d'eau pour que j'aie pu le laver...

— N'aie pas cet air contrit... Ne te soucie de rien : je me sens solide. Un gobelet de vin, une tranche de pain me remettront d'aplomb.

Elle lui recommanda de ne pas s'exposer et ajouta, d'une voix volontairement menue, qu'il serait imprudent qu'il se laissât emporter, une fois de plus, par le mordant de sa nature. Elle ne pouvait réprouver cette âpreté, puisqu'elle lui devait d'être en vie, mais s'il l'exerçait sans discernement contre les hommes de Bourbon et Tancarville et tombait en leur pouvoir, il serait traité comme un malandrin. Et nul ne le sauverait.

Il vit ses lèvres frémir dès ce dernier mot et avant qu'il l'eût réconfortée, des pleurs troublèrent son regard.

Tiercelet s'éloigna et rejoignit dame Mathilde qu'il contraignit à s'asseoir sur un banc, près de lui, face au mur et au plus profond de la chambre.

— C'est un noble et bel amour que le nôtre, murmura Tristan pendant que la jouvencelle nouait les cordons du col de son surcot.

— Un amour, mon aimé, que peu de filles de ma condition osent rêver et par grand bonheur obtiennent...

— Tu mérites bien davantage que ce que je t'apporte !

Tristan souriait sans envie. En fait, il se sentait accablé de tristesse. Il allait la laisser seule pour combien de temps ? Que pouvait-il lui advenir de mauvais, à lui, en compagnie de Bagerant et de quelques autres hommes de sa trempe ? Verraient-ils dans la docilité qu'il mettrait à les suivre une preuve tangible de sa « loyauté » envers eux ?

— Sois vaillante, m'amie. J'ai des mots d'amour plein le cœur. Je te les dirai quand nous serons vraiment seuls...

Elle semblait, elle aussi, incapable de parler, comme si elle pressentait que des événements horribles se préparaient, qu'ils ne pourraient affronter ensemble. Tristan se tourna un moment vers Tiercelet et vit que dame Mathilde, échappant à la vigilance du brèche-dent, s'était détournée. Le regard de la baronne lui déplut : cette séparation d'avec Oriabel avait tout l'air de répondre à ses prières.

— Je reviendrai en hâte et nous fuirons main dans la main !

Il baisa Oriabel aux lèvres, longuement, chagriné de ne pouvoir lui donner de sa force. Elle s'assit ou plutôt se laissa tomber sur le bord du lit et se mit à sangloter, à trembler tout en le regardant. Son regard émaillé de larmes lui disait et répétait : « Je t'aime », et y plongeant le sien avec une ferveur qu'il n'eût pas cru posséder avant ce moment, il sentit un grand froid s'insinuer en lui et glacer jusqu'aux mots qu'il devait prononcer :

— Ce soir, à la vesprée, je serai de retour.

Il mentait : Bagerant allait prendre son temps. Il était envahi d'une peur superstitieuse contre laquelle rien ne prévalait : ni la certitude qu'il devrait se dissimuler ou se catir pour observer l'armée royale, ni le fait qu'il ne partait pas en guerre. Il avait vécu la désastreuse aventure de Poitiers. Bourbon, qui en avait souffert dans sa chair et son orgueil, ne renouvellerait pas la folie commise là-bas par les maréchaux de France : il ruserait plutôt que d'attaquer en face ; il enverrait au préalable des coureurs intègres et nombreux pour savoir avec exactitude où se tenait l'ennemi et en quelle quantité d'hommes.

Tristan allait embrasser à nouveau son épouse quand Bagerant réapparut, suivi de Nadaillac courbé sous un grand sac.

— Tiens, Sang-Bouillant, il t'apporte ton armure. Mets-la en hâte et rejoins-moi en bas... Allons viens, Face de Mort, laissons-les.

Tiercelet referma la porte et se retourna. Ses traits pensifs se durcirent :

— Que tu sois revenu ou non, Tristan, nous partirons cette nuit. Nous irons à Lyon... Souviens-t'en.

SECONDE PARTIE

Les lis et les orties

I

— Pied à terre, commanda Naudon de Bagerant.

Ses compagnons l'imitèrent, sauf deux jouvenceaux d'aspect retors et papelard qui n'avaient soufflé mot de toute la chevauchée. Chacun portait, de part et d'autre de sa selle, accrochée au pommeau, une cagette d'osier contenant deux pigeons. « Huit coulons », s'était étonné Tristan lorsqu'il les avait vus dans la haute cour de Brignais. « Que veulent-ils en faire ? Sûrement pas les manger ! » Ceux d'Alart étaient gris, ceux de Garnier blancs, grivelés de brun.

— Ouvre tes cages, Alart !

Tandis que les quatre pigeons prenaient de la hauteur pour disparaître, d'un vol tressautant, au-delà des voûtes des arbres, Bagerant commenta :

— Il y a dans la compagnie du Petit-Meschin, un vieillard qui sait oiseler tout ce qui vole, du faucon au passereau en passant par les hérons, les faisans et les aigles... Ces bestioles, Castelreng, le trouveront sans peine. Le message qu'elles portent à la patte enjoint à nos compères d'accourir à Brignais le plus vélocement possible avec, bien sûr, les gens de Pacimbourg.

— Et ces coulons blancs et noirs ?

— Au Meschin. Moult précautions valent mieux qu'une. Lâche-les, Garnier.

Dans un froussement vif, après quelques volettements, les pigeons s'essorèrent. Bagerant fut le seul à les suivre des yeux.

— Ce sont, dit-il, les meilleurs messagers que je connaisse.

— Je doute qu'ils trouvent le Petit-Meschin. Il leur faut un colombier où ils ont coutume de se poser...

— Je sais, Castelreng. Avant de nous quitter, notre précieux ami nous a dit par où il passerait, et ses coulons le rejoindront. Il suffit, d'ailleurs, qu'un seul y parvienne. Mais pour plus de sûreté, car les gerfauts sont nombreux dans ce ciel un peu trop bleu pour mon goût, Alart et Garnier vont galoper sans le moindre arrêt jusqu'au Petit-Meschin pour l'informer de nos décisions en ce qui le concerne. Sois sûr qu'il obéira. Tu vois, tout est prévu mieux que dans l'ost royal ; même ces deux coursiers sellés pour que nos chevaucheurs puissent les enfourcher sans retard quand ceux qu'ils montent à présent seront fortraits... J'ai vu que leur présence t'ébahissait. « Personne dessus ? » t'es-tu demandé. Te voilà maintenant avisé.

Bagerant se tourna vers ses ambassadeurs :

— Allez, enfants : partez. Belzébuth vous protège !

Tandis que les jouvenceaux s'éloignaient au galop, chacun menant un cheval de rechange à la longe, Bagerant, soucieux, piétina les cages dont il éparpilla l'osier à grands coups de heuses. Tristan ne put se retenir d'observer que les deux messagers, vu leur âge — douze ou treize ans — lui paraissent bien fragiles.

— Hé ! Hé ! Castelreng, ces fils de ribaudes ne pèsent pas ; leurs chevaux n'en iront que plus vivement... Si quelque danger se présente, comment pourrait-on les prendre pour des enfants de notre famille ? As-tu vu la livrée que je leur ai fournie ?

— J'ai vu leurs armes : *d'argent à un chevron de gueules à trois anilles de sable.*

— Ce sont celles de l'évêque de Nevers dont le nom pour le moment m'échappe... Cesse de faire cette tête, Sang-Bouillant ! Qu'est-ce qui te gêne ? Ton épaule ?... Ta position parmi nous ?... Crois-moi, Hélio est mort : tu devrais nous rester. On te respecterait. Tu deviendrais un de nos meilleurs capitaines.

— Dieu m'en préserve !... Le 10, j'espère bien qu'on se séparera.

— D'ici là, n'essaie pas de nous jouer un tour.

La menace n'émanait pas de Bagerant, mais d'Espiote. Tristan lui trouva l'apparence plus sinistre encore qu'au repas de son mariage. Un petit front griffé de rides précoces, pustuleux ; un nez long, maigre, au bout duquel pendait une goutte glauque ; une mâchoire inférieure fuyante. Quelques poils pâles lui poussaient sous le nez, mais comme ils foisonnaient alentour, il les avait tressés de sorte qu'ils pendaient, ainsi que des cordelettes, aux commissures de sa bouche. Lui aussi s'était vêtu de cuir noir.

— Mon intention demeure d'être loyal.

— Envers nous autres ou tes anciens compagnons d'armes ?

— Regardons-les plutôt que d'en parler, dit Bagerant, agacé. Ils se sont arrêtés : il est midi et pour les nobles qui commandent cette armée, manger à midi est aussi sacré que d'ouïr la messe à prime.

Espiote eut un rire. Il ressemblait au roucoulement de ces pigeons qui volaient à la recherche du Petit-Meschin et de ses hommes. Pierre de Montaut encensa comme un cheval dont il avait l'aspect, et le Bâtard de Monsac — le seul qui fut vêtu de velours rouge — se renversa en arrière et, tout en grimaçant, frotta ses reins de ses paumes couvertes de chevreau noir.

— Point de coureurs, dit Bagerant. Ces malveillants ne pourront nous découvrir... A leur place, j'aurais envoyé cent gars fouiller ces terrains !

Tristan s'approcha du routier immobile derrière un écran de broussailles. A une demi-lieue, peut-être moins, l'armée royale mangeait. Rien ne pouvait donner à penser que Bourbon et Tancarville partageaient le même repas. Deux voies menaient à Brignais ; il se pouvait que l'un eût pris celle de Sacuny, et que l'autre approchât par la plus redoutable : les Barolles.

— Aimerais-tu être des leurs ?

Cette question amena une diversion précieuse à la mélancolie de Tristan. Il rit en regardant Bagerant bien en face, puis retomba dans sa maussaderie. Reportant son intérêt sur l'armée immobile, elle lui parut à la fois orgueilleuse et nonchalante, *perdue,* dans la complète acception du terme, en ce pays de vallons et de plaines dont certaines, comme celle des Aiguiers, se parsemaient de maigres marécages.

— Tu m'honores, Naudon, en te souciant de mes pensées. Je te réponds loyalement : non, je ne voudrais pas être des leurs. J'ai appris à me défier de l'outrecuidance et de l'emportement des Grands. Ils n'ont tiré aucune leçon de leurs défaites. Ils me font plus peur que nos ennemis. La présomption ne vaut rien à la guerre, surtout contre des gens comme vous. A la ruse, il convient d'opposer la ruse. Si je commandais cette armée, je l'éparpillerais dès maintenant afin de vous priver du plaisir de l'encercler.

Il y eut un silence — peut-être approbatif — puis Bagerant demanda :

— T'attendais-tu à ce que nous venions sur la motte du Bonnet en passant devant celle du Janicu ?

— Je ne m'attendais à rien d'autre qu'à vous suivre.

— Si le Bois-Goyet et le Mont-Rond sont suffisamment pourvus en hommes, la plupart de nos compagnies feront mouvement par ici... Bourbon a flairé qu'en prenant la route de Saint-Genis à Brignais, au pied des Barolles, il engageait sa vie et celle de ses guerriers dans une grosse embûche.

— Est-ce tout ? demanda Tristan sans perdre de vue les brillances de l'armée royale.

— Non, Sang-Bouillant !... En venant par le nord, les justiciers du roi ont de l'espace pour se déployer jusqu'aux étangs du Loup qui feront pour leurs chevaux et sommiers office d'abreuvoir... La plaine de Sacuny et celle des Aiguiers sont à eux. Nous n'avons laissé personne au Tertre... Vois : ils se sont arrêtés bien avant (1).

— Alors, Naudon, pourquoi ces murailles et ces fossés au Mont-Rond ?

— Nous avons décidé qu'ils n'iraient pas plus avant que le chemin d'Irigny. Quand la mêlée sera complète, des hommes sortiront de Brignais. Ils repousseront les Francs jusqu'au Mont-Rond. Comme ils apercevront nos archers et nos frondeurs, ils croiront les assaillir aisément. Ce sera là une erreur fatale.

— Et si Bourbon venait seulement pour assaillir le château ?

— Mais il vient pour cela, Tristan !... De sorte que l'occasion nous est propice de le tailler en pièces avant qu'il n'entame cet assaut.

— Comment peux-tu savoir qu'il vient pour le château ?

Bagerant eut un sourire d'orgueil et de malice :

— Il ne sait combien nous sommes. Il croit que la seule vue de son ost nous fera peut-être guerpir et que si nous restons, il nous écrasera.

— Comment le sais-tu ?

Un crachat souligna un furieux mépris pour les Justes.

— Crois-tu, Tristan, que tous les Lyonnais admirent les gens de France ? Il en est qui vous abominent et ceux-là font d'excellents espies. N'oublie pas que Lyon est depuis peu française (2) et que cet assujettissement a déplu à maints bourgeois et manants... Etre Français, cela signifie quoi ? Avoir constamment l'escarcelle ouverte. Verser des fonds pour ces Valois assis sur un trône branlant, et qui ne se soucient que de fêtes, de parures et, présentement, d'acquitter la rançon d'un Jean qu'on dit Bon et que les Lyonnais disent sot !... Mais pourquoi t'en conter davantage. Tu ne concevrais point, tel que je te connais, combien la liberté pour les gens de Lyon était chose précieuse.

— Crois-tu ?

— Nous savons tout par nos amis. Tiens, quand le Petit-Meschin a maîtrisé le château de Viverols (3), nous n'étions pas encore à

---

(1) La carte figurant en annexe de cet ouvrage permet d'assister à toutes les phases de la bataille.
(2) La cité de Lyon s'était donnée à la France le 10 avril 1312. (Pierre Bonnassieux : *De la réunion de la ville de Lyon à la France* ; étude d'après des documents originaux ; Lyon, 1875).
(3) Le 6 janvier 1362.

Brignais. C'est pourtant un Lyonnais qui nous en a prévenus... De même nous avons su quand le Chapitre métropolitain de Lyon obtenait du roi des lettres de sauvegarde, et qui commandait en ville (1). Et si nul ne nous informe et que nous voulons savoir, eh bien, nous envoyons des hommes. Les uns ont l'aspect de marchands, les autres de presbytériens...

— Angilbert... commença Tristan.

— Parfois lui, parfois un autre. Nous nous précautionnons contre des erreurs terribles. C'est pourquoi nous sommes ici.

Bagerant releva la tête et Tristan fut frappé par la tristesse de cette face amaigrie : le routier s'était lancé corps et âme dans une aventure qui dépassait peut-être maintenant ses capacités, mais il ne déchoirait pas vis-à-vis de lui-même en s'y dérobant sous un quelconque prétexte. Plutôt que de la main, ce fut du poing qu'il montra l'armée royale, toute brillante et fleurie de bannières et de pennons.

— Je sais sur ces héros tout ce qu'il faut savoir. Il y a, là-bas, douze mille guerriers : six mille à cheval, quatre mille sergents d'armes et deux mille arbalétriers.

— Si tu as tout appris, si tu as vérifié que le cheminement de l'ost royal était conforme aux prévisions de tes compères et de toi-même, pourquoi demeurons-nous au Bonnet ?... Tu ne me réponds pas ?... Eh bien, je jurerais que nous sommes en un lieu décidé à l'avance... Des traîtres qui sont en face vont venir compléter tes informations... Après quoi vous apprêterez quelques mortelles fallaces (2).

---

(1) Le 23 janvier, le Chapitre métropolitain de Lyon obtint du roi des lettres de sauvegarde. Pierre de Praels, Jean de Saint-Paul, Jean Gauvain et Jean de Châteauneuf, sergents royaux, furent commis pour les faire observer. Le 27, Guillaume de Treffort, lieutenant du bailli de Mâcon, visita les fortifications de Lyon. Charlieu fut attaqué, Sauges tomba aux mains des routiers de Perrin Bora (ou Penin Borra). D'autres compagnies ravagèrent Montbrison. Jean de Grôlée, chevalier, bailli de Mâcon, prit en charge la défense de Lyon et les artilleurs d'Aymon de Nièvre se mirent en place. La défense fut alors dévolue à Aymar de la Tour, seigneur de Vinay, au seigneur d'Izeron, au chevalier Henri de Puisignan et à un notable : Henri Chevrier.
Le 24 février, le comte de Tancarville avait donné l'ordre de concentrer des troupes à Autun pour le 6 mars. Le 22 mars, il se fit expédier, *de Lyon* (à 350 km de là, minimum), des échelles et des mantelets pour assaillir Brignais (à 360 km *minimum*), mais ses hommes refusant de « marcher », il se rendit à Lyon pour demander aux notables de la cité 5 000 florins afin de les solder. Alors, il s'en revint à Autun (!).
Le 28 mars, Henri de Bar, sire de Pierrefort, Gouverneur de Bourgogne, enjoignit au bailli Girard de Longchamp de lever des gens et de les conduire à Tancarville (à 350 km de là, minimum, soit un aller-retour de 700 km)... Or, Tancarville attendait Arnoul d'Audrehem, qui était à Sauges depuis le 12 mars en compagnie de Henri de Trastamare (un allié douteux)... et n'arrivait pas !
Parti de Sauges en même temps que le Petit-Meschin, Audrehem, *qui n'ignorait rien des événements,* entra à Lyon le 9 avril au soir, soit 4 jours après la bataille de Brignais, à laquelle le routier, lui, prit part. Audrehem put donc ainsi sauver sa vie. Personne ne lui demanda des comptes sur ce retard qui, tout bien pesé, équivaut à une trahison.
(2) Astuces, fourberies.

— Hé ! Hé ! ricana le Bâtard de Monsac en s'approchant. Ce Bonnet semble convenir à la tête de Castelreng.

Tristan haïssait désormais cet homme tout autant que Thillebort. Tandis qu'ils s'apprêtaient à quitter Brignais, le Bâtard s'était avisé d'une fillette qui traversait la haute cour, un panier de linge à chaque main. Elle avait, attachés aux poignets et chevilles, des gobelets d'étain qui tintaient comme des clochettes. Prêt à se jucher en selle, le Bâtard avait tiré son pied de l'étrier pour courir « plumer » la petite. Une fois nue, après qu'il l'eut battue afin qu'elle s'allongeât, il l'avait forcée en quelques coups de reins. Et tandis que la malheureuse, le visage souillé de sang, fuyait, sa robe à la main, vers quelque porche obscur où peut-être un autre dévergondé la guettait, Monsac s'était rajusté fièrement. Sitôt à cheval, il avait ri comme maintenant.

— Si les porcs pouvaient s'ébaudir, ce serait à ta façon.

La gaieté du Bâtard redoubla. Il était aussi laid que son âme : lourdaud, un peu bossu ; le front bas, la joue couenneuse et lourde. Ses dents noires, mal plantées, sortant de la lèvre supérieure presque invisible sous le buisson de la moustache, dominaient un menton bref, creusé d'une fossette. Ses longs bras lui donnaient la démarche d'un singe.

— Tu m'en veux pour cette fillette !... Elle n'était plus vierge depuis quinze jours. D'ailleurs, tu ne m'offenses pas : il m'en faut davantage.

Feignant l'indifférence aux propos du malandrin, Tristan demanda :

— Dis-moi, Bagerant... N'aurait-on pas pu se passer de sa présence ? Il empunaise la mort et la carogne !

Un rire. Le Bâtard s'égayait.

— Si je suis ici, c'est par nécessité. Ainsi, je ne vais pas me prendre de querelle avec toi !... Ce sera pour plus tard : sois-en sûr !

Il s'éloigna, dodinant de la tête, bras ballants, serrant les poings.

— Il est pire que toi, Bagerant !

— Il a servi un temps chez Arnaud de Cervole... Il l'a trouvé trop mou et l'a quitté... Mais...

— Ils sont demeurés en bons termes... C'est ce que tu allais dire ?

Il y eut dans le regard du routier une espèce de frémissement lumineux.

— Serais-tu aussi devin ?

— Nenni !... Mais tout me paraît simple.

Tristan venait d'arrêter son attention vers ce que Bagerant, tout ensemble moqueur et compassé, appelait « l'armée des honnêtes gens ». Deux hommes s'en éloignaient au petit trot. Rien ne brillait ni sur eux ni sur leur cheval. Quand ils eurent parcouru une centaine de toises, ils allèrent d'un amble léger, sautillant, vers un bosquet d'où ils ressortirent au galop, assurés que leurs milliers de compagnons les avaient perdus de vue.

— Ils viennent vers nous.

C'était une constatation sans ébahissement. Bagerant se mit à rire :

— Regarde notre compère le Bourc (1) !

Le Bâtard de Monsac venait d'émerger du bruissant et craquant fatras de fougères où il s'était empêtré. Immobile à l'orée de ce bois qu'il devait bien connaître, deux ou trois pas en retrait de la pente herbue qui descendait doucement vers la plaine, il tenait au bout de ses longs bras dressés un miroir d'acier qu'il faisait clignoter au soleil.

— Et s'il avait plu ? interrogea Tristan au fait de cette astuce.

— Espiote a sous sa selle un drap que nous aurions déployé.

— Qui sont-ils ? Goujats ? Sergents ? Ecuyers ? Chevaliers ?

— Que t'importe ! Il serait bon que tu t'éloignes quand nous leur parlerons... Cet entretien ne te concerne en rien.

— Et si je refuse, arguant que j'appartiens à votre herpaille (2) ?

Un soupir, un sourire ; Tristan eut le sentiment fugace et bienfaisant que Bagerant l'admirait. Comment le routier aurait-il pu deviner que sa force de caractère se révélait, même à lui, Castelreng, dans la conscience de son humiliation ?

— Reste en retrait si tu tiens à la vie.

Deux traîtres s'en venaient vers eux... Quels étaient-ils ? Et que faisait Bourbon ou Tancarville, voire les deux, pendant ce temps ? Il semblait, hélas ! que les illusions du passé eussent toujours, pour ces seigneurs présomptueux plus imbus de leur noblesse que de leurs succès — et pour cause — le même pouvoir ensorceleur. Vanité de chevalier pire encore que vanité de gente dame ! Ni Crécy, ni Poitiers, ni les honteux reculs devant la Jacquerie n'avaient émoussé leur doctrine de palatins émérites : ils amenaient sereinement à Brignais une multitude d'hommes de devoir, et sans qu'ils eussent découvert les positions de l'ennemi, sans qu'ils se fussent prémunis contre une attaque plus ou moins développée, mais meurtrière à coup sûr, ils songeaient avant tout qu'il était midi et qu'il convenait de manger. Une espèce de pesanteur subjuguait cette armée lointaine et qui scintillait au soleil par le foisonnement des mailles, des armures et des armes.

1) Ou *bourg* : bâtard.

(2) Troupe de brigands.

— Il n'y a qu'ainsi qu'ils sont brillants ! releva Bagerant. Hein, Castelreng ?

L'autre réalité pour lui, Tristan, c'étaient ces hordes de malandrins puissamment amassées sur les collines, dans les creux des sentes et des chemins, et les guetteurs du donjon de Brignais d'où l'on apercevait, par-delà les champs plats des Aiguiers, au pied du Tertre, une ferme au nom prédestiné : *Saignes.*

« Et Bourbon ?... Que fait-il ?... Tresse-t-il ses lauriers ? »

Pierre de Bourbon lui était apparu naguère comme un fumeux assez sot, pourvu d'un grand nez rouge et de jambes cagneuses. Jacques ? Son physique énergique, son regard qui passait sans raison de la rêverie à la contention, et inversement ; son affabilité peut-être affectée, bourrue comme il seyait à tout homme de guerre, ne l'avaient pas empêché, lui, Tristan, de le tenir en suspicion. Sans doute était-il valeureux. Dans le dur métier des armes, c'était une qualité innée, sinon obligatoire que d'avoir du courage. Sans quoi, l'on devenait bourgeois. Mais qu'avait-il à dépriser le comte de la Marche ? Etait-il si parfait pour s'instaurer son juge ?

Bagerant fit entendre son rire sec et craquant :

— Tu vas devoir te battre s'ils nous assaillent, ne serait-ce que pour protéger Oriabel. Nul d'entre nous ne l'a violée, mais *eux,* crois-moi, n'auront aucun scrupule... Rien ne les arrête, pas même les catimini (1)... Au fait, les a-t-elle eus ?... Elle ne va pas déjà te pourvoir d'un enfant !... Ce que je veux savoir, c'est s'ils ont, ce jour-d'hui, l'intention d'encercler le château... Ils sont pour le moment comme un essaim d'abeilles qui bourdonnent en aiguisant leurs dards et en riant à l'idée de nous piquer... Mais les pierres de nos frondes bourdonneront à leurs oreilles, et nos sagettes et carreaux siffleront comme des milliers de vipères !

— Tu t'y vois déjà, Bagerant !

— Je m'y vois... et tu t'y vois !

C'était vrai. Tristan ne pouvait se résoudre de bon gré, lorsqu'il quittait des yeux les deux cavaliers inconnus, à la contemplation d'une armée sacrifiant aux rites des mangeries. Tous les champions des romans de Chevalerie, à commencer par Raoul de Cambrai, Ogier le Danois, Guillaume-au-Court-Nez, eussent, dans son cas, reculé jusqu'à leur cheval, galopé et donné l'alarme à l'armée des honnêtes gens. Mais ces Livres peignaient joliment d'immenses faussetés. Ce n'était pas pour les traîtres d'en face qu'Espiote tenait son arbalète armée d'un vireton !

— Le soleil est pour eux : il assèche la plaine.

---

(1) Menstrues.

— Dieu est pour eux, Bagerant !

Comme la nature était paisible, elle, dans ce renouveau d'avril ! Des collines de feutre, mousseuses de frondaisons vert tendre ; le miroitement glauque, lointain, de l'étang du Loup ; un ciel bleu où s'était égaré un nuage...

Les deux félons semblaient galoper sur leur ombre ; ils abrochaient maintenant leurs chevaux, sans doute parce qu'une inquiétude les avait pris et qu'il leur tardait de paroler avec leurs amis puis de revenir au camp à bride abattue. Ils montaient des coursiers noirs et nus, aux sombres harnois : c'étaient les moins voyants ; il se pouvait même que leurs naseaux eussent été fendus, car aucun ne hennissait sous la molette de l'éperon. Une brillance soudaine au col du surcot porté par le jeune révéla, dessous, un jaseran de mailles. Une dague à oreilles pendait à sa ceinture et comme signe de reconnaissance, peut-être, une longue penne d'aigle ornait son chaperon. L'autre, Tristan le reconnut sans peine sous sa coiffure elle aussi emplumée : une face en triangle et de gros sourcils bruns qui se rejoignaient comme un vol de corbeau. Un nez droit, une moustache épaisse, tombante. Entre les poils touffus et le menton relevé en poulaine, une bouche de gros mangeur. Un teint de basane neuve.

« Cervole !... L'immonde sacrilège !... La trahison en personne ! »

Tristan s'enfonça dans les fougères, tellement ensauvagé par un courroux confinant à la frénésie qu'il en claquait des dents.

« L'ignoble ! L'infernal ! Il mérite d'être ébouillanté !... Ecartelé !... Emasculé ! Je prendrais, à le faire, autant de plaisir qu'une ribaude ! »

Le cheval de l'Archiprêtre s'arrêta ; cependant, comme il était plein de feu, il ne cessa de saboter tandis que sous la double recommandation de Bagerant et de Monsac, une conversation s'engageait à voix basse.

« Tout va se décider incontinent ! »

Il était éperdu de rancœur et de haine ; jamais autant que maintenant, dans cet îlot de verdure, il ne s'était senti aussi vain. De même que le soir de son arrivée sur le Mont-Rond, il avait la révélation du pouvoir démesuré de ces hommes : ils pouvaient s'enorgueillir de composer alternativement avec le diable et certains serviteurs du roi ! Soudain, plutôt que de tenter d'apprendre ce qui se disait, il fut pris de compassion pour Oriabel, esseulée, inquiète, angoissée peut-être en dépit de la présence de Tiercelet. Lorsque Bagerant était apparu dans la chambre, il aurait dû feindre de souffrir pour tomber en pâmoison. Ses blessures, maintenant qu'il y pensait, le cuisaient, et son épaule endommagée paraissait adhérer à sa coque de fer... Non, en agissant comme il venait de l'imaginer, il eût perdu la considération du routier qui, d'ailleurs, serait demeuré inflexible. Or, même infects, offensants lorsqu'ils étaient assaisonnés de moquerie, les égards dont il était l'objet lui paraissaient précieux pour sa sécurité et surtout celle d'Oriabel.

La voix de l'Archiprêtre monta d'un ton, accompagnée du rire de son acolyte :

— Le meilleur, Naudon, c'est d'offrir la vérité toute crue à Bourbon : il la refusera parce qu'il me déteste. Lorsque je lui aurai rapporté combien vous êtes et où vous vous apostez, il désignera des coureurs afin de vérifier mes dires. Je suis sûr que par crainte d'y recevoir la mort, aucun ne s'attardera où que ce soit.

— Où te tiendras-tu pendant l'engagement ? demanda Monsac d'une voix qui se dilatait aussi sous l'effet d'une joie meurtrière.

— Floridas que voilà portera ma bannière.

Il y eut des murmures et des rires légers. Puis, Cervole, encore, s'exprima presque aussi hautement qu'un chapelain en chaire :

— Soyez sûrs que je dormirai dans mon fer, mon épée au côté. Mais, compères, croyez-vous que le Petit-Meschin sera de retour pour fournir quelques coups de lame dans cette estourmie (1) ?

Bagerant répondit affirmativement, sans plaisir, comme quelqu'un qui consent à supporter un gêneur dans une affaire importante :

— Il sera présent. Aymery croit en lui davantage qu'en Dieu.

Cette saillie blasphématoire fut sans effet sur Tristan. Proche de son nez, une petite araignée noire filait sa quenouille entre deux brindilles. Tout aussi minutieusement qu'elle, des tarentules à tête d'homme tressaient, en riant, les écheveaux dans lesquels Bourbon, Tancarville et leurs guerriers viendraient s'enchevêtrer. Pouvait-il contrarier leurs intentions ? Non. Sa volonté intacte et même exacerbée se heurtait à une évidence terrible : il n'était qu'un témoin dépourvu d'importance, résigné à demeurer passif sous peine de trépasser bêtement. Tenter d'avertir Bourbon ? Comment ? Par quel miracle ? La fuite ? Impossible.

— Arnaud, noble compain, tu nous rends la vie belle !

Naudon de Bagerant se voyait déjà l'épée en main, pourfendant et taillant, les regards partagés entre ses compères et les Justiciers d'autant plus hargneux qu'ils sentiraient la victoire se soustraire à leur convoitise.

— Salut, Arnaud ! s'écria le Bâtard de Monsac. N'aie crainte pour ta vie. Nous reconnaîtrons ta bannière.

(1) Mêlée, bataille.

— Gardez-vous de périr, les amis. Quand tout sera fini, nous saurons bien nous retrouver et nous porter la santé lors d'un festin dont nous conserverons souvenance éternelle !

— Et comment ! approuva Espiote. On te portera un los (1). Tu l'auras bien mérité !

Il n'était guère sorti du bosquet, surveillant à la fois l'*otage* et les chevaux. L'Archiprêtre agita sa dextre vers lui, puis, s'adressant aux deux autres :

— Dieu vous préserve lors de cette tuerie !... Viens, Floridas. S'il nous a vus partir ou qu'on l'en a prévenu, nous dirons à Bourbon que notre curiosité, augmentée de notre dévouement à la Couronne, nous a incités à cette inspection, mais que nous nous sommes gardés de fourrer nos têtes au-delà du Bonnet !

— Et que nous n'avons rien vu ! gloussa Floridas.

— Si, gros bêta !... *« Messire »*, lui dirai-je, *« il y a devant huit mille hommes »,* et je lui proposerai d'entreprendre une investigation vers Sacuny. Nous pousserons jusqu'au Mont-Rond et j'affirmerai, à mon retour, que nous avons vu quelque sept mille hommes dispersés aux Barolles, Bois-Goyet et Mont-Rond ainsi que sur le chemin de Brignais. Il doutera de cette vérité. Un de ses capitaines proposera qu'on vérifie mes dires et il enverra des coureurs... Ne laissez apparaître que deux ou trois cents de vos tuffes (2).

— Il sera fait selon tes vœux ! promit Espiote en reposant son arbalète.

« Il n'a jamais cessé de m'épier ! » enragea Tristan. Puis il entendit le tambour feutré des sabots sur l'herbe, tandis que traversant à grands pas les fougères, Monsac et Bagerant, réjouis, apparaissaient.

— Tu te doutais que c'était l'Archiprêtre, Sang-Bouillant ?

— Je l'ai reconnu de loin.

Le Bâtard de Monsac s'éloigna. Bagerant parut soulagé :

— Un moment, j'ai pensé à te montrer à lui pour jouir de sa stupeur, puis je me suis dit qu'en quelques mots, tu infecterais cette rencontre. Peut-être aurais-tu même essayé de l'occire...

Les bras croisés, bien que ce geste accrût les élancements de sa blessure, Tristan parvint à opposer à cette question informulée, une indifférence tellement parfaite que Bagerant s'en offensa :

— N'en parlons plus !... Mais qu'as-tu d'autre en tête ?

— Mon bassinet.

---

(1) Louange, toast.
(2) Hommes mal armés.

— N'essaie pas de te truffer de moi ! Qu'as-tu en tête ? Crache-le au besoin !

— Revenons-nous à Brignais ?... Voilà ce que j'ai en tête.

Un sourire mit une touche de clarté sur le visage du routier. Tristan pressentit qu'il allait recevoir une réponse équivoque.

— Ce soir ?... Demain ?... Je ne sais quand nous y reviendrons.

Il fallait accepter dans la sérénité les inconvénients d'une journée de menaces et d'incertitudes ; dissimuler à ces truands l'angoisse qui glaçait un cœur et un esprit tout emplis d'Oriabel. Comme elle semblait lointaine !

Aussi lointaine qu'une morte.

* *
*

Ses douze mille appétits satisfaits, l'armée royale s'ébroua, miroitante comme un immense lac d'où montaient çà et là les fumées des cuisines. Elle dut progresser d'environ cent toises puis s'immobilisa, indécise, ses chefs instaurant un conseil à cheval sur les instances de l'Archiprêtre.

— Il semble qu'ils vont droit sur Sacuny, dit le Bâtard de Monsac. Peut-être y passeront-ils la nuit. Il serait malséant qu'ils assaillent Brignais maintenant.

— Si tu sais prier encore, agenouille-toi !... Adjure le Seigneur de pousser le Petit-Meschin au cul et de retenir Arnoul d'Audrehem à Sauges.

Enchanté de sa repartie, Espiote se laissa choir dans l'herbe. Et tandis qu'il ronflait, grommelant et toussotant parfois, Tristan se demanda si Monsac et Bagerant s'obstineraient jusqu'à la vesprée dans leur guet immobile. N'eussent-ils pas été mieux avisés de revenir au Mont-Rond pour s'y préparer à la guerre ? Bourbon allait-il engouffrer sa cavalerie entre le Tertre et le Bonnet pour assaillir le château ? C'eût été une action stérile eu égard à la façon dont les routiers combattaient, mais que pouvait-on attendre d'autre d'un homme pour qui toute maturation de bataille relevait de la couardise ? Et puis, pour galoper sus à l'ennemi, il fallait que celui-ci fût visible !

— Je sens, compère, qu'un flot d'idées noie ton crâne !

A quoi bon répondre à Bagerant. Il eût pu même se dire, lui, Castelreng, « A quoi bon penser ! » Dans l'affrontement qui se préparait, la duplicité des malandrins prévaudrait sans doute sur le sentiment de l'honneur chevaleresque, injustifiable devant de tels adversaires. Cependant, imbu de lui-même et des coutumes de la

Chevalerie, le comte de la Marche galoperait droit sur Brignais, souhaitant peut-être que les Tard-Venus effrayés sortissent de la cité par le Sud afin de les tailler en pièces lors de leur fuite. Ensuite, il ferait déposer, dans la nef de quelque église de Lyon, les éperons des victimes réconciliées dans la mort.

— Tout ce que je peux dire pour le moment, Sang-Bouillant, c'est qu'ils sont bien pourvus en armes !

— Comment le sais-tu, Bagerant ? Ils sont loin. Je ne vois d'icelles que leurs brillances !

— Je sais par un des leurs qu'il y a dans Lyon une centaine d'armuriers, arbalétriers, haubergeonniers, tasseurs, fourbisseurs (1). Presque autant qu'à Paris. Mais le bon acier ne fait pas tout. Il est insuffisant de savoir l'employer si l'on ne fournit pas les premiers coups.

— Vous songez à fondre sur eux les premiers ?

— Cela dépend de la façon dont ils s'approcheront. Es-tu chevalier ?

— Je t'ai déjà répondu oui... Et toi ?

— Je n'en suis pas fier... Ma chevalerie, c'est une sorte de vêtement de guerre que j'aurais porté, jeté, renié... Es-tu vraiment heureux d'appartenir à l'Ordre ?

Tristan éluda cette question d'un haussement d'épaule. S'il s'était réjoui d'entrer dans la Chevalerie, s'il s'était soumis à ses préceptes puisqu'aucune situation ne l'avait poussé à s'y soustraire, tout ce *decorum,* dans l'immédiat, n'exerçait plus aucun attrait sur lui. Il avait découvert à Poitiers, comme son père à Crécy, qu'une victoire s'obtenait davantage par la subtilité de l'esprit que par le bon droit, la force des armes et le nombre des guerriers qui les maniaient. Il lui semblait parfois que l'air sentait le sang : ce n'était que l'odeur des buis, lourde, funèbre. Bagerant s'en alla jusqu'à son cheval pour lui imposer par les mains et de douces paroles sa quiétude de malandrin accoutumé à toutes sortes d'attentes.

Aux aguets derrière un fourré, Tristan vit l'Archiprêtre galoper vers le Mont-Rond, suivi de Floridas. Ils portaient maintenant une armure de fer. Davantage par précaution que par ostentation, Arnaud de Cervole arborait sur son heaume en pot des andouillers de cerf passés à la dorure. S'il combattait ainsi coiffé, les routiers qui n'auraient pas vu sa bannière lui épargneraient les coups.

— On dirait que ce grand crapuleux branchu comme un cocu s'en va courir des lances aux joutes d'Irigny !

---

(1) Il y en avait exactement 94. (Emile Molinier : *La collection Spitzer,* tome 6. Quantin Davis, Londres, 1862. - Frédéric Spitzer, né en Autriche en 1815, collectionnait les armures et les armes médiévales).

Bagerant se frotta les yeux comme pour en effacer le spectacle de l'Archiprêtre et de Floridas, puis reporta sur eux un regard nettoyé de toute gaieté :

— Je ne saurai jamais, comme lui, être de deux partis à la fois... Et toi, Sang-Bouillant ?

— Si je dois bientôt partager votre infortune ou votre gloire, ce sera comme on dit : à mon corps défendant !

Rien... Nulle réplique. Ce fut Espiote qui rompit le silence :

— Ils s'en retournent au trot !... Ils n'ont pas poussé loin.

Il jouait avec son épée qu'il dégageait à demi de son fourreau, puis renfonçait d'un mouvement vif. Une impatience terrible de la sortir tout entière enflammait ses joues.

— Pourquoi iraient-ils plus avant ? interrogea le Bâtard de Monsac. Arnaud annoncera aux capitaines : *« Ils sont quinze mille. »* Ils riront de ses dires et nous verrons passer, sans doute avant ce soir, les coureurs désignés par Bourbon ou Tancarville pour observer notre grande et belle famille et contrarier les affirmations de notre compère. L'un d'eux dira sans doute : *« Il suffit d'un assaut ! »* et nous sentirons passer au-dessus de nous un immense soupir d'aise.

Il rit. Il fut le seul. Espiote dont la nervosité s'aggravait, décida :

— A la nuit noire, j'irai rôder autour de ces bonnes gens. Je m'assurerai s'ils ont eschargueté leur logement (1) et s'ils y ont disposé des sonnailles pour prévenir toute attaque nocturne.

— Pour ce qui est des sonnailles, dit Tristan, vous vous y connaissez ! Par Dieu, vous pourriez leur en vendre !

Il avait cru les offenser, mais il leur en fallait davantage.

— Peut-être en voudrais-tu en guise d'éperons ? proposa le Bâtard de Monsac. Tes talons en sont dépourvus...

— Qui t'a fait chevalier ? demanda Espiote.

— Où et pourquoi ? insista Bagerant. Tu nous dis que tu es dans l'Ordre. Soit... Mais il nous plairait d'en savoir davantage.

Fallait-il fournir des précisions à ces hommes qui, eux aussi, portaient des éperons d'or ? Pourquoi les avaient-ils mérités ? Ils puaient le mal. Leurs yeux avaient l'apparence des bulles glauques engluées dans les profondeurs des mares et des douves putrides et qui, pour y crever, affleuraient leur surface.

— Mes éperons, messires, je les ai gagnés tout près du châtelet de Puylaurens... Des routiers nous ont assaillis, mon père et moi. Ils étaient six et j'en ai occis trois.

---

(1) Ou *eschauguété* : environné leur campement de sentinelles.

— Oh ! Oh ! s'exclama le Bâtard de Monsac. Et ton père trois aussi ?

— Deux seulement. Le dernier s'est enfui... Et si vous pensez que mon père m'a donné la colée tout de suite, vous vous leurrez : il voulait qu'on le vît me faire chevalier...

Il eût préféré que messire Thoumelin lui donnât la paumée comme à la guerre, mais celui-ci avait fait référence à Philippe IV. Le roi de fer avait encombré la cérémonie de l'adoubement de superfétations pieuses, de sorte que son entrée dans la Chevalerie avait ressemblé davantage à une prise d'habit dans un moutier qu'à un événement consacrant ses qualités guerrières. Il avait dû jeûner, se soumettre à des austérités de toutes sortes ; il avait passé quatre nuits en prières en compagnie de son parrain, clerc de Sainte-Colombe, d'un presbytérien de Limoux et de quelques barons du voisinage, morts depuis. Il avait subi maints sermons et le Credo à quatre reprises... Et tout cela pour fuir à Maupertuis, échouer dans une mission de médiocre importance et devenir l'hôte des malandrins de Brignais !

— Viens, compère, dit Bagerant. Nous allons chevaucher loin de Cervole, par-là. Nous le verrons, j'espère, s'entretenir avec ses compagnons venus au-devant de lui. Ses façons et les leurs nous informeront de leurs intentions, si toutefois nous sommes assez proches d'eux pour en tirer des conclusions !

— Est-ce nécessaire ? demanda le Bâtard de Monsac. Arnaud ne nous trahira point.

— Nécessité ou pas, j'ai envie de le faire. Demeure auprès d'Espiote.

Deux grognements s'assemblèrent. Dépit ou indifférence ? Tristan ne sut qu'en juger. Bientôt, il fut en selle. Bagerant se jucha péniblement sur son cheval, se tourna vers ses congénères et s'ébaudit de leur méfiance :

— Oui, j'ai laissé à notre ami son épée. Je ne crains rien de sa part. N'avez-vous pas songé qu'il aime trop son épouse pour qu'un coup de folie la livre à nos ferveurs ?

Ils chevauchèrent à travers les arbres qui les dissimulaient en partie. Devant eux, l'Archiprêtre et son écuyer se retournaient parfois.

— Bien qu'ils soient en sécurité, ils semblent craindre, Bagerant, d'être percés par vos archers !

— Un traître, Tristan, se défierait de sa mère... Approchons-nous encore. Même découverts, aucun prud'homme, je crois bien, ne s'aviserait de galoper vers nous !

Ils virent ainsi grossir l'armée immobile, étincelante dans ses aciers et ses fers. Quatre chevaliers trottèrent à la rencontre de

Cervole et de son écuyer. Une conversation s'engagea. L'Archiprêtre y donna de la voix et du geste avec une animation qui, de loin, paraissait excessive.

— Avançons jusqu'à cette ronceraie, décida Bagerant.

Tristan obéit, aussi docile, en apparence, que son moreau engagé dans le sillage du routier.

Les seigneurs écoutaient l'Archiprêtre. L'un d'eux, fervêtu magnifiquement, tête nue, brune et quelque peu penchée, tourmentait les rênes d'un coursier couvert d'un sambuc pourpre, et qui s'égayait en courbettes, secouant allègrement les grelots de son chanfrein et de sa culière. C'était assurément Bourbon, comte de la Marche, un des piliers du royaume de France. Deux autres, plus effacés dans leur harnois plain (1), apparemment terni, et qui avaient conservé leur bassinet à plumail noir, étaient montés sur des chevaux lourds dont ils semblaient surveiller les oreilles tout en écoutant les admonitions et conseils de Cervole. Enfin, le dernier, en retrait, chassait quelques moucherons attirés par sa sueur. Ce ne pouvait être que Tancarville. Autant que cela lui fût possible, il bombait sa cuirasse ceinte d'une large ceinture orfévrée au-dessus de la baconnière. Il arborait une manche honorable à sa cubitière, comme si l'affaire qui se préparait ressemblerait à un tournoi davantage qu'à une guerre, et qu'avant la nuit, il reverrait gaiement la belle qui lui avait fait don de ce volet de soie long d'une aune, jaune comme ces jacinthes qui jonchaient les sous-bois. Quelque éloigné qu'il fût du personnage, Tristan devina qu'il voulait, avant l'affrontement, incarner la sérénité, la force, la constance.

« Tancarville, tu n'as pas changé !... Tout fier, hein, d'être lieutenant du roi (2) ! »

Bien qu'il leur fût advenu de cheminer côte à côte, rien ne les avait rapprochés.

« Si tu me voyais là, tu attribuerais ma disparition — dont tu t'es peu soucié, j'en jurerais — à mon passage chez les truands ! »

Bagerant s'approcha :

— Revenons, Sang-Bouillant. Je suis édifié... Tiens, regarde : cette bannière n'est-elle pas celle du comte de Forez ?... On dit que son oncle le mène par le bout du nez (3)... Allons, viens !

Bientôt, ils retrouvèrent Espiote et Monsac.

---

(1) Armure complète.

(2) Il avait reçu sa nomination par un acte du 25 janvier 1362.

(3) Guigue VII de Forez et Jeanne de Bourbon avaient eu deux fils : Louis et Jean. Louis avait succédé à son père, en 1360, comme comte de Forez. D'après Froissart, il était encore, en 1362, sous la tutelle de son oncle, Renaud de Forez. Il était né à Saint-Galmier en 1338.

Tandis que Bagerant s'entretenait avec ses compères, Tristan s'allongea dans l'herbe, sur le flanc, pour ne pas être gêné par les oreillons de ses genouillères. Le temps passa sans qu'il parvînt à dormir. La nuit vint. Espiote tira du bissac accroché à l'arçon de sa selle du pain et un saucisson qui fournit à Monsac l'occasion de quelques obscénités dont il fut seul à s'ébaudir. Tristan se vit offrir en premier la gourde de Bagerant. Il but deux gorgées de vin piquant tandis que Monsac acceptait de galoper jusqu'au Mont-Rond pour aviser les chefs des dernières dispositions conclues avec Cervole.

— Tu peux dormir, Sang-Bouillant, dit Bagerant, puisque jusqu'à preuve du contraire, tu n'appartiens pas à notre famille !... Dis : à quoi vas-tu rêver ? Aux mamelettes et au potron de ton épouse ou aux coups d'épée que tu vas devoir fournir ?

Son rire trouait l'obscurité, blanc et luisant comme un trait de bave, et ses yeux se voyaient à peine tellement il les clignait.

— Demain, après-demain, si tu vis encore, tu pourras besogner Oriabel. Et le 10, nous irons de conserve à Givors.

— Je vivrai, Bagerant ! Puisse Dieu me permettre de vivre assez longtemps pour te voir, un jour, moins outrageux que maintenant !

Et là-dessus, l'épée sur lui, les mains rassemblées autour de sa prise, tel un gisant, Tristan attendit le sommeil.

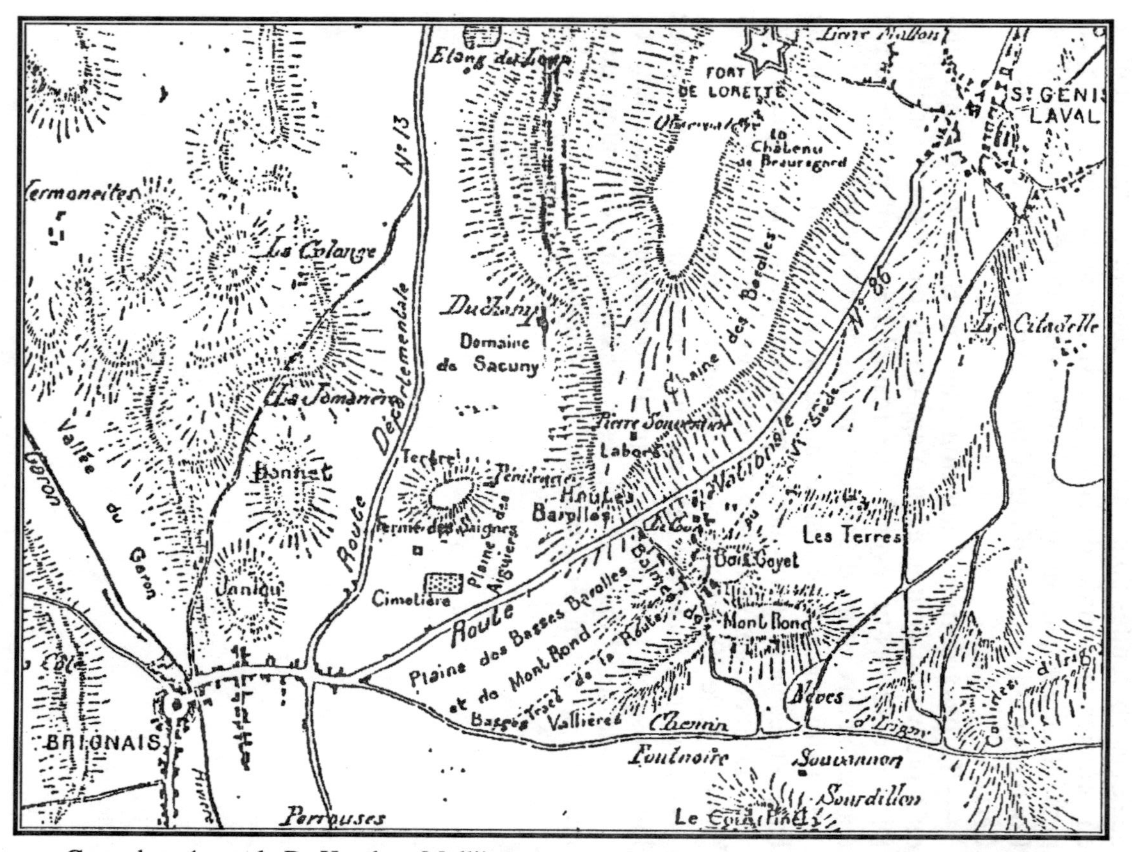

Carte dressée par le Dr Humbert Mollière pour son *Dernier mot sur la bataille de Brignais*.

II

Réveillé avant l'aube, Tristan feignit de dormir. Espiote ronflait non loin de lui. Le Bâtard de Monsac et Naudon de Bagerant, à la lisière des arbres, attendaient les premières clartés. Elles vinrent d'un coup comme si le soleil avait hâte d'assister à la bataille.

— Bien disposé, Sang-Bouillant ?

Sitôt debout, Tristan s'aperçut que son épée avait été plantée à ses pieds. Bagerant lui souriait, et c'était presque un sourire d'amitié.

— Ils vont perdre ce jour-ci, tu verras !... Mardi 5 avril... Chaque goutte de temps dissipée leur porte préjudice... Nous allons voir s'ils envoient des coureurs.

— Ensuite ?

— Ils vont sûrement avancer... Selon ce qu'ils feront, nous reviendrons à Brignais ou nous irons au-devant du Petit-Meschin.

— Car tu es sûr de son retour !

— Aussi sûr que je vois cette fourmi égarée sur ta cubitière.

D'une chiquenaude, Bagerant fit sauter l'insecte. Tristan fut tenté de se moquer de sa confiance ; il ne l'osa. La conviction de cet homme, la force qu'il sentait se déployer en lui, révélée aussi bien par son regard que par la mue de sa voix soudain sourde comme un grondement de fauve, le laissaient pantois. Une ombre opaque et triste passa dans le regard de ce rapace qui avait tout vu, tout éprouvé sauf les affres de cette mort qu'il aimait à dispenser aux autres :

— Si Bourbon était un sage, il renoncerait... Je connais les noms de ses capitaines et des jeunes seigneurs qu'il a faits chevaliers.

Tout est là, sur ce parchemin que je porte contre ma chair (1)... Je sais tout de lui, il ne sait rien de nous... Vois-tu... si je te disais : « Prends ton cheval... Pars... Tu es libre... Va le prévenir de ce qui l'attend », cette chevauchée serait vaine. Car tu aurais affaire à des présomptueux... Mais je sais aussi que tu refuserais de partir à cause d'Oriabel...

— Tu lis en moi, Naudon, à travers le fer qui me dissimule. Je n'ai pas à rougir de ce que tu découvres... J'ai au moins une qualité : la droiture.

— C'est pourquoi tu me fais peur !... Je te sais prêt à tout pour rendre cette fille heureuse... Et cela veut dire : prêt à nous fuir !... Or, ton trépas me serait pénible...

Qui des deux prévoyait le plus de difficultés ? Tristan se reprocha de s'être livré davantage qu'il ne l'eût fallu.

— Voilà leurs coureurs ! annonça Espiote.

— Ils sont quatre, dit le Bâtard de Monsac.

Tristan suivit Naudon de Bagerant. « D'en bas », songea-t-il, « ils ne peuvent nous voir. » Même si ces guerriers les avaient découverts, ils n'eussent rien tiré de bon de leur présence. A bien juger de leurs armures de fer, ces devanciers étaient des prud'hommes. Qui ? Les connaissait-il ?

— Une chose est certaine, grogna Espiote entre ses dents. Ils ne nous assailliront pas ce jour d'hui !... Le Petit-Meschin se rapproche ! Si je n'osais, Naudon, contrarier ton ami, je dirais que Dieu est avec nous !

Tristan feignit l'indifférence et l'allusion à l'amitié fut sans effet sur Bagerant.

Vers none (2), les coureurs repassèrent. Ils allaient toujours lentement, sans souci ni défiance. La certitude de vaincre devait les hanter ; pour un peu, si chacun avait eu la sienne, ils eussent déployé leur bannière.

On allait bientôt paroler bien haut, de même qu'à Poitiers. Les idées claqueraient comme des oriflammes aux vents des opinions souvent contraires mais, de toute façon, Bourbon trancherait.

---

(1) Sitôt après avoir débarqué à Saint-Vaast-la-Hougue, le 12 juillet 1346, Edouard III avait armé son fils aîné chevalier en même temps que quelques jeunes nobles. Jacques de Bourbon, avant de marcher sur Brignais, en fit autant pour son fils aîné, Pierre, et son neveu, le comte de Forez, en présence du seigneur de Villar et de Roussillon, des sires de Tournon et de Montélimar, du sire de Groslée, en Dauphiné, ainsi que Robert de Beaujeu, Louis de Châlons, Hugues de Vienne, le comte d'Uzès, etc. Si les jeunes gens adoubés par Edouard III revinrent sains et saufs de toutes les batailles précédant et succédant à Crécy, les jeunes seigneurs que Jacques de Bourbon fit entrer dans la Chevalerie succombèrent à Brignais, contre des malandrins !

(2) Vers midi.

Volupté que de se sentir capable d'énoncer des commandements avec l'assurance qu'ils seront exécutés !

— A quoi penses-tu, Tristan ? demanda Bagerant. Je te vois froncer les sourcils...

— Je pensais qu'un capitaine, un maréchal, un roi sans discernement ne sont rien de plus que des prédicateurs mortels, et que quatre hommes envoyés en avant ne suffisent pas à connaître l'ennemi... surtout si un traître vient fausser l'idée qu'on peut se faire d'une bataille sur le point d'être livrée.

— Tu te diras bientôt que tu as eu une belle et bonne chance d'être parmi nous, dit Espiote, quelle que soit ta répugnance à nous costier (1).

— Crois-tu ? sourit Tristan, sans même regarder le routier. Maintenant, Naudon, partons-nous ?

— Non, Castelreng, on reste, dit le Bâtard de Monsac. Il nous faut voir si l'armée se déplace encore. Et jusqu'où.

Il n'y avait rien à objecter : la raison nécessitait cette attente.

— J'ai faim et soif, dit Espiote.

— Ronge une branche et suce une herbe, lui conseilla Bagerant. L'appétit te passera. Demain, sans doute, après notre victoire, tu pourras t'en mettre plein la panse... à condition qu'une épée ne te l'ait pas percée !

Tous rirent, même Tristan. Mais son rire n'était qu'une fade grimace.

* *
*

— Ils viennent... Venez voir !

Bagerant et Espiote, puis Tristan, à deux pas, rejoignirent le Bâtard de Monsac.

L'armée s'était remise en mouvement, et c'était, au son des flûtes (2), un fleuve de fer qui coulait dans la vallée, emportant dans son flot une multitude de lances, d'armes d'hast, de pennons et bannières. On n'en voyait pas la fin.

— Ils vont s'amasser dans la plaine de Sacuny ! s'écria Bagerant.

— S'ils n'en bougent plus, dit Espiote, il faudra les assaillir de nuit.

— Avec ou sans le Petit-Meschin ! acquiesça le Bâtard de Monsac.

---

(1) Côtoyer.

(2) Depuis ces jours d'avril 1362, des fifres figurent sur les armes de la ville, voisine, de Mornant.

Une impression de force irrésistible se dégageait de ce miroitement en marche. Aux hordes fangeuses, malfaisantes, venaient fermement s'opposer ces connétablies en bon arroi pour le moment, comme si le roi, du sommet des Barolles, assistait à leur progression. A chaque fluctuation due aux accidents et détours du terrain, des aciers clignotaient comme des vaguelettes tandis que sous leur chanfrein de fer souvent armé d'un dard aussi long qu'un picot de lance, les chevaux hennissaient d'émoi ou d'impatience.

— Comment les trouves-tu, Sang-Bouillant ?

— Que t'importe !

Cette armée semblait fière, sûre d'elle et de ses chefs. Tout comme celle qui s'était acheminée vers Maupertuis. Il avait chevauché parmi des milliers d'hommes pareils à ceux qui s'en venaient aux Aiguiers. Sa vue n'en avait été que fragmentaire, bien que, debout sur les étriers, il eût été plus avantagé qu'un piéton. Il s'était senti au chaud en leur sein ; rassuré par leur confiance, leurs regards, leurs chants et leurs rires. Maintenant, ce matin du mardi 5 avril, il avait une vision quasi complète d'un déploiement de douze mille guerriers, et sa peau se mouillait d'un plaisir qu'il maîtrisait à grand-peine. Ces justiciers-là purgeraient le Lyonnais de sa racaille ; ils venaient de partout mais leur unité semblait faite. Et solidement !

— Tu te dis, compère, que d'où nous sommes, ils semblent glisser vers la victoire... Mais ne sais-tu pas que lorsqu'on glisse trop, l'on tombe ?

— Regarde qui vient devant, Naudon, ricana Espiote.

Un coup de vent étira la bannière que l'homme portait appuyée sur le faucre de l'étrier. Tristan, le fiel aux lèvres, lut à haute voix :

— *De gueules à un cerf passant d'argent sommé d'or, chevillé de dix cors...* Pour un coup, l'Archiprêtre chevauche en tête... Il est vrai que rien n'est commencé !

Couvert d'un houssement vermeil, le cheval encensait gaiement. Songeant à tout ce qu'il savait sur son cavalier, Tristan éprouva, au-delà de sa fureur, une amertume où la désespérance, la honte et l'aversion se mêlaient. Ses muscles pesant soudain plus que leur poids, il dut s'appuyer d'une main contre un tronc d'arbre, tellement il défaillait. « Le monstre ! L'ignoble ! » Si la raison l'incitait à haïr cet homme abominablement versatile, quelque chose de plus accroissait sa répugnance envers lui : sa fierté d'être de France bien qu'il fût solidement attaché à son pays de Langue d'Oc, ce dont

Guillonnet de Salbris et Thomas d'Orgeville se gaussaient en le nommant : *le Toulousain* (1).

« Que font-ils maintenant ces deux présomptueux ?... Que croient-ils que je suis devenu depuis la soirée d'Auxerre ? »

Reportant son attention sur l'Archiprêtre, il se dit que cette crapule semblait attirer la lumière du ciel. Présentement, il avait l'air majestueux, impassible, et d'aucuns eussent loué sa simplicité, sans pressentir qu'elle était mensongère. C'était avec une fermeté de chevalier rompu à toutes les circonstances qu'il tenait son roncin, et l'on sentait que sa façon de le conduire n'avait d'égale que celle avec laquelle il menait les quinze cents brigands que, selon Bagerant, il entretenait à grands frais. Depuis ses dix-huit ans, cet homme qui pouvait en avoir trente et même plus, régnait en suzerain absolu sur ses mercenaires, ses chevaux et les femmes qui, consentantes ou non, traversaient son lit. Et quel était ce Floridas dont le rouan cavecé de gris trottait dans son sillage ? Un page à la façon de tous ceux de Brignais ?

Derrière chevauchaient deux écuyers porteurs de lances, puis Bourbon, sur un cheval noir, presque nu, et d'autres dont les pennons et bannières s'aheurtaient. Ensuite, trois mille chevaliers et écuyers montés entouraient des musiciens, à cheval également, et qui, les flûtes s'étant tues, frappaient sur des tambours et soufflaient dans de grandes trompettes, par spasmes ; mais quelle que fût la puissance de cette musique, elle ne pouvait couvrir l'immense cliquètement des armes, des harnois d'hommes et des lormeries (2), et les hennissements qui, çà et là, révélaient la nervosité d'une bête, partant celle de son propriétaire.

La plupart des seigneurs trottinaient en avant. Puis marchaient les arbalétriers, courbés sous le poids de leur arc, de leur carquois

---

(1) De Philippe-le-Hardi jusqu'à Jean le Bon, les rois avaient possédé le comté de Toulouse pendant près d'un siècle comme un domaine particulier. Depuis qu'ils avaient recueilli la succession de Raymond VII, du chef de Jeanne, sa fille unique, épouse d'Alphonse, frère de Saint Louis, ils s'étaient considérés comme comtes titulaires de Toulouse, en sorte qu'on distinguait le domaine royal du domaine de la Couronne. Le roi Jean réunit ce comté et plusieurs autres de ses domaines à la France par une sorte de compensation des territoires perdus au traité de Brétigny-lez-Chartres.
Il convient de noter que les comtes de Toulouse gouvernaient le Toulousain et le reste du Languedoc avec un pouvoir égal à celui du roi dont ils reconnaissaient cependant la suzeraineté. Dès l'instant où ce dernier devint propriétaire du titre de comte de Toulouse, il réunit sur sa tête tous les pouvoirs et en devint le souverain unique.
En prenant possession du comté, Philippe-le-Hardi avait conservé le titre de comte pour ne pas effrayer les peuples dont il assurait les privilèges. Cet état avait un inconvénient : le Toulousain, non incorporé au domaine de la Couronne, pouvait être aliéné. C'était à simple titre d'hérédité que le roi le possédait. Sa réunion, ordonnée par le roi Jean, l'incorporait à la Couronne... dont il devenait inséparable. Les peuples d'Occitanie, accoutumés à la domination du roi de France, ne s'effrayèrent pas de ce changement.
(2) Pièces relatives au harnachement des chevaux.

et de leur grand pavois. Ensuite, dans le brasillement de leurs armes et coiffes de fer, s'en venaient les piétons aux dos et aux épaules ferrés, les uns fiers, les autres soucieux, le teint vif, sans doute, d'avoir avalé moult pintes de vin pour se donner du courage. Tristan s'usait la vue à les considérer. Quand donc cette multitude à la fois diverse et homogène passerait-elle à l'action ? Vers quels lieux porterait-elle sa fureur ? Il était conforté par sa force innombrable et se fût joint à elle avec bonheur. La voix mordante de Bagerant suspendit sa contemplation :

— Quel plaisir nous aurons à tailler là-dedans !... Vois comme ils sont au coude à coude !... Il faut ses aises à qui veut bien se battre... On dirait des moutons... sauf qu'ils ne bêlent pas ! Mais cela viendra !

Comme une île au milieu d'un torrent d'acier, un chevalier dont une cotte bleu sombre dissimulait en partie l'armure, gesticulait et hurlait. Ses cris et mouvements révélaient un mépris hautain pour cet entourage de hurons et de manants conduits au sacrifice, et sans doute un défi envers les malandrins invisibles qu'il souhaitait écraser. Tristan détesta cet outrecuidant.

— C'est Jean de Neufchâtel, on dirait, fit Espiote.

— Dirait-on pas plutôt le sire de Longwy (1) ?... Qui l'aura courte !

Le Bâtard de Monsac fut le seul à s'esclaffer de son bon mot. Tristan soupira : une brève méditation venait de le conduire sur cette motte du Mont-Rond préparée pour la réception furieuse de l'adversaire. Les chevaux se rompraient les membres dans les fossés, les chevaliers choiraient à terre ; ceux qui passeraient tant bien que mal seraient accablés de pierres et de sagettes avant que d'être assaillis à l'épée ou l'épieu. *« Et moi, dans tout cela ? »* Non seulement lui, mais surtout Oriabel... Tiercelet... Et cette baronne dont il avait en quelque sorte hérité... Etrange Mathilde ! Il n'avait jamais éprouvé, envers une femme, la sensation de gêne, d'agacement que celle-ci versait en lui. Ressemblait-elle à « la » Darnichot ?... Question mineure. Il aimait Oriabel avec une sincérité, une dévotion sans faille et sans mesure. Il la rendrait heureuse. Immensément. Il vit Bagerant sourire comme s'il l'approuvait.

— Emplis tes yeux, Sang-Bouillant, de ce spectacle : les lis de France viennent au-devant des orties.

---

(1) Le 26 juin 1363, Henri de Longwy, sire de Rahon, qui survécut à la bataille, donna quittance au roi pour lui, ses hommes et ses chevaux, *« tant pour les pertes et domaiges que je et eulx feismes en iceux host et bataille, comme pour reançons, restozs de chevaux, gaiges ou autrement ».*

Tristan s'efforçant de ne pas répondre, Bagerant se contenta d'un soupir.

— Partons, dit-il. Nous confirmerons à Aymery que c'est cette nuit qu'il nous faut assaillir ces gens-là... Cette nuit, s'il y consent toujours ainsi que Garcie du Châtel... Pourvu qu'ils soient demeurés fermes dans ce dessein !... Viens !

Tristan s'abstint de demander où ils allaient. Sondant les yeux du routier, il ne fut pas surpris d'y trouver de la joie. Cependant, ce plaisir d'avoir à batailler bientôt paraissait tellement outré qu'il révélait surtout une malice passagère, destinée à le courroucer. Cet homme aussi pouvait se ronger de peur. Peur de souffrir d'une blessure terrible ; peur d'être pris et de devoir endurer les punitions et tourments qu'il dispensait aux autres.

* *
*

Ils s'arrêtèrent dans le bosquet de chênes qui couronnait le Tertre tandis que l'ost royal s'éployait dans les champs de Sacuny. De là, ils pouvaient voir la base du Mont-Rond grouillante de routiers, et son sommet où, derrière des murets de pierre, bougeaient des chapels de fer. Aux créneaux du château quelques hommes veillaient ; d'autres occupaient le faîte du donjon.

Tristan avait souhaité que les gens du roi poursuivissent leur avance. La déconvenue avait succédé à cette espérance : l'armée s'était immobilisée ; des tentes avaient surgi dans la plaine alors qu'il eût fallu se concerter en hâte et s'élancer pour accabler l'ennemi. Assis sur un tronc d'arbre abattu, écorcé, noirci par la foudre, il essayait de se forger cette opinion que Bourbon, Tancarville et les capitaines avaient soigneusement médité leur assaut et que peut-être, tout comme les routiers, ils attendaient des renforts — ne fût-ce qu'Audrehem et ses hommes. On allumait des feux à cuire la pitance, les piétons de la ribaudaille commençaient à s'y rejoindre tandis que des sergents parcouraient les pourtours de cet énorme groupement de guerriers pour y aposter des guetteurs.

— Ils ne se doutent pas de ce qui les attend, et tu dois penser, Tristan, qu'en ce qui nous concerne, nous serions mieux à l'aise parmi les nôtres. Nous les rejoindrons bien avant que tes vertueux amis ne les assaillent. Je t'en préviens : n'espère pas retourner au château.

Le soir vint. La faim tourmenta Espiote et le Bâtard de Monsac. Bagerant restait aussi froid et solide qu'une pierre dont son visage avait l'aspect dans les lueurs du couchant barbouillées d'ocre rouge. Tristan se demanda s'il devait considérer comme un signe favorable à ses espérances le fait qu'il ne se fût rien passé de la journée, hormis la pesante progression de l'armée royale. Sans même regarder Bagerant, il osa deux questions :

— Et s'ils ne nous assaillent pas ?... S'ils ont la conviction qu'ils vont nous effrayer et que nous guerpirons ?

— Essaies-tu de te rassurer ? Tu sais qu'ils sont ici pour nous détruire et qu'ils ne nous effraient pas. Te rends-tu compte qu'ils n'ont même pas envoyé vingt, trente... cent hommes pour nous déloger de ce Tertre accueillant, bien que je ne me sois pas caché à leur vue... Ni Espiote ni Monsac ! Aymery et Garcie du Châtel en sont tombés d'accord hier, avant que j'aille te chercher : cette nuit, pour une bonne moitié d'entre eux, sera celle du dernier sommeil.

— Cela me paraît contraire...

— A quoi ?... A l'honneur ? Aux coutumes de la Chevalerie ?

Bagerant avait levé sa dextre devant ses yeux comme si l'éclat du soleil moribond les blessait, de sorte que Tristan ne put suivre l'expression de son visage, mais il remarqua un changement de ton dans la voix du routier : un assourdissement haineux et peut-être désespéré :

— Que crois-tu que sont ces gens ? Les mêmes que nous autres, affriandés de péchés mortels ! Neufchâtel, qui peut-être est des leurs, est un bourreau : un Thillebort aux fleurs de lis !... Tiens : il y a cinq ans, passant par Annonay, j'ai vu le juge criminel du seigneur de Roussillon condamner un faux témoin à parcourir la cité en chemise tachée de langues de feu. Cela pouvait se comprendre. Il l'a fait lier au pilori... Soit... Mais il lui a fait couper la langue en sachant, pourtant, que c'était l'amitié qui avait décidé cet homme au mensonge...

— Je sais que certains juges sont féroces...

— Attends, ce n'est pas tout : il y a parmi nous un honnête homme qui ne porte ni l'épée ni la lance... aucune arme. Sais-tu pourquoi il nous a rejoints ? On lui a brûlé les joues au fer chaud jusqu'aux os parce qu'il avait médit de ce godailler (1) de roi Jean !... Non ! Ne m'interromps pas... En janvier de cette année, une pauvre femme de Rouen, Alice Souris, dont le seul tort était de guérir des malades, a été condamnée à être enterrée vive. Le duc de Normandie est intervenu...

— Tu vois !

— C'est à toi de voir, sinon d'imaginer. Il n'a pas sauvé cette malheureuse : il l'a fait jeter en Seine comme une faveur... Ne

---

(1) Ou *goudailler* : débauché.

t'étonne pas si je te dis que son mari est des nôtres... Et qu'il n'aura pas scrupule à porter à ceux qui sont là-bas, moult coups d'estoc mortels !... Tu enrages que nous besognions des captives ?... Un fauconnier de Bureau de la Rivière en a fait autant... Il a obtenu des lettres de rémission... Perrin de Mons, valet du duc d'Anjou, a violé et fait violer par ses deux aides une pucelle qui n'avait pas encore vu le sang... On les a absous et qui sait si on ne les a pas congratulés. Pour nous le viol est crime et pour eux un soulas (1)... Les écuyers du roi s'en donnent à pleines coulles. Ceux du régent aussi... On leur pardonne car ils vivent à l'ombre de la Couronne... Tiens, pour en finir : Guillaume d'Agneaux a violé quatre filles et trois femmes mariées... Je ne sais si les filles étaient les enfants de ces femmes... On dit même qu'il a commis quelques encises (2). Que crois-tu qu'on lui fit ? On lui a pardonné : il sert Jean de Vienne, l'amiral de France...

— Ils violent, certes, ils ne tourmentent pas les femmes comme celles que j'ai vues dans votre aire du Mont-Rond !

— Qu'en sais-tu ? Il paraît que Guesclin aime à turlupiner ses captives... S'il ne servait le roi et n'y trouvait son compte, il serait ce soir parmi nous... Et qui sait s'il n'y sera pas un jour !

Cette éventualité tira un rire à Tristan. La gravité de Bagerant s'accrut :

— Il y a une façon d'envisager toutes ces choses que tu trouves laides : se dire que l'homme est à peine plus élevé qu'un animal et partagé, pour ce qui nous concerne, en deux races : les nobles et les vilains... Certains dévorent la vie en mâchant du côté dextre, d'autres en mâchant du côté senestre, mais le fait est qu'ils la dévorent pareillement... Si les tenants du roi étaient à Brignais, livrés sans frein à la violence et à la luxure, tu ne saurais les reconnaître des malandrins que nous sommes !

Ce fut à Bagerant de rire. Seul. Puis il prit le ton du commandement :

— Espiote, la nuit nous couvre... Il est bon que tu nous laisses ton cheval : tout ignare qu'il soit, Bourbon a peut-être envoyé des gars en avant, et le bruit d'un galop te préjudicierait... Dis à Garcie du Châtel et à Aymery que nos gars se préparent... Qu'ils forment trois compagnies. La première s'étirera derrière les mottes de Janicu et du Bonnet jusqu'à l'étang du Loup ; la deuxième s'étendra de Brignais au Bois-Goyet, par les chemins. Au signal, elles prendront ce camp dans leurs tenailles qui se replieront à l'avancée des Barolles. Il y faut des archers et des guisarmiers en grand

---

(1) Plaisir, fête, consolation.
(2) Meurtre d'une femme enceinte et de l'enfant qu'elle portait.

nombre. La troisième restera sur la motte du Mont-Rond. Un millier d'hommes suffira... Des archers encore et les frondeurs pour porter à ces gens, s'ils y viennent, les derniers coups. Avant l'aube, ma compagnie — la quatrième — donnera l'assaut.

— Et le châtelet ? demanda Monsac.

— La garnison m'y semble en suffisance ! Dans l'état où nous les aurons mis, les réchappés ne seront pas tentés d'en écheller les murailles !

Tout cela paraissait aisé. S'il avait été son ami, Tristan se dit qu'il eût congratulé Bagerant. Espiote parut insatisfait et soucieux :

— Nous devions attendre le Petit-Meschin !

— Ne comprends-tu pas, compère, qu'il nous faut gagner cette bataille maintenant ? Nul capitaine, en bas, nul soudoyer... personne n'a l'idée ainsi que le souci que nous pouvons attaquer de nuit... Pas même l'Archiprêtre !

— Tu te défies de lui !

— Je me défie du Diable, même si je le sers bellement !

Epiant les traits assombris de Bagerant, Tristan se dit qu'il était non seulement un homme à l'esprit fortement trempé, mais un guerrier de race. Dommage qu'il se fût dévoyé.

— Pourquoi souris-tu, Sang-Bouillant ?

— C'est tout à ton honneur, pour une fois. Je me disais que tu connaissais parfaitement ton affaire.

La lumière lunaire, à travers les ténèbres légères encore, adoucit furtivement les traits du routier. Ses yeux pétillèrent d'une gaieté qui pouvait bien se mélanger à de la reconnaissance :

— Ce qui corrompt l'esprit des seigneurs d'en bas, c'est l'orgueil. Ils savent tout, ils peuvent tout ! Jamais ils n'auraient dû venir s'échouer dans cette plaine, entre ces montagnes. Il leur fallait galoper, courir depuis Francheville et nous submerger comme une immense tempête... Nous ne nous serions pas défiés d'une manœuvre pareille, au lieu que ce qu'ils font est à la portée du moindre nicet (1) !... Mais il se peut que cette bataille, malgré l'avantage que nous aurons en son début, soit plus cruelle, pour nous, que je l'imagine en ce moment... Tout dépendra du Petit-Meschin.

— Crois-tu qu'il reviendra ?... Regarde tout autour : aucun feu ne s'allume.

— Hé ! Hé ! Hé !... Serais-tu inquiet ?... Peut-être est-il trop loin. Peut-être est-il prudent. Va-t'en savoir !... S'il revient plus tard que je l'espère, il achèvera la bataille et nous saura bon gré de lui avoir déblayé le terrain... N'oublie pas, Espiote, de m'apporter mon

---

(1) *Niceté* : niaiserie.

armure et mes vêtements de bourras... Mon épée à quillons contrariés suffira... Contrariés comme Bourbon et Tancarville le seront !

— Et mon harnois à moi aussi, dit Monsac. Et mon brand (1) ! Tu ne manqueras pas de compères pour t'aider à les porter.

— Que tout cela soit bien enfardelé (2), insista Bagerant, de façon à étouffer les tintements... Tu as saisi, Espiote ? J'exige que ma compagnie se déplace dans un silence de tombeau ! Quand les hommes m'entoureront, même un pet sera puni de mort !... Hâte-toi : chaque goutte de temps perdue dès à présent est une goutte de sang versée par l'un des nôtres... Pars.

Le Bâtard de Monsac, Bagerant et Tristan demeurèrent immobiles et muets, debout, à écouter le pas d'Espiote. Des brindilles craquaient sous ses semelles ; des graviers grésillaient ; ses cuisses, son torse heurtaient des rameaux et froissaient des herbes. Tristan sentait son cœur battre plus fort et son cou devenir trop épais pour son colletin ; son armure lui paraissait d'une rigidité magique. Son être tout entier se dilatait sous l'effet d'une anxiété différente de celle qu'il avait éprouvée avant que n'eût commencé la boucherie de Poitiers. En chevauchant vers Maupertuis, il savait qu'il allait engager sa vie pour une juste cause, d'où une espèce de plaisir, tout de même, dans le proche affrontement des Anglais. Ici, quelque consternant que fussent les chefs de l'armée royale, il se trouvait contraint d'assister aux apprêts d'un assaut nocturne dont il était impuissant à les garantir. Aucun d'eux, sans doute, n'avait envisagé cette cautelle (3).

— Tu la reverras, se méprit Bagerant. Tu vas vivre une nuit dont tu te souviendras toute ta vie... si tu ne trépasses pas ces jours-ci... Regarde la lune : on dirait une bardiche tirée des braises et chauffée à blanc.

— Je la prendrais plutôt pour un fer de francisque.

— Je m'attendais à ce que tu me contredises... Non, n'avance pas... Recule.

— Et pourquoi ?

— Ton armure est pareille à un gros ver luisant. Qu'on l'aperçoive chez les honnêtes gens et notre dessein serait aussi corrompu que nous le sommes... Hé ! Hé !... Tu souhaitais peut-être qu'ils te voient ?

Il n'y avait rien à répondre.

---

(1) Ou *branc* : épée à forte et large lame.

(2) Empaqueté, mettre en *fardelle,* d'où fardeau.

(3) Ruse.

Tristan ôta son bassinet puis, comme il s'asseyait sur un rocher d'où ses jambes pouvaient pendre, il vit avec déplaisir Bagerant s'approcher : il ne pouvait plus supporter la proximité de cet homme.

— Quand Espiote sera de retour, nous quitterons ces lieux. Ma compagnie m'attend au Bois-Goyet. Nous ferons un large détour pour la rejoindre... Nous vaincrons et, le 10, nous irons à Givors.

— Soit.

— Le 10, c'est bientôt.

La voix changeait d'accent. Bagerant doutait-il ? De quoi ? De mourir avant le 10 ou d'être victime d'une astuce que, tout indigne qu'il fût, il trouverait infâme ?

— Ah ! Tristan, soupira-t-il, pourquoi ne sommes-nous pas des amis ?

— Cesse d'employer cette voix piteuse. Pour obtenir mon amitié, il suffisait que tu *me*, que tu *nous* libères. Je sais qu'au fond de toi tu me hais et admires.

Comment eût-il pu exister entre eux cette symétrie d'affection qui existait entre lui, Castelreng, et Tiercelet ? Le mailleur de Chambly, l'ancien Jacques, avait redimé ses actions malsaines. Bagerant ne réprouverait jamais celles qu'il avait commises. Il avait la philosophie du malfaisant et l'orgueil abject du chasseur qui tue par plaisir, non pour vivre.

— Jamais Naudon, nous ne serons compains. Ton cœur est sec et ton âme est plus noire que le fond d'une tombe.

— Défie-toi que je ne t'y envoie si tu penses à te jouer de moi.

Il semblait qu'ils se fussent tout dit. Définitivement.

III

Le grand ciel s'éployait, noir, à peine étoilé, jusqu'aux contreforts des Barolles où cessaient les feux de l'armée royale. Ils inondaient les prés de Sacuny et des Aiguiers. Certains bougeaient, rouges ou jaunes ; d'autres, ceux d'une forge où l'on œuvrait encore, émiettaient des lueurs nacrées qui parfois pétillaient sous les talons des marteaux. On distinguait les mamelons des tentes, les branches et les toisons des arbres ; on entendait mieux qu'en plein jour les cris et les hennissements de cette armée à l'arrêt — un arrêt de mort, selon Bagerant.

— Tout cela s'éteindra peu à peu, chuchota-t-il. Nous agirons quand il ne restera que quelques flammes. Elles nous aideront... Eh bien, qu'en dis-tu ?

Tristan n'avait rien à répondre. Lorsque, conduits par Espiote, les hommes de Garcie du Châtel les avaient rejoints, il avait profité du bref instant de confusion pendant lequel les chefs se concertaient pour reculer jusqu'à son cheval dans l'intention de galoper vers toutes ces lumières. Bagerant avait jailli près de lui et empoigné sa cubitière, tout en riant sèchement : *« Hé ! Hé ! Sang-Bouillant... Où veux-tu partir ainsi ? »* Il l'avait rassuré tant bien que mal, prétextant qu'il voulait seulement, avant de s'éloigner, affermir le nœud de la longe qui liait son Noiraud à un baliveau. La preuve ? Il l'avait en main : *« Vois comme il est serré... Touche ! »* Le routier s'était renfrogné : *« Inutile... Viens m'aider à passer mon armure. Cela t'apaisera les nerfs... Je conçois que tu les aies tendus et ne voudrais pas être à ta place. »* Il l'avait suivi, et bien qu'il se refusât d'y penser, il se reprochait cette hâte inféconde. Bagerant, le moment venu, saurait s'en souvenir : il avait tout vu, tout compris, mais comme des remuements et des cris eussent pu donner l'alarme à l'adversaire, il s'était abstenu de procéder au seul châtiment qui s'imposait contre lequel lui, Tristan, se serait furieusement débattu. Cette exécution n'était que retardée. Le suprême recours afin de s'y soustraire achoppait sur toutes ses pensées : il devait renouveler sa tentative. Et réussir !

Les hommes à l'entour avançaient en silence. Pour en occulter la brillance, certains avaient répandu des cendres ou de la suie sur leurs mailles et leur chapel de fer ; d'autres les avaient couverts d'un linge sombre. Leurs doloires ou leurs épieux ne suscitaient aucun bruit, et du noir de fumée en ternissait l'éclat. Ces précautions ahurissaient Tristan, et si l'homme, en lui, pouvait en être épouvanté, le guerrier accoutumé aux cris et tintamarres de l'ost royal s'en merveillait sans réserve.

De combien de toises, maintenant, s'étaient-ils éloignés du Bois-Goyet ? Cent ? Deux cents ? Davantage ? En descendant de la colline, il avait découvert, immobiles dans les friches, côté Levant, deux ou trois mille routiers, une arme d'hast au poing, mais retournée, fer en bas, afin d'en dissimuler l'étincellement. Ce troupeau silencieux l'entraînait sans heurt vers le chemin qui reliait Brignais à Saint-Genis. Jusqu'où iraient-ils ainsi ? Bagerant ne l'abandonnait pas, et s'il sentait à son égard, chez tous ceux qui les entouraient, une confiance, un respect voire une admiration qu'un sourire exprimait aussi bien que des mots, il éprouvait de tout son esprit et ses sens, en ce qui le concernait, le sentiment d'une tolérance contrainte : il était détesté pour le trépas d'Héliot, quelque régulière qu'eût été sa victoire. Il percevait autour de son corps, malgré son écorce de fer, l'étreinte rude de toutes ces vigueurs conjointes, associées, à son égard, au mépris, à la défiance et sûrement à la haine. Bagerant ne serait pas seul à l'observer dans la bataille contre les gens du roi. Tous, plus ou moins, surveilleraient sa conduite. Il allait devoir feindre de se battre et, pour se protéger, il se devrait d'occire. Cette prescience rétrécissait son cœur.

On avait sûrement dépassé la mi-nuit. Le ciel restait noir. Une grisaille de brume emmitouflait la lune comme si elle eût essayé, elle aussi, d'occulter son acier pour complaire à la truanderie. Parfois, la troupe immense qui se déplaçait à raison de trois ou quatre hommes de front, s'immobilisait tout d'un bloc, humant le vent, tendant l'oreille et repartant sur un geste concis de l'homme de tête : Garcie du Châtel. Aucun bruit — pas même un cliquetis d'épée contre une genouillère, un froissement de mailles — et Tristan n'eût osé en provoquer un, soit en heurtant, de la sienne, la cubitière de Bagerant, soit en appuyant sur sa Floberge afin que la bouterolle de son fourreau touchât terre. Il suivait, résigné, aveuli, persuadé qu'à un moment, un homme commettrait ce qu'il n'osait commettre, ou tousserait, ou tomberait... Vaine espérance : ces malandrins semblaient taillés dans du velours.

De gros arbres apparurent, ébroussés au vent. On s'arrêta entre leurs troncs énormes. Garcie du Châtel, approuvé par Bagerant, désigna deux coureurs. Ils partirent cent toises en avant et revinrent, le sourire à la bouche comme une fleur cueillie dans la mousse noire des herbes piquetées de cailloux. Et la procession recommença, furtive, animée par l'envie et le plaisir d'occire et porteuse d'une seule prière : « Seigneur ! Faites donc qu'ils aient eschargueté ce cantonnement et faites qu'un de ces guetteurs nous voie et crie *A l'arme !...* Faites qu'ils aient accroché des gobelets, des grelots et des chopines à ces ronces, là-bas... Ou qu'ils aient tendu des cordes à ras de terre ! » Tristan voyait, toutes proches à présent, les tentes, les charrettes dispersées alors qu'il eût fallu en ceindre tout le camp, ou néanmoins essayer. Dans la brume des feux mourants vaguaient des fantômes de fer, le vouge ou la guisarme à l'épaule, mais si peu que c'en était désespérant : « Ils seront égorgés avant d'avertir leurs compères... La plupart seront occis sans arme à la main, et ce sera partout l'épouvantement ! » Que faire pour ces hommes ? Rien. Il fallait suivre le flux mortel qui poussait vers eux Bagerant et ses meutes, et plus loin, Garcie du Châtel et les siennes. Par moment, un court rocher sortait du sol ou plusieurs, pareils à des tessons de poteries. Des archers, des frondeurs butaient dessus, mais nul juron ne perçait leur bouche.

La marche en avant s'alentit sur un geste du Bâtard de Monsac. Un arrêt brutal se produisit, et Tristan enragea de n'entendre aucun bruit. A sa senestre et à portée d'arbalète, les guetteurs poursuivaient leur marche insoucieuse. Certains, du picot de leur arme, tisonnaient un feu déclinant puis se dissolvaient dans les ténèbres pour réapparaître entre deux tentes éclairées du dedans ou auprès d'un autre brasier. Cette sérénité, ce ciel avare, l'indifférence des chefs qui, apparemment, avaient jugé inutile une inspection en l'occurrence obligatoire, tout, jusqu'au silence des malandrins qui maintenant s'accroupissaient ou s'asseyaient sur le sol, exaspérait Tristan. Bagerant l'invita à les imiter, ce qu'il fit en se mordant les lèvres. Bien que le routier l'eût ternie et maculée de terre, ceux d'en face ne pouvaient-ils apercevoir un peu de son armure ?

Un rire, puis un autre filtrèrent de sous un pavillon ; ensuite, le silence parut plus lourd qu'auparavant.

— Quand ?

— Pas avant que l'aube ne soit prête à crever... comme eux.

Tristan se sentit dévisagé par un regard qui ne cillait pas et qui, bien qu'il n'en vît que la double lueur, exigeait qu'il se tînt coi.

« Qui lancera ses meutes le premier ? Bagerant ou Garcie du Châtel ? Et que fait Aymery à Janicu, au Bonnet ou au diable vert ? Où est le Petit-Meschin ? »

— Si nous devons reculer, Castelreng, il fera clair. Nous ferons semblant de fuir jusqu'à notre motte. Nos frondeurs et nos archers s'y régaleront !

Ils cessèrent de parler bien que Tristan eût souhaité prolonger cet échange dans l'espoir insensé qu'il fût perçu par un guetteur à l'ouïe particulièrement exercée. La hargne de Bagerant, il le sentait, s'était détournée de lui pour se déployer au-dessus de ces milliers de justiciers allongés sur la plaine. Des lueurs tremblaient sous toutes les tentes — une cinquantaine — ce qui égaya le routier :

— Ils se coucheront quand nous attaquerons !... Tu peux t'étendre quiètement. S'il y en avait, tu pourrais essayer de compter les étoiles. C'est ce que je faisais dans mon enfance prime lorsque mon père, pour me punir d'un petit méfait, m'envoyait dormir dans la basse-cour !... J'avais treize ans quand une chambrière est venue m'y rejoindre...

De nouveaux rires éclaboussèrent le silence. Le comte de la Marche fêtait sa victoire sans même l'avoir obtenue. Une voix grêle s'éleva :

Cœur de femme est tôt tourné
Quand elle va percevant
Qu'elle est finement chérie ;
Lors montre sa seigneurie
Et plus souvent fait paroir
Son dangier (1) *et son pouvoir.*

— Ce nicaise, murmura Bagerant, ignore quel danger va lui rompre la gorge. Mais je parle trop : des gars se retournent...

— *Un chevalier, n'en doutez pas, doit férir hault et parler bas !*

— C'est vrai, compère... Tu me chanteras cette chanson demain, quand un hanap de bon vin en main, nous fêterons notre victoire... Puis tu pourras t'en aller quelque temps ; le temps de chevaucher ta belle... Vous devez l'un et l'autre avoir des agacins dans le ventre !

Tristan ferma les yeux. Oui, il avait des agacins dans le ventre, mais ils étaient d'une autre espèce que ceux auxquels Bagerant

(1) *Danger :* même signification qu'à notre époque, mais aussi *puissance et autorité* dans ces vers de Ghilebert de Berneville, qui vivait vers 1300.

faisait allusion : les feux s'éteignaient sans qu'aucun garde ne fût tenté de les ranimer. L'obscurité allait permettre aux routiers de progresser encore. En quelques enjambées, ils seraient à pied d'œuvre.

* *
*

Derechef, les malandrins avancèrent. Cette fois, Tristan les vit disparaître par grappes de dix ou vingt. Vivement absorbés par l'ombre foisonnante, ils ne laissaient derrière eux que leur odeur de fauves et, parfois — presque aussi menu que la crécelle d'un grillon — le cliquètement d'une lame nue sur une pierre. Il les imaginait courant à foulées furtives, le dos rond, et s'accroupetonnant avant de repartir, de bond en bond, vers ce camp où les bruits, les chants, les hennissements se raréfiaient. Les feux dont la consomption s'achevait, n'exhalaient que quelques fumées.

« Bon sang !... Vont-ils tous céder à l'endormissement ? »

Les hommes avançaient et se diluaient en cinq ou six pas. Ceux d'Aymery, Daalain, Thillebort et tant d'autres pataugeaient peut-être dans les bourbiers du Nord, et aucun feu, sur quelque hauteur que ce fût, ne signalait le retour du Petit-Meschin. Viendrait-il ? Deux oiseaux s'envolèrent, muets, grivelant un instant le ciel noir de leur plumage soyeux — comme s'ils portaient des mailles — et quand Tristan les perdit de vue, il faillit heurter un arbrisseau sur lequel quelque chose luisait, que Bagerant saisit à pleines mains, avec une avidité singulière.

— Un gobelet, murmura-t-il. Monsac, fais dire aux hommes de se méfier. D'autres arbres peuvent porter des fruits de cette espèce.

— Conserve-le : il peut servit de jambelet à l'une de vos prisonnières.

Sans le vouloir, Tristan avait élevé la voix. Tous les malandrins s'immobilisèrent. Il dut s'accroupir et, ce faisant, souhaita que quelques branches de boqueteaux qui ceignaient le cantonnement fussent porteuses d'ustensiles sonores ; mais seul sans doute, un veilleur prudent avait employé ce stratagème pour déjouer une attaque nocturne.

— Viens, Castelbruyant... et modère tes mouvements.

Dans le sillage de Bagerant, Tristan s'insinua entre des touffes de broussailles dont les griffes grattaient ses fers et le fourreau de son épée. Rien d'autre que le camp n'attirait ses regards : il le voyait mieux, bossué, mamelonné, couvert çà et là par les entonnoirs inversés des tentes qui, sans doute, seraient assaillies les premières ; tout cela vaguement gris sous l'effet d'une aurore dont l'inexorable apparition s'annonçait par une fraîcheur plus aiguë et le ternissement de la lune. Il se trouvait si proche, maintenant, d'une des écuries en plein vent qu'il entendait le sabotement des chevaux et des mulets dont l'odeur, parfois, lui devenait perceptible.

— Voilà, dit Bagerant.

Cela signifiait qu'il allait falloir attendre et que les prochains mouvements, décuplés par cette immobilité de statue, seraient terribles : courses et gesticulations assorties de hurlements pareils des deux côtés, bien que les uns fussent l'expression d'une fureur offensive, les autres celle de la surprise, de l'indignation et de la terreur. Une brume fluait des herbes piétinées et se mêlait à l'halenée des milliers de malandrins qui, avec des précautions extrêmes, tiraient leurs lames des fourreaux ou les démaillotaient de leurs linges.

« Le regard de Bagerant ne me quitte pas. Pense-t-il que si Oriabel n'existait pas, je donnerais l'éveil en hurlant : *"A l'arme"* ? Hé bien, non ! Ces insoucieux, ces présomptueux n'auront que ce qu'ils méritent. Au lieu de se prémunir contre ces démons, ils dorment ! »

Le temps parut alors se figer ; le ciel, cependant, pâlit et le dôme d'un grand pavillon de satanin bleu-noir se dessina fermement. Une fumée sinua, roussâtre : le vent revigorait un feu blafard. Un garde passa, visible seulement aux reflets de sa barbute et de son arme qui devait être un vouge. Toute l'obscure masse des routiers groupés autour de Bagerant le choisit pour première victime. Ils se résignèrent dans une attente qui fut trouée par un pet enchâssé de rires silencieux.

L'aurore, enfin, moucheta le ciel vers Saint-Genis ; il fit plus clair et un merle siffla tandis qu'un reflet lointain faisait éclore, à l'extrémité de la bannière du comte de la Marche, une fleur de lis d'argent. En émergeant du limon nocturne — comme un dormeur reprend ses aises avant même de se lever — le camp reprit ses dimensions. Tristan les trouva immenses, interminables ; sa confiance éprouvée recouvra quelque aplomb : des hommes trépasseraient, percés dans leur sommeil, mais des milliers auraient le temps de se ressaisir, de s'armer, de combattre. Il voyait maintenant, jonchant les herbes, la grenaille de la rosée. Son armure elle-même en était constellée.

Un hululement ondoya. Ce n'était ni le cri de l'orfraie ni celui du grand-duc. Tout près, un homme appartenant au Bâtard de Monsac y répondit en soufflant dans ses mains jointes en boule.

— Prêts ? chuchota Naudon de Bagerant.

— Mais... Mais, bredouilla Thomas de Nadaillac dont la tête hideuse agitait un camail de mailles noires. Mais le Petit-Meschin ?

— On s'en passe, vois-tu ! Courez, les gars ! Courez !... Vendangez-moi toutes ces vies !... Allez ! Allez !... A la mort ! A la mort !

Une main de fer tomba sur l'épaulière de Tristan.

— Je sais qu'il t'en coûte d'avoir à m'accompagner... Je te dispense de fournir des coups autrement que pour te défendre. Ils seront suffisants, crois-moi !

Tristan suivit Bagerant. Ils marchaient. Autour d'eux les routiers déferlaient vers le camp où une trompe mugissait, infatigable. Sa plainte semblait désespérée.

— Tire ton épée ! Clos ta ventaille ! Tu pourrais recevoir un carreau ou une sagette à la face... Veux-tu trépasser bêtement ?... As-tu oublié ton épouse ?

Dans le cantonnement livré à la terreur, au courroux, à la rage, la mort se répandait au gré des malandrins. Tout ce qui s'y passait ressemblait à ce que Tristan n'avait cessé d'imaginer lors d'une nuit qui s'achevait dans une écume rouge — brume, sang, soleil — et dans un tumulte que seuls perçaient les meuglements des cors et les stridences des trompettes. Çà et là, des fumées montaient et des flammes grondaient entre les ridelles des charrettes d'avitaillement et de fourrage. Cris, galops des chevaux effrayés par une liberté terrifiante, appels furieux, éperdus ; crépitements ; il connaissait ce vacarme : c'était celui de Maupertuis, mais en Poitou, la ruée meurtrière était attendue sinon espérée par chacun des adversaires ; on s'y était préparé corps et âme. Dans cette plaine des Aiguiers, la ruse avait faussé l'horrible jeu de mort.

Bagerant hurla, lançant presque un cri d'armes :

— Montons sur cette montjoie (1) !

Sa Floberge au poing, Tristan suivit le routier sur le monticule pierreux qui dominait d'une toise à peine l'étendue des champs dans lesquels les guerriers de Bourbon s'étaient arrêtés. Où que leur vue portât, ils découvraient des hommes accablés de stupeur et d'effroi. Les uns — qui peut-être étaient des capitaines — se battaient en chemise. D'autres n'avaient eu que le temps d'endosser leur cuirasse ou leur haubergeon. D'autres encore, des piétons accoutumés à dormir tout armés, maniaient farouchement la guisarme, la goyarde, le vouge et la vergette (2). Ils étaient cependant trop peu nombreux, et la meute qui les entourait finissait pas avoir raison de leur vaillance. Dix ou douze seigneurs essayaient

(1) Le cri d'armes des rois de France était : « *Montjoie-Saint-Denis !* » Une *montjoie* était un monceau de pierres (indication de chemin, monument commémoratif).

(2) Petite lance.

vainement de se jucher sur leur cheval pour commander quelque chose — mais quoi ? Combattre ainsi constituait une lourde faute. Ils furent assaillis, tous périrent ; leurs vainqueurs ayant enfourché les coursiers galopèrent entre les abris de toute espèce : tentes, chariots, tables, sièges, mangeoires, pour y semer la terreur et la mort. Bagerant releva sa ventaille, n'offrant ainsi à Tristan que ses yeux et son nez — sa gorgière cachant sa bouche.

— Tu vois comme l'affaire était simple ? Ils n'avaient disposé que dix hommes de guet sur une longueur de six cents toises... Des gars qui voyaient mal et semblaient avoir les oreilles bouchées ! Les nôtres sont meilleurs !

Tristan découvrit son visage :

— Tes champions se sont enfoncés d'un tiers dans ce champ... Restent deux tiers où l'on s'arme et s'apprête !

Tout paraissait clair, aussi clair que le jour désormais rutilant : les gens de l'armée royale allaient purger leur cantonnement de la vermine.

— Tes propos seraient sensés si des capitaines de chez nous commandaient à ces ribauds. Or, ils doivent obéissance à quelques fortes têtes qui n'ont jamais su vaincre qui que ce soit !

Tristan ne connaissait que trop l'aveuglement des grands bataillards au service de la Couronne. Un tel trait ne l'atteignit pas.

— Nous allons voir leur nombre suppléer l'impéritie de leurs chefs !

— Ils reculent en tous sens !... Regarde ! s'ébaudit Bagerant. Ceux qui croient trouver à l'est le temps de se reformer en compagnie afin de remédier au péril vont recevoir en plein dos l'assaut d'Aymery qui, du Bonnet, de Janicu et Sacuny doit maintenant rabattre tous ses gars sur eux... Quant à ceux qui courront vers les Basses-Barolles et les Basses-Vallières, ils se présenteront fort bien à nos archers et frondeurs...

— Cesse donc de rire ainsi !

Ils se trouvaient seuls, maintenant, isolés, à vingt toises des premiers corps à corps. Du camp montaient des hurlements dont Tristan n'eût pu décider — ni d'ailleurs Bagerant — s'ils étaient de triomphe ou de rage. Parmi les crépitements des épées, des armes d'hast et des incendies, il entendit le sifflement d'une volée de carreaux et vit des routiers s'effondrer ; aussitôt, une centaine d'autres coururent à la rescousse de leurs compères. Des cavaliers parmi lesquels s'étaient glissés d'audacieux ribauds galopèrent à leur rencontre, l'épée ou la masse d'armes haut levée. L'ennemi eut à se défendre.

Deux chevaux tombèrent, car dans leur fureur d'avoir à reculer, les malandrins s'en prenaient aux bêtes. Un des manants cria, la tête traversée par le taillant d'une hache lancée de loin ; il coula le long de son cheval qui le traîna, une heuse prise dans l'étrier, vers l'étang du Loup. L'attaque d'Aymery venait d'y commencer.

— De part et d'autre nul n'avance.

— Si les nôtres et ceux d'Aymery se rejoignent au milieu de cette plaine, c'en sera fait des gens du comte de la Marche. Vois mes gars comme ils ont du cœur à l'ouvrage !

Des routiers tenus en réserve du côté des Basses-Vallières se ruaient au combat. Ils brandissaient des fauchards, des vouges et des godendacs, et même cette arme de rustique appelée trinquebasson et qui servait, d'ordinaire, à émonder les arbres. Reformées en quelques centuries, les compagnies royales avançaient à leur rencontre, protégées par les boucliers et les pavois, la lance ou l'épée prête à s'enfoncer dans les chairs adverses. Une bannière flottait au vent : *de gueules à un écusson d'argent à la bordure d'angemmes* (1) *d'or* : Tancarville.

Il y eut des tourbillonnements de corps, des emmêlements d'armes. Les tranchants de toute forme et toute portée coupèrent, ouvrirent, écorchèrent, perforèrent tandis que les coups de masse ou de fléau martelaient les coiffes de fer : une liesse mortelle se concentrait au milieu de la plaine, laissant les autres fragments de guerriers se dilacérer pour se recomposer avec une forcennerie sans faiblesse. On trébuchait sur les corps, on pataugeait dans le sang.

— Ils reculent !... Regarde, Bagerant : tes champions reculent !

— Certes, vers les Hautes-Barolles, ils reculent, mais vers Sacuny, ce sont tes preux qui cèdent !... Avant midi tout sera terminé à leur désavantage.

A quoi bon répondre. Cela pouvait être vrai. Depuis combien de temps regardaient-ils ces mêlées affreuses ? Où étaient Jacques de Bourbon et ses pairs ? Qui commandait présentement, si toutefois un homme commandait ?

Les arbalétriers se reformaient en groupes. Des picquenaires et guisarmiers qui semblaient descendre des Hautes-Barolles et devaient être au nombre d'un millier se ruaient au combat derrière une bannière que Tristan reconnut :

— Tiens, l'Archiprêtre accourt... seulement maintenant. Je jurerais qu'il a passé la nuit sur ces hauteurs, entre Brignais et Saint-Genis !

---

(1) Fleurs de fantaisie à 4, 6 ou 8 pétales arrondis dont le centre laisse apercevoir le champ de l'écu.

— Tu penses juste.

— Il sera bien contraint de tirer son épée.

Tristan faisait un pas, Bagerant l'arrêta :

— Tous les hommes que tu vois à sa suite lui sont dévoués comme des chiens trouvés ! Ils vont se battre, eux ; il va demeurer bien au chaud en leur centre. Tiens, le voilà qui met pied à terre... Holà ! reculons...

Deux roncins passèrent, sans cavalier, hennissant et ruant dans un affolement sans remède. Plus loin, ils durent se défendre des mains qui voulaient empoigner leur bridon ou leur selle. Un routier tomba, la tête fracassée par un coup de sabot.

— On dirait qu'ils s'apaisent tous... sauf les chevaux !

Il y avait, semblait-il, une sorte d'alentissement des coups, une interruption des cris : à force d'avoir hurlé leur réciproque haine, tous les combattants semblaient hors d'haleine, sauf ceux de l'Archiprêtre dont la moitié s'en vinrent épaissir une mêlée où les routiers perdaient l'avantage.

— Ils reculent tout de même, observa Tristan, impassible. Ils sont trop. Ils se gênent ! Et ce sont tes hommes qui cèdent aux Justes, comme tu dis !

— La mêlée n'est pas achevée... Partout nos gars dominent... Les miens, Castelreng, vont se reprendre, tu vas voir !

Des cors sonnèrent, et leurs mugissements parurent moins lugubres à Tristan. Si le pourtour du camp immense avait craqué, le centre était indemne, hardi et acharné, de sorte que c'étaient maintenant des guerriers armés de toutes pièces qui affrontaient les maufaiteurs de Brignais.

Le soleil flambait sur ces grappes d'hommes emmêlés ; soleil de printemps ivre de sa vigueur après un hiver d'une âpreté peu commune. Parfois, les compagnies de Bagerant, de Garcie du Châtel et d'Aymery tentaient de se rejoindre ; elles en étaient incapables et devaient reculer, hurlant tant des taillants et des estocades reçus que pour se faire entendre des routiers de Cervole.

— Vois, Castelreng ! Ils glissent doucement vers Brignais. Quand ils en seront à une frondée, la lapidation commencera... Elle est d'ailleurs entamée !

Des pierres volaient à l'encontre des grêles de flèches et de carreaux que les archers et arbalétriers de l'armée royale décochaient sur l'ennemi quand il advenait qu'il se présentât en groupe, mais les armes les plus employées restaient l'épée, le vouge et la guisarme, et la fourche fière qui plantée sous le frontal d'un chapel de fer rendait un homme aveugle et perçait sa cervelle.

Tristan respirait avec peine, bien qu'il n'eût pas jugé nécessaire de clore son bassinet. Bagerant engagea sa lame entre deux pierres :

— Que penses-tu que font ta femme, Tiercelet et cette Mathilde aux beaux seins ? A ta place, au retour, je la forniquerais !... Je suis sûre qu'elle aime la besogne !

A quoi bon répondre : « Pour une fois, nous sommes d'accord ! » Il fallait s'appuyer sur l'indifférence ou la haine et non pas sur une connivence d'un moment.

— Regarde !... Tous nos gars refont le terrain perdu.

Hélas ! c'était vrai.

— Tes compères sont las, Castelreng... Viens : quittons ce tertre. Il est temps que nous regagnions le Mont-Rond.

— As-tu peur ? Pourquoi ne t'es-tu pas mêlé à ces tribouils (1) ?

Bagerant saisit violemment son épée dont il essuya la pointe d'un index presque caressant :

— Je ne connais ni la peur ni l'effroi... Sur la motte où nous allons, je saurai si tu peux en dire autant !

Sentant sur son visage un regard amusé, Tristan eut envie d'abaisser sa visière. Le routier se fût esclaffé de ce qu'il eût pris pour de l'irritation et qui n'était qu'un mépris insigne. Aussi se tourna-t-il vers la bataille sans pouvoir décider qui, du Bien ou du Mal, prenait un avantage. La rumeur, inchangée, charriait toujours ses mille et mille cris bouillonnants, eux-mêmes recouverts d'une écume de plaintes rageuses ou désespérées. Des incendies soufflaient au ciel des fumées noires dont les volutes s'épousaient en nuages serrés. Un essaim d'étourneaux passa très haut ; ils criaient comme des âmes tourmentées.

— Viens, Sang-Bouillant.

Malgré cette injonction, Bagerant, lui aussi, demeurait immobile. Tous ces meurtres commis de cent façons le fascinaient. Il en admirait, surtout, les accrochages et les dénouements, tendant parfois son index ferré sans mot dire, approuvant dans une jubilation sans nuance le trépas des guerriers royaux et celui de ses compères dont la force et l'habileté avaient été subjuguées.

— Tu parais te délecter !... Serait-ce pareil si tu combattais ?

— Je jubilerais davantage. Mais, n'aie crainte : tu vas voir comment je procède !

Toutes ces douleurs indicibles... Et vaines, puisqu'il y aurait d'autres affrontements tout aussi terribles, et qu'il eût fallu sans doute, ce mercredi des Rameaux, pour écraser l'engeance des

(1) Mêlées, désordres.

routiers, une armée trois fois plus épaisse. Tristan respirait malaisément, atteint par l'odeur du sang, des brasiers, des herbes pourries d'entrailles et cervelles ; imprégné par la fureur, la douleur de ces gens mêlés, éparpillés, embrouillés : certains roulaient sur le sol en des étreintes féroces dont souvent aucun ne se relevait.

— J'en suis sûr, Castelreng, la journée sera nôtre... Viens !... J'ai choisi dès la nuit dernière de me battre sur la pente du Mont-Rond... Pourquoi ? Parce que je l'aime bien... Il m'est même venu une idée... Tu ne me la demandes pas, mais tu brûles, évidemment, d'en avoir connaissance !

Tristan cracha. Ce devait être une idée diabolique. Il remit posément sa Floberge au fourreau.

— Nous ferons marcher nos captives, nues, bien sûr, et nos pages en avant.

— Je n'en espérais pas moins de toi.

— Ce n'est pas tout : pour accroître la fureur des Justes, nous les occirons devant eux, une à une, un à un... On ne fait rien de bon dans un trop grand courroux.

Tristan resta coi. Tout emportement eût réjoui ce damné. Ce fut alors qu'une immense clameur éclata sur sa gauche. Voyant une nouvelle vague d'hommes d'armes miroiter au pied de la colline du Janicu, il comprit en même temps que Bagerant.

— Voilà ton Petit-Meschin qui pointe sa hure.

— Ils ont dû venir par la vallée du Garon, puis remonter vers Janicu de façon à déblayer la plaine des Aiguiers tout en repoussant tes amis vers le Mont-Rond...

— Combien d'hommes sont-ils ?

— Deux milliers... Les meilleurs... Je te l'ai dit, je crois.

— Les meilleurs ?... Tu veux dire : *les pires* !

— Il te reste au moins une liberté : celle de me contredire.

Tristan imagina la déception des gens de Tancarville et de Bourbon qui tous deux, subitement, paraissaient invisibles. Etaient-ils morts, assaillis et pourfendus dans leur sommeil ?... Non, cela ne se pouvait. C'eût été terriblement injuste !... Lorsque leurs piétons se ressaisissaient et parvenaient à repousser la racaille, un nouveau contingent, frais et décidé, se jetait sur eux.

— Bon sang, si tu recevais la mort ce jour d'hui, Sang-Bouillant, cette histoire de rançon serait close !... Je vais être contraint de veiller sur toi comme une vieille nourrice !

Tristan cracha aux pieds de Bagerant tandis que ses mains se crispaient l'une contre l'autre comme pour se retenir d'étrangler ce malandrin dont la présomption et la moquerie augmentaient en proportion des tueries.

— Nous irons à Givors... J'en suis aussi certain que d'autre chose...

— Quoi ?

— Un jour, je ne sais quand, tu forniqueras Mathilde !

Cette éventualité mit entre eux un silence — autant qu'un silence pût se produire dans les fracas des armes et les hurlements des hommes.

— Viens, reprit Bagerant dont la gaieté froidissait. Il doit y avoir deux mille gars sur le mamelon du Mont-Rond, et trois cents derrière les murailles qu'aucun homme d'armes de Bourbon n'atteindra... Le ciel sera tout tiqueté des pierres de nos frondes. Leur grêle fera un tel frai (1) sur les armures de fer, qu'il sera perçu jusqu'à Lyon !

— Et pourquoi pas jusqu'en Aussay (2) pendant que tu y es ?

— Hé ! Hé !... Pourquoi pas, en effet.

L'œil vif, le regard mouvant, l'épée prête à la défense, ils avançaient en lisière de la bataille et Bagerant voulait que ce fût sans hâte, comme ils eussent piété au marché. Tristan ne cessait d'enrager. Sa place était ailleurs, auprès des Justes. Combien d'entre eux allaient tomber ? Combien de jeunes qui, pour la première et dernière fois, auraient vécu l'inutilité de l'horreur ? Tous courageux, certes, mais la plus destructive, la plus ardente efficacité du courage resterait à leurs aînés. Outre qu'ils savaient ostoier (3), ils savaient ce qu'ils perdraient dans la défaite. Non seulement la vie mais l'honneur, cet honneur dont les jeunes n'avaient que faire, de sorte qu'à le défendre médiocrement, ils passaient de l'état d'homme à celui de gibier.

— Tu penses aux morts... Les tiens, si j'ose dire.

— Oui.

— On ne les pourra compter. Il faudra une vaste fosse commune.

— Je sais.

— En fait, la bonne chance est avec toi.

— J'en ai vergogne.

Tristan s'était senti rougir à cet aveu. L'inflation de sa honte avait-elle été si visible que Bagerant semblait s'en réjouir ?

— Tu ferais mieux de penser à ta belle.

— J'y pense aussi.

Il y songeait avec angoisse. Tiercelet avait-il réussi l'évasion qu'il avait si soigneusement pourpensée ? Etait-il possible qu'il eût

---

(1) Ou *frais, froi, froie, frainte, freinte, friente* : bruit.

(2) En Alsace.

(3) Combattre dans l'ost, guerroyer.

échoué ? Non ! Non ! Ils se reverraient. Il redirait son amour à Oriabel et son affection au brèche-dent. Il…

— Je conçois que tu l'aimes.

Que contenaient ces mots ? De l'admiration ? De la résignation ? De l'envie ?

— Tu conçois que j'aime Oriabel, mais tu ne peux savoir combien.

Il avait trouvé en elle des regards, des inflexions de la voix et du corps, des complaisances et des douceurs qui attestaient la simplicité de son admiration, la perfection de son attachement, la plénitude de son amour et la volonté soutenue — et récompensée — d'être une épouse accomplie, impossible à souhaiter différente. Il avait connu le bonheur d'être aimé par une enchanteresse dont, après la contemplation jamais déçue, les élans le réduisaient au merveillement ou à la stupeur amoureuse comme si, par une sorte de perfection magique, elle avait deviné ses désirs, ses intentions et ses espérances alors même qu'ils s'ébauchaient au tréfonds de son esprit et de son corps. Elle l'avait décontenancé parfois, passant de l'admiration à l'adoration, du silence au murmure, du sourire des lèvres à la gaieté des yeux…

— Cesse d'y penser. On se préjudicie de penser à l'amour lors des batailles. Il n'y a, en ces moments-là, que la haine qui compte. La guerre est une réalité qui rend l'amour illusoire.

Ces paroles amères avaient le goût du sang.

IV

L'astuce des Tard-Venus consistait à reculer lentement, de façon que l'essentiel de la bataille s'approchât du Mont-Rond. En croyant dominer péniblement mais infailliblement l'adversaire, les guerriers du roi apprêtaient une déception dont Tristan se refusait à concevoir l'ampleur.

On se battait par groupes acharnés dans les friches des Aiguiers et des Saignes. On s'entre-tuait pareillement au pied des Hautes-Barolles, et même vers le Janicu. Cependant, l'infernale pression des routiers semblait s'exercer surtout dans la plaine des Basses-Barolles, parallèlement à la voie reliant Brignais à Saint-Genis. Groupés dans les Basses-Vallières, mille hommes de réserve contenaient toutes les poussées vers le sud. Pris dans cette tenaille, les justiciers privés de leurs principaux chefs, ne pouvaient que progresser en direction du Mont-Rond.

Tristan essayait de se réconforter en se disant que quelques lambeaux de cavalerie viendraient troubler sinon anéantir le stratagème des malandrins. Mais si les chevaux devaient être nombreux encore, leurs maîtres avaient été occis ou contraints de se défendre à pied. Du sommet de la colline où le vent émoussait les cris et les vacarmes, il n'osait porter ses regards sur ce qui subsistait d'un campement livré aux combattants, aux détrousseurs, aux rebouteux et aux mires des deux partis, lesquels, parfois, se colletaient et se pourfendaient aussi. Bagerant qui s'en était allé conforter ses femmes, revint l'œil pétillant :

— Elles sont quiètes... Il faudra que je te les montre... J'ai parmi elles une abbesse qui fait l'amour divinement !... Deux autres ont quatorze ans et la dernière quinze... Elles n'ont pas comme toi envie de me quitter !

— Les mettras-tu sur la pente avec les autres otages pour qu'elles y soient occises et courroucent encore plus vos ennemis ?

— Aymery a décidé de les épargner... Pourquoi ? Parce que si on les sacrifiait ce midi, nous n'aurions rien ce soir pour célébrer la victoire ! Il va de soi qu'on t'empruntera la Mathilde et qu'on te laissera ta femme !

Devant eux s'étendait le versant ouest du Mont-Rond, creusé d'un ressaut où paissaient deux vaches, et qui redescendait, ensuite, vers la plaine avec, çà et là, les bourrelets des murets défensifs, les meulons de pierres entourés de frondeurs, la plupart assis, immobiles, et les palis (1) dont certains pieux ébranchés en hâte avaient conservé quelques moignons tordus. Au-delà, jusqu'au pied de la butte, ces murailles de volards et fagots semblaient des obstacles minimes et les fossés profonds, des rigoles. Les routiers s'étaient attroupés en quatre bataillons d'épaisseurs diverses, les archers en retrait, les frondeurs devant, tous armés d'un poignard, tandis que sur leurs ailes se tenaient les porteurs d'armes d'hast pour percer les chevaux tout autant que les hommes. Mais Bourbon, Tancarville ou ceux qui décidaient en leur absence disposaient-ils encore d'une cavalerie ? « Certes non », convint amèrement Tristan. Il ne pouvait songer qu'aux vols de flèches, aux grêles de pierres, aux frappements des armes et aux estocades des vouges, guisarmes, langues de bœuf, si toutefois les Justes envahissaient la butte. Il y avait, proches du château et des maisons, et pour en défendre l'accès, une trentaine de charrettes et chariots renversés derrière lesquels veillaient des hommes d'armes. Il pouvait voir également aux créneaux, les barbutes des arbalétriers. A la guette du donjon flottait une bannière de sable et d'argent... Ce donjon où, s'ils y étaient encore, Oriabel et Tiercelet s'interrogeaient aussi bien sur leur sort que sur le sien.

Qui commanderait à Brignais si les forcenés de l'armée royale en bouteculaient les premières défenses ? Quels truands accourraient au combat ? Garcie du Châtel, Jean Aymery, Breteuil, Espiote, Daalain et bien d'autres férissaient, en bas, l'adversaire ; Thillebort était revenu indemne de la mêlée ainsi que le Bâtard de Monsac. Quelques-uns — Pierre de Montaut, Jean Hazanorgue et Jean Doublet — observaient, du milieu de la motte, les péripéties d'un affrontement où l'offensive des Justes, peu à peu regroupés, aboutirait au Mont-Rond pour, sans doute, s'y convertir en débandade.

---

(1) Sortes de palissades.

Présentement, tous les routiers inutilisés dans la bataille demeuraient l'arme au pied ou à la main, et certains frondeurs impatients d'élinguer (1) moulinaient leur poche de cuir vide en riant de pouvoir l'employer bientôt.

— Je crois, dit Bagerant, que Bourbon est occis... Nous verrions sa bannière... Et Tancarville également comme grand'foison d'autres !... Dis-moi : n'est-ce pas commettre une énorme faute que d'avoir aposté si peu de gardes, la nuit ? D'avoir négligé la pose des sonnailles ?... Nul n'aurait dû dormir en se sachant si près de nous !... Si j'étais roi, je destituerais tous ces malencontreux qui se sont pris pour des chefs et qui n'ont pas plus d'esprit que les singes ! Mais dans ce royaume pourri...

— Par vous, interrompit Tristan.

— ... on congratule les bons et les mauvais tout aussi pareillement... Aussi vrai que je suis près de toi, je ne plains pas la grevance (2) des chevaliers et des seigneurs qui sont là, devant nous, mais celle des gens du commun...

— Allons donc ! Il leur importe davantage qu'aux seigneurs de mettre votre engeance en péril, en exil, parce qu'ils ont le plus à s'en plaindre !

Comme aucun d'eux n'osait dévisager l'autre, leurs yeux s'abaissèrent, et bientôt la bataille obtint leur attention.

Les hurlements, inchangés, couvraient l'incessant cliquetis des armes dont l'acier rutilait parfois de bout en bout. Çà et là, des arbres, des arbrisseaux retenaient des hommes juste le temps qu'ils en fissent le tour pour se férir plus violemment. Dix ou douze chevaux se cabraient, ruaient, piaffaient parmi cette masse de guerriers qui, dans le miroitement de leurs fers maculés de sang, avançaient et reculaient tout à la fois vers le Mont-Rond et le Bois-Goyet dont le sommet se couronnait de malandrins.

— Je ne saurais te dire, Sang-Bouillant, où sont le Petit-Meschin, Aymery et les autres... Regarde l'ombre de notre corps à nos pieds : presque rien, il n'est pas loin de midi... Je dois t'avouer que j'ai plaisance à ouïr tous ces grondements et à voir tout ce monde emmêlé comme lors d'une assemblée de famille... Il ne manque que nous. Viens : entrons dans la danse !

Tristan suivit, dégainant sa Floberge.

« Sitôt en bas, dès que je le pourrai, je changerai de camp. J'affronterai Naudon ventaille haute en juppant : *"Reculez ! Reculez : cette motte est un piège !"* La bataille prendra un tour nouveau ! »

---

(1) Lancer avec une fronde.
(2) Souffrance.

Sentant qu'ils atteignaient *leur* butte à reculons, et sachant quels renforts s'y trouvaient, les routiers, souvent, s'éparpillaient par dizaines, sans plus combattre. Les gens du roi devaient se réjouir de ce qu'ils prenaient pour des frayeurs et des fuites. Tout en sentant sa gorge se pétrifier d'amertume, Tristan observa son compagnon.

Sous le cintre de la ventaille, Bagerant offrait au soleil un visage dont la pâleur infirmait l'éclat hautain du regard : la terreur qui mordait des milliers d'hommes aux tripes l'avait contaminé. Il se courba en avant, en arrière, autant que le tolérait son armure, afin d'éprouver la docilité de ses articulations et jointures.

Angilbert le Brugeois passa, une croix processionnelle sur l'épaule.

— Hé ! moine... Montre à Tristan ton crucifix.

Le presbytérien s'avança, mal accoutré dans sa bure en raison des deux ceintures qui l'entouraient, l'une de corde, au-dessus du ventre et portant dans sa gaine un perce-mailles à manche de corne ; l'autre de cuir, sous sa bedaine, à laquelle pendait un badelaire. Quant à la croix, lorsque Tristan leva les yeux sur elle, l'aumônier de Brignais commenta :

— Tu peux sourciller !... Les traverses et jusqu'aux fleurs de lis qui les prolongent sont aiguisées comme des armes... Je n'assaillirai personne mais bénirai quiconque me menacera.

Sous les paupières clignotantes, les lueurs des prunelles semblaient empruntées à celles du crucifix hypocrite ; car c'était bien un crucifix : faisant rouler le manche dans ses paumes, le moine offrit au soleil l'effigie en bronze du Rédempteur. Le désignant du doigt, Bagerant ricana :

— Tu vois : Jésus lui-même est de notre côté !

Et tandis que d'un pas solide Angilbert descendait la pente :

— Regarde ! Là-bas, c'est l'Archiprêtre... et ses hommes. Le Petit-Meschin les assaille... Connais-tu, Castelreng, le vrai nom du Meschin ?

— Je m'en moque !

Bagerant continua de paroler d'un ton vif, bas et tranchant comme l'épée qu'il avait tirée de son feurre de cuir noir à viroles d'or : une arme longue d'une aune. Les quillons droits, terminés par deux boules, étaient d'une simplicité qui sentait le rustique, mais la lame était belle : une arête médiane, une section en losange, deux tranchants. Cet instrument de mort offrait une bonne prise, guère différente de la Floberge. Bientôt, ce démon de Naudon prendrait plaisir à le teinter de rouge.

— As-tu vu, compère, la fumaille qu'ils font devers le Bois-Goyet ?

Une partie du monstrueux affrontement avait lieu là-bas sur un espace nu, et les semelles des hommes et les sabots des chevaux soulevaient des poussières.

— Ou nos gars ne se replient plus... ou les Justes faiblissent.

Une volée de sagettes et de carreaux s'abattit sur le Mont-Rond. Elle avait jailli de la gauche, dans le creux d'un chemin joignant la voie d'Irigny à celle de Saint-Genis. Thillebort hurla un commandement. Aussitôt, la première haie des archers de Brignais manœuvra pour se trouver face aux gêneurs, une flèche encochée dans la corde. Pour inefficace qu'elle fût, leur réplique contraignit les royaux à la reculade. Tancés de la voix et du geste par leur capitaine assisté d'un moine porteur d'arbalète, ils revinrent s'abriter derrière leurs pavois et un nouvel essaim de bois ferré se fracassa sur les pierres du sol et les murets défensifs, dix toises au-dessus de Tristan et de Bagerant. Thillebort, touché au genou par un éclat de roche, fit aligner cinquante frondeurs devant les archers. Les armes rustiques tournoyèrent ; une bourrasque de galets jaillit en vrombissant. Un archer de France chancela en portant ses mains à sa barbute ; son capitaine s'effondra, foudroyé.

Une nouvelle volée de pierres fouetta le ciel et s'abattit sur les archers. Tous s'éparpillèrent. Des routiers surgirent, armés d'épieux et de haches et ce fut, dans la cohue gigantesque, une mêlée de cinquante hommes où les malandrins triomphèrent tandis que toute espèce de tir cessait et que les combats de près se poursuivaient, repoussant les routiers, à grands spasmes sanglants, davantage vers le Mont-Rond que vers le Bois-Goyet. L'assourdissante marée montante des combattants déferla au pied de la butte, bouillonna, franchit un fossé, renversa sous son flux de fer une escarpe de pieux et de pierres, et déborda les premiers brigands jusqu'alors inemployés.

Aussitôt, Thillebort enjoignit aux ribauds immobiles à mi-pente de courir à la rescousse de leurs compères désemparés, ce qu'ils firent en hurlant *« Tran ! Tran ! Tran ! »* comme des veneurs au débucher d'un sanglier.

Archers et frondeurs demeuraient en place. Bagerant leur fit signe d'avancer ; ils obéirent, enjambant les murettes et contournant des rochers qui peut-être bientôt, sous leurs poussées conjuguées, dévaleraient et meurtriraient des corps. L'air puait : entrailles d'hommes et de chevaux, sangs, pissats, déjections de bêtes et d'hommes. Odeur d'enfer. Un enfer vers lequel il fallait descendre. Et comment deviner, dans cette immesurable cohue de fer tachée de vermillon, qui était un Juste ?

— Maintenant, Sang-Bouillant, nous les voyons de près !

Les bannières avaient été taillées en pièces, sauf celle de Bourbon, brusquement apparue, et celle d'Arnaud de Cervole, emmitouflée dans une quintuple haie de guisarmes et de fauchards. Où se tenait l'Archiprêtre ? Accroupi, à moins qu'il ne se fût déjà rendu à la racaille ?

— Regarde, compère, puis baisse ton viaire (1) !

L'armée royale avait tenu deux ou trois cents cavaliers en réserve. Ils descendaient des Hautes-Barolles et se frayaient, à coups d'épée, un passage dans la multitude.

— Ils ne parviendront pas jusqu'ici !... Pas vrai, Sang-Bouillant ?

Pourquoi répondre ? Cette charge serait meurtrière et stérile.

Un homme, l'épée levée, frôla Tristan dans sa course. C'était Béraut de Bartan, tout heureux de tailler dans la masse ; puis un autre passa, d'un pas lent : Jean Doublet. Thillebort le suivait de près comme si, de sa part, il craignait quelque couardise.

— Holà ! hurla Bagerant.

Sans qu'il eût pu prévoir cet incident, Tristan faillit être culbuté par un cheval noir au poitrail sanglant. A peine s'était-il jeté sur le côté qu'il se trouva cerné par une douzaine d'hommes.

— N'aie crainte ! hurla Bagerant.

Le routier maniait son épée avec une sûreté, une promptitude mortelle : les hampes des épieux et des goyardes volèrent en éclats ; trois agresseurs tombèrent et se convulsèrent ; deux autres — des écuyers peut-être — reculèrent, s'exposant ainsi aux fureurs ennemies. Avalés par la mêlée, ils disparurent.

Une brèche avait été ouverte. Les piétons de France s'y précipitèrent. Tristan dut écarter d'un coup de lame un épieu manié par un jeunet — sûrement un rustique.

« Tant pis ! » regretta-t-il en frappant des deux mains, du plat de sa Floberge, un chapel de fer sanglant et cabossé.

L'audacieux tomba et ne bougea plus.

— Tu l'as basourdi (2) ! ricana Bagerant. Clos ta ventaille !... Bats-toi !

Tristan rechigna. Tant qu'il ne se sentirait pas en mortel danger comme maintenant, il essaierait de contenir sa vigueur. Quelle gageure que cette modération dans une bataille si bouillonnante ! Pire que *l'autre,* au début de laquelle il s'était jeté à corps perdu face aux Anglais, résolu à observer les préceptes de l'honneur !... Juste avant le carnage, l'Archiprêtre s'était ri de son haubergeon de

(1) Ventaille, visière, etc.

(2) *Basourdir :* tuer en argot. Est devenu, au fil du temps : abasourdir.

mailles. N'empêche qu'il avait, dessous, exposé vaillamment sa vie. Ces milliers d'anneaux de fer restés à Montierneuf avaient été bénis par Barthélemy, évêque d'Alet, pour Thoumelin de Castelreng, après avoir reçu leur trempe dans un jus de navet, suivant une recette piémontaise. Et tandis qu'il affrontait les Goddons le torse couvert de ce harnois, il bredouillait des prières, et Tiercelet, à Chambly, grommelait contre les armuriers !

Soudain, un chevalier lui courut sus, lance basse. C'était miracle que cette arme n'eût pas été rompue.

« Saute !... Saute de côté : tu en as l'espace ! »

Le fer en longue feuille de saule s'en alla pourfendre un brigand dans le dos, cependant que le cheval, ayant manqué l'obstacle des quatre pieds, s'abattait dans un fossé à demi comblé de morts. Le chevalier, la jambe prise sous la bête, fut promptement éborgné au perce-mailles, par les fentes de sa vue. Après quoi, Thillebort — visage nu, sans heaume ni cervelière — égorgea le cheval blessé. Quand il se releva, son œil unique pleurait de félicité.

Trente seigneurs téméraires surgirent au galop, méconnaissables sous leur ventaille abaissée. *« Il me faut clore mon bassinet. Echapper, comme eux, aux regards ! Bourbon les conduit peut-être... ou Tancarville. »* Ils passèrent, décidés à frayer sur la butte une voie aux quelque cent piétons de leur suite.

Les fondeurs firent tourbillonner leur poche de cuir et lâchèrent, ensemble, le lacet qui maintenait la pierre prisonnière. La grêle des galets heurta les coiffes de fer, les chanfreins des chevaux, les épaulières et les pansières. Quatre hommes basculèrent. Leurs roncins, soulagés de leur poids, galopèrent vers le haut de la butte en hennissant à tue-tête.

Bagerant dut affronter maints piétons porteurs d'épées et d'armes d'hast. Une main apparut, crispée sur le manche d'un vouge. D'un coup, le routier trancha la chair et le bois.

Estoqué au ventre, un guiclier (1) tomba en hurlant : *« Père ! Père ! »* Un autre qui levait sa goyarde pour étêter un malandrin reçut un fendant sur sa cervelière de mailles. Elle céda ainsi que son crâne. Sa cervelle et son sang giclèrent sur ses compagnons.

Bagerant faiblissait. Tristan hésita :

« S'il vient à mourir, quelque autre linfar le remplacera. Thillebort peut-être. Et si Oriabel est toujours au château... »

Intervenir en faveur de ce démon ? Oui, hélas ! Par opportunité, nullement par sollicitude.

(1) Homme mal équipé.

D'un coup de pied dans les reins, Tristan abattit un homme qu'il épargna lorsqu'il fut à terre, et dès lors, il essaya de repousser les agresseurs du routier à grands moulinets menaçants, mais vains. Bagerant toupinait, se démenait mortellement, et cinq corps gisaient déjà autour de lui, dont celui d'un écuyer qu'il se plut à piétiner jusqu'à ce qu'il ne bougeât plus.

Il y eut une clameur et d'autres soudoyers de France envahirent la pente. Reculer ? Bagerant ne l'eût pas toléré. Avancer ? Impossible. Se jeter de côté ? Il y avait Thillebort !

Tristan enrageait de ne pouvoir hurler à ses agresseurs : *« Guerpissez ! Je suis des vôtres ! »* Il devait se battre comme un routier. Jusqu'à quand ? Aux crépitations des armes s'ajoutait, maintenant, le grondement des chevaux entraperçus plus tôt. Jusqu'où galoperait cette cavalerie ? Sa présence était inutile !... Où étaient passés les capitaines ? Des hauteurs du Mont-Rond, des vols incessants de pierres et de flèches allaient s'abattre sur les arrières de l'armée royale quand ceux-ci redevenaient distincts au-delà des mêlées toujours acharnées. On entendait leur sifflement aigre ou ronronnant, et malgré ces averses et ces grêles mortelles, ceux de France semblaient conserver l'avantage. Dès qu'une grappe de routiers descendait à la rencontre des plus aventureux d'entre eux pour les affronter, les picquenaires et les guisarmiers au service du roi les contraignaient au repli. Chevaliers, écuyers, ribauds, roncins et palefrois s'engloutissaient dans ce fleuve de fer où parfois branlaient des moignons de lances et des épaves de bannières.

Quelque hardi qu'il fût, Bagerant reculait. Une meute s'était agglomérée autour de sa personne. Ce que Tristan n'osait faire, Thillebort le fit avec ses sicaires. Cinq hommes tombèrent et Bagerant recula encore, abandonnant son compère et ses malandrins pour se porter loin de la presse. Tristan le suivit.

— Tu ne crois pas tout de même que j'ai peur, Sang-Bouillant ?

Le routier avait relevé sa ventaille. Son visage était plus que rouge : cramoisi. Tristan comprit qu'il pourrait l'occire à condition de rendre leur affrontement interminable. Cet homme-là devait avoir les poumons malades.

— Je ne crois rien. Tu as voulu que je sois présent. Tu dois être content !

Bagerant, de ses doigts ferrés, écarta la bave qui blanchissait ses lèvres :

— Agar (1) !

Tristan regarda et jugea.

---

(1) Ce raccourci signifiait : « Vois un peu ! » Nous dirions vulgairement : *Zyeute !*

— Merdaille.

Une longue colonne de malandrins à pied, tous armés d'épieux, avec pour enseignes des robes et des chemises de femmes, abandonnait en courant le château. Dix cavaliers les accompagnaient.

— Hé ! Hé !... Voilà pour la curée le reste de la Sociale !

« Impossible de m'enfuir !... Il y en a partout... Un cri de Bagerant, et je suis percé par vingt lames et picots de fer !... Attendre. Il me faut attendre *encore...* Le roi devra comprendre cela, lui qui, à Poitiers, fut cerné comme je le serai pour peu que j'accomplisse un mouvement de trop !... Vivrai-je ?... Tous ces chevaux morts... Ces hommes... Je dirai à Jean II comment tout cela s'est fait. Je suis le seul témoin de cette boucherie qui l'aie vécue chez ces démons... Mais rien n'est achevé... Je peux avoir une occasion. Dieu m'aide !... Bagerant peut crever ! »

Et derechef ce fut autour d'eux la mêlée : des piétons qui progressaient dans des taillis d'acier, puis reculaient pour avancer encore tandis qu'un peu plus bas, à force d'éperons, les survivants d'une Chevalerie désemparée jetaient leurs chevaux sur le front des épieux et des godendacs ennemis. Certains franchissaient cette haie oscillante et dévastatrice. Ils s'exposaient, ensuite, à une lapidation — jets de pierres lancées tout autant par des frondes que par des mains sûres — qui s'achevait toujours par quelques coups de lame : dague, perce-mailles, coutil à crocs, faussart ou miséricorde.

Où en était-on de ce lugubre mercredi ? Avait-on passé la relevée (1) ?

Le château devait être désert — ou presque — maintenant. Et Tiercelet…

« Non ! Non !... N'y pense pas !... Si à la malheure ils sont pris, ta vie n'aura plus de sens ! »

Il descendait la pente. Cela signifiait que les gens du roi reculaient. Un preux à cheval maniant une épée brisée. Deux, trois... Dix... Un porte-bannière. Bourbon et Tancarville étaient-ils parmi eux ? Un grand seigneur dont le heaume avait un plumail bleu enleva son coursier d'un tel élan qu'il franchit un fossé. Le rang de malandrins qui en avait la défense craqua sous le heurt. D'autres chevaux rouges de sang apparurent et...

Tristan ne vit plus rien, emporté dans un tourbillonnement d'hommes qui hurlaient *« Montjoie-Saint-Denis ! »* Il recula, face à Mont-Rond, Bagerant à son côté dextre. Ils devaient tailler, tailler à outrance dans les hampes, les aciers, les corps. Reculer, reculer encore. Vers le Bois-Goyet où peut-être ils obtiendraient de l'aide. Vivre ! Vivre pour Oriabel...

---

(1) L'heure qui suit midi.

« C'est pareil qu'à Poitiers... Ils sont dix, nous sommes deux... Personne n'accourt à notre aide ! »

C'était tout de même une pensée hideuse qu'il souhaitât l'apparition d'une meute de malandrins comme il eût souhaité être rescous (1) par quinze ou vingt amis !

Une bannière. « *De gueules à un écusson d'argent à la bordure d'angemmes d'or...* Tancarville ! Il n'est pas mort ou bien c'est une prise... »

Du sang qui n'était pas sien ruissela sur son front. Un homme agita son poignet tranché. *« Baisse ta ventaille ! »* Il secoua sa tête afin qu'elle tombât, mais elle demeura levée. Une douleur enfonça son clou dans son épaule.

« Le fil a sûrement craqué... Ma navrure s'est rouverte. *Holà ! Est-ce lui ?... C'est Guillonnet de Salbris ! C'est sa cotte : d'or à trois hures de sanglier de sable.* »

Malgré le frontal et les jouées de sa barbute, le jeune homme était reconnaissable.

« Il me voit !... Il me crache sa haine !... Cela ne me serait pas advenu si j'avais clos mon bassinet... Mais dans une telle presse, comment respirer là-dedans ?... Non, Salbris, je ne croiserai pas le fer contre toi !... Mais si tu m'y contrains, que ferais-je ? »

Il ne pouvait, subitement, se retourner contre Bagerant !

Un homme, un écuyer couvert de mailles passa entre Salbris et lui.

« Recule !... Dégage-toi ! »

Deux routiers surgirent. Ouf ! il était temps. Cependant, la pression des Justes s'exerçait toujours vers l'est, entre le Mont-Rond et le Bois-Goyet, vers ce que Bagerant appelait les Terres.

Soit, il se battrait ; ils se battraient à reculons. Un chevalier vêtu de toutes pièces maniait une francisque ainsi qu'un bûcheron. Un des routiers tomba, répandant sa cervelle. Quatre autres survinrent, qui ne furent bientôt plus que deux.

Bagerant manœuvrait en poussant des cris si furibonds qu'ils étaient ouïs de tous. L'étreinte des gens du roi se resserrait « et bientôt », redouta Tristan, « un des gars de ce petit troppelet (2) finira par trouver quelque endroit où me griéver (3) ! » Tout autour, ce n'étaient que gestes de faucheurs, de bûcherons, de ferreurs à l'enclume.

« Voilà des gars du Bois-Goyet ! »

---

(1) De *rescoudre* : délivrer.

(2) Petite troupe.

(3) Blesser. Faire mal.

Cinq seulement, mais quelle joie ! Même rage des deux côtés. Mêmes cris, mêmes gémissements. Il y avait bien, parmi les gens du roi qui se battaient ici, quatre ou cinq chevaliers. Plates (1) sales, saignantes, poudreuses. Jupons de mailles déchirés. Dans tous ces fers, des corps et des déceptions. La grande victoire, la juste victoire... Un dessein noble, exécutable, flétri, annihilé à force d'inconséquence. Un seul d'entre eux portait une armure « à la couleur d'eau », mais son azur gluait de macules de sang. Son plumail de pennes de faisan avait été coupé de moitié ; du vermillon coulait sur son canon d'arrière-bras jusqu'à sa cubitière : Bagerant venait de l'atteindre.

Deux ribauds s'efforcèrent de le dégager. Aucun ne savait manier une lame : ils tombèrent. Deux autres réussirent, mais l'homme au harnois bleu s'abattit, lui aussi, percé par un épieu si violemment planté qu'il avait d'un seul élan traversé la dossière et le plastron de sa cuirasse.

Tristan dut reculer encore. Un cheval passa, la selle de guingois, son houssement gris, vermeil à la culière ; une flèche oscillait dans sa croupe. Il ruait en hennissant d'effroi et de douleur.

— Aide-moi ! hurla Bagerant.

Il allait falloir donner des coups mortels.

Où se trouvait Guillonnet de Salbris ?

« S'il meurt, il ne pourra me dénoncer... Je dirai au roi : "Sire..." *Oh ! mon épaule...* Que fait donc parmi nous Angilbert ? D'où vient-il ? »

La haute croix, rougie de toutes parts, avait sûrement tranché des membres, ouvert des gorges, troué des faces, percé des crânes. Pas le temps d'en voir plus... Epées... Se dégager... Dans quoi marchait-il ? Entrailles... Un cheval éventré se mourait, sabotait... Foisonnantes épées. Vivre c'était faire le mal avec rage et conscience... Vivre c'était occire, repousser toutes ces lames vibrantes... Des armures de fer et des chevaux passèrent. Trépassèrent. A nouveau une ruée, un autre galop. Tristan ne savait plus où il se trouvait, où il en était. Une certitude : il reculait, se protégeait des lames, des fers de lances, guisarmes, vouges, et des tranchants de hache. Combien ? Vingt contre quinze ? Plus ? Moins ? Les routiers besognaient ardemment de l'épée. Comme des...

Il était touché ! Rudement. Son colletin... Non pas son colletin : sa gorgière lui comprimait le cou, côté senestre. Douleur vive comme si un muscle, un nerf avait craqué. Des combattants tombaient. Lui n'avait que chancelé.

---

(1) Chacune des pièces de l'armure.

« Holà ! je suis... Mon épaule ! Mon épaule !... Ah ! Héliot, je suis... »

Enfermé ! Jamais il ne pourrait refouler toutes ces lames.

Il était pris dans un accul !

A coups d'épée vigoureux, une ombre miroitante desserra cette étreinte.

« Bagerant me dégage... Où en est-on ?... Holà ! ce guisarmier... »

D'une main, Tristan dévia le long aiguillon de l'arme pointée sur son faude (1) et se fendit. La Floberge lui parut immensément lourde. Cependant, estoqué au cœur sous sa brigandine, le soudoyer tomba sans un cri : l'épée de Vézelay, l'arme de saint Michel dont il n'eût su dire où commençait son fer, où commençait sa chair, l'avait préservé d'une mutilation qui eût fait de lui un nouvel Abélard.

« Si je te connaissais, je prierais pour ton âme ! »

Convulsions partout mêlées morts cris plaintes jurons. Ou en était-on de cette énorme géhenne ? En une nuit, comme un fleuve, elle avait pris sa source aux Barolles et s'était épandue, formant un vaste lac de fers et de chairs enchevêtrés, enchevauchés, secoué de soubresauts torrentueux. *« Bats-toi ! Protège-toi ! »* Un taillant sur une barbute, si fort que sa lame avait mauvaisement tinté. *« Va-t-elle se rompre ? »* L'homme chancelait. Bagerant, qu'il gênait, lui estiqua son épée dans le corps.

« Un autre devant moi !... Il me faut bien... Dieu me pardonne ! »

L'homme chut... Mais qu'avait-il, lui, Tristan, à invoquer Dieu ? *Il n'existait pas,* sans quoi il eût arrêté ce massacre !

Jamais il ne pourrait fuir. Si, profitant de ce que les routiers reculaient, il lâchait sa Floberge et se portait en avant, il périrait quand même !

Un cor sonna. Où ? Pourquoi ? *« Ils se débandent partout ailleurs qu'où nous sommes... Plus de souffle... »* Un épieu traversa son fer et perça peu profondément sa poitrine. Il parvint à rester debout, l'enragerie et le courage tout aussi émoussés que l'estoc et les tranchants de son arme. Il vit un homme vaciller, une sorte de lame dans le ventre : c'était celui auquel il devait sa blessure.

« Angilbert ! C'est sa croix !... Nous voilà cernés... Reculer... Cernés ! Cernés !... Les gens de France affluent : les survivants, les navrés ; certains traînent des morts par les pieds... Les Justes sont vaincus sauf tous ceux qui s'approchent... J'étouffe dans ce bassinet ! Visage en eau ! Vois mal... Yeux piquants ! Mon épaule... Jamais je... J'aurais dû... »

---

(1) Pièce de fer ou de mailles très petites protégeant le sexe.

Son cœur à grands ahans lui meurtrissait les côtes. Sa poitrine bouillait ; son sang s'y mêlait à sa sueur. Jamais il n'avait éprouvé cet écœurement, cette pesanteur qui ne devait rien à son armure... S'allonger ! Cracher ces braises dont ses poumons s'infectaient ; vider son estomac de son fiel. Les bras de plomb à force de dispenser des coups... Après avoir reçu les éperons dorés, il s'était dit qu'il n'userait de ses armes qu'à bon escient ; qu'il défendrait l'honnêteté contre le crime ; que tous ses gestes de guerrier n'auraient qu'un sens, une direction : la Justice... Abîmé, amoindri dans sa chair par des justiciers, il devait contre son gré faire corps avec les pires malandrins du royaume. *Il n'était même plus travaillé par l'envie de réintégrer sa vie de naguère !*

« Comment en référer au roi ? Nul ne croira que, tombant au pouvoir des routiers, j'ai subi affront sur affront sans parvenir à m'en dépêtrer ! »

— Ils m'ont pris ! hurla Angilbert le Brugeois. A l'aide ! A l'aide !

— Prends garde, Sang-Bouillant ! recommanda Bagerant.

Gerbes d'épées et d'armes d'hast, heurts et cris de mort ; grognements de bêtes noires assaillies par la meute au fond des halliers. Il fallait reculer encore. Vers les collines d'Irigny. Quatre chevaliers dont Salbris ; le reste n'était que piétaille, mais piétaille hardie, acharnée, qui elle aussi eût mérité les éperons.

Un homme, un chevalier adoubé d'une armure passée à la fumée. La ventaille du bassinet gris-noir semblait une grosse jatte percée de trous. Juste au-dessus branlait un reste de plume d'autruche.

« Je souffre. *Tu souffriras davantage si tu prends un coup ! Un taillant après l'estocade !* J'ai mal ! *Ils ont tous mal ! Ils sont tous atteints ! Avance !* »

Qui était ce seigneur ? Autour d'eux, les emmêlements mortels recommençaient. Les épées cliquetaient, tintaient. *Bong ! Bong !* On entendait les froissements des corsesques s'enfonçant dans les mailles et la chair.

Tristan reçut une taillade sur son bassinet dont la vervelle (1) dextre céda. La ventaille tomba de biais devant son visage, et il ne vit bien que d'un œil. Impossible d'arracher ce fer branlant, désormais importun.

Une estocade l'atteignit au ventre, au-dessus de sa baconnière. Le fer de celle-ci le sauva. Il avait cependant vacillé sous le coup. Bagerant, à son intention sans doute, clama des imprécations.

— Vous mourrez !... Goguelus, nul d'entre vous ne reverra Lyon !

---

(1) Pièce de tourillon permettant de mouvoir la ventaille.

Tristan se rua sur l'homme à la plume d'autruche et lui porta, sous le busc du plastron, un coup sec, pareil au mouvement du boulanger enfournant du pain à cuire. Il avait mis dans ce mouvement moins de force que de désespérance.

Il entendit le hurlement de sa victime sous la coque du bassinet, tira sa Floberge et avança en la moulinant ferme contre les amis de ce seigneur qui avait dû être grand, mais qui, à terre, ne valait que le prix de son armure.

« Ils veulent ou ma mort ou ma prise... Et le pire de tous, c'est Guillonnet de Salbris ! »

Il se trouvait dans un cercle de fer. Il devait cogner, cogner furieusement et pirouetter souvent pour se garder des atteintes pernicieuses. Il n'était plus bon qu'à embourser des coups, et cependant, plus sa chair le cuisait, plus il en fournissait.

Cette grappe de Justes toute juteuse de sang, il ne la combattait nullement par contrainte mais par férocité profonde. S'il le voyait, Bagerant devait être content de lui.

Il reculait sous cette pression terrible vers il ne savait quoi. Deux chevaux, un moment, dispersèrent les hommes. Deux bêtes déchevalées. Ils n'étaient guère nombreux, maintenant, les présomptueux aux lis de France ! Et c'était leur faute si un pareil meschef (1) avait pu se produire.

« Je vais mourir sans savoir... *Oriabel !* Non, non, ils ne m'auront pas vivant... Je les hais... Je les vomis !... Tiens ! Tiens ! Prends ça. » Ce n'était plus un combat à outrance mais une mêlée vermeille entre gens titubants. « Je n'en peux plus... Mal aux bras et au cœur. Bon sang, trois d'entre eux me contournent... Bagerant ! Bagerant !... A l'aide !... Tiercelet... Près de toi... Sauve-la ! »

Une comète foudroyante au-dessus de son bassinet. Tocsin ! Il chancela, sentit ses genoux ployer ; s'agenouilla sous un nouveau coup ; devina des clameurs. « Ils frappent, ces capiteux (2). Ils m'assomment ! »

Il ne vit plus rien. Ne sentit plus rien sinon qu'on l'empoignait et le traînait précipitamment et que quelqu'un hurlait — Salbris peut-être :

— Par ici !... Par ici !... Amenez-les !

« Naudon ! Oriabel ! »

Des pétillements d'or hantèrent ses ténèbres. Cheveux d'Oriabel ou criblures d'étoiles.

Desserrant sa dextre douloureuse, il lâcha sa Floberge. Ensuite, il entra dans la paix.

---

(1) Malheur.
(2) Obstinés.

V

Quelque chose de frais piqua plusieurs fois son menton et son cou. Sentant le sang perler, il cilla des paupières et d'une main voulut écarter ce dard cruel de son visage. Ce lui fut impossible : on avait entravé ses poignets.

— Je vous avais bien dit que je l'éveillerais ! triompha, en rengainant sa dague, l'homme qui venait de l'aiguillonner.

Tristan reprit malaisément connaissance. Il essaya de se soulever. Un pied pesa fortement sur son épaulière. Il retomba. Glaçé de crainte et de lassitude, il entrevit des visages rieurs.

— Tu n'es pas si haustre (1), Castelreng, maintenant que tes compères ont disparu !

Dans leurs orbites aux contours bleuis de lassitude, les prunelles de Guillonnet de Salbris, comme fardées, étincelaient d'une flamme sombre. Tristan ne s'y trompa point : une satisfaction certainement meurtrière animait son ancien pair. Elle se doublait d'un plaisir de revanche dont les raisons, certainement antérieures à celle d'une médiocre domination, resteraient sans doute un mystère.

« Les lis ont perdu la bataille. J'en jurerais ! »

Pour qu'il pût se défendre au moins par la parole, il lui fallait être debout.

Il roula sur lui-même et se mit à genoux, lentement et fermement à la fois. Il sentit la semelle de Guillonnet peser sur sa nuque, et résista. Le pied pesa davantage ; le rire du chevalier devint pointu, supérieur — ou plutôt victorieux. *« Ta seule victoire en ce jour, maraud ! »* Il dut subir une fois encore la force de son vainqueur,

---

(1) Hautain.

et se dit, pour se consoler de cette humiliation, qu'il n'était pas certain que Guillonnet l'eût capturé. Ils étaient sept autour de lui, sept qui pourraient se gober de l'avoir assommé.

— Bon sang, Castelreng ! Quel bonheur pour moi de te voir ainsi !... Quand nous t'avons perdu de vue, en Bourgogne, après cette soirée chez Jean III de Chalon-Auxerre, j'ai confié à Orgeville : *« Ces gens des pays d'Oc ont la langue des vipères. Ils sont aussi pourris que leurs aïeux patarins ! Il s'est peut-être fait routier pour amasser une fortune, lui qui est de pauvre apparence ! »* Et te voilà : seul petit hobereau de nos prises de guerre !

Tristan grimaça, brûlé de douleurs nombreuses. Il était sûr, désormais, que la blessure d'Héliot à l'épaule s'était rouverte. Mal terrible, urticant, moins cependant que ce qu'il éprouvait au tréfonds de son esprit.

— *Auxerre,* as-tu dit ? Tu as fort bien fait d'en parler. Il faut que nous nous éloignions et que je te dise...

— Non, pas d'éloignement, sans quoi mes compagnons penseront que je suis un traître tout comme toi !

— Allons, ils ont vu, à l'entour de toi, toutes les armures desroutes (1) et te savent loyal... comme moi !

— J'ai combattu auprès d'eux cette truanderie à laquelle tu appartiens depuis quelques mois !

— Je n'y appartiens pas. Je n'y ai jamais appartenu... Si j'ai fourni, ce jour, des coups d'épée, c'était pour défendre ma vie !

Tristan s'exprimait posément. S'il s'était battu avec angoisse, il acceptait pour le moment sa male chance d'un cœur tranquille. Il se justifierait d'autant plus aisément que Salbris était le seul témoin de son entrevue avec Jean II.

— Tu te souviens d'Auxerre... Tu te souviens aussi que nous avons souvent chevauché côte à côte sans qu'il n'y ait jamais rien eu entre nous.

— C'est aussi ce que je te reproche !

Que voulait-il dire ? Il s'était toujours conduit franchement. Sans plus. Il ne se sentait aucune amitié pour Salbris, mais il ne lui eût jamais porté préjudice. Tout ce qu'il en savait, c'était qu'il avait servi chez Charles d'Espagne, un sodomite avéré. A la mort du connétable (2), il était apparu à la Cour en compagnie de Thomas d'Orgeville.

---

(1) Rompues.
(2)Il fut assassiné le 6 janvier 1354. Charles le Mauvais et ses frères, Philippe et Louis, furent les instigateurs de ce meurtre. Des lettres de rémission furent délivrées au roi de Navarre, le 4 mars de la même année.

Il scruta ce visage glabre auquel la haine donnait un relief plus sec, et la fatigue, l'essoufflement, une carnation rougeoyante. La férocité de l'intérieur affleurait aux lèvres comme une écume saumâtre. Salbris suait la mort.

Il ne l'avait jamais aimé. Certaines fois, il avait dû se contenir pour ne pas lui faire payer cher ses moqueries. Peut-être avait-il eu tort de se montrer sourd et courtois : il n'était son aîné que de deux ans à peine.

— Le soir d'Auxerre, Guillonnet, c'est toi qui es venu me chercher pour m'annoncer que le roi me mandait en son hôtel...

— Je ne me souviens de rien !

Les autres les écoutaient en silence. Il leur paraissait incroyable, sans doute, qu'ils se fussent connus. Lui, Tristan, cette affirmation selon laquelle Salbris avait perdu la mémoire, le paralysait. Elle ne présageait rien de bon : c'était un ennemi de longue date qu'il se découvrait soudain.

— Si tu refuses de te souvenir, c'est que je t'embarrasse... Tu m'as toujours jalousé parce que le roi m'aimait bien... S'il m'aimait bien, c'est qu'à Poitiers nous étions ensemble dans le grand estour (1) où il faillit mourir... Pas toi !... Le régent Charles en sait assez sur moi, lui aussi, pour m'apprécier... Cette estime, je le comprends maintenant, n'a pas cessé de te déplaire... Mais trêve de parlures !... Tu me prends pour un routier, c'est ton droit... Il me faut sauver ma vie : c'est le mien... Je ne suis pas venu en Lyonnais pour m'engager dans les Compagnies... Vous tous qui assistez à cet... entretien, sachez le : je suis venu sur ces terres par commandement du roi Jean !

— Vous avez combattu parmi cette racaille !

C'était un jeunet qui répliquait cela. Il avait perdu sa dextre dans un de ces combats écœurants. Sous le chapel de Montauban, son visage était blanc comme si le sang n'y circulait plus. Il s'en vidait par le poignet.

— Je ne nie pas que j'aie été pris en dressant mon épée contre les vôtres. A ma place, vous en eussiez fait autant !... Et je demande à voir...

— Tu ne verras personne, saligot, sinon le bûcher ou la corde !

Parler davantage ? A quoi bon. Tristan subissait une abomination à laquelle il s'était attendu. Il dit pourtant :

— Si je te racontais, Salbris, tout ce que j'ai subi depuis la Bourgogne, tu me dirais que tout cela n'est que gailles (2) et menteries... Et pourtant...

---

(1) Combat.
(2) Plaisanteries.

Guillonnet de Salbris se pencha. Tristan sentit de nouveau la pointe de sa dague contre sa gorge.

— Tu nous a affrontés, Castelreng ! Tu as offensé la justice du roi !

— En la servant, je fus pris en otage et j'ai dû, contre ma volonté, participer à une bataille qui fût perdue avant même que vous ne l'eussiez engagée.

— C'est ton opinion, pas la mienne !

— Il a bien fallu — penses-en ce que tu voudras ! — que je me défende de vos assauts pour protéger ma vie !... Comment eussé-je pu épargner tes compères quand ils m'accablaient de leurs armes ?... Je cherchais l'occasion de me joindre à vous. Cela me fut impossible... Et d'ailleurs, je me serais vu repoussé !... Qui me connaissait sauf toi, Tancarville, Bourbon ?... De part et d'autre, j'étais condamné...

— Nous avons perdu. Notre infortune est immense à cause de toi !

— Holà !

Salbris se complaisait dans l'exagération. Absent à Poitiers, il avait espéré, de l'affrontement de Brignais, qu'il lui permît d'aller jusqu'au bout de sa fureur d'occire des malandrins — en méjugeant de leur vaillance. Il avait été confronté à des réalités désespérantes. Sa force, son habileté, son courroux éployés hautement comme des oriflammes, s'étaient dilacérés pour rien. Il portait en lui toutes les souffrances et les ressentiments de l'armée vaincue.

— Il faut que je voie le roi.

— Tu verras mon cul quand je te chierai sur la face !

Il y eut des rires. Pauvres rires d'hommes essoufflés, blessés dans leur chair et leur fierté de gens honnêtes. Tristan comprit que quoi qu'il fît et quelques mots qu'il prononçât, il serait pris en dérision. Il souffrait, lui aussi, de tout son corps et de tout son orgueil blessé. Et ses lèvres, maintenant, ne pouvaient guère se déclore : un ciment de salive séchée les scellait l'une à l'autre. C'était miracle qu'il eût pu tant parler.

Il se demanda : « Où sont-ils ? » La vue d'Oriabel lui eût donné du courage... Tiercelet, lui aussi, l'eût revigoré : devant le brèchedent, il se fût fait honneur de paraître solide. Et même devant dame Mathilde !

— Tu es ord (1) et pouilleux comme cette vermine.

Cette fois, une curieuse solennité animait cette voix que Tristan commençait à détester. « Pour qui se prend-il ? Pour un juge ? » Ses facultés s'étant régénérées, il luttait sans doute en vain contre une

(1) Sale, infect.

mortification épaisse, une sorte de disgrâce qu'il se savait incapable d'annihiler à coups de justifications.

— Au lieu de me couvrir d'injures, dis-moi ce que tu sais : qu'en est-il de votre armée ?

— Rompue... brisée.

Des images épouvantables revinrent en deçà des yeux de Tristan.

— Tout s'est achevé en hâte, Castelreng. Nous nous sommes éloignés, vous et nous... Tes amis ont guerpi, nous en avons occis... Des nôtres sont arrivés, que tes compères n'ont pas agressés. Il est vrai qu'ils étaient si peu... Ils les ont même laissé tirer ce chariot qui est sous ce chêne, là-bas... Jacques de Bourbon gît dedans avec son fils... Pas morts, mais presque... Tiens, voilà Bridoul de Torchefelon avec un cheval : on va pouvoir atteler... Le jeune comte de Forez est devenu fou. Tancarville a été fait prisonnier alors qu'il soutenait Jean de Noyers, comte de Joigny, expirant. Nous avons colleté un clerc de chez vous, et puisqu'il est question de religion, l'Archiprêtre est aux mains d'un coquin : le Bâtard de Monsac. Les Tard-Venus ne se sont pas gênés de crier bien haut, — à ce que m'a dit un de mes hommes —, les noms de leurs meilleures prises !

— Je conçois ta fureur, mais...

— Laisse-moi parler !... Jean de Neufchâtel est au pouvoir d'un certain Béraut de Bartan... Nous avons des milliers de morts et de navrés... Il paraît qu'en assaillant le Bois-Goyet et le Mont-Rond, alors que nous nous férissions ici, les nôtres ont été escarbouillés par des milliers de pierres que les Lyonnais appellent les *chirats*... Nous nous revancherons !

« Comment ? », songea Tristan. Il serrait si fort les poings que ses poignets, liés, lui faisaient mal. Autant que ses blessures. Jamais Guillonnet de Salbris et tant d'autres ne se vengeraient de cette humiliante déconfiture.

« Que va-t-il faire pour apaiser son ressentiment ? Me brancher sous ce chêne où le comte de la Marche expie dans son sang une sottise indigne ? »

— On va vous attacher les mains à la queue d'un cheval et vous mener à Lyon où deux écuyers sont partis annoncer notre reculade.

Le mot *défaite* eût écorché une langue fielleuse.

Après l'impétueuse gaieté due à quelques captures et le dédain apitoyé envers celui qu'il considérait comme la meilleure des prises, le fier Guillonnet éprouvait, semblait-il, un chagrin tout aussi insolite que sa jubilation première. Sous l'acuité de la vergogne dont il se départissait malaisément, Tristan voulut discuter encore. La probable inanité de sa défense le contraignit au silence. D'ailleurs, Salbris reprenait :

— Vous n'êtes que huit prisonniers. C'est évidemment peu, j'en conviens, en comparaison de tous ceux de chez nous qui sont en captivoison sur ces pentes, là-bas, ou au châtel de Brignais. Mais cela me satisfait !

Quel beau jour c'eût été, dépouillé des horreurs de la guerre ! Ici, près du chemin menant à Saint-Genis, de jolis prés se bossuaient, lumineux, aux herbes caressées de vent, parfois à rebrousse-poil, sous le ciel moutonneux. Et partout à l'entour, pour peu qu'on baissât les yeux, c'était la mort et la souffrance : des corps roides ou remuant un peu ; les couleurs de la guerre : rouge, le sang ; brun, la fiente ; gris de plomb, les entrailles, les cervelles, les sanies. Quel tombeau démesuré allait-il falloir creuser pour ensevelir pêle-mêle cette multitude !... Déjà, au Mont-Rond et au Bois-Goyet, les prisonniers de l'ost royal qui ne pouvaient payer rançon devaient subir la haine des vainqueurs. Ce soir, les femmes pâtiraient de leur joie. Et s'il avait dévié (1) lors de la bataille, les concubines de Naudon changeraient de protecteur.

— J'aurais eu, saligot, moult plaisir à t'occire.

— Moi aucun, Guillonnet.

— Appelle-moi *messire* !

— C'est trop me demander !

Tristan contenait son mépris. Il avait pu s'asseoir malgré ses fers et les feux accrus de ses plaies ; il n'apercevait, lorsque Salbris cessait de se pencher vers lui, que les obscures cavités d'un grand nez au-dessus d'une gorgière ternie, grumeleuse de bave séchée.

— Notre vengeance sera terrible !

Ouïr cela après une défaite pareille ! Tristan soupira. Il avait cru, avant Poitiers, que la France pouvait triompher de n'importe quelle hydre placée sur le chemin de son honneur... Que les méchantes gens expiaient leurs crimes... C'était ce qu'avait dû méditer Guillonnet. On avait prétendu, parmi tous les gens d'armes, que l'avènement des bombardes allait tuer la guerre ou la déshonorer... Soit, c'était possible, bien que peu vérifié par les faits. Mais à Brignais ? L'essentiel de la victoire revenait à une surprise nocturne. A l'astuce et à l'esprit de décision d'une part ; à la négligence de l'autre.

— Vous ne vous étiez précautionnés contre rien !... Ni des feintes ni des cautelles dont pourtant les routiers sont prodigues. En étalant son armée dans les Barolles, puis en bordure des Aiguiers, Bourbon

(1) S'il était mort. *Dévier* : mourir.

a pensé effrayer l'adversaire !... Il ne l'a que réjoui. Il croyait aussi, je présume, les routiers piteusement armés... C'est vrai qu'ils le sont. Qu'est-ce qu'une fronde ? Une fustiballe (1) ?... Ce sont des jouets qui font un mal terrible !... Si vous ne vous étiez pas laissés surprendre, cette nuit, rien ne prouve que vous auriez vaincu !

— Tu es bien de chez eux pour me parler ainsi !

— Je les ai vus se préparer à vous recevoir, ce qu'ils n'eurent point à faire puisque leurs chefs choisirent de vous assaillir.

Un rire. Guillonnet de Salbris s'égayait de tels propos.

— Nous finirons par les vaincre. Demain, dans une semaine ou un mois.

— Avec quoi ? Quels hommes ?

— Le roi en trouvera !... Nous sommes les plus forts ! Dieu nous aidera !

Cette défaite n'avait point ébranlé la hautaineté de ce marmouset : il avait guerroyé, ce jour d'hui ; il vivait : sa présomption, dans cette évidence, trouvait et trouverait force nourriture. Il se pouvait même que ses propos, dans deux ou trois semaines, fussent à quelques nuances près, ceux d'un vainqueur.

— Lève-toi... Ne compte pas sur moi pour te tendre la main !... Je vois que le cheval est attelé... Nous allons partir... Lyon nous attend... *Vous* attend... Holà, vous autres !

Une quinzaine d'hommes d'armes, qui s'étaient abrités derrière une haie, se levèrent. Ils avaient repris là, dans l'herbe, leur souffle, leurs forces et leur fierté. Tous étaient vêtus de mailles sous un surcot déchiré, souvent maculé de sang. Des barbutes et des chapels de Montauban les coiffaient ; la plupart étaient ceints d'une épée ; les autres s'appuyaient sur la hampe de leur goyarde ou de leur guisarme.

— Allez quérir les prisonniers et les chevaux !

Les captifs et les roncins, une demi-douzaine, étaient surveillés dans un creux de terrain par cinq soudoyers : des gens du ban qui, s'ils n'avaient souffert des excès des routiers, les avaient redoutés et les redouteraient, maintenant, davantage. Cependant, par lassitude extrême, sans doute, et nullement par bénignité de cœur, ils n'avaient exercé aucunes représailles sur Angilbert le Brugeois, Thomas de Nadaillac et cinq malandrins inconnus de Tristan, dont l'appartenance à l'une ou l'autre des compagnies de Brignais ne faisait aucun doute.

— J'ai grand plaisir à te voir là, Castelreng, dit un barbu qui avait perdu le tiers de son avant-bras dextre dans la bataille et dont

(1) Fronde emmanchée au bout d'un bâton. Elle envoyait des projectiles à 300 mètres.

Angilbert, sans doute, avait garroté le moignon avec sa ceinture de chanvre. J'avais cru que tu n'étais pas des nôtres !

— Et il t'a prouvé qu'il en était ? demanda aussitôt Salbris.

— Bien sûr !

Ces mots constituaient une condamnation.

Lentement, Angilbert s'approcha de Tristan. Pâle sous sa couenne, il feignait une componction qui n'abusait personne. Ses mains liées tenaient son crucifix. Il ne tinterait plus en heurtant son poignard.

— Un clerc ! ricana Guillonnet de Salbris. Bon sang de bordeau de Dieu !

— Tu blasphèmes, mon fils...

— Chevalier !... Dis-moi *vous* !... . Que crois-tu ? Personne ne fera de différence entre ta bure et les harnois des autres Tard-Venus !

— Tôt-Venus, mon fils... Et ce fut votre perte.

Un cinglon porté du dos d'un gantelet de fer rendit vermeille la joue du moine. Il ne broncha pas mais leva les yeux au ciel comme pour prendre le Très-Haut à témoin d'un tel outrage. La fureur de Salbris s'en trouva décuplée :

— Je t'ai vu batailler avec ta haute croix !... Une arme d'hast bâtarde s'il en fût !... Je t'ai vu occire cinq ou six hommes : chevaliers, écuyers, manants !... Ils hésitaient devant ton froc de bure, et cela leur était fatal !

Cette fois, Angilbert baissa les yeux :

— *Benedictus Dominus mens qui docet manus meas ad praelium et digitos meos ad bellum...*

« C'est bien la seule phrase que je lui connaisse ! » s'étonna Tristan, pendant que, pour Salbris, le clerc traduisait :

— Ce qui signifie, mon fils : *Béni soit Dieu qui forme mes mains au combat et mes bras à la guerre.* J'avais choisi de vivre parmi d'affreux pécheurs pour les ramener dans le droit chemin... Je ne les ai pas quittés... Jusqu'au bout j'aurai assumé mes fonctions sacerdotales... Dans cet enfer, j'ai fait resplendir Dieu !

C'était gros, énorme même, et dit d'une voix onctueuse comme une sainte huile. Tristan savoura cette repartie. Guillonnet, outré, n'osa se livrer à un commentaire. Il se tourna vers les chevaux, et Tristan plaignit ces épaves. Certains saignaient aux flancs, au poitrail, aux jambes. Leurs yeux reflétaient des terreurs dont ils rêveraient sans doute ; ils en rueraient en pleine nuit en hennissant comme leurs frères saignés, étripés durant la bataille.

— Allons, les hommes !... Liez-moi ces malandrins au cul de ces chevaux. Et s'ils les saluent par quelques ruades, nous en serons tout aises !

Debout, chancelant un peu, Tristan fut attaché le premier à la queue d'un roncin pommelé ; Angilbert à celle d'un genet brun, qui boitillait ; Thomas de Nadaillac à celle d'un mulet. Tristan se désintéressa des autres.

— Avancez ! hurla Guillonnet de Salbris. Il nous faut rejoindre nos compagnons. Nous sommes les derniers réchappés de cette aventure !

— Craindrais-tu, mon fils, ricana Angilbert, que des frères ne surviennent pour nous libérer ?

Il reçut dans la fesse un coup de poulaine ferrée. Son ébaudissement s'en accrut :

— N'aie crainte, chevalier : leur cœur est dur et sans pitié, même pour leurs dévoués amis en grand état de male chance. Leurs libations, ce soir, ne nous seront pas destinées. Ils feront un festin et se moqueront des martyrs que nous allons devenir... Quant à moi, je saurai trépasser dignement.

— Holà ! ricana le barbu qui côtoyait le clerc. Aussi vrai que je m'appelle Yvon Martineau et que j'étais chez Espiote, aussi vrai que je n'ai aucun regret pour tout ce que j'ai commis, je t'avoue que la mort m'effraie !

— Pense à toutes tes victimes et dis-toi, mon fils, que l'on ne peut se soustraire à la divine volonté... Je serai près de toi et prierai pour ton âme noire. Dieu l'accueillera immaculée au ciel !

Tristan se dit que la mésaventure de ces malandrins n'était, après tout, qu'une sorte d'iniquité dans la Justice, qu'elle fût céleste ou humaine. Ils allaient en mourant redimer tous leurs crimes ; leurs compères poursuivraient les meurtres et pillages. Ceux qui sévi-raient contre Angilbert, Martineau, Nadaillac et les autres, silencieux pour le moment, se sentiraient la conscience nette alors qu'il eût fallu occire cette malfaisante engeance dans sa totalité. Où ? Mais à Brignais !

Nul miracle ne pourrait, cette fois, le soustraire à la mort. Avec lui s'éteindrait le sang des vrais Castelreng. Si elle était saine et sauve, Oriabel porterait un jour l'enfant d'un autre, un manant, sûrement. A moins qu'elle lui restât fidèle, ce qui serait une absurdité. Olivier, le fils d'Aliénor, régnerait !

Bien qu'il souffrît du cou et de l'épaule, il avançait aisément, allongeant parfois la jambe afin d'épargner au liard (1) qui le tirait — ou devait le tirer — toute lassitude après les galops et terreurs qui l'avaient affaibli. Car il était faux d'affirmer que tous les chevaux galopaient sereinement à la tuerie. Où était son Noiraud ? Où

(1) Ainsi nommait-on un cheval gris pommelé.

gisait sa Floberge ? Bientôt, on le dépouillerai de son armure. Encore une qu'il perdrait... avant que de perdre la vie.

Nul ne parlait. Chacun revoyait la bataille. Après le vacarme sanglant, le silence avait une douceur moelleuse. L'air semblait pur, chargé d'une odeur d'herbes et de fleurs. Tristan le respirait à plein nez. Tout s'amollissait en lui. Cette paix, cette sérénité recouvrée n'était sans doute que la fade imitation de celle qu'il trouverait Là-Haut...

Puis il se rembrunit : il devait refuser toute pensée lugubre. Il devait vivre. Pour Oriabel ; pour leur bonheur et leur descendance. Il ne recevait plus de ce qui l'entourait que le message de la jouvencelle ; un message d'espoir : Tiercelet l'infaillible l'avait sauvée. Ils avaient fui. Il fallait qu'ils eussent fui, sans quoi la Providence n'existait pas !

Il sentait qu'il s'alourdissait ; son armure pesait, devenait contraignante. Sans doute l'avait-il trop portée. Il s'était insuffisamment nourri ces derniers jours. Sa vigueur s'était dissipée, mais il n'offrirait pas à Salbris le spectacle d'un chevalier à bout de force et de honte.

— Je me demande où est Bagerant, dit Angilbert. Il n'était pas dans ceux que j'ai bénis.

A quoi bon dire un mot. Désormais, sur la butte pierreuse du Mont-Rond, à moins que ce fût au château, l'Archiprêtre portait sûrement la santé à Jean Aymery, Garcie du Châtel, le Petit-Meschin, sans oublier son compère : le Bâtard de Monsac. Il y avait des rires et peut-être des femmes. *« Les immondes ! »* Pesanteur d'amertume. Pesanteur de fer. Pesanteur des muscles épuisés pour rien : la truandaille avait gagné. Désormais, on la craindrait davantage. Elle était aussi forte que les armées du roi ! Ce roi qui n'entassait que des déconvenues.

Angilbert toussota pour s'éclaircir la voix :

— Je n'aurai jamais vu le cul d'un cheval de si près si longtemps !

— Avance ! Avance, clerc dévoyé ! hurla Guillonnet de Salbris. Toi, oui, toi : Barnaudet, place-toi derrière ce porteur de froc qui commence à trébucher. Picote-le de ta guisarme s'il piète malaisément !... Je conçois qu'il soit peu pressé d'atteindre Lyon. Je me porte garant des pensées de nous tous, moine, en affirmant que ta grande croix en mains, tu as célébré ce jour d'hui ta dernière messe noire !

— Rouge, rectifia simplement le clerc. Et j'aimerais vider quelques pintes de vin.

Il n'était pas, lui, un clerc abstème. Il aimait le vin, dit-il, jusqu'à lécher les calices.

Guillonnet s'approcha de Tristan :

— Des ordures pareilles méritent d'être traitées fellement (1) ! Même toi, Castelreng ! Tu ne recevras aucun égard particulier. J'y veillerai. Pour avoir partagé la vie de cette engeance, pour l'avoir défendue de nos atteintes, il faut bien que tu sois devenu un routier !

— Hé ! Hé ! justement non, intervint Angilbert. Messire de Salbris, même si Dieu me le commandait, je ne vous absoudrais pas de votre... légèreté !

— Je te refuserais, moi, de bénir mon cul !

— Je n'en ai pas l'intention, étant donné qu'il doit être encore plus laid que votre face. Toutefois, si le Seigneur me priait expressément de le faire, j'emploierais, en guise de goupillon, un de ces petits balais qu'on trouve dans les latrines.

Il n'y eut pas que les routiers à rire : les hommes d'armes s'ébaudirent aussi, et Guillonnet rougit sous sa ventaille relevée. Bien qu'il ne vît de son visage que ses sourcils touffus, son nez long et arqué, sa bouche lippue, Tristan se dit qu'il avait la figure d'un sot ; d'un sot qui s'employait à faire l'important. « Il aurait pu nous occire ou demander à ses gars d'y procéder à sa place... Mais non !... Il jouit de nous emmener à Lyon pour nous y voir juger et subir, devant la populace assemblée, un châtiment cruel. » De quelle espèce ? Seraient-ils jetés dans une immense chaudière d'eau bouillante comme les faux-monnayeurs ? Monteraient-ils sur le bûcher ? Seraient-ils pendus après un ou deux jours de pilori ? Liés sur une roue ainsi qu'on le faisait aux Allemagnes ? Ecartelés par quatre roncins, bien que ce châtiment fût aussi rare que l'estrapade ou le pal.

— *Vâou pa las braios d'un pënjha* (2), grommela-t-il en cessant d'observer Salbris.

— Tout de même, soupira Angilbert, finir ainsi !... Qu'en penses-tu Nadaillac ? Et vous autres : Martineau, Lambrequin, Taupart, Sabourin, Fauquembois, mes bonnes ouailles ?

— On pense rien ! grommela Nadaillac. Ferme ta goule, Angilbert !

— Tu m'ôtes ton respect. C'est que tu as la pétouille !

« Je vais entrer dans Lyon », songea Tristan. « Tiercelet s'en défiait. Nous eussions dû faire un grand détour. »

Mais ils ne se seraient pas arrêtés dans la taverne d'Eustache ; il n'eût pas connu Oriabel. « Je suis libre de toute dette envers Bagerant ! » La belle affaire en l'occurrence !... Le mailleur de

(1) Durement.
(2) Il ne vaut pas les braies d'un pendu.

Chambly lui manquait : il était fort aidable et fécond en astuces ; à son côté, l'audace et l'espérance ne se pouvaient relâcher. Pourtant, il n'eût guère été rassuré, l'invincible Tiercelet, s'il avait dû marcher les mains liées à la queue d'un cheval, sous la surveillance d'une vingtaine de guerriers maussades, éprouvés dans leur esprit et dans leur chair par une bataille hideuse.

« En arrivant à Lyon, je protesterai de mon innocence, même si Salbris essaie de m'en empêcher. *Il sait, lui, que le roi m'avait envoyé en mission.* S'il a collé son oreille à la porte, il en sait même davantage !... Je demanderai qu'on envoie un message à Jean II et au régent Charles !... C'est mon droit. Je n'ai jamais cessé de penser à ma tâche. On ne peut m'accuser d'y avoir failli ! En fait, Salbris veut ma mort... Je lui faisais de l'ombre, sans doute... Il me faut aussi dénoncer l'Archiprêtre ! »

Il regarda les hommes d'armes. Bien que défaits, ils prenaient à mesure qu'ils approchaient de Lyon, une allure un peu moins affligée : dominés par les armes, ils s'armaient de fierté ! Tiens, ce jouvencel à la barbute un peu trop large pour sa tête, qui traînait sa guisarme comme pour l'affûter aux pierres du chemin, voilà qu'il la remettait sur l'épaule ! Et ce moustachu qui avait porté son chapel par la mentonnière de cuir, à la saignée du bras, comme on tient un panier au marché. Il s'en recoiffait...

« Nous autres... *(Voilà qu'il s'assimilait à la truandaille !)* Nous autres, nous sommes droits... sauf Martineau qui pleure. Nous sommes dignes. Ces truands qui m'entourent obtiennent, dans l'adversité, ce qui leur a manqué toute leur vie : la dignité ! »

Il se merveillait presque à relever cette évidence. Il en oubliait sa déchéance absolue et le châtiment, peut-être pire que celui des autres, que Guillonnet de Salbris tenterait de requérir contre lui.

Le jour tombait lentement sur un pays d'eau et de verdure où le ciel, perdant son azur, s'ennuageait d'abondance. Le Rhône fut atteint, livide et grumeleux des pluies tombées plus haut, plus loin, en des lieux où peut-être régnait la paix sinon la quiétude. Sur la rive opposée, des bosquets chevelus se trempaient dans ses eaux.

— N'espère pas pouvoir le traverser ! ricana Salbris. Comment y parviendrais-tu, d'ailleurs, avec tes mains liées ?... Regarde plutôt à senestre... Il y a des hameaux morts qui parlent, qui hurlent même, plus que lorsqu'ils vivaient.

Quinze maisons toutes ruinées, noires d'avoir été embrasées. Dans un pré, une trentaine de taupinières, bien alignées, mettaient des boursouflures brunes sur le sinople d'une herbe jeune que les bœufs, les vaches et les brebis ne tondraient plus.

— Tu vas penser qu'il y a peu de sépultures pour ce hameau. C'est qu'en allant à Brignais, nous n'avons enterré là que des hommes de vingt à soixante ans... Nous n'avons découvert ni femmes ni enfants...

— Si tu peux croire à ma parole, ils n'étaient pas à Brignais où, arrivé la seconde semaine de mars, je fus voué à la captivité tant que je n'acquitterais pas une rançon... terrible !

— C'est vrai, dit Angilbert.

Peut-être était-il sur le point d'ajouter : « Je l'ai marié », mais il s'abstint du moindre commentaire.

— Messires les truands, me prenez-vous pour un fou ? Castelreng nous a quittés à l'automne dernier... Il est un vil routier tout comme...

— L'Archiprêtre ?

Tristan regardait Guillonnet au fond des yeux. Pour cela, il n'était point nécessaire de s'arrêter. Le hutin baissa les paupières et le peu qu'on voyait de son visage s'empourpra. Un sourire sans joie creusa deux fossettes d'ombre aux commissures de ses lèvres :

— Arnaud de Cervole est honnête ! J'en jurerais sur les Saintes Ecritures !

Il eût été inconvenant de prolonger cet échange. Guillonnet de Salbris avait les os du crâne plus durs que le fer de son bassinet. D'ailleurs, il semblait s'intéresser à Lyon, un peu mauve dans les feux du soleil resconsant (1), et fumeux sous les nuages, comme si des bûchers dévoraient, là-bas, des centaines de condamnés. Tristan vit le regard du chevalier se poser très loin en avant sur le charreton transportant les corps de Jacques et Pierre de Bourbon ; il roulait pesamment dans les ornières et quelquefois semblait près de verser.

— C'est pour ces prud'hommes, saligot, que tu paieras cher ta trahison !

— Ils se sont trahis eux-mêmes !... Par négligence et présomption, vous vous êtes tous trahis !

— Leur hardiesse...

— Elle n'est qu'un affiquet si celui qui peut s'en enorgueillir a le crâne aussi creux qu'un grelot !

Quelque chose heurta la dossière de Tristan : l'extrémité acérée d'un vouge.

— C'est-y pas malheureux d'ouïr ça !... Tu n'es plus rien, chevalier de racaille !... Avance !... Vous lui faites grand honneur, messire Guillonnet, de paroler avec lui !

---

(1) Ou *esconsant* : à son coucher.

Tristan se soucia peu de savoir qui était cet homme. Il comprenait sa fureur. En temps ordinaire, ce rustique l'eût voussoyé, appelé *messire* en s'inclinant un peu. Mais où était ce « temps ordinaire » ? Evanoui. La France combattait l'Angleterre, les routiers, Charles le Mauvais... Partout la guerre et ses désolations. Il fallait que Tiercelet éloignât Oriabel en un lieu dépourvu de toute espèce de menace. Or, cet endroit paisible existait-il ?

Angilbert de Bruges trébucha puis se remit à avancer presque joyeusement sur ses sandales aux talons rongés par les pierres des grands chemins. Sa robe de bure faisait une tache ovale derrière lui, qui dansait, elle aussi, et parfois l'on entendait un *oremus* ou un *pater noster* dont on pouvait douter qu'il appartînt à la liturgie.

— Hâtez-vous ! hurla Salbris contaminé par la colère de l'homme d'armes. Hâtez-vous ! Il nous faut entrer dans Lyon tout près du chariot... Allongez la foulée !... Je vous pardonnerai de donner quelques coups à ces malandrins pourvu que nous rejoignions nos preux amis, qui peut-être désormais sont sans vie !

Lambrequin, Taupart et Sabourin, au risque de s'ouvrir les coudes ou les épaules, repoussèrent les coups dont ils étaient accablés. Tristan, cessant de les regarder, observa que ses mains, liées trop étroitement, enflaient et devenaient violettes. Puis Nadaillac prit dans son séant des aiguillons de sagette, et tout en procédant à ces piqûres, l'archer de seize ans qui les administrait riait comme une fille qu'on chatouille.

— Avance, racaille !... T'a-t-on dit que tu as une tête de mort ?

Dans sa voix, son regard, la fierté frémissait. Son visage gras, mafflu, était aussi laid que celui de Nadaillac : un front bas, un gros nez, une bouche dont la lèvre supérieure dévorait la lèvre inférieure ; un menton court, poilu. Il avait échappé de peu à la mort par la peste, car son visage était criblé de pétéchies. Insensible à la douleur, Nadaillac ricana ; la fureur de l'adolescent s'accrut :

— On n'a pas idée d'être fangeux comme ça !... On aurait dû vous occire sur place.

— Dommage, dit Nadaillac, que j'aie été trop occupé à poursuivre un fuyard. Je ne vous ai pas vus, mussés dans ce fourré où vous étiez accroupis comme des couards !

Cette fois, l'acier d'une guisarme pénétra dans le flanc dextre, qui se mit à vermillonner les mailles treslies.

— Vous êtes de méchants vilains, tuffes, guicliers, bomules, termulons, tacriers, craffeurs, marradors et cratimaz (1) ! s'écria Guillonnet de Salbris.

---

(1) Tous les jurons dont on abreuvait alors des piétons mal armés.

— Quand je regardais s'approcher votre armée qui n'existe plus, dit Sabourin, c'est ce que je pensais !

Il reçut un bois de hampe sur l'épaule, assené tellement fort qu'il dit, sans crier ni gémir, en agitant son bras qu'on avait laissé libre, puisqu'il y manquait le poignet et la main :

— Il m'a rompu un os… Ce petit qu'on a sur le devant…

— Tais-toi… Taisez-vous, dit Tristan. Vous leur faites plaisir et vous les excitez… A vrai dire, si je n'avais rencontré Tiercelet, je me serais trouvé parmi eux, auprès de messire Guillonnet de Salbris, derrière le comte de la Marche et son fils, frais et allègres, au lieu que maintenant l'on me force à les suivre…

— Et qu'ils sont moult navrés, ni très frais ni allègres, reprit Angilbert le Brugeois. Dirait-on pas qu'on va au cimetière ?

Il y eut des grondements. Ils laissèrent le clerc indifférent, tout comme Tristan qui se plut à conclure :

— Je ne regrette rien, moine. Pourtant, contre mon gré, j'ai dû livrer bataille !

— Sois assuré de ma commisération pour ta male chance, mon fils !

— Je n'en suis plus marri puisqu'elle m'a permis de concevoir l'esprit d'un ancien compagnon qui parfois me faisait des grâces.

— Arrête !… Tais-toi ou je t'égorge !

Tristan dut s'écarter pour éviter d'être atteint par le crottin que son liard expulsait. Se détournant vers Salbris, il rit puis ajouta d'une voix nette, dépourvue de haine et de moquerie :

— Tu te dispenseras de me tailler le cou. Tu es trop falourdeur (1) pour te priver du plaisir de m'amener à Lyon. Par Dieu, frère Angilbert, cette entrée dans la grande cité sera bien la seule prouesse que messire Guillonnet de Salbris accomplira en ce jour des Rameaux !

— *Amen !* dit le clerc.

Les autres routiers s'ébaudirent, sauf Nadaillac assombri à l'idée d'une mort tout aussi terrible que celle qu'il s'était délecté à dispenser aux prisonniers et prisonnières dont ses compères décidaient de se débarrasser sans les livrer à la piétaille.

— Messire ! Messire! hurla un sergent en colère. Comment osez-vous laisser parler ainsi un chevalier dévoyé ?

— Il sera muet bientôt, et pour toujours. Autant qu'il emploie sa langue et sa salive ! ricana Salbris en allongeant le pas puisque le chariot, désormais, n'était plus qu'à environ vingt toises.

---

(1) Orgueilleux.

— Messire ! Messire ! Cela n'est pas une raison, insista le sergent. Vous êtes un preux et ces gens de grande truanderie méritent…

— La guerre n'est rien d'autre qu'une infernale truanderie, affirma Tristan, froidement. Je gagerais cent écus, l'homme, que tu t'es battu, ce jour d'hui, avec une forcennerie dont peut-être certains vrais truands de Brignais se trouvaient dépourvus… Ne sois pas si losengier (1) envers celui qui te commande. Un jour, vous trouverez plus forcenés que vous.

— Voilà qui est parler ! dit Angilbert de Bruges. N'aurais-je pas mes mains liées que je te bénirais, mon fils !… Mais voici la Porte Saint-Irénée, mes fils, frères et compagnons…

Ils piétaient désormais si près du charreton qu'ils entendaient grincer les essieux et parfois, semblait-il, un gémissement infime. Les ridelles et le hayon de bois plein dissimulaient les corps du comte de la Marche et de son fils, de sorte que Tristan se demandait qui des deux vivait encore.

La cité. Enorme, irrégulière, grise. Autres senteurs que celles du sang frais et des tripailles ouvertes. Mangeailles et purins. Au ras des échoppes, des attroupements. Des grouillements d'êtres et de voix. Des ruisseaux fangeux où tressautaient les roues, ce qui devait aggraver les souffrances de celui qui vivait encore. Tant pis pour lui ! Il avait perdu la bataille.

L'ombre des maisons. Dedans, une population digne de Brignais : voleurs à la tire, êtres gâteux, difformes. Avancer. Où était Oriabel à présent ? Et Tiercelet ? Avancer… Les Lyonnais commençaient à élever la voix. Savaient-ils déjà ?

Tristan, gêné, ne voulut regarder que le hayon du chariot, mais son attention fut soudain captée par une femme maigre, vêtue d'une gonne noire.

Elle courait au-devant du cheval limonier. Un poing sur la bride, elle lui interdisait toute incartade.

— Holà ! cesse d'avancer.

Elle pouvait avoir trente ans. Son visage était pâle et beau dans la douleur. Lâchant le cheval, elle saisit Salbris par sa cubitière :

— Est-il vrai que les routiers vous ont vaincus ?

— Hélas ! femme…

Bien qu'il ne sentît pas la tiédeur de la paume, Salbris se dégagea comme d'une prise impure.

— Connaissez-vous le chevalier Bernardon de Toussieu ?

— Non, dame.

— Où est l'ost ou ce qu'il en reste ?

---

(1) Flatteur.

Angilbert toussota et, à voix basse :
— Ton ost, nous l'avons rongé.

La femme défiait Salbris : menton haut, poing aux hanches. Les Lyonnais s'attroupaient. Une fièvre les gagnait, redoutable. Les lumières atténuées de cette journée de deuil donnaient une rougeur malsaine aux visages. Tristan trouva, dans ces figures grimaçantes d'expectative et d'intérêt, la prescience d'un malheur dont il ne se relèverait pas.

— Je ne puis rien vous dire ! insistait Salbris. J'ai pris un raccourci par la Pierre-Bénite pour amener céans, au plus tôt, les corps de messire Bourbon et de son fils... Courez devant nous, dame !... Il faut un mire afin de leur donner des soins !

— Je crains qu'ils n'aient trépassé, dit le conducteur de la charrette en jetant un regard à l'intérieur.

— N'importe... Courez, dame ! Il faut sauver ces preux !... Courez vélocement !

Le chariot pénétra sous un porche et s'ouvrit une voie dans la foule qui s'écarta bruyamment. Les signes de courroux et de haine que Tristan redoutait se manifestèrent immédiatement. Des cris jaillirent :

— A mort ! A mort !

— Abandonnez-nous ces ordures ! On en fera ce qu'il faut !

— A quoi bon les juger !... Laissez-nous les justicier !

Guillonnet de Salbris tira son épée mouillée de sang et, tout en menaçant la foule, commanda qu'on protégeât les captifs. Ils furent aussitôt entourés par les hommes d'armes. Des poings se tendirent ; des insultes et des quolibets rebondirent de bouche en bouche :

— Vautours !

— Chiens galeux !

— Fils de putes !

— Un clerc qui doit avoir des burettes pas plus épaisses que des lentilles !

Le chariot s'arrêta, pris d'assaut par des manants résolus à contempler les deux martyrs du Devoir peut-être funèbrement enlacés. D'une fenêtre en encorbellement, une jeune fille lança le contenu d'un pot qui se répandit sur Angilbert dont le cheval éclaboussé hennit et trépigna.

— Du pissement de jouvencelle ! gémit le moine. Si je n'avais les mains liées ainsi, je coifferais ma cuculle !

— Devant, le Père et le Fils, glousssa Nadaillac. C'est sûrement le Saint-Esprit qui a chu ou chié sur ta tonsure !

On avançait lentement car un tas de fumier (1) obstruait la rue. Il fallut s'y enfoncer jusqu'aux chevilles. Angilbert le Brugeois grommela :

— Cheval compris, je suis tel Job dans la misère. Hein, messire Salbris ?

— Ferme ta goule, moine, ou gare à mon épée !

Une fillette tira la langue à Tristan et sa mère lui montra son poing gros et rouge : un poing de lavandière accoutumée à lever le battoir. Et plus ils pénétraient dans la cité, plus la foule devenait épaisse. Ceux et celles qui caquetaient avant le passage des prisonniers ne changeaient rien à leurs parlures, mais ceux qui ne disaient mot aboyaient autant que des veautres lancés sur les traces d'un cerf ou d'un sanglier.

— Donnez-les-nous !

— C'est à nous de sévir !… Des couteaux et des serpes !

— Une épée ! Une épée !... Occisons ces marauds !

Tristan admira ses compagnons. Plutôt que de courber craintivement le dos, ils se redressaient : malgré leur male chance, ils se sentaient vainqueurs, et cette assurance-là suffisait à les conforter dans leur allure. A d'autres l'humiliation d'avoir perdu la bataille !

Il devait maintenant dominer sa fatigue et résister au poids de son armure. A l'entour, la rancune et la haine commençaient à s'exprimer par des crachats et des volées de bâton. Derrière son liard qui parfois hennissait sous un coup immérité, il regretta la perte de son bassinet quand une pierre heurta son front.

— Qu'on l'essorille et le brûle ! s'écria un homme à tablier de forgeron.

Et il brandit un marteau avec lequel il eût pu occire un bœuf.

— C'est le chef ! hurla une femme. C'est *leur* chef !

Lui, Tristan, un chef de route ? Cette foule, après tout, il pouvait la défier mêmement qu'Angilbert, Nadaillac et les autres. Elle ignorerait toujours, sans doute, comment les droituriers de Lyon avaient, par négligence et sottise, concouru à leur déconfiture. « Maudits soient tous ces Grands qui ne comprennent rien à la guerre et font parade de leur nullité en toute circonstance ! » Plutôt que d'affirmer son innocence à tous ces forcenés qui n'y eussent pas cru, l'envie lui vint de répondre aux crachats qu'il recevait par l'affectation d'un mépris grandissime. Sans que cela lui fût désagréable, il découvrait qu'au lieu de se sentir confondu de honte et de tristesse, il s'encuirassait d'orgueil et de dédain. Et s'il n'eût

---

(1) L'agriculture n'utilisait pas les fumiers, qui s'accumulaient sans cesse. A Marchenoir (Loir-et-Cher), ils étaient réunis hors de la ville, mais à Tours, ils rendaient la rue… Maufumier impraticable.

conservé son sens de la mesure, il se fût réjoui d'avoir contribué, à son corps défendant — la formule le réjouit — au triomphe d'une armée de malandrins envers lesquels, pourtant, son exécration demeurait inchangée.

Soudain, et parce qu'il était à bout de fatigue et d'humeur, l'envie le prit de rire. S'ébaudir à la fois des gens et de son malencontreux destin ; s'ébaudir de cette défaite de la noblesse face au vice. Ecrasés par des pierres, les Justes ! comme disait Bagerant. Ecrasés par des frondeurs sans qu'aucun de ceux-ci ne se fût pris pour David. Aplatis, débordés, saccagés par l'intelligence et la perfidie, l'astuce et le courage, car ces fils de Belzébuth s'en trouvaient pourvus.

— Qu'on les écartèle !

— Emasculons-les !

— Maintenant ! hurla une harengère. Je me chargerais bien de leur couper le vit et l'escarcelle !

— Tu vois, commenta Angilbert en touchant Tristan du coude. Il n'y a pas que chez nous que des envies de cette espèce prennent naissance ! Donne un couteau à cette gentilfame et elle t'empêchera... rasibus, l'envie de forniquer !

Tristan regarda ses mains. Elles enflaient toujours. Ses doigts lui faisaient mal : le sang n'y passait plus. Son liard ne le tirait pas comme celui d'Angilbert tirait le clerc à la démarche alourdie. C'était un bon cheval, ce pommelé. Le croc d'une guisarme avait taillé sa cuisse dextre, et s'il souffrait, son sang ne coulait plus.

— Où nous mènes-tu, Guillonnet ?

Nulle réponse. Quelle prison ? Elles étaient aussi nombreuses que les juridictions : seigneurs, sénéchaux et baillis ; prévôts et communes... Les évêques disposaient de leurs ergastules ainsi que les Chapitres et les abbayes...

— Vous serez jugés en la Prévôté... ou à la Malemaison par le tribunal du bailli royal... Mais ne me parle plus, maraud, ou je te frappe !

La foule parut reculer. Ce n'était qu'une impression : le cortège atteignait une place. Le cheval qui menait le charreton se mit à trotter pour entrer sous un porche. Les vociférations s'atténuèrent pour renaître, empirées, dès que la voûte eut été franchie. Les gens parurent à Tristan plus nombreux. Une femme remonta le groupe des captifs pour précéder le convoi.

— Bourbon va mourir ! hurla-t-elle. Son fils est mat. Je les ai vus du haut de ma fenêtre !

La fureur du peuple s'exprima en mugissements, sifflets, haros et sarcasmes, tandis que des fourches et des bâtons se levaient parmi les poings agités.

— Heureusement que tu as conservé ton armure, mon fils, dit Angilbert. J'ai, moi, des mailles sous mon froc. Sans elles je serais bleu des épaules au cul !

— Je comprends leur haine et leur courroux, dit Tristan. La déception les aggrave.

Une pierre l'atteignit au front, une autre à la tempe. Il sentit du chaud glisser sur sa chair. Son épaule vibra sous un heurt qui, sans son fer, lui eût fait un mal terrible. Il baissa la tête et regarda les gens en dessous, fugacement, pendant qu'il sentait sa mâchoire s'empâter sous un coup de verge. Il pinça les lèvres afin de préserver ses dents.

— Jésus a dû subir un pareil… martyre, mon fils, bredouilla Angilbert.

— Jésus était un saint ! grommela Salbris. Vous n'êtes que des pourritures !

La tonsure du presbytérien éclata sous une volée de lanières.

— Ce n'était pas un fouet de guerre, dit-il simplement, mais un *scorpion* dont les cinglades sont lestées d'hameçons et de billes de plomb… Si je soupire, c'est que la douleur est forte ; c'est aussi parce que je t'aime bien, Castelreng… Quand nous serons au Ciel, tu me raconteras ta vie.

— Vous me confesserez avant !

— Et de quoi, mon fils ? D'avoir été vaillant, aimant, repentant ?

— Au point où j'en suis, mon Père, je ne saurais me repentir. La haine de ces manants m'oblige à reporter sur eux l'aversion que j'ai eue pour vos compagnons. Plus les gens sont couards et plus ils deviennent méchants quand l'occasion d'exprimer leur mauvaiseté foncière se présente. Les femmes, surtout, hélas !

— Oh ! regarde mon fils cette noire maison où veillent des coquins copieusement armés !

Un rire s'éleva, derrière eux ; celui du guisarmier qui avait percé Nadaillac :

— Nous avons aussi notre Petit-Châtelet, comme à Paris, et dedans, des chartres (1) à trente pieds sous terre !… Suffit d'y demeurer un jour ou deux pour y trépasser par manque d'air !… Celui qui creusa ces fosses a fait aussi, à ce qu'on prétend, celles de l'abbaye de Saint-Germain-des-Prés… On ne peut s'y tenir ni debout ni couché car la paille qu'on y met… quand il y en a, flotte sur l'eau qui suinte des murailles… Faut vous dire que le fleuve Rhône passe non loin de là…

(1) Cachots.

Il rit. Tristan ne se retourna pas pour voir son visage. Il suffisait qu'il l'imaginât. Il regardait la façade sombre, hautaine, et quelques merlons qui semblaient mordre à belles dents le ciel de suie. Une prison nouvelle allait s'ouvrir pour lui. Maison grise, trapue, flanquée d'une haute tour massive, coiffée d'un cône d'ardoise. On y entrait de plain-pied, mais ils allaient devoir passer devant une double haie de picquenaires — bien contents eux, d'être demeurés à Lyon ! — qui semblaient habillés de mailles neuves tellement ils les avaient fourbies.

Le guisarmier toussa, puis rit encore :

— Vous, on vous mettra tous dans l'entonnoir, comme je l'appelle.

— L'entonnoir ? interrogea Tristan qu'un rétrécissement de la rue obligeait à coudoyer Angilbert.

— On appelle ainsi, mon fils, une geôle dont le sol a semblance d'une poivrière inversée... C'est une invention horrible, bien digne de gens de notre espèce, qu'en penses-tu ?

Une piqûre de guisarme fit bondir le clerc et *la voix* toute proche suinta aux oreilles de Tristan :

— On ne peut s'y dresser sur les pieds, ni s'asseoir, ni se coucher... On ne peut même pas foutre son dos sur la paroi et appuyer ses pieds sur l'autre bord... Fais un effort, chevalier félon... Imagine la chose.

Tristan haussa une épaule et sentit aussitôt s'aggraver la douleur due au coup qu'il avait reçu. Mais qu'importait son corps ! « Là où nous allons, puis là où nous irons, je ne devrai songer qu'à mon âme ! » Jusqu'à ce jour des Rameaux, soit dans ses aventures auprès de Tiercelet, soit en compagnie des démons de Brignais, il s'était tant bien que mal accoutumé aux singularités de sa situation. Il se justifierait devant ses juges. Il exigerait qu'ils envoyassent un message au roi. Salbris ne pourrait s'y opposer.

— Les Rameaux, mon Père... Les disciples accueillent Jésus à Jérusalem et brandissent des palmes sur son passage... Nous voyons des poings, nous recevons des gourmades et des insultes...

Brusquement, avant de pénétrer dans ce châtelet où la justice enfermait ses bassesses, Tristan se tourna vers le guisarmier dont l'arme venait de heurter sa dossière :

— L'Archiprêtre a fait en Berry et en Nivernais, puis en Provence, ce que tu reproches à ces malandrins d'avoir fait !

— Malandrin vous aussi, messire !

— Si tu veux... L'Archiprêtre est devenu soi-disant serviteur de la Couronne !... Qui te dit, drôle, que tous les hommes de Brignais ne serviront pas la royauté française un jour, tout comme Arnaud de Cervole ?

Guillonnet de Salbris fit entendre sa voix, aussi sèche que les claquements des sabots sur les pierres :

— Tu jangles (1), malfaisant, sans savoir ce que tu dis !

— Ce que je dis, c'est que si je pouvais l'atteindre ou qu'il soit instruit des charges dont tu m'accables, le roi m'accorderait des lettres de rémission.

— Ne gaspille point ta salive ! conseilla Angilbert dont le cheval, saisi aux rênes par un des picquenaires, cessait tout à coup d'avancer. Regarde : nous sommes parvenus à ce qui va devenir notre hôtel.

La porte devant eux, constellée de clous pareils à des deniers entre les foisonnements de ses pentures, couina sur ses charnières énormes. Tristan vit une lueur. Un flambeau éclairait il ne savait quoi.

— Entrez, soyez les bienvenus ! ricana Guillonnet de Salbris.

Tristan retint une injure et se refusa de penser. Pas même à Oriabel. Mieux valait supporter le présent et l'avenir sans se référer au passé.

« Demain je serai jugé... Je me défendrai ! Si nous comparaissons tous ensemble devant nos juges, même Nadaillac attestera de ma sincérité ! »

Son cheval fut mené devant un petit portail. Un jeunet en armure, coiffé d'un bassinet, — un écuyer sans doute — lui délia les mains puis le menaça d'une dagasse dont la lame au talon gravé brillait autant que son regard :

— Pas de mouvement bref, messire de Crapule, ou vous aurez ceci sous votre gorgerin !

A quoi bon répondre à ce blanc-bec. C'eût été provoquer sa jubilation. Se détournant un peu, Tristan vit Angilbert le rejoindre :

— Les cellules sont étroites, mon fils. Nous en partagerons une à nous deux... On respecte mon froc de bure et ta qualité de chevalier !

— Les autres ?

— Un logis pour tous... profond sans doute...

— A quand le jugement ?

— Nous sommes déjà jugés, mon fils. Il paraît qu'eu égard à ce que nous sommes, un procès eût été du temps perdu...

— Quel châtiment ?

— Le feu, comme à des hérétiques... Par une sorte de décence à ton égard, ce Guillonnet de Salbris ne t'en a point parlé, mais la décision était prise avant même qu'ils nous aient attrapés.

— Qui en a décidé ainsi ?

---

(1) *Jangler :* plaisanter.

— Les notables de la cité… Avant de chevaucher à notre rencontre, Bourbon leur avait promis de leur apporter un millier de Tard-Venus qu'ils mettraient à rôtir sur les rives du Rhône afin d'en disperser les cendres aisément.

On les poussa : l'écuyer et Guillonnet de Salbris. Ils entendirent Nadaillac hurler « Adieu, nos frères ! » et le jeune écuyer de rire :

— Au diable, pour sûr !

« Bientôt », songea Tristan, « demain sans doute, je hurlerai mon innocence en pleine rue… Ici, les cris sont vains. De plus, Salbris serait trop heureux de les ouïr ! »

Un couloir et des escaliers noirs qui descendent. Une herse de fer poisseuse d'humidité grasse. L'odeur, aussi, semblable à celle d'un charnier lointain. Ici, tout était buée, viscosité, silence. Un abîme s'ouvrait qu'ils quitteraient, Angilbert et lui, pour gagner un autre abîme où peut-être leur seconde vie serait belle.

— C'est là, dit l'écuyer en ouvrant une porte.

Tristan s'aperçut seulement qu'il avait été suivi par un porteur de flambeau. L'homme en agita la flamme d'une main rageuse tandis que de l'autre il remuait son clavier chargé d'une demi-douzaine de clés fort bien entretenues : elles scintillaient.

— Messire le traître, dit Guillonnet de Salbris, va quitter son armure sur ce seuil…

Sans mot dire, Tristan commença d'ôter sa cuirasse et Angilbert l'aida à se débarrasser du reste. Il agissait comme si tout ce qu'il faisait était aisé, naturel. Il se disait parfois : « Les chiens ! » ou « Il fait froid » ou bien encore : « Qu'est-*elle* devenue ? » Tiercelet veillerait sur elle. Qu'eût-il pensé, qu'eût-il fait présentement s'il s'était trouvé à sa place ?

— Entrez, commanda Guillonnet de Salbris.

— Oh ! Oh ! fit Angilbert en mettant un pied dans la cellule.

— J'espère, dit Tristan, que vous allez nous épargner un séjour dans cette machine.

Il souriait ; ses yeux rencontrèrent ceux de son ancien compagnon : ils étaient dilatés, froids, impitoyables.

— Hé ! Hé!… Il vous faut un bon lit pour votre dernière nuit… Bourbon, avant de quitter la cité, l'avait fait réserver pour Garcie du Châtel et le Petit-Meschin !… L'on m'a dit, là-haut, de vous octroyer cette couche ! Résignez-vous !… Conseil d'ami… Sans quoi, j'appelle et vous fais assommer avant de vous y faire étendre…

D'un doigt, Salbris désignait le *cep,* ou *bloc,* ce gros madrier divisé en deux pièces avec des encoches semi-circulaires qui formaient, en se rapprochant, des ouvertures pour les poignets et les chevilles qu'on introduisait en soulevant, côté tête et côté pieds, les madriers supérieurs.

Angilbert voulut résister : ramassant ses clés dans son poing en un mouvement vif dont il avait coutume, le geôlier frappa le clerc sans souci de son froc et de sa tonsure. Il s'écroula en gémissant et fut maintenu allongé par l'écuyer tandis que Salbris, de son épée, lui piquait le ventre.

— A toi, Castelreng !

Tristan s'allongea et sentit bientôt ses chevilles et ses poignets ceints de chêne. Deux verrous craquèrent.

— Et voilà ! exulta Guillonnet de Salbris. La nuit va me sembler longue à moi aussi tant j'ai hâte de vous voir devenir cendre et tisons !... Votre cachot se nomme *Artois,* celui de vos compères *Flandre*... Tu trembles, dirait-on, Castelreng... Demain quelques fagots te chaufferont à mort !

La porte gronda dans son chambranle. Il y eut un bruit de ferraille.

— Mon fils, dit Angilbert, ton armure était belle. Naudon t'aimait bien.

— Est-il mort ?

— Non... Cette armure venait de Milan.

— Et mon épée de Vézelay... Je dois me confesser d'une roberie...

— Ta ! Ta ! Ta ! Comment pourrais-je t'absoudre d'un péché quel qu'il soit, moi qui n'ai aucun principe ? Sais-tu ce qui m'ennuie ? C'est de retenir mes besoins... Ils seraient trop heureux de me voir, demain, pisseux et merdeux !

Un long silence s'ensuivit, et bien qu'il parût prendre un bain de ténèbres, Tristan ferma les yeux afin de mieux s'enfermer dans ses pensées. Il avait mal au cou, au front, aux épaules ; des fourmis hantaient ses poignets.

« Si père me voyait ! »

Pourquoi se voyait-il, lui, maintenant, aux côtés de Thoumelin de Castelreng, cheminant vers les hauteurs de Puylaurens, le cœur en fête ? Etait-il possible que le damoiseau d'autrefois revécut en lui avec toute cette chaleur, cette soif de vivre qu'il avait possédées dans sa jeunesse prime ?

— Puylaurens !

Ils avaient accompagné jusque-là Blanche de Bourbon (1). Après avoir soigné ses écrouelles à Rennes-les-Bains, elle s'était rendue à Limoux. C'était là qu'il l'avait rencontrée : brune, belle

(1) Fille de Pierre Ier, duc de Bourbon, et d'Isabelle de Valois, sœur de la reine de France, Jeanne de Bourbon, on l'avait contrainte d'épouser, en 1353, Pierre Ier, roi de Castille, devenu Pierre Ier le Cruel. On ne sait comment elle mourut, en 1361, étranglée ou poignardée au château de Medina-Sidonia. Née en 1338, elle était âgée de 23 ans.

et chagrine. Elle partait, dolente, pour l'Espagne où elle devait épouser le roi de Castille. Elle ressemblait aux damoiselles des Livres dont les pires chevaliers s'énamouraient au premier regard, et de lions se faisaient agneaux, sauf, évidemment, à la guerre. Elle était de deux ans son aînée. Il s'était en lui-même indigné qu'elle dût déjà partager la couche d'un homme et il l'avait imaginée, révulsée, entre le bras de Pierre Ier dont il pensait qu'il était gros et brun, poilu, éhonté, impudique. Il avait passé la nuit à veiller devant la porte de la princesse et quand, au petit jour, elle s'en était allée, Thoumelin de Castelreng n'avait pas manqué de vitupérer cette dévotion singulière : « Elle n'était point pour toi... Trop haute de naissance ! » Il n'en ignorait rien. A quoi bon le lui dire. L'annonce de sa mort l'avait consterné.

— Tu es bien silencieux, mon fils.

— Je revivais des fragments de ma vie.

— Essaie de les chasser de ta mémoire : plus tu en ressusciteras, plus tu t'affligeras de quitter cette terre !

C'était sagesse. Bon sang ! comme il était court-battu ainsi couché, sans pouvoir accomplir un geste. Ses yeux ne voyaient rien que ce noir de gouffre où l'haleine du clerc et la sienne montaient se froidir et condenser sur la voûte qui, de temps en temps, laissait tomber une larme. Des poignets aux talons, des douleurs le tenaillaient, le grignotaient. Un bon lit, de bons soins... Qu'importait que le lit fût vide... Le sol restait sous lui froid et gluant. Il se soulevait parfois d'une fesse, d'une épaule, pour atténuer l'une ou l'autre de ses souffrances et remédier à ce qui semblait une sorte d'ensevelissement.

— Je suis tout engourdi de mal. On dirait de petits tisons qui vont et viennent. Ma tonsure me fait l'effet d'une auréole bouillante !

— Vous entrez en sainteté !... Saint Angilbert !

— Demain, mon fils, nul pénitencier (1) ne s'approchera de nous afin d'intercéder pour nos âmes !... Comment ces morpoils nous mèneront-ils au bûcher ? A pied ou en charrette ? Serons-nous hissés sur un gros tas de fagots tous ensemble ou disposerons-nous d'un bon lit de paille et de sarments par personne ? Il faudrait pouvoir dormir mais, dans la position où nous sommes... seule une ribaude pourrait tirer quelque chose de nous, et inversement !... *Et pas touche,* si j'ose dire... Tristan, mon fils, n'ai-je pas raison ?

— Vous êtes bien hardi pour un homme d'église !

— Clairvoyant, si j'ose dire en ces ténèbres ! Dieu Lui-même ne peut nous voir en ce trou... Alors, j'ose livrer tout haut mes pensées.

(1) Aumônier des prisons.

Le froid les enveloppa. Dès lors commencèrent les picotements de la chair et des paupières. Bien qu'il fît absolument noir, Tristan voyait parfois, au-dessus de lui, une espèce de ciel tout écaillé d'étoiles. Un miracle faisait surgir sur ses prunelles, avec la nostalgie des années révolues, les cieux qu'il avait contemplés.

— Cette nuit rend délicieuses toutes celles que j'ai passées au donjon.

Il rit, emporté par une joie inepte.

— Allons, allons, mon fils ! bougonna Angilbert.

— Dommage que je ne puisse affronter Salbris en champ clos !... Dieu sait quel plaisir...

— Dieu ne sait rien, mon fils, ou pas grand-chose... Je suis corrompu et tu es pur... Et nous sommes pourtant dans le même ergastule, promis au même sacrifice. Cela devrait te donner à penser !... Essaie de dormir. Parfois, l'on fait de beaux rêves.

Ils ne se parlèrent plus, enfermés dans des méditations qui ne pouvaient être que différentes.

* *
*

Un grincement tira Tristan de son immobilité. La lueur d'un flambeau dansota dans la geôle. Se détournant, il vit que tout comme lui, Angilbert avait les yeux ouverts. Le gardien fit tinter ses clés :

— Je vais vous extraire de votre lit... Voyez : il y a derrière moi un clerc qui peut vous confesser...

— Inutile, dit Tristan.

Il s'étonna que ce fût lui qui eût fourni cette réponse. Il était déjà loin des us et coutumes des « braves gens » et « honnêtes prud'hommes ». Ce dernier matin de vie charnelle lui paraissait d'une simplicité parfaite, et si — du moins pour le moment — le bûcher ne l'effrayait pas, il enrageait de devoir endurer à nouveau les coups et les insultes des manants.

Il sentit les madriers se lever. Il put se frotter les poignets et les chevilles. Il avait la bouche pâteuse et les yeux sûrement gonflés. Angilbert, libéré, se frictionna le ventre.

— J'ai pris froid...

— Tu te réchaufferas, moine, dit le geôlier qui, la veille, n'avait pas hésité à le malmener.

— Je prierai pour toi, messire des Hautes Œuvres, quand les flammes lécheront mes orteils !

— Soyez heureux, s'ébaudit l'homme. On ne vous appliquera pas la question, ce dont je suis marri.

— Et pourquoi ? s'étonna Guillonnet sortant de l'ombre, son bassinet à la hanche, à croire qu'il avait dormi tout fervêtu.

— Je leur aurais fait ce qu'on m'a appris à Autun, quand j'ai commencé à exercer mon office en cette bonne ville.

Et tourné vers les condamnés :

— Vous auriez chaussé des bottines de cuir usé, spongieux ; mes aides vous auraient liés sur une table et versé sur les pieds moult pichets d'eau bouillante... Le cuir se serait décomposé... ainsi que vos chairs et vos os... Il faut, c'est évident, une bonne journée pour y parvenir...

— Tu vois, Tristan, dit Angilbert en se détournant, qu'il n'y a pas que les routiers pour avoir de belles idées !

— Avancez ! commanda Guillonnet de Salbris.

— Auparavant, nous permets-tu de pissoter un coup ? ... *Oui !...* Messire de Salbris, vous voilà charitable. Dieu vous en tiendra compte... Viens, Tristan, et qu'importe s'ils nous regardent : ils sont assujettis aux mêmes lois que nous pour ce qui est des *functio* digestives... C'est bien la seule égalité qui existe sur cette terre !... Ah ! là là, si seulement du ciel je pouvais leur chier sur la hure !... As-tu fini ? ... Bon... Ne les faisons pas attendre... D'ailleurs, plus tôt nous serons en compagnie de Dieu, plus tôt nous serons heureux... Nous bénirons Lyon et son armée, morte, de vireculs !

* *
*

L'escalier gluant, étroit, nauséabond. Les lueurs du flambeau semblaient, elles aussi, sujettes à une peur répulsive.

« Mourir !... J'ai servi notre roi et voilà où j'en suis ! »

Le désespoir d'Oriabel, *si elle savait*, serait inconsolable. Il l'aimait plus encore dans son infortune qu'il ne l'avait aimée dans leur pauvre bonheur. Il lui semblait que son esprit, plutôt que d'être empli d'indignation, s'épurait ou se tarissait de tous les sentiments tempétueux et contradictoires qui l'avaient encombré depuis sa malaventure auxerroise. Sa haine pour Salbris s'était même assagie.

— Prie ! lui conseilla Angilbert.

Prier ? Non. Il avait dépassé ce qui lui paraissait un enfantillage. Dieu ne pourrait guérir son âme de la résignation inattendue qui l'engourdissait. Il ne reverrait plus Castelreng. La douce oisiveté dont il avait rêvé dans l'infernal silence des nuits de Brignais — et qu'il eût partagée avec Oriabel — n'était plus qu'une espèce de marmouserie. Il allait devoir affronter la foule et cela lui paraissait une épreuve à peine moins pénible que d'affronter la mort. Le bruit de la fête abjecte crépiterait à ses oreilles avant que ce fût le frai (1) dû au ronflement et à la crépitation des flammes. Comme on devait souffrir !

— Dois-je te dire : *courage*, mon fils ?

— Non, Angilbert.

Foule hurlante. Elle allait battre des mains. Crachats. Jets de pierres : les Lyonnais avaient eu le temps d'en faire provision. N'y plus penser. Se consoler par les leçons tirées des actes dont on pouvait s'enorgueillir... Oh ! et puis à quoi bon ressasser le passé, à quoi bon se rafraîchir l'âme par le souvenir des voluptées évanouies. Peut-être un jour, si elle guérissait de sa désespérance, Oriabel sentirait sur son corps la présence de mains étrangères... Ce ne seraient pas celles de Tiercelet... Non !... La vie, la mort...

« Je ne sais plus où j'en suis. »

— Là-haut, dit Angilbert, nous serons libres.

Libres de quoi ? De flotter dans l'azur comme autant de nuages ?

— C'était tout de même une belle bataille, hein, Castelreng ?

— On n'en parlera point.

— Et pourquoi ?

— Parce qu'elle est perdue pour les lis.

— Il est vrai... On va bien s'ébaudir à la Cour d'Angleterre.

Il y eut un cri. Salbris. Il ajouta :

— Taisez-vous ! Taisez-vous !

Angilbert roucoula, puis :

— Ah ça non, mon fils. Voudrais-tu nous imposer le silence avant que nous ne toussions des flammes ?... Fais comme nous : pense à la bataille. Tu survis, mais dis-toi que ton honneur est mort.

— Je me demande, dit Tristan, s'il en a jamais été pourvu.

Il venait d'accéder à la dernière marche. Le coup de poing ferré qu'il reçut sur son épaule blessée lui tira un gémissement. Il sentit quelque chose rouler sur ses joues.

— Oh ! toi, Guillonnet...

Il se tut, ne trouvant aucune parole assez forte pour combler l'abîme d'horreur qui venait de s'ouvrir entre Salbris et lui.

---

(1) Vacarme.

VI

Le soleil avait envahi la cour de la Malemaison. Ses brandons enflammaient les rares vitres des bâtiments et avivaient les feux des escarboucles et des béryls bleus et verts assemblés en croix sur la mitre d'un évêque barbu, immobile et comme accablé d'ennui. Le crosseron de son bâton pastoral, roulé en trois volutes, semblait une couleuvre lovée dans la tiédeur du matin, prête à se dérouler pour lui mordre la main.

Il y avait aussi des luisances d'armures ; elles alternaient avec l'éclat des chasubles, des étoles, et le chatoiement des robes et chaperons emperlés, de sorte que toute cette frisqueté (1) ne pouvait qu'aggraver l'état lamentable dans lequel se trouvaient les prisonniers. Tous avaient leurs vêtements lacérés encroûtés de sang sec. Cependant, si Nadaillac, Sabourin, Martineau et Lambrequin se tenaient debout, Taupart et Fauquembois demeuraient allongés. Baissant les yeux, Tristan vit que leurs pieds n'étaient plus qu'une marmelade noire, purulente. Par le fer ou l'eau bouillante, peut-être les deux alternés, ils avaient subi la question.

— Notre lit, mon fils, et notre sort furent avantageux.

Tristan se contenta d'approuver de la tête. Guillonnet de Salbris s'esclaffa :

— En voilà deux qui, s'ils étaient condamnés à vivre, ne pourraient plus monter sur leurs grands chevaux ! Vous ne leur enviez pas leur nuit ?

(1) Elégance.

Le bourreau cagoulé de rouge se défendit sous le regard haineux qu'Angilbert lui jetait :

— Hé, mon Père, je n'œuvre pas seul en cette demeure. Voyez mes bons assesseurs !

Ils avaient l'aspect de deux écorcheurs. Au Mont-Rond, ils eussent été accueillis à plaisir sans que Thillebort lui-même se fût senti enclin à barguigner sur leur admission dans sa route. Derrière ces turlupins glabres et rubiconds — comme s'ils suçaient aussi le sang de leurs victimes —, dix ou douze dames aux manteaux de cendal, de velours ou de mollequin ; aux huves et frontaux (1) emperlés, souriaient et caquetaient comme au sortir d'une messe. Tristan, gêné par une colique, dut s'avouer qu'ils les eût détestées s'il n'avait conservé la mémoire des malheureuses de Brignais. Ces Lyonnaises n'ignoraient rien, sans doute, des traitements endurés par les captives des Tard-Venus ; mais était-ce tout de même une raison pour qu'elles voulussent assister à l'embrasement de huit d'entre eux ? Il devait hélas ! s'intégrer dans ce nombre puisque Salbris en avait décidé ainsi et que demander, exiger un procès eût été une requête non seulement rejetée, mais risible et humiliante. Il avait franchi les lisières de son monde ; il appartenait désormais et pour peu de temps, sans possibilité de recours, a cette sentine d'humanité dont il s'était persuadé, avant même d'en connaître l'abjection, qu'il fallait l'anéantir.

« Je suis perdu », se dit-il alors que, tirée par deux bœufs roux, la charrette destinée aux suppliciés entrait dans la cour, hérissée de ridelles si hautes, à treillis de bois si étroit, qu'Angilbert, blême et frissonnant, commenta en s'efforçant de sourire :

— Voilà qu'ils nous prennent pour des écureuils. Pas vrai, Tristan ?

C'était des charrettes de cette espèce, tirées par des bœufs semblables, qu'on employait à Castelreng aux moissons et fenaisons. Il n'avait jamais craint de se joindre aux hurons pour contribuer à l'engrangement de la paille et du foin. Ces jours-là, on mangeait et buvait tous ensemble. Il était le confident des espérances et des doléances de ces humbles auxquels sa présence manquait peut-être.

Une rage désespérée le prit :

« Sitôt dans la rue, je clamerai mon innocence ! »

S'il échouait, il se démènerait jusqu'au pied du bûcher. Il faudrait bien que quelqu'un entendît ses lamentations ! Il devait se refuser d'espérer que par mansuétude, comme c'était souvent l'usage, il serait étranglé avant que la torche eût atteint la paille…

---

(1) Cornette empesée emboîtant la tête et retombant en plis sur les épaules.

Bon sang, n'y avait-il plus à Lyon de chevaliers de haut rang pour qu'on eût concédé à un Guillonnet de Salbris toute liberté d'officier à sa guise ? Avait-il, dans cette cité, des accointances particulières ? Auprès de qui ? N'eût-il pas dû, avant de procéder à la punition, en référer au roi ? Au régent ? Avait-on envoyé quelques chevaucheurs à Paris, ne fût-ce que pour commenter la bataille ? Jean le Bon dont les errements avaient abouti à la défaite de Poitiers ; Jean le Bon qu'un Charles de Navarre, absent de Brignais, avait moqué, outragé, trahi, n'allait-il pas tomber d'apoplexie à l'annonce de l'anéantissement de sa grande armée ?

Existait-il encore des chevaliers de l'Etoile pour pleurer cette insigne déconfiture : les gens du roi vaincus par la truanderie !

Un homme s'approcha, que Tristan ne connaissait pas. De loin, il avait cru qu'il s'agissait de Tancarville ou d'Audrehem, mais ses yeux fatigués par les ténèbres de sa geôle lui avaient deux fois menti :

— Etes-vous prêts ?

— A quoi ? demanda Angilbert. A mourir, messire de Puisignan ? Je vois là-bas, parmi des nobles dames, quelques frocs de la même bure que la mienne, mais fraîche, et propre, et soignée. Compendieusement et fermement — *amen !* — je les emmerde... Votre armure est belle, messire. Je ne l'ai pas vue sur la plaine où tant des vôtres se sont fait occire.

Tristan vit la figure du seigneur blêmir et ses gantelets se serrer. Il pouvait avoir quarante ans. Il était blond, sans doute, à en juger par ses moustaches. Des yeux bleus, vifs, et qui d'ordinaire devaient être rieurs. Une bouche avide : il devait aimer les plaisirs du cœur et de la table.

— Si je n'avais d'égard pour la Croix que tu portes, tu recevrais, prêtre infâme, une baffe, comme disent les truands, tes ouailles !

Il se détourna. Un homme en robe rouge, un bailli à l'air avantageux dissimula volontairement ou non son visage derrière le parchemin qu'il avait déployé, tout en marchant vers Tristan et le clerc, comme s'il leur devait une distinction que tous deux, d'un regard outragé, réfutèrent.

Où était Oriabel ? Plus rien ne prévalait contre ce sentiment que déjà un certain Tristan de Castelreng se mourait sans recours : avant que le soleil eût atteint son zénith, il ne serait qu'un peu de poudre. Enfoui dans l'opprobre jusqu'au cou, il pouvait au moins considérer cet homme qui incarnait la Loi, la Justice et le roi, et qui psalmodiait :

— ... et ils seront dispensés de l'amende honorable sèche, mais seront astreints à l'amende honorable *in figuris* (1) et se présenteront en chemise, pieds nus et la corde au cou sur le parvis de l'église Saint-Martin où ils s'agenouilleront, la torche de cire à la main (2). Ils y feront l'aveu de leur malfaisance, *abjectio,* luxure et autres péchés répugnants, dont celui de pillage, celui d'occision, celui de viol. Les condamnés seront tous ars (3) !

— Et de quelle façon, mon fils ? demanda Angilbert. Nous consumerons-nous sur un lit de fagots ? Dans une chaudière d'huile bouillante comme les batteurs de fausse monnaie, nous qui battîmes aisément de faux preux ?

— Sur les bûchers qu'on vous prépare… Hé oui ! Un bûcher par malandrin. Nous ne vous cramerons pas ensemble, mais un par un afin que, sauf le premier d'entre vous, vous vous vissiez mourir.

— *In scelus exurgo, sceleris discrimina purgo !* (4), hurla l'étincelant prélat.

« Tiens ! » releva Tristan, « la devise de Charlemagne ».

— *Amen !* dit le bailli, croyant à quelque phrase d'un Evangile.

Tristan considéra le messager de mort. Sous le bourrelet de son chaperon vermeil à crête, ce coq funèbre se délectait d'une sentence aux apprêts tout aussi fumeux que son exécution. Ils imaginaient l'un et l'autre les huit pilots à l'entour desquels les botteleurs entassaient alternativement un lit de bûches ou de sarments, et un lit de paille jusqu'à hauteur de tête d'homme. Ils avaient soin de ménager, près du poteau, l'espace libre devant recevoir le condamné debout, et le passage pour l'y conduire. Ils seraient revêtus de la chemise soufrée, on les enchaînerait au pilier car les cordes les plus grosses brûlaient trop aisément. On boucherait de fagots et de paille le trou d'entrée. Le boute-feu s'approcherait et les flammes jailliraient de toutes parts.

« Nous tousserons, hurlerons. Ce sera… terrifiant ! »

— Et leurs cendres seront répandues dans le Rhône ! proclama le bailli en commençant à replier son parchemin.

— Vaut mieux ça que d'être écartelés, compères ! hurla Nadaillac.

Il rit, superbe, scandalisant l'assistance dont certaines dames poussèrent des *Oh !* courroucés.

---

(1) L'amende honorable dite simple ou sèche avait lieu sans l'intervention du bourreau. Nu-tête et à genoux, le condamné déclarait que « faussement il avait dit ou fait quelque chose contre l'autorité du roi ou l'honneur de quelqu'un, et qu'il en demandait pardon à Dieu, au roi et à la Justice ». L'amende honorable *in figuris* avait lieu en public.
(2) Le poids de la torche variait selon la gravité du forfait.
(3) Brûlés.
(4) Je me dresse contre le crime et fais justice de ses attentats.

— Et n'auront point droit, acheva l'homme-coq immobile, d'une voix qui tremblait de fureur, point droit d'exiger du pain et du vin en passant devant le couvent des Filles-Dieu, sis rue de la...

— ... de la merdaille ! ricana Lambrequin, suscitant ainsi les rires de ses compères, — même ceux qui gisaient devant lui, les pieds broyés.

L'assistance s'était regroupée. On parlait. Qu'attendait-on ? Angilbert toussota, sourit et grommela :

— C'est par charité chrétienne que tous les moines que tu vois, Tristan, vont se réjouir de nos tourments. Nous aurions dû, en venant à Brignais, assaillir Francheville. Ce gros archevêque, à la dextre de Puisignan, c'est Renaud II, dont j'avais appris qu'il défendait cette ville... Le petit prélat, tout proche, c'est Jean de Talaru... Il est ambitieux, sans scrupules : il deviendra archevêque... Celui qui resplendit, c'est Charles III d'Alençon, le fils du frère de l'ancien roi Philippe VI, et cet autre, là-bas, Guillaume de Thurey.

— Vous les connaissez bien !

— Il suffit de vivre un mois à Lyon et de hanter les églises. Lyon fourmille de porteurs de frocs : dominicains, franciscains, carmes, augustins (1). C'est des dominicains qu'est sorti monseigneur d'Alençon... Ce petit gros, là-bas, c'est le custode (2) Guillaume de Lespinasse dont le frère, je crois, qui se nomme Philibert, est gouverneur du Berry et d'Auvergne... Tout proche, mais l'air consterné — c'est le seul ! — ce petit moine, c'est Guy de Chauliac, le plus grand mire du royaume... Brignais lui appartenait... Il apporte ses soins au Pape d'Avignon ; il a soigné aussi les trois derniers rois de France et Jean de Bohême, le roi aveugle qui périt à Crécy... Tous ces gens composent ce que nous appelons le beau monde... Ah ! voilà que sont terminées leurs parlures et que ton grand ami fait un signe.

— Qu'on les mette en charrette ! hurla Guillonnet de Salbris.

---

(1) Les dominicains s'étaient installés à Lyon en 1218, les franciscains en 1210, les carmes et les augustins en 1303.

(2) Dans les ordres mendiants, le *custode* était le moine qui remplaçait le provincial en certaines occasions. Ce ne fut pas Jean de Talaru, chanoine, custode, doyen de Saint-Jean, qui accueillit les corps encore vivants de Bourbon et de son fils, mais Guillaume de Lespinasse.

Charles III, fils du comte d'Alençon, s'était fait dominicain au couvent de Saint-Jacques à Paris, en 1359 ; il devint cardinal de Thérouanne et accéda, sans doute aisément, à l'archevêché de Lyon. Les précédents archevêques avaient été Raymond Saqueti, puis Guillaume de Thurey ; son successeur fut Jean de Talaru.

Bourbon et son fils furent inhumés dans l'église des dominicains, place Confort. Le père eut une agonie de trois jours, le fils de six. Ce n'est que le 4 juin 1395 que leurs corps furent enterrés à Vendôme. Quant à Guy de Chauliac, médecin des trois Papes d'Avignon : Clément VI, Innocent VI et Urbain V, il fut sans doute le plus grand médecin et chirurgien de son temps.

Deux bourreaux empoignaient Fauquembois quand un guerrier au jaseran de mailles lacérées, nu-tête, et dont le cheval avait été blessé au garrot, fit irruption dans la cour. Un homme le suivait, en armure, coiffé du bassinet. Il était brun, moustachu — la quarantaine. Tristan ne l'avait jamais vu ; en revanche, il connaissait le premier :

« Jean Doublet !... Pourquoi est-il venu se jeter dans la gueule du loup ? ... L'autre est chaussé d'éperons d'or. Qui est-ce ? Il n'était pas parmi les truands de Brignais... Ils mettent pied à terre et Doublet se retourne... Il me voit, me salue, me montre de l'index. »

Afin qu'il n'y eut aucune confusion de personne, Doublet s'écriait :

— Dieu soit loué, messire !... Il est là... C'est Tristan de Castelreng !

Et à l'assistance pétrifiée :

— Il était captif des Tard-Venus ! S'il a combattu à Brignais, c'était uniquement pour se défendre !

— Ha ! Ha ! voilà bien des sornes, répliqua Guillonnet de Salbris. Il a occis sous mes yeux mon très aimé Thomas d'Orgeville !

— Ce *très aimé* pue la sodomie, marmonna Angilbert. C'est la jalousie qui porte cet homme à la haine... Et même la désespérance. Nullement le besoin de justice !

Tristan se souvint d'avoir surpris un jour le défunt et Salbris main dans la main, et qu'Orgeville se parfumait fort. Comme une femme. Cependant, il n'eût jamais pensé... De plus, comment aurait-il pu savoir qu'en défendant sa vie contre ses adversaires, il avait affaire à Orgeville ? Tous avaient leur ventaille close.

Cessant de regarder le clerc, il ne vit devant lui que des visages inquiets, ahuris, maussades. Tous ces hommes et ces femmes cachaient derrière leur front la déception de se priver d'un sacrifice : le sien. Par son irruption Doublet corrompait leur plaisir.

L'inconnu s'approcha des témoins stupéfaits. Il s'inclina devant monseigneur Charles d'Alençon et les dames avec une distinction de Cour incongrue en de pareilles circonstances, mais qui révélait une nature pondérée, aimable, bienveillante :

— Je suis Gérard de Thurey, maréchal de Bourgogne, et voici l'homme qui m'a pris à Brignais : Jean Doublet... Il eût pu me conduire auprès de mes compagnons, prisonniers d'autres coquins, et me mettre à rançon... Eh bien, non ! Il m'a dit qu'il voulait revenir à l'obéissance du roi et que son cas était comparable à celui de Tristan de Castelreng, tombé aux mains des Tard-Venus. J'ai plaidé cette nuit sa cause auprès de mon aîns-né, Guillaume, qui est là-bas (1) !

---

(1) Guillaume de Thury (ou Thurey) et Gérard (ou Girard) étaient frères.

Le prélat blême et glabre fut désagréablement surpris d'être interpellé sans ambages. De sa tête à sa main agitée, son attitude apparut négative.

— Et vous avez cru, messire, les propos de ce Doublet ? Il vous a doublé, rien de plus !

Gérard de Thurey lança un regard méprisant à Salbris. Loin de s'en offenser, le hobereau se hissa sur la pointe de ses solerets, au risque d'en faire craquer les poulaines :

— Ce traître est depuis trois mois au moins au service de Garcie du Châtel et de tous les autres fils de Bélial, comme dit notre Saint-Père le Pape ! Ne l'aurais-je pas vu se battre avec fureur et occire mon ami que je pourrais douter de sa conduite… Vous êtes maréchal de Bourgogne, soit. Mais moi, je suis l'homme de confiance de Jacques de Bourbon, qui se meurt et fut peut-être navré par ce malandrin… Et tous mes amis de Lyon en sont d'accord : il doit périr car pris sur le fait !… Il doit périr pour trahison envers la Couronne, et il ferait beau voir que vous vouliez vous opposer à l'exécution d'un félon que nous avons condamné…

— Sans procès !… Sans témoins ! intervint Angilbert.

— Toi, moine corrompu, demeure où tu te trouves.

Et dégainant son épée, Salbris la pointa sur la bedaine d'Angilbert qui se tint coi.

— Doublet, aussi vélocement que possible, sera porteur de lettres de rémission, aussi vrai que je suis Gérard de Thurey !… Je l'envoie à Paris !

— Votre Doublet ne nous est d'aucun intérêt, messire !… Les Lyonnais se sont assemblés dans les rues pour voir passer, dans cette charrette-là, huit routiers im-par-don-nables. Pas sept ! Occupez-vous de votre Doublet ; laissez-moi mener à bien une épuration qui reçoit tous les suffrages… Voudriez-vous l'en empêcher que vous auriez tous les bourgeois et manants contre vous, et qu'à défaut d'être mort à Brignais, vous péririez sans gloire… car qui défend le crime est criminel aussi ! Votre frère lui-même vous désavoue !

— Malebête !

Mais Doublet retint le geste du maréchal vers son épée.

— Ce démon est en force : il faut nous incliner.

Fauquembois se tortilla sur le sol, touchant Taupart dont il augmentait la souffrance, et qui hurla.

— Je ne suis qu'un malandrin, dit-il, et vous vous moquerez autant de mon témoignage que d'un pet que j'aurais lancé… Mais il est vrai que Castelreng est arrivé chez nous juste au mitan du mois dernier. Dès lors, ce hutin n'a cessé de provoquer nos chefs… Il était enfermé au donjon avec…

Guillonnet de Salbris s'approcha et donna un violent coup de pied sur un des moignons du drôle sans lui tirer le hurlement que sans doute il espérait :

— Un mot de plus et je te perce de cette lame… Et puis, non : je préfère te voir devenir visqueux, pustuleux comme le crapaud… Je préfère ouïr tes gémissements !

— J'avais pour vous une certaine estime, dit Tristan, voussoyant son ancien compagnon. Je vais mourir en vous maudissant… Puisse Dieu ouïr mes prières, car je vais vous souhaiter une mort aussi terrible que celle dont vous vous délectez !

Charles d'Alençon les sépara de son bâton pastoral. Il souriait : un trait blanc sous sa moustache dont les pendants se mêlaient à une barbe légère, clairsemée, sous laquelle affleurait une peau blême. Tristan soupira. « Lui aussi se pourlèche à l'idée de notre mort… Si ses grosses oreilles rouges ne retenaient pas sa mitre, elle lui ferait un joli colletin ! » Il fallait qu'il trouvât, en attendant le bûcher, des prétextes au rire ou à la dérision.

Jean Doublet s'approcha, le visage exsangue :

— J'ai fait ce que j'ai pu. Il nous fut impossible de venir plus tôt.

— Je t'en sais bon gré.

Gérard de Thurey s'inclina :

— Mes regrets sont sincères… et je me vengerai de cet outrecuidant !

— Je n'en doute pas, messire.

— Il faudrait un miracle… La foule vous hait tous… Je ne vois pas ce qui pourrait la retourner à votre seul avantage…

— Plus de clarté bientôt, plus d'espérance, commenta Angilbert le Brugeois. Du moins, mon fils, as-tu le contentement amer d'avoir fait pour le mieux… C'est souvent le sort des purs de payer pour les ordures.

Et plus bas, s'adressant aussi bien à Doublet qu'au maréchal de Bourgogne et à Tristan :

— Savez-vous — et j'en parle en connaissance de cause ! — que ce Guillonnet de Saloperie aurait sa place à Brignais.

Un hurlement les fit regarder droit devant. Les bourreaux venaient de jeter Fauquembois dans la charrette. Taupart le suivit, mais retint les cris dont Salbris se fût délecté.

— Montez, vous autres !

Deux guisarmiers entourèrent Nadaillac, Martineau, Sabourin ; et comme il ne se hâtait pas, Lambrequin reçut un taillant sur la tête. Le sang la vermillonna sur tout un côté.

— A vous, le moine !

Angilbert le Brugeois, avant de s'éloigner, bénit les deux stériles sauveteurs, fut empoigné sous les aisselles et hissé, jeté sans ménagement parmi ses compères. Alors, la satisfaction de Salbris éclata comme un chant de trompettes :

— A toi, fils de truie de la Langue d'Oc.

C'était par le mépris qu'il fallait humilier cet homme. Obéir tout en lui fournissant l'impression qu'il n'existait pas. Tristan fit lentement quatre pas, sans peine, avec une dignité qui n'était en rien contrainte : une dignité de prince, songea-t-il. Il sauta seul entre les ridelles et lorsque les bourreaux eurent cadenassé le hayon à claire-voie de la charrette, il demeura debout, sans honte d'affronter le peuple de Lyon.

— Non, dit-il, se méprenant peut-être sur le regard qu'Angilbert lui lançait. Je ne veux point prier... Si vous saviez, mon Père, ce que j'ai pu prier vainement depuis que je suis en âge de le faire ! Jamais je n'ai été exaucé en quoi que ce soit !

— Et Oriabel ?

— C'est à Tiercelet, non à Dieu, que je dois notre rencontre.

Pacifié par cet aveu, il regarda autour de lui tandis que Fauquembois gémissait :

— On a les mains libres...

Cela signifiait, sans doute : « Battez-vous ! Ils vous occiront maintenant et vous échapperez au feu. » Le regardant, Tristan haussa les épaules. C'était tout de même singulier qu'il se sentît à l'aise parmi ces hommes ! Parce qu'ils souffraient et allaient souffrir davantage ? Non. Ils étaient du commun. En tant que tels, leur vie n'avait été composée que de misères et d'humiliations, et c'était pourquoi, croyant obtenir leur suffisance en tout, ils avaient rallié la route d'Espiote, de Thillebort ou du Petit-Meschin. Le moignon sanguinolent que Sabourin dressait comme un sceptre et regardait parfois de ses yeux clairs, prenait une apparence horrible. Nadaillac désigna cette chair noircissante — puante aussi :

— Bientôt, mon frère, un cautère énorme te guérira tout entier !

Tristan fut persuadé que ce truand affronterait la mort avec sérénité.

Un moine étique — un franciscain, le visage enfoncé sous sa coule comme pour échapper aux regards de Dieu — quitta le logis des hommes d'armes et se mit devant la charrette afin d'ouvrir la voie. Il fut suivi par dix arbalétriers de la prévôté dont les deux capitaines se postèrent, l'épée nue afin de contenir les curieux, l'un derrière le monial, l'autre derrière la voiture. Leur torse ceint d'une roque (1) brodée, deux dominicains sortirent, balançant des encensoirs. Ils allèrent flanquer le franciscain sans toutefois se placer complètement à sa hauteur.

(1) Vêtement que les moines d'alors portaient par-dessus la coule.

— Nous aurons moult religieux à nos obsèques, constata Martineau.

— Je veux voir ! supplia Taupart.

Nadaillac et Sabourin — d'un bras — le soutinrent, et il se mit à pleurer, à gémir comme les malheureux qu'ils avait tourmentés.

Le bourreau et ses aides prirent la suite du capitaine, assez près de la ridelle arrière, de sorte que Fauquembois, rampant sur le plancher du véhicule, put cracher sur l'exécuteur des hautes œuvres et dire ensuite :

— Il pleut.

Angilbert le sermonna :

— Mon fils !... Mon fils !... Voyons !... Aie du respect pour ce brave homme qui lui aussi, n'était pas à Brignais.

Traversant la cour après être sortis d'un autre logement, dix soudoyers, barbute en tête et l'arc à la main, comme s'ils allaient à la pêche, formèrent sur deux rangs la fin du cortège que suivirent d'un pas lent, le visage immobile et pensif, Guillonnet de Salbris et les représentants du Clergé, de la Justice et de la Noblesse.

— Est-ce loin, cette église ? demanda Tristan à l'un des arbalétriers qui flanquaient la charrette.

— Trois ou quatre cent toises... Je ne sais pas trop... Je ne suis pas natif de Lyon, mais de Pont-Saint-Esprit... Et c'est pourquoi je vous hais.

— C'est ton droit. Et tu dois abominer l'Archiprêtre ?

— On m'a dit qu'il s'était amendé.

Une voix s'éleva :

— Défense de parler aux condamnés !

Guillonnet de Salbris !

— Où sont Tancarville et les autres ?... Bon sang, c'est ce pernicieux qui commande à Lyon ?

— Les maréchaux et capitaines entreront ce soir en ville, messire, dit un des bourreaux. Par sollicitude, ils sont demeurés auprès de leurs hommes.

— Ou par vergogne ! s'ébaudit Angilbert le Brugeois.

Ce fut tout : ils entraient dans la première rue. Bourgeois, manants, enfants et même quelques ribaudes dépoitraillées leur montrèrent le poing en hurlant : *« A la mort ! A la mort ! »* et même : *« Aux fagots ! »* Tristan s'était attendu à ce flux de colère. Angilbert lui fit signe de s'asseoir auprès de lui, mais il refusa de la tête.

— Dommage, dit Martineau, qu'on ne soit pas à Vendôme !

— Et pourquoi ? demanda Taupart en gémissant.

Il n'osait regarder ses pieds épouvantables. Fauquembois également.

— Pourquoi ?... Parce que la cité a le privilège de donner chaque année la liberté à un condamné le lendemain des Rameaux (1)... Or, nous y sommes !

— Je suis Normand, dit Angilbert.

C'était une sorte de révélation. « Il ne m'avait pas dit cela quand je l'ai connu », songea Tristan. « Il se prétendait de Bruges ! » Mais l'avait-il bien entendu ?

— A Rouen, poursuivit le moine, le Chapitre de Notre-Dame a reçu un droit semblable pour le jour de l'Ascension.

— Nous ne sommes ni à Rouen ni à Vendôme ! enragea Sabourin. Moi, mes frères, j'ai perdu toute espérance.

— Alors, prie !

— Non !... Cela ne sert à rien. Quand la peste est venue dans mon pays, j'ai prié, prié pour qu'elle épargne ma femme et mes enfants... Va te faire lanlaire !... Ils sont morts... Alors, pour mourir aussi, j'ai ensépulturé des morts : des douzaines, des centaines... Et je priais le Seigneur de me délivrer de la vie !... C'est menterie de l'appeler le Tout-Puissant !

— Tu vas les rejoindre au ciel, dit Nadaillac. De quoi te plains-tu ? Brûlant comme tu seras, tu auras le feu au cul et ta femme sera contente !

Tristan écoutait involontairement. Les jurons, malédictions et *« A mort »* dominaient, dans ses oreilles, les propos de ses compagnons. La foule grossissait ainsi que ses injures. Çà et là, un guisarmier, un vougier, un picquenaire la contenait de son arme à l'horizontale, tout en donnant de la voix et, parfois, en insultant les insulteurs.

« Ces honnêtes gens sont affreux !... Il leur faut du sang, de la braise ! Je devrais crier mon innocence, mais ils sont trop méprisables pour que je m'adresse à eux !... Le roi et son fils mettent des impositions sur tout... Ils feraient bien d'en mettre sur la bêtise, la férocité... Nous allons mourir : qu'on nous ait du respect !... La condescendance des gens de Justice est presque aussi affligeante que ces huées, ces poings tendus, ces crachats ; cette pierre qui vient de tomber sur ma tempe... Car on nous jette des pierres des fenêtres... »

Son regard s'abaissa ; il tressaillit. Une bouffée de joie, puis une tristesse féroce le firent chanceler : *là, dans la foule, côte à côte, il y avait Oriabel et Tiercelet.* Aucun doute. Le brèche-dent tenait la jouvencelle éplorée par l'épaule ; son visage était pierreux ; une

(1) Martineau se trompait un peu. C'était le vendredi précédant le dimanche des Rameaux qu'un prisonnier, par cette coutume, pouvait être sauvé.

impuissance terrible noyait de larmes ses prunelles. Tiercelet pleurait aussi !

« Je savais, mon ami, que tu avais une âme ! »

Ils avaient pu s'enfuir, et les routiers de la charrette étaient bien trop étreints par la peur de mourir pour avoir remarqué leur présence devant la porte d'une auberge.

« Ils ne sont que deux... Ils devraient être trois ! »

Mais qu'importait la troisième. Il fallait qu'ils restassent là. Tiercelet devait refuser à Oriabel de l'emmener jusqu'aux bûchers.

« Ils vivent !... Ah ! quelle joie dans ma peine !... Tiercelet va s'occuper d'elle... Il saura la consoler !... Il l'aime bien... Il l'aimera mieux, sans doute... Qu'ils soient heureux... Moi, je serai le vent qui séchera leur peine. Comment s'y sont-ils pris ?... J'aimerais tant savoir ! »

Il les chercha. Ils avaient disparu. Ils n'allaient tout de même pas suivre cette procession lugubre ?

Un douloureux sanglot lui lacéra la gorge, et sa vue se troubla.

— Ah ! Ah ! triompha de Salbris. Je savais que tu céderais à l'angoisse !

Tant de joie effrénée, incongrue, cautionnait l'infecte passion que ce malicieux avait vouée à Orgeville. Dire qu'il avait cru connaître ce... couple ! Dommage qu'il dût mourir, car il eût aimé couper, au plein sens du verbe, la parole à ce sodomite, et faire un sort à sa virilité !

« Je vais cramer, moi, Tristan ! »

Chaque goutte de sa vie, d'autant plus précieuse qu'il allait disparaître, avivait son amour pour une jouvencelle issue de rien. Toute la compassion dont son cœur était plein, plutôt que de s'adresser à sa propre détresse, avait pour objet Oriabel et son désespoir. La foule grésillait de cris et d'invectives ; les poings se tendaient, tressautaient. Des cloches sonnèrent, fortes et funèbres. Ceux dont l'acharnement envers les condamnés confinait à la folie apparaissaient comme ceux dont la condition ressemblait à celle qu'un Taupart ou un Fauquembois avait abandonnée pour courir l'aventure. Comment lui, Tristan, n'eût-il pas rapproché cette tourbe lyonnaise de celle de Brignais ? Il ne pouvait que remarquer l'indécence des vêtements — des haillons, souventefois —, l'indignité des molestes puisées au plus profond d'un langage ordurier ; l'extraordinaire ressemblance entre Nadaillac et un manant qui, à grands coups de bâton, martelait le treillis de la ridelle pour y frapper les doigts que le routier venait d'y crocheter.

Il ferma les yeux sur sa détresse et sa peine, et ce fut alors qu'il entendit un cri si fort, si plein d'autorité qu'il imposait le silence.

Parmi toutes les têtes agglutinées, il aperçut un front haut sous un truffau (1) de velours rouge orné de fanfreluches (2) et des cheveux noirs à reflets bleuâtres comme ceux qui moiraient le plumage des pies. Le visage, enfin : pâle, avec dans la forme de la bouche quelque chose de pareil à une détresse d'enfant.

— Dame Mathilde ! murmura-t-il, le cœur labouré d'espérance.

Depuis qu'il avait fui la geôle de Perrette Darnichot, il n'avait vécu que dans l'incertitude et le provisoire. Eh bien, à l'instant même où le définitif s'annonçait et où tout un peuple gesticulant souhaitait sa mort, une voix retentissait, stridente :

— Arrêtez ! Arrêtez !... Je réclame un condamné !

La dame accourait, frayant sa voie à coups de poings et de coudes, dédaignant et détournant les armes d'hast qui s'opposaient à son avance. Une colère immense déformait ses traits :

— Je réclame cet homme-là... Tristan de Castelreng. Il est innocent et ma requête doit être acceptée !... Je l'épouserai !... C'est la coutume.

Son ahurissement consumé, Tristan sentit couler sur lui des ruisselets de sueur froide. Le désir de le sauver se lisait dans les yeux sombres — des yeux de louve — de la dame. Par la brèche large de son fasset (3) de cendal vermeil orné de guipures de Gênes ou de Venise, il put voir se soulever, sous le mollequin qui la couvrait, cette poitrine opulente dont Bagerant, parfois s'était ri. *« C'est une idée de Tiercelet ! Oriabel est consentante ! C'est uniquement pour me rendre à elle que Mathilde entreprend cela !... Mariage blanc, comme on dit, puis nous divorcerons ! »* Elle contournait la charrette et faisait front aux notables du cortège contrariés de son intervention :

— C'est la coutume, messire Prévôt ! C'est la coutume, monseigneur Alençon ! Vous vous y êtes pliés l'an passé pour dame Odile de Sathonay qui vous réclama un homme qu'on menait au gibet !... J'étais présente. Moi, Mathilde de Montaigny, j'affirme valoir cette dame et fais droit, tout comme elle, à un usage que nul Lyonnais, jusqu'ici, n'a osé contester !

Il y eut un silence accablé : celui d'une centaine de gens groupés dans cette portion de rue, et qui se sentaient soudain dépossédés de leur fureur et de leurs invectives à l'endroit d'un seul homme qui, debout entre les ridelles, défiait leur haine tout aussi fétide que leurs haleines réunies.

---

(1) Bourrelet de la coiffure des femmes à la fin du XIVe siècle.

(2) Le mot exprimait déjà ce qu'il exprime aujourd'hui.

(3) Corsage ouvert assez largement et lacé, en croisillons, par des aiguillettes.

— Montaigny ! chuchota Angilbert le Brugeois. Oriabel ne t'avait-elle pas dit qu'elle était chambrière en ce châtelet ?

— J'ignorais que Mathilde en était la maîtresse et comprends sa hautaineté à l'égard de mon épouse.

— Ton épouse,... Bon Dieu, Tristan, baisse-toi !

Comment ne pas obéir ? Les yeux du clerc brillaient immensément.

— Si ce prévôt et ce prélat accèdent au vœu de cette femme, épouse-la !

— Même laide et bossue, vous pensez bien que dans l'état où je me trouve, j'accepterai ce mariage ! C'est sûrement une idée de Tiercelet grâce auquel elle s'est évadée. Il est présent dans la foule avec Oriabel... Mathilde, en procédant ainsi, me montre sa gratitude pour ce que j'ai fait pour elle. Dans quelques jours, nous divorcerons... Je renouerai avec Oriabel car je tiens votre sacrement pour valable... Se parjurer, en l'occurrence, m'apparaît comme un péché véniel. Pas vrai ?

Il souriait : l'espoir s'affermissait. Angilbert grimaça.

— Tu n'as pas épousé Oriabel.

— Quoi ?

— Je ne suis pas plus clerc que tu n'es évêque. J'aime le vin, la bonne chère et j'ai, ma foi, troussé quelques matrones qui personnifiaient le canon de mes désirs... Et je me moque du droit canon !... Six mois de moutier m'ont suffi !... J'ai aimé me sentir le ministre de Dieu parmi tous ces oiseaux de carnage qui picorent sur les grands chemins. Moine, ils ont eu respect pour ma couardise, dérision pour mes faiblesses, admiration pour mes... coups de reins... J'ai vécu bienheureusement... Mon froc m'a protégé davantage que leurs armures...

— Mais ce froc, justement ?

— Le pillage d'un couvent... Tu es libre... Quelques semaines, quelques mois, tâche d'oublier Oriabel, même si elle a de beaux tétons et un petit cul auquel tu penseras, j'en suis sûr, avec une tristesse voluptueuse !... Epouse Mathilde. Trousse-la, car elle doit aimer ça... Et oublie tout ! Mange, dors, prélasse-toi, culebute ta femme !... Regarde-la ! Elle doit avoir un tigre sur son écu !

Dame Mathilde plaidait avec force, et même remuait son petit poing devant la face vermillonnée de Guillonnet de Salbris. Jamais il n'aurait pu prévoir cet affront, cette entaille dans une cérémonie dont chaque scène, jusqu'ici, lui avait paru délicieusement féroce. Tristan se dit que la baronne de Montaigny, quelque révérence qu'il eût pour son action, ressemblait à l'une des Erinnyes que les Romains appelaient les Furies et dont l'une, *la Mégère,* n'était qu'envie et que haine, — et qu'elle le sauverait.

— Je le réclame pour époux et j'ai, pour cela, d'excellentes raisons !

— Mais, noble dame, allégua visqueusement Salbris. C'est un meurtrier !

Nonobstant son objection sirupeuse, il se montrait des plus hautain à l'égard de cette femme dont, évidemment, il ne pouvait ni tolérer ni concevoir l'impétuosité.

— Cet homme m'appartient ! s'écria-t-il en portant sa dextre à son épée comme si la suppliante et coléreuse Mathilde méditait quelque coup mortel. J'ai pris ce traître sur le champ de bataille ! S'il a été livré par mes soins au bras séculier, il ne me paraît pas…

— Cessez de m'envoyer votre bave au visage !… Eloignez-vous, chevalier !

Tournant le dos à Salbris, Mathilde de Montaigny empoigna des deux mains Charles d'Alençon par sa dalmatique rose constellée d'or et de pierreries :

— Vous êtes bon et juste !… Votre parole est aussi souveraine que celle de monseigneur le Prévôt… Tout cela s'est fait sans procès public, de sorte que je n'ai pu intervenir… Mais vous savez que j'étais à Brignais !… Je vous en ai instruit à l'aube et prévenu, si vous n'agissiez, que je vous attendrais en quelque coin de rue… M'y voici !

Sa voix s'enflait de male rage et d'espérance. Déjouant l'obstacle étincelant d'un vouge, la dame fit un pas vers un édile sec, en gonne de velours noir ciselé, ceinturée de cordouannerie rouge, à clous d'or.

— Le mayeur (1) de cette cité, sans doute, murmura Angilbert.

S'agenouillant devant le magistrat — et cette humilité devait la mettre en rage —, elle lui étreignit les jambes avec un tel désir d'obtenir gain de cause qu'il faillit en tomber.

— Messire ! Messire !… Je le réclame pour époux !… Qu'il soit gracié !

— Je conçois que…

— A Brignais, il m'a sauvé la vie ! Il m'a soustraite à des viols immondes !

— Mais il ne t'a pas délivrée, ma fille, fit avec enjouement, dans l'ombre de sa coule, le franciscain conduiseur du cortège.

— Je me suis délivrée à la faveur de la bataille.

— Epouse-la !

Ce cri lointain, perçant les bruissements de la foule, c'était celui d'Oriabel. Angilbert l'entendit.

---

(1) Le maire.

— Voilà qui est bien, dit-il. Elle a du mérite et elle t'aime… Vois comme cette Mathilde ensorcelle ces flambards !… Elle va les séduire. C'est une Lilith sans queue, mais tu y pourvoiras !

Il rit et les routiers aussi. Mathilde persistait :

— … que cette condamnation soit commuée en grâce et en mariage !

Il y eut des discussions et mouvements de femmes dans l'assistance.

— Pitié ! Pitié ! s'écria l'une d'elles. C'est la coutume !

Des voix jeunes répétèrent : *« C'est la coutume »*, et Tristan entendit des sanglots. Puis un vieillard accepta ce fait :

— C'est la coutume… J'ai vu ainsi sauver quelques mauvais sujets.

Charles d'Alençon s'approcha de la charrette, tapant de l'extrémité de sa crosse le pavé noir, tandis que de sa senestre il caressait son crucifix d'or. Ses sourcils tressaillirent et il leva sa face exsangue vers les encorbellements des maisons comme si Dieu se penchait à l'une des fenêtres. Puis ses yeux plongèrent dans ceux du condamné :

— Est-il vrai, mon fils, que tu étais à Brignais contre ta volonté ?

— Je l'eusse affirmé si vous nous aviez fait un procès.

— Tes compagnons sont de vils malandrins…

— Je ne nie pas cette évidence. Mais des malandrins de Lyon les ont tourmentés, ce qui n'était pas nécessaire eu égard au sort qui les attend.

— Deux seulement, mon fils… Est-il vrai que tu as sauvé cette femme ?

— Je l'ai protégée, en effet.

— Que faisais-tu à Brignais ?

— C'est le résultat malencontreux d'une mission commandée par le roi Jean depuis son passage en Bourgogne.

— Mensonge ! hurla Salbris.

— S'il y a un menteur parmi nous ce matin, c'est bien cet homme.

— Tu pouvais t'escamper ! s'écria le prévôt.

— J'eusse aimé vous y voir, messire. Pas vrai, dame Mathilde ?

Ils échangèrent un regard de complicité qui mit Salbris en rage. Quelque espérance qu'il eût de sortir de cette charrette doublement humiliante pour lui, puisque jamais un chevalier ne devait monter dans une voiture de cette espèce, Tristan éprouva le sentiment d'une obscure résistance chez tous ces honnêtes gens. Le mayeur, lui, en avait assez : on retardait, en parlures, un spectacle exemplaire.

— Il est de fait que cette coutume existe, dit un homme au visage enfariné. Et puis, faut le dire : ce captif paraît bon comme un pain qui sort de mon four !

— Epargnez-le ! cria une commère.

— Oui ! Oui ! hurlèrent des femmes.

Elles devaient être une vingtaine. D'autres poussaient des *« Hou ! Hou ! »* de mécontentement. Elles n'étaient que trois. Malgré les menaces des hommes d'armes, quelques effrontées se pressèrent autour de la charrette, et à nouveau Mathilde de Montaigny s'agenouilla, cette fois devant l'archevêque Guillaume de Thurey dont elle eût baisé les escarpins de soie dorée si une bourgeoise hilare, grosse et rougeaude, ne l'en eût empêchée.

— C'est son droit absolu de posséder cet homme, dit-elle, tournée vers le prélat hésitant. C'est son droit selon la louable et ordinaire coutume !

— C'est vrai, dit le prévôt d'une voix expirante. Il serait expédient d'accorder le condamné à cette noble dame que je connais bien… Je me range avec ceux, Lyonnais de toute espèce, qui se prononcent en faveur de sa requête mais dois-je révéler, Excellentissime, que je ne pensais pas qu'une gentilfame si bien née, dont le père fut un ami… et dont je sais qu'on lui présente moult fiancés depuis sa viduité, se prendrait de passion pour un… euh… qui, quoi qu'il dise, fut capturé parmi la racaille…

Il souriait. Il était de ces hommes qu'on dit entre deux âges, et qui sont aussi entre deux amours, deux occupations, deux sièges. Il regardait alternativement le prélat et le mayeur, attendant que l'un ou l'autre jetât sur la balance un argument décisif en faveur du condamné. *« Hâte-toi ! »* supplia Tristan. *« Ajoute enfin ces mots qui me délivreront ! »* Puis il observa dame Mathilde sans nier, pour une fois, l'attirance que sa nature hautaine et mystérieuse avait exercée sur lui.

Parce qu'il l'avait sentie de taille à les surmonter, il s'était interdit de compatir exagérément à ses mésaventures, abrogeant ainsi toute idée, toute rêverie de délectation. Cette indifférence affectée n'avait été qu'une défense érigée contre l'obsession d'un désir des plus commun ; une probation infligée à sa virilité. La pureté de son épouse — ou plutôt le souvenir de sa virginité, gage de sa pureté — l'avait incité à soupçonner, chez dame Mathilde, des malefaims passionnelles, tragiques en leur conclusion, envers des chevaliers de son espèce. Or, si sa charnalité se percevait d'emblée, cette femme n'avait rien, sans doute, d'une dévoreuse d'amants. Son châtelet devait être lugubre. Par quels jeux, sinon ceux de l'amour — comme lui au donjon de Brignais —, eût-elle pu oublier la froideur des pierres, cette espèce de mélancolie constante, enfermée, verrouillée dans tous les châteaux du centre et du nord du royaume ? On eût dit que les gens qui vivaient là se complaisaient dans une austérité monastique. Mais peut-être, exhalés des refuges ombreux, entendait-on des chuchotis et des soupirs lascifs... Et puis quoi ? Les tentations de l'amour pouvaient émouvoir dame Mathilde davantage que son accomplissement.

— Messeigneurs, messires, disait-elle instamment, allez-vous me donner cet homme en mariage ?

Contredisant l'opinion qu'il s'était forgée d'elle, sa reconnaissance envers cette femme rétrécissait chez Tristan la distance, pleine d'Oriabel, qui l'en avait séparé. Si elle obtenait sa grâce, leur mariage, tout fortuit qu'il fût, prendrait une apparence extraordinaire et se glorifierait d'une quantité d'approbations dont peu de couples eussent pu se prévaloir ! Il quitterait l'église lavé de cette boue dont Salbris l'avait couvert. Oriabel le savait. N'avait-elle pas hurlé : « *Epouse-la* » ? Comme cette injonction avait dû lui coûter !

— Il va y avoir un miracle, mon fils, prophétisa Angilbert.

Les mains jointes, les paupières mi-closes, le gros imposteur semblait se moquer de lui-même et d'une farce d'épousailles en laquelle avaient cru deux amants anxieux.

— Je n'ai pas cessé de prier pour toi dès que j'ai vu cette femme apparaître... Prié comme si j'étais un de ceux dont je ne suis point... Fais d'un cœur léger le sacrifice ou sacrifesse éphémère d'Oriabel, et n'éprouve aucun remords, puisqu'elle est d'accord, même si elle se sent outragée doublement : par toi et cette baronnesse... Dis-toi que si dame Mathilde refusait de consentir dans quelques semaines au divorce, tu as vécu assez près du roi et de son ains-né fils pour que l'un ou l'autre obtienne du Pape la dissolution de cette union, fût-elle célébrée, pour plus de garantie, par Monseigneur d'Alençon !

— Vous me faites peur !

— Autre chose me vient à l'esprit : si elle t'empêche de revoir Oriabel et Tiercelet, qui l'ont pourtant sauvée du donjon de Brignais, ce sera que toute l'initiative de ta délivrance lui revient.

— Je n'en augurerai rien de bon, mais je l'épouserai, puisqu'il le faut. Avec encore moins de plaisir que si elle avait été leur complice.

Les femmes pleuraient tellement, autour de la charrette, qu'aucune d'elles ne pouvait ouïr ces propos. Un des bourreaux qui certainement avait tourmenté Taupart et Fauquembois, s'approcha de la ridelle arrière. Il semblait réjoui, plein de cet orgueil des barbares qui, après s'être complus dans des pratiques infâmes, se sentent pousser des ailes d'archange dès qu'autour d'eux, malgré eux, le Bien supplante enfin le Mal qu'ils incarnaient.

— Quand un linfar sourit ainsi, gringotta Angilbert, il faudrait l'égorger. Un tel apitoiement ne peut être qu'insulte... Bientôt, il s'ébaudira en nous empoignant, et l'on entendra sa risée dans le crépitement des bûches. Tu es, ce jeudi, l'homme le plus fortuné du royaume… Mais si !… Mais si ! Regarde ta future épouse entre le mayeur et le pire !

Le pire, c'était Salbris qui, délaissant dame Mathilde, interpellait sans retenue monseigneur Charles d'Alençon :

— Ah ! Révérendissime… Cette libération serait pernicieuse !… Le roi et le régent vous en tiendraient rigueur, même s'ils sont de vos parents !

Le prélat hocha la tête, faisant ainsi cligner, tout autant que ses yeux, les joyaux de sa mitre. Tristan ne sut interpréter un mouvement de la main dont Salbris se courrouçait.

« Toi, démon, je te retrouverai ! Tu iras forniquer au ciel Charles d'Espagne et Orgeville ! »

Le prélat tapota le pavé de sa crosse :

— Nous ne pouvons aller contre cette coutume…

Il y eut, dans la foule, un battement de mains. Puis dix, vingt, cent peut-être.

— Qu'on descende le prisonnier et le confie à dame Mathilde de Montaigny. Il est libre à la condition qu'il l'épouse promptement.

Qui proclamait cela ? Le mayeur ? Le prévôt ?

Il y eut de nouveaux cris de joie, des hurlements de colère submergés par des rires. Nul ne broncha dans la charrette, mais les truands souriaient, même les estropiés.

Tristan vit s'abaisser le hayon auquel il s'était tant accroché. Il posa un pied à terre, les orteils en avant, prudemment — comme s'il l'eût enfoncé dans de l'eau froide. Le gros bourreau qui l'avait mis au cep lui tapa vigoureusement sur l'épaule, ainsi qu'il l'eût fait pour un vieil ami.

— Tu es chanceux, charogne, que ce soit mon épaule valide !

Puis Mathilde fut devant lui, les yeux ardents, la bouche tendue pour un baiser qu'elle lui prit avidement. Il sentit son ventre s'appuyer au sien en même temps qu'il percevait le rire aigrelet d'Angilbert et le *« Oh ! »* désespéré d'Oriabel.

Dame Mathilde l'entendit aussi et s'en réjouit.

« Epouse-la », s'était écriée la jouvencelle. Que faire d'autre pour la retrouver, elle ? Il lui reviendrait. Il savait désormais ce qui l'attendait. Qu'il mêlât un temps sa chair à celle de cette femme n'engagerait que son sexe !

Ce n'était pas la joie d'aimer ou d'être aimé qui martelait son cœur, mais le plaisir de vivre, d'exister ; une espèce d'éblouissement au sortir des ténèbres. *« Libre ! Libre ! »* Même privé momentanément d'Oriabel, l'avenir lui paraissait de nouveau à portée de son ambition, empli de bonnes et belles choses.

— Viens ! Viens !... Ne restons pas parmi cette canaille.

Mathilde de Montaigny n'avait pas prononcé le nom de Tiercelet. Donc Angilbert avait raison : le brèche-dent n'était pour rien dans cette délivrance.

La charrette s'ébranla. Une main s'agita en deçà des ridelles : celle d'un faux moine que la mort, apparemment, n'effrayait guère. Et tandis que des cris hostiles reprenaient avec, semblait-il, plus de vigueur qu'auparavant, Tristan se laissa entraîner sous le porche d'une maison que Mathilde de Montaigny franchit si aisément qu'elle devait y avoir ses habitudes.

— Viens ! Viens !... Mettons-nous en sûreté !

Il la suivit. Docilement. Il n'était, après tout, que son chien ou sa proie. Elle tenait fermement sa dextre et cette préhension nerveuse, véhémente, confirmait son audace et sa ténacité. Oriabel avait une main plus fine, mais plus rude, abîmée quelque peu par les travaux de sa condition. Il l'aimait plus que jamais et son dernier cri demeurait dans sa tête. Où était-elle ? Qu'allait-elle devenir ? Que pensait-elle de lui, son époux, *car elle ignorait la tromperie d'Angilbert !*

Il allait devoir se marier *vraiment.* Prononcer à nouveau les mots qui le lieraient — provisoirement — à Mathilde.

— Viens ! Viens! haleta sa bienfaitrice en le tirant vers un escalier de pierre.

Soudain, elle s'arrêta, un pied sur chaque marche. Il était en dessous d'elle, sur les degrés inférieurs, et comme dominé, ce qui lui déplut.

Il se jucha à sa hauteur, ce qu'elle prit pour un désir de la baiser au visage.

— Cette vacelle, dit-elle, approchant ses lèvres des siennes, tu l'aimais ?

Il ne répondit pas.

— Oublie-la ! Oublie-la définitivement, dit-elle en lui soufflant cette injonction au visage.

Puis elle rit, et ce rire entra dans le cœur de Tristan comme un couteau : brusquement, sauvagement. S'il ignorait encore de quelles amours cette femme était capable, il savait que sa haine affleurait la folie.

— Viens, dit-elle encore avec, dans la voix, un essoufflement qui ne devait rien aux quelques degrés qu'elle avait gravis en hâte. Viens : tu as besoin de soins, de réconfort et d'amour... Je vais te donner tout cela... Oublie-la !... Ce n'était qu'une bonne meschine (1)... Chambrière. *Ma* chambrière.

Sur ce ton, elle eût pu tout aussi bien dire : « Mon esclave. » D'ailleurs, elle le pensait.

Tristan ne reconnaissait plus, dans cette femme sevrée peut-être de tendresse, la hautaine captive de Brignais. Il était d'ailleurs trop bouleversé par sa délivrance pour penser autre chose que : *« Je lui dois la vie. »* Nulle autre créature que Mathilde, sans doute, ne se fût abaissée à supplier les évêques et magistrats de Lyon comme elle venait de le faire. Elle tenait à lui.

— Oublie-la, insista-t-elle. Chasse de ton esprit tout ce qui la concerne. Ne me fais pas regretter de t'avoir sauvé de la mort.

— La mort...

Tristan s'aperçut que depuis sa délivrance, il n'avait pas dit un mot, sauf celui-là. Il répondait comme un écho à la menace de sa future épouse.

---

(1) Servante.

vait la démontrer [illegible] [illegible]
[illegible], Charon [illegible] immédiate.

[illegible], elle le [illegible]

[illegible] pour cette fois [illegible] ; il était [illegible] par sa délivrance [illegible] autre chose [illegible] Millerand [illegible] que [illegible] les [illegible] et [illegible] comme [illegible]

[illegible] Charon [illegible] son esprit [illegible] de [illegible]

[illegible] n'avait pas dit [illegible]

ANNEXES

ANNEXE I

LA BOURGOGNE AVANT LA PRISE DE POSSESSION DU ROI JEAN

La Bourgogne n'échappa pas aux ravages de la peste noire qui, partant de Marseille, envahit l'Europe et l'Angleterre en 1348. Eudes IV ayant succombé au mal, à Sens, la semaine avant les Pâques fleuries de 1349, Philippe dit de Rouvres succéda à son aïeul par représentation de son père mort écrasé sous son cheval lors d'une action folle, peu avant la levée du siège d'Aiguillon (20 août 1346). Froissart s'est complu à narrer cette mort.

Philippe avait pour mère et tutrice Jeanne, fille de Guillaume XII, comte de Boulogne et d'Auvergne et de Marguerite d'Evreux (elle était ainsi parente du roi de Navarre, Charles dit le Mauvais). Elle avait épousé en premières noces Philippe de Bourgogne et s'était remariée, le 9 février 1350, avec Jean, duc de Normandie, presque aussitôt roi de France (il était veuf de Bonne de Luxembourg depuis le vendredi 11 septembre 1349, selon *l'Art de vérifier les dates,* et non le 11 août, comme le prétendent les *Grandes Chroniques*).

Jean se trouva donc investi du droit de veiller au patrimoine de son beau-fils, intervenant de loin en loin, d'ailleurs, dans les affaires de Bourgogne. Après la défaite de Poitiers et la capture du roi, Philippe de Rouvres vécut et grandit sous la tutelle de sa mère. Il avait à peine quinze ans quand Jean le Bon vit une brèche éphémère s'ouvrir dans sa captivité et, par un acte du 20 octobre 1360, lui délivra ses *« terres et paiis »* comme s'il était majeur et apte à les gouverner. Philippe fut censé prendre la direction des affaires ; il épousa virtuellement la fille unique du comte de Flandre et de Nevers, Louis de Male, Marguerite de Flandre, née le 15 avril 1350, une des plus riches héritières d'Europe. Convenu depuis plusieurs années, le mariage fut célébré le 1er juillet 1361, par procuration. La jeune fille fut veuve avant d'être femme : en effet, le 21 novembre 1361, celui qui devait être son époux trépassa en quelques jours dans le château où il était né, et dont l'histoire a conservé son nom.

La fatalité s'acharnait sur la Maison ducale de Bourgogne : Philippe, en effet, avait été victime d'une chute de cheval. Avec lui s'éteignait le dernier rejeton des ducs d'origine capétienne qui, par son mariage, eût pu placer son duché sur les sommets de la grandeur, ce qui laisse à penser qu'on fit peut-être en sorte qu'il vidât les arçons.

Divisé en cinq bailliages (Dijon, Autun, Châlon, Semur-en-Auxois et la Montagne, autrement dit Châtillon-sur-Seine), jamais un pays tel que la Bourgogne n'avait été menacé de l'intérieur, et rares furent les Bourguignons qui se rallièrent au roi de Navarre. Une bonne gestion des affaires assurait une prospérité ahurissante pour l'époque. Elle fut consignée au jour le jour par le receveur général du duché, au nom singulier : Dimanche de Vitel. Bourgeois, manants, juifs même (tels Guy Rabbi et Dreux Phelise) vivaient en parfaite harmonie.

Les Bourguignons ne souhaitaient donc pas tomber sous la domination du roi de France : ils redoutaient ses excès et sa... fiscalité ! Ils aimaient leurs institutions et leur autonomie. Lorsqu'ils apprirent que Jean méditait de les annexer, ils récriminèrent et ce fut l'Archiprêtre, soi-disant repenti des crimes qu'il avait commis en Nivernais et en Berry, que le roi désigna pour apaiser les récalcitrants !

Il n'eut pas à sévir, mais le pays fut ravagé tout de même par Jean de Neufchâtel, Thibaut et Jean de Chauffour puis par un terrible routier anglais : Eustache d'Auberchicourt, assisté de Pierre Andley et de l'Allemand Albrecht. Point de répit : à peine ces brigands avaient-ils été commettre leurs forfaits ailleurs qu'un autre Anglais, Robert Knolles, apparaissait, saccageant tout ce qui subsistait et ne pouvait lui opposer de résistance. Ainsi, Auxerre, le 10 mars 1359, fut-elle réduite en cendres.

Un autre aventurier apparut : Guillaume Starqui. Il s'établit à Ligny-le-Châtel et de là multiplia ses raids sur les environs.

Le pays s'organisa pour chasser ces sanglants importuns avec lesquels Charles le Mauvais avait fait alliance. Les Bourguignons furent battus à Brion.

Ce fut alors qu'Edouard III débarqua à Calais, marcha sur Reims et désespérant de prendre cette ville, traversa la Champagne et entra en Bourgogne avec pour « conduiseur » Jean de Neufchâtel, tout aussi dévoué à sa personne que l'avait été, pendant l'été 1346, le célèbre Godefroy d'Harcourt.

On se battit encore. L'avant-garde anglaise était commandée par le connétable Roger de Mortimer, comte de la March. Il fut occis à l'escarmouche de Rouvray, le 26 février 1360. Il fallut négocier, de sorte que le 10 mars suivant, la Bourgogne concluait avec Edouard III le traité de Guillon : pour recouvrer la paix et panser leurs blessures, les Bourguignons offraient au souverain d'Angleterre 200 000 moutons d'or. Une somme fabuleuse.

A Paris, ce fut la consternation, moins peut-être pour ce traité que pour la remise de ce pactole au roi d'Angleterre. En Bourgogne, le seul prud'homme qui osa contester cette paix chèrement payée fut Jean II de Chalon-Arley, naguère allié d'Edouard III, devenu serviteur des Valois. Il dénonça le traité au roi, au régent. Il invita Philippe de Rouvres à comparaître devant eux afin qu'il prononçât solennellement la nullité d'un tel acte. Mais comment le régent aurait-il pu reprocher au duc de Bourgogne d'avoir fait ce qu'il avait bien fait, lui, à Brétigny-les-Chartres, afin d'obtenir une paix qui, en fait, n'était qu'un armistice !

Quant à Jean, otage d'Edouard III, il était disposé à subir les pires humiliations pourvu qu'il quittât, même provisoirement, la Grande Ile. Lorsqu'il prit en main la destinée de la Bourgogne, ce fut pour ratifier le traité du 10 mars. Dès lors, le duché prospère et bien géré fut grevé d'une dette si lourde qu'elle obéra ses finances ; toute son administration en souffrit.

Pas plus que celui de Brétigny, le traité de Guillon ne fut respecté. Les routiers recommencèrent à incendier, piller, violer, etc. La zone septentrionale du duché souffrit de leurs excès, puis la partie nord-est à compter du 8 juin 1360. La Grande Compagnie, la *Magna Societa* envahit le pays. Les troupes Bourguignonnes affrontèrent une des hordes qui les avaient vaincues à Brion : Girard de Mairey et son acolyte, Jacques de Baudoncourt, furent capturés. On apprit alors que le frère du premier, Anseau de Mairey, moine de Molême, avait l'intention de s'introduire dans la prison de Semur où ils étaient incarcérés. On s'en saisit et l'enferma au donjon, *« le jour de la mi-ost CCCLX »*. Girard de Mairey et Baudoncourt furent mis à mort le 21 août 1360 et le moine mourut au donjon *« le vendredi après la saint-Denis CCCLX »**. Comme le châtelain ne savait que faire du cadavre, il en référa au duc... qui mit six jours à lui répondre... de l'enterrer. Il était en grand état de pourriture.

Les chefs de la Grande Compagnie, représentés par deux Anglais, Guillaume de Granson et Nicolas Stamworth signèrent avec les Bourguignons une nouvelle trêve... et Philippe de Rouvres dut emprunter à Stamworth (!!) de quoi payer les brigands.

---

* Le M signifiant *mille* en chiffres romains ne figure pas dans le texte original.

Cet expédient ne produisit pas l'accalmie escomptée : la Bourgogne fut encore ravagée. Dès la fin de 1360, l'avant-garde de la Grande Compagnie parvenait à Pont-Saint-Esprit ; le « reste » sévissait toujours en Bourgogne.

Et ce fut l'accalmie au moment même où Philippe de Rouvres allait quitter ses états pour gagner la Flandre et célébrer son mariage avec la fille de Louis de Male.

Le roi Jean, à la mort de son beau-fils, songea que s'il n'agissait pas promptement, des compétiteurs se montreraient, arguant tout autant que lui qu'ils devaient hériter d'une portion de territoire. Jean de Boulogne se vit attribuer, en compensation, les comtés d'Auvergne et de Boulogne ; Marguerite de France, tante *de cujus* du défunt, eut les comtés d'Artois et de Bourgogne ainsi que des fiefs champenois parce qu'ils avaient appartenu jadis à sa mère, Jeanne de Bourgogne-Comté, femme de Philippe le Long. Le roi de Navarre, cousin issu de germain du défunt n'intervint pas. Tancarville fut envoyé sur place ; et le roi le suivit de peu.

La Bourgogne devint « française » non par annexion mais par héritage.

On ne tarda pas à la mettre à contribution pour payer la rançon royale. Peu de temps après, Jean l'offrit au plus jeune de ses fils, Philippe le Hardi (6 septembre 1363).

ANNEXE II

LES RUINEUSES FOLIES DE JEAN LE BON

Le mariage de Philippe VI et de Blanche de Navarre (11 janvier 1350) avait coûté cher. Celui de son fils Jean et de Jeanne, comtesse de Boulogne (9 février 1350) fut encore plus onéreux. En effet, le premier avait eu lieu en petit comité, à Brie-Comte-Robert ; le second fut célébré à Saint-Germain-en-Laye et la fête eut lieu aux Mureaux.

Philippe VI trépassa dans la nuit du dimanche 22 au lundi 23 août 1350 à l'abbaye de Coulombs, toute proche de Nogent-le-Roi. Ses obsèques furent splendides. Il n'y avait plus rien dans les coffres, mais on ne cessait d'agir comme s'ils débordaient.

Le couronnement de Jean eut lieu à Reims, le dimanche 26 septembre. Ce fut une folie endiamantée : draps d'or, pierres précieuses, satins, soieries, sièges d'argent et de cristal de roche incrustés de pierreries, vaisselle de vermeil. Ceux qui de loin y assistèrent, frémirent à la pensée des nouveaux impôts qui s'abattraient sur eux (depuis leur avènement et jusqu'en 1355, 81 ordonnances dépréciatrices firent de la monnaie des orgueilleux Valois, une monnaie de singe).

Que dire de ce couronnement sinon qu'il fut un « cirque » fastueux, les frais de banquet étant supportés par les Rémois. Après la cérémonie, Jean arma chevalier deux de ses fils, le dauphin Charles et le comte de Poitiers (futur duc d'Anjou, âgé de onze ans) ; Charles, comte d'Alençon, son neveu (fils du comte tué à Crécy), lequel haïssait les choses militaires et se fit dominicain au Couvent de Saint-Jacques à Paris (1359) avant de parvenir à l'Archevêché de Lyon. Jean arma également Louis d'Evreux, comte d'Etampes ; Jean d'Artois, l'un des fils du fameux Robert ; Philippe d'Orléans (son frère cadet) et bien d'autres. Le dauphin n'avait que douze ans et Philippe de Rouvres quatre ans. Fastueusement, on commençait à barboter dans le grotesque !

Le dauphin Charles et les chevaliers reçurent une cotte et un manteau de samit pour la veillée d'armes précédant l'adoubement. Le samit, bien sûr, était fourré de menu vair (ventres d'écureuils blancs). Pour la cérémonie, les nouveaux chevaliers revêtirent une cotte et un manteau de drap d'or fourré d'hermine. Tous les grands du royaume en avaient été pourvus. Si le roi s'était montré... généreux, sa femme n'avait pas lésiné dans la magnificence puisqu'elle avait habillé vingt chevaliers bannerets et cent chevaliers et écuyers.

La mégalomanie de Jean ne fut pas rassasiée. D'autres idées branlaient dans sa petite tête. En 1344, Edouard III avait instauré la Fête de la Table Ronde à *Windesore* et fondé la chapelle Saint-George. Quarante Preux (1) étaient admis à se présenter à cette fête pour y jouter et raconter leurs exploits. Puis le roi d'Angleterre avait institué l'Ordre de la Jarretière (le *Bleu Gertier*) en 1349. Et n'avait-on pas vu, dès 1330, Alphonse XI de Castille fonder l'Ordre de l'Echarpe ? Il fallait que la France eût un Ordre. Ce fut celui de l'Etoile.

L'ordonnance de la fondation de l'Ordre date du 6 novembre 1351. Elle fixe à 500 (!) le nombre des chevaliers qui doivent en faire partie, et c'est au manoir de Saint-Ouen, provenant de l'héritage de son aïeul Charles de Valois, que Jean fixe le siège de l'Ordre.

---

(1) Ils ne furent en réalité que vingt-six.

Les chevaliers choisis pour figurer dans cette auguste assemblée doivent se réunir chaque année dans cette noble maison, la veille de l'Assomption, et y demeurer tout le jour et le lendemain de cette fête en *« cour plainière »*. Chacun doit y raconter toutes ses aventures *« aussy bien les honteuses que les glorieuses qui avenues luy seroient dès le temps qu'il n'avroit esté à la noble court ; et le roi debvoit ordonner II ou III clercs qui escouteroient toutes ces aventures, et en ung livre mettroient, affin qu'elles fussent chascun an raportées en place par devant les compaignons, par quoi on poeut sçavoir les plus preux, et honnourer ceulx qui mielx le deserviroient* (1). »

Les chevaliers de l'Etoile devaient avoir un uniforme splendide — présent du roi ! — : une cotte blanche, un surcot et un chaperon vermeil ; un manteau vermeil fourré de vair, des chausses noires et des souliers dorés. Leur insigne serait un anneau sur lequel figureraient leur nom et surnom et une plaque d'émail blanc en forme d'étoile ayant, en son milieu, un petit soleil d'or sur un disque azuré. Cette étoile s'arborerait soit à l'avant du chaperon, soit sur l'épaule, comme le fermail d'un manteau. Il était obligatoire de porter cet uniforme chaque samedi mais le port de l'étoile pouvait être quotidien. En cas de guerre, et comme signe de ralliement, l'étoile devait être bien apparente sur la cotte d'armes.

Il était impératif que les chevaliers de l'Etoile jeûnassent tous les samedis, sauf à verser 15 deniers à Dieu, *« en l'honneur des quinze joies de Nostre-Dame »*. Obligation leur était faite d'assister tous les 15 août, à un Chapitre en la Noble Maison de Saint-Ouen. Un jury d'honneur, composé des « trois plus suffisants princes, trois plus suffisants bannerets et trois plus suffisants bacheliers », siégerait à une table d'honneur pour examiner le cas des chevaliers défaillants.

Tous les chevaliers de l'Etoile devaient jurer qu'ils ne fuiraient pas en bataille *« plus hault que III arpens »*, qu'ils mourraient plutôt que d'être capturés... et autres balivernes.

On rénova le manoir de Saint-Ouen ; la chapelle dédié à saint Georges, patron des Anglais, devint chapelle Notre-Dame après avoir été embellie. On restaura aussi la grand-salle qui était nantie de sept cheminées. Les murs furent tendus de draps d'or et de velours vermeil ; la salle d'apparat fut rehaussée de velours et de draps vermeils, décorée des blasons de tous les chevaliers. On y éleva, pour le roi, un dais fleurdelisé. Les sièges étaient dorés ainsi que les crédences, et pour que ces chaises fussent plus confortables aux séants de ces hommes de cheval, on commanda des monceaux de coussins, — en velours de prix, évidemment.

Il paraît que la première réunion des chevaliers de l'Etoile fut magnifique. Elle se tint le 5 janvier 1352. Ce n'était pas la grande fête, mais un grave banquet... qui tourna bien vite à la beuverie avec tout ce que ce mot comporte d'excès en tous genres. On brisa la belle vaisselle, on torchonna et détériora les tentures et l'on constata — ô surprise ! — que certains preux avaient fait main-basse sur des choses de prix.

La devise de l'Ordre était : *Monstrant regibus astra viam* (2). Sa bannière était vermeille, semée d'étoiles et portant près du bois de la hampe, une Vierge brodée. Elle se trouva une fois à la peine, mais nullement à l'honneur. En effet, quelques-uns de ces chevaliers d'élite qui ne devaient, au combat, reculer pas

(1) Jean le Bel. On s'aperçoit d'emblée de l'imbécillité d'un tel projet. Comment 500 hommes diserts, hâbleurs, etc. eussent-ils pu, en deux jours, relater leurs aventures ?
(2) Ils montrent aux rois la route des étoiles.

plus d'une vingtaine de mètres (en arpents de Paris, lesquels ne différaient guère de ceux du commun) furent vaincus en Bretagne, à Mauron, le 14 août 1352. Alors qu'un repli suivi d'un prompt regroupement leur eût permis de vaincre le parti d'Anglo-Bretons qui les avait attaqués, bien qu'ils fussent cinq ou six fois supérieurs en nombre, ils préférèrent honorer leur serment ! Quatre-vingt-dix d'entre eux moururent dans une affaire qui fut fatale à *« treize seigneurs de marque, cent quarante chevaliers et un grand nombre de gens de pied »* (1).

Il n'en fallut pas davantage pour que l'Ordre de l'Etoile sombrât dans le dégoût, la dérision, l'indifférence. Quels rires eussent éclaté si les gens de Saint-Ouen avaient appris que l'ost auquel les chamarrés de l'Etoile appartenaient avait été battu par trois cents hommes d'armes et trois cents archers commandés par des chevaliers vaillants, astucieux, mais nullement étoilés, qui se nommaient Gauthier de Bentley, Tanguy du Châtel, Garnier de Cadoudal et Yves de Trésiguidi !

---

(1) Mme C. Fallet : *Jeanne de Montfort,* Rouen, 1858.

ANNEXE III

CHAMBLY, CITÉ DE LA MAILLE

Il est hélas ! impossible — il y faudrait maints dessins — de révéler aux lecteurs de cet ouvrage comment on s'y prend pour mailler une cotte, un haubert, un camail ou des gants. Mais on peut se poser la question : d'où viennent les mailles ? A vrai dire, nul ne le sait. Ce dont on est certain, c'est que les mailles d'origine arabe étaient plus fines que les mailles « européennes ». Cela, d'ailleurs, se conçoit : les Arabes utilisaient des arcs courts, aux sagettes légères, douées d'une force de pénétration plus faible que celle des arcs francs, anglais, germaniques, et surtout gallois. Ces mailles permettaient d'éviter le tranchant et de diminuer la force du choc.

L'apparition de l'armure de plates était prévisible. Les plates évitaient plus fréquemment la perforation et, mieux que des mailles, dispersaient la puissance du heurt assené sur toute la surface de la plaque, sauf si celle-ci avait été déformée, car l'impact devenait radiant à partir d'un « nœud ».

Le processus de la création des vêtements de mailles apparaît comme simple, logique dans la conception. Tous ceux qui s'y sont essayés (1) savent que les premiers travaux ne sont point faciles (2). Le processus de fabrication de la maille peut se résumer ainsi :

1. - Etirage du fil de fer au diamètre choisi. Ceci se faisait (et se fait) en chauffant violemment un bloc de fer dont une extrémité, forgée en pointe, est introduite dans une filière. De l'autre côté de celle-ci, la pointe du lingot est saisie solidement à l'aide d'une « chaussette » montée sur un câble accroché à un treuil. On étire le lingot à travers le trou de la filière. Cela s'appelle *ébroudir* ou *ébrouder* un fil.

2. - Le fil, réchauffé, est enroulé sur un cylindre de métal du diamètre choisi. On l'y laisse refroidir.

3. - Au marteau léger, on écrase le fil sur toute la longueur de la tige centrale et réalise un plat de largeur suffisante.

4. - Au burin mince, les anneaux sont sectionnés.

5. - Au poinçon double, deux petits trous seront percés dans le méplat réalisé ci-dessus.

Ce procédé est celui (*peu d'exemples*) où les rivets sont disposés radialement.

Si ces rivets doivent être fixés, beaucoup plus facilement, à plat — donc la maille posée horizontalement sur le bec de l'enclume —, il est évident que la technique est assez différente :

1. - Etirage comme précédemment.

2. - A la sortie de la filière, le fil passe dans un laminoir rudimentaire dont un ressaut écrase régulièrement une courte portion de fil.

3. - Enroulage comme ci-dessus en veillant à ce que les méplats réalisés soient posés radialement.

4. - On retire la tige diamétrale avant refroidissement du fil, ou on le réchauffe (sinon, il serait impossible de le retirer en raison du rétreint).

5. - On coupe chaque méplat à la cisaille à main.

6. - Montage des mailles avec serrage des demi-méplats en superposition.

7. - Rivetage.

---

(1) Dont l'auteur.

(2) Des « malebouches » diraient *« évidents »*, ce qui ne signifierait rien.

Sauf la partie « chaude » de l'opération, tout pouvait aisément être exécuté par des femmes, voire des enfants.

En observant de près les mailles anciennes, on peut décider qu'il n'existait aucune difficulté à établir une industrialisation des milliers de mailles assemblées, comme à Chambly, par exemple. S'il y eut une fabrication « à la pièce », on devait aussi préparer des pans de tissu maillé que l'on adaptait, ensuite, aux mensurations des « clients ».

Dès le XIIe siècle, la forge sérieuse s'effectuait au marteau hydraulique. Les Germains, arrivés dès le IIIe siècle, mais surtout au Ve, apportèrent au monde méditerranéen une révolution métallurgique. D'ailleurs, les origines du bronze puis du fer sont situées en Europe Centrale. Et non au Proche-Orient ainsi que le pensaient les auteurs « classiques » du siècle dernier. Même le célèbre « damas ». Chez les Arabes, les épées franques étaient payées un prix extraordinaire. Pour les cottes de mailles, on peut imaginer deux activités séparées :

a) La partie chaude, suivie de vente (fabrication, organisation masculine).

b) Le tissage, le montage, le rivetage, etc. essentiellement féminins et infantiles, sous la direction d'un « maître » responsable et acheteur des produits de base ci-dessus.

La fabrication des rivets appartient aussi à la tréfilerie.

C'était ainsi que se pratiquait, jusqu'à la dernière guerre, le montage en atelier des articles de maroquinerie à fermoir et autres, issus des tréfileries et ateliers de presses. Rien qu'une main-d'œuvre féminine et infantile.

ANNEXE IV

LA FRANCE EN PÉRIL : LES JACQUES ET LES ROUTIERS

Après la défaite de Crécy, le renoncement de Philippe VI devant Calais et la victoire du prince de Galles à Poitiers, une guerre larvée s'était installée dans le royaume de France, coupée de trêves éphémères. Les Anglais avaient acheté Guînes, proche de Calais. La Bretagne et la Normandie étaient partagées en zones de pillages. A peine le pays de France avait-il subi la chevauchée mortelle du fils aîné du roi Edouard III (il avait ravagé, en 1355, tout le Languedoc avant de s'en retourner à Bordeaux), que le souverain anglais méditait de s'attacher les services de Charles de Navarre.

Comte d'Evreux et de Mortain, pair de France, il était le fils de Philippe d'Evreux et de Jeanne de France, fille de Louis X le Hutin et de Marguerite de Bourgogne, évincée de son héritage par Philippe le Long, à laquelle on avait accordé la couronne de Navarre ainsi que les comtés de Champagne et de Brie. Leur mariage avait permis à Philippe d'Evreux de prendre le titre de roi de Navarre. Maints arrangements s'étaient produits alors, qu'il serait fastidieux de mentionner. Philippe avait été tué à Xerez, en combattant les Maures aux côtés d'Alphonse de Castille, le 16 septembre 1343, et ses fils, Charles, Philippe et Louis n'étaient pas en âge de résister au roi de France... qui avait épousé en secondes noces leur sœur Jeanne, dite « Belle Sagesse », laquelle était dotée d'un tempérament si ardent que Philippe VI ne fit pas que succomber à ses charmes ; il en mourut.

Les Navarrais avaient surnommé Charles *el malo* (le Mauvais). Siméon Luce écrit de lui non sans exagération car la cause de Charles était en partie juste :

Il y avait du serpent et du tigre dans ce petit homme d'allure féline à l'œil vif, au regard chatoyant, d'une faconde intarissable, qui faisait d'abord patte de velours même aux gens qu'il voulait égorger. Le roi Jean l'avait comblé de bienveillances, lui avait donné sa fille Jeanne en mariage et l'avait nommé son lieutenant en Languedoc.

Par « reconnaissance », ce freluquet de 19 ans avait fait assassiner, le 6 janvier 1354, le connétable de France, favori de son beau-père, Charles d'Espagne, lequel jouissait de titres et prérogatives scandaleux.

UN HOMME PRÊT À TOUT

Le Mauvais était prêt à tout pour renverser la dynastie des Valois et s'installer sur le trône de France pour lequel, en tant que petit-fils de Louis X le Hutin par sa mère, il avait plus de droits que le roi d'Angleterre, premier prétendant, et Jean de Normandie, futur Jean le Bon. Certes, pour s'attacher cet ambitieux, le roi lui avait donné sa fille mais... elle n'avait que huit ans. De plus, le trésor royal étant à sec, la dot de la fillette se faisait attendre... comme étaient attendues les châtellenies d'Asnières, Beaumont, Pontoise promises à Jeanne, mère du Mauvais, en échange du comté d'Angoulême offert à Charles d'Espagne et que le Navarrais n'avait cessé d'espérer pour lui-même.

Informé des tractations de son gendre avec les Anglais, et plutôt que de sévir, Philippe VI avait doublé la puissance de cet hypocrite par le traité de Mantes (22 février 1354), ce qui n'empêcha pas le Mauvais de promettre à Edouard III de lui livrer le royaume de France à condition qu'il obtînt pour lui la Normandie, la Champagne et une partie du Languedoc. Continuant à intriguer, ménageant l'un et l'autre, il signa avec son beau-père un nouveau traité à Valognes (10 septembre 1355) et se vit recevoir la plus grande part des biens du défunt Charles d'Espagne. Après quoi, quand Jean de Normandie fut roi, il intrigua auprès de son fils, le dauphin Charles, qu'il réussit à dresser contre son père. Une partie des amis de Navarre, arrêtés en même temps que lui, à Rouen, au cours d'un repas auquel assistait le dauphin, furent décapités le mardi 5 avril 1356. Mais le Mauvais sauva sa tête et fut emprisonné (au Château-Gaillard selon Jean le Bel ; au Louvre selon les *Grandes Chroniques* ; au Louvre, puis au Châtelet, puis au Château-Gaillard, ensuite à Crèvecœur et Arleux, selon Secousse). Aussitôt, Philippe de Navarre défia le roi de France par des lettres datées de Cherbourg, le 28 mai 1356, alors que par l'intermédiaire de ses compères Jean de Morbecque et Jean Carbonnel, il avait négocié avec Edouard III dès le 12 mai.

Il est certain que bien avant le repas de Rouen, — mais où et quand ? — le dauphin fut victime d'un empoisonnement. Dans un des chapitres qu'il consacre à l'année 1380, marquée par la mort de Charles V, Froissart rapporte que lorsqu'il était encore duc de Normandie, il avait reçu, de Charles de Navarre, le *venin. « Et fut si avant mené que tous les cheveux de la tête lui churent, et tous les ongles des pieds et des mains, et devint aussi sec qu'un bâton, et n'y trouvoit-on pas remède. »* Il souffrait de violents maux de dents, ses mains se gonflaient : il se savait empoisonné et *« en grand péril de mort »* lorsqu'un maître médecin lui fut envoyé par son oncle, l'Empereur de Rome. Grâce à ses soins, ses cheveux repoussèrent, il recouvra une apparence de santé, mais une inguérissable humeur lui coulait par une fistule qu'il avait au bras et dont il fut avisé que, lorsqu'elle se cicatriserait, il n'aurait plus que quinze jours à vivre. Et ce fut ce qui advint.

Le Mauvais applaudit à la seconde chevauchée destructrice du Prince de Galles et, évidemment, au désastre français de Poitiers. Délivré de sa prison d'Arleux par Jean de Picquigny, le mercredi 8 novembre 1357, il devint un des alliés d'Etienne Marcel et des Jacques... qu'il trahit ensuite.

LA FRANCE RAVAGÉE

Divisée en trois camps (Navarrais, Anglais, Français), la Normandie souffrit de la présence des routiers avant que cette engeance ne grossît et ne se répandît sur tout le territoire du royaume de France. Il ne fallait pas moins de trois sauf-conduits pour se rendre de Coutances à Valognes, et les routes étaient si peu sûres que, par exemple, Colinet Bloville, bourgeois de Carentan, bien que porteur d'un sauf-conduit du roi de France pour se rendre à Paris rejoindre son beau-père, Pierre Caisnot, clerc-notaire du Régent, préféra, au lieu de prendre les grands chemins, s'embarquer sur une barge qui l'amena jusqu'à Dieppe où, de là, il gagna par voie d'eau la capitale.

On se cachait dans les bois, les grottes, les hautes herbes ; on creusait même des souterrains pour y vivre en sûreté. A Avranches, le connétable Richard Scholl et le receveur Guillaume de Tuttebery régnaient sévèrement ; ils avaient sous leurs ordres des Navarrais terrifiants, notamment le fameux Bascon de Mareuil qui s'était fait remarquer en s'emparant par escalade du château de Comborn, en Limousin, et avait rançonné son propriétaire : 24 000 écus. Siméon Luce, dans son *Histoire de du Guesclin* brosse les portraits de ces brigands de petite ou grande envergure qui opéraient souvent seuls avec leurs hommes, mais savaient opportunément s'allier. Ainsi James de Pipe, d'Epernon, et Jean de Stanton, de la Ferté-Fresnel, surent unir leurs efforts pour attaquer Etampes le mardi 16 janvier 1358. Ils pillèrent la ville pendant qu'on célébrait à Paris le mariage de Louis, comte d'Etampes, avec Jeanne d'Eu, veuve de Gauthier, duc d'Athènes, tué à Poitiers. Siméon Luce écrit ces lignes après tout fort actuelles si l'on veut bien y changer quelques mots :

Ce brigandage s'alimentait sans cesse de tous les aventuriers d'Angleterre qui, passant la mer comme des bandes d'oiseaux de proie, venaient périodiquement s'abattre sur le royaume de France pour s'y repaître. Il fallait un terme à cette émigration malfaisante.

Tout d'abord, les routiers furent surtout Anglais. C'étaient Jean de Fodrynghey à Creil, Jean de Weston à l'abbaye du Val, Thomas Fogg à Auvilliers, Thomas Caun au Neubourg, Guillaume Boulemer à Saint-Valery-sur-Somme, Robin Adez à Lingèvres et Saint-Vaast, Griffon de Galles à Becoiseau, Robin l'Escot à Vailly-sur-Aisne, Rabigot de Dury et Richard Franklin à Monconseil, près de Noyon.

Et Robert Knolles s'y met aussi, qui en octobre 1358 s'empare de Châteauneuf-sur-Loire, puis de Malicorne et met Auxerre à feu et à sang, le dimanche 10 mars 1359 ; ensuite de quoi, il rançonne sans pitié les survivants. Sa femme, Constance, qui le rejoint, a un train de vie de princesse, des gardes du corps, écuyers, damoiseaux, etc. Elle fait graver sur ses armoiries cette devise : *Celui qui prendra Robert Knolles gagnera cent mille moutons* (d'or).

Que dire aussi d'Eustache d'Auberchicourt, quasiment maître des vallées de la Seine et de la Marne ? Au moment où il dévaste la Champagne et la Brie, il est l'amant de la nièce de la reine d'Angleterre : Isabelle de Juliers, comtesse douairière de Kent, qu'il finira par épouser en grande pompe. Emerveillée par ses « exploits », cette princesse lui envoie des chevaux, des haquenées, des lettres d'amour !

L'Orléanais, soudain, est ravagé par le Ruffin dont la compagnie pille Saint-Arnoult, Gallardon, Bonneval, Cloyes, Etampes, Arpajon, Montlhéry, Pithiviers, Larchant, Milly, Château-Landon, Montargis, etc. tandis que Knolles dévaste la Normandie. L'on voit alors des paysans se grouper et s'armer ainsi que les manants des petites villes. Ils sont rares, et c'est pourquoi leurs héros ne sont que deux : Guillaume l'Aloue, de Longeuil-Sainte-Marie, et le grand Ferré, de Rivecourt, qui lui succéda peu de temps.

Les malandrins fraternisent. Beuveries. Quoi de meilleur que des débauches dans les églises et les couvents ! Quel délice au palais peut avoir le vin quand il a été versé dans des calices ! L'internationale du brigandage se forge dans les tueries, les rapines, les viols. Le Wallon Eustache d'Auberchicourt porte la santé à un Gascon : Jean de Ségur. Croquart de Herck, le Hollandais, salue Martin Enriquez de Pampelune ; le Breton Alain Taillecol, surnommé l'abbé de Malepaye, chahute avec le Gallois Jacques Wyn, et l'Allemand Franck Hennequin, de Cologne, se fait deux amis espagnols : Radigot d'Agreda et Juan Martinez, de Soria. On fraternise dans le vin et le sang. A Creil, la garnison est formée de Goddons et de Navarrais, tandis qu'à Chaversy, une petite forteresse du Valois, tous les hommes sont Espagnols. A Creil, particulièrement dévoué à Charles le Mauvais, on trouve un mécréant du nom de Hoppequin Lichefer (!) aux ordres de l'homme qui délivra Charles de Navarre : Jean de Picquigny. Les religieux de Saint-Eloi-aux-Fontaines vivent dans les bois ; ceux de l'abbaye de Notre-Dame-de-Beaupré sont pratiquement réduits en esclavage. Boichart de Molême, prêtre, doit jurer sur l'autel et *« sur le corps du Dieu sacré »* fidélité au capitaine de Ligny-le-Châtel, qu'il le servira de son... écriture. Car il faut à ces hommes incultes des tabellions. Quoi de mieux que des presbytériens, des moines ? On en embauche, par la menace, des centaines. Les nonnes ? Hé bien, quand on s'est rassasié de paysannes et de nobles dames, on entreprend de les pervertir. Il suffit de lire Siméon Luce pour éprouver des frissons et nausées.

Et c'est l'Archiprêtre qui menaçant le Pape et pour « séduire » les habitants de Nîmes, leur adresse une lettre de menaces datée du *« vendredi adoré, après le saint mystère »*. Un ignoble scélérat, Lyon du Val, accepte de se soumettre... à condition que le roi le nomme son huissier d'armes. Or, quelques mois auparavant, il avait enfumé les habitants de Thieux groupés dans leur église !

Le roi Jean, à son retour d'Angleterre, décida de combattre les routiers. Mais comment ? Il eut beau envoyer dans le Midi son connétable Robert de Fiennes, son amiral Baudrain de la Heuse, et le maréchal Arnoul d'Audrehem, que pouvaient-ils faire ? Peu de chose. Par des lettres données à Beaune, le 25 janvier 1362, il institua le comte de Tancarville son lieutenant avec tous les pouvoirs : *« Faire host et chevauchées contre les compaignes et autres nos ennemiz qui s'efforceront à meffaire en notre dit royaume. »* Or, Tancarville eut beau convoquer des troupes pour le 13 février, appeler aux armes la noblesse : la plupart des prud'hommes avaient à lutter sur leur territoire contre les brigands !

Ils étaient partout. Prêcher une Croisade ? Le Pape, le 8 janvier 1361, justement, avait fait proclamer la Croisade dont le cardinal-évêque d'Ostie, Pierre Bertrandi serait le... capitaine. Combien les hommes réunis à Brignais durent s'ébaudir des stériles décisions de ces hommes !

LES MALES GENS

Quels étaient, d'ailleurs, les capitaines de Brignais ?

Froissart en cite sans doute un peu trop. Selon lui, il y avait Seguin de Badefol, Talebart (Tallebardon ou Thillebort), Guiot du Pin, Espiote, Batillier, François Hennequin, Le Bourc Camus, le Bourc de l'Espare, Naudon de Bagerant, le Bourc de Breteuil, Lamit, Hagre l'Escot, Albrest Ourri, l'Allemand, Borduelle, Bernard de la Salle, Robert Briquet, Carsuelle, Aymemon d'Ortinge, Garsiot du Châtel, Guionnet de Pau, Hortingo de la Salle, etc.

Il y avait sans doute aussi le Bascot de Mauléon. Sur Seguin de Badefol, les avis sont partagés, bien qu'il fût apparu, en 1360 avec sa compagnie, *la Margot,* dans les sénéchaussées de Nîmes et de Beaucaire. Maurice Chanson affirme qu'il était à Brignais. Rien n'est moins sûr. D'ailleurs, les chefs semblent en avoir été : Jean Aymery, Garcie du Châtel, le Bourc de Breteuil, Bérart de Labort, Espiote, Bertuchin, Pierre de Montaut, Jean Hazenorgue, le Petit-Meschin et Harnault (ou Arnaud) de Thillebort. Deux noms se distinguent des autres par le titre qui les accompagne : *messire* Jean Aymery et *messire* Garcie du Châtel. Deux chefs suprêmes. Ce fut d'ailleurs Garcie du Châtel qui reçut, au traité de Clermont, les 100 000 florins exigés pour le départ des Compagnies vers le sud.

Seguin de Badefol était-il à Brignais ? Aimé Chérest nie qu'il y séjourna. Il ne figure même pas parmi les routiers qui accompagnèrent le Trastamare en Espagne. Etrange homme, d'ailleurs, que celui-là. Il était un cadet de la famille de Gontaut, du Périgord, fils de Seguin de Gontaut, sieur de Castelnau, de Berbiguières, de Badefol, de la Linde.

En 1279, le roi d'Angleterre avait établi une pêcherie à la Linde, et Philippe VI en avait disposé en 1339 en faveur de Seguin (père). La Linde fut confisquée en 1342 puisque Seguin avait pris le parti des Anglais, mais le 24 juillet de cette année-là, Jean de Marigny, évêque de Beauvais, ayant embrassé le parti du roi de France, la lui rendit au nom du roi.

Seguin père et Seguin fils fréquentaient plus volontiers Badefol, dans le canton de Cadouin (arrondissement de Bergerac) que la Linde. Seguin père avait mis cinq châteaux sur ses armes ; son fils les remplaça par huit besants et se lança dans la rapine. Le 13 septembre 1363, peut être avec son frère Tenet dont on sait peu de chose, il s'empara de la forteresse de Brioude et Philibert de l'Espinasse, gouverneur d'Auvergne et du Berry ne put qu'appeler au secours... sans recevoir aucun appui. Puis Seguin, de nouveau par escalade, s'empara d'Anse, à quelques lieues de Lyon, et donna libre cours à son ambition, entraînant dans son sillage les routiers bien connus : Périn de Sasine, alias le Petit-Meschin, Bertuchin, Espiote, Vaire du Cap, Annesoige. Ils prétendirent entrer en Bourgogne pour aller offrir leurs services au duc de Touraine, et comme il était impossible de s'opposer à leurs méfaits, eh bien, l'on négocia.

Le traité fut conclu les 4 et 5 avril 1364, le médiateur étant Arnaud Amadieu, seigneur d'Albret, entre les gouverneurs du duc de Berry et d'Auvergne, le comte de Boulogne et d'Auvergne, le dauphin d'Auvergne et Seguin de Badefol. La rançon qu'il exigeait pour se tenir tranquille était de 3 000 florins. Ils furent empruntés au cardinal de Beaufort... qui devint Pape en 1370 sous le nom de Grégoire XI.

Emerveillé par les exploits de Seguin de Badefol, Charles de Navarre le fit venir en sa Cour sous prétexte de le prendre à sa solde, mais en réalité pour s'approprier le trésor qu'il transportait toujours avec lui à dos de mules. Il l'accueillit avec des démonstrations d'amitié et lui fit servir un repas magnifique, terminé par un dessert de coings et de poires sucrés préparés par Guillemin Petit, son valet. Seguin ne tarda pas à être pris d'un violent accès de colique et mourut à Pampelune même, dans des souffrances terribles.

La mort du Mauvais fut aussi terrible. Froissart raconte qu'il avait quitté le lit d'une *« belle damoiselle amie »* quand il s'en retourna dans sa chambre tout frileux. Une fois couché, des tremblements violents le prirent, de sorte qu'il demanda qu'on lui chauffât les draps avec une bassine d'eau ardente (de l'eau-de-vie), laquelle prit feu et qu'il fut tout ars (brûlé) jusqu'à la boudine (!), de sorte qu'il mourut au bout de quinze jours. La *Chronique de Saint-Denis* et Juvénal des Ursins rapportent qu'il s'était enveloppé dans des draps mouillés d'eau-de-vie, *cousus autour de lui,* et que le valet qui le cousait ainsi, pour couper le fil, approcha sur celui-ci une chandelle allumée. Tout prit feu : les draps et l'homme. Le roi vécut trois jours, *« criant et brayant, en très grandes et âpres douleurs »* et trépassa.

Favin, dans son *Histoire de la Navarre* semble toucher la vérité de plus près. Selon lui, la bassine d'airain de Froissart, qui soufflait un air volant, et ces draps mouillés sur lesquels le feu se répandit, annonçaient tout simplement que le roi de Navarre, consumé de maladies honteuses, était obligé d'employer des fumigations et des bains sulfureux, et qu'il périt du double effet d'un refroidissement accidentel et de la débauche.

Ainsi mourut, le 1er janvier 1386 (ancien style) ou 87 (nouveau style) Charles de Navarre. Il avait 55 ans, deux mois, vingt-deux jours. Et les communications entre la Navarre et Paris étaient telles que le 2 mars, deux mois après sa mort (donc sans qu'il en eût été informé), Charles VI faisait entamer son procès, comme à un vivant, par la cour des pairs.

DE SINISTRES HÉROS

On conçoit que des personnages aussi répugnants que les routiers n'aient point eu d'historiens — sauf, évidemment, l'Archiprêtre qui trouva en Aimé

Cherest un hagiographe consciencieux. Voici donc quelques indications supplémentaires concernant certains héros de Brignais et leurs comparses :

Seguin de Badefol : c'était un des quatre fils légitimes de Seguin de Gontaut, sire de Badefol. Marié le 15 juin 1329 à Marguerite de Berail, Seguin de Gontaut, père du routier, eut trois autres fils : Jean, Pierre, Gaston que peut-être on avait surnommé Tenet ou Hélie, ainsi qu'une fille, Dauphine, mariée à Pierre de Cugnac, et cinq enfants naturels : deux fils et trois filles. Dans son testament, daté du 23 août 1371, il ne nomme point Seguin qui était mort empoisonné à la fin de 1365, par Charles de Navarre.

Cette maison formait deux branches : celles de Gontaut-Biron et celle de Badefol. Hélie de Gontaut-Badefol, fils de Seguin de Gontaut et frère de Seguin de Badefol, conservait encore, en 1388, plusieurs places et châteaux en Auvergne et en Rouergue provenant des « acquisitions » de ce chef de Compagnie, car il traita, le 1er mai de cette année, pour la reddition de Turlande, près de Pierrefort, et de plusieurs autres places et jura que durant l'année qui suivrait, il ne serait fait aucun tort, par lui et les siens, aux habitants de l'Auvergne, Rouergue, Toulousain, Carcassonnais, cela jusqu'à Beaucaire. Cet Hélie épousa, en octobre 1388, Marthe de Laye, dame de Hautefort en Périgord, et il fut substitué aux noms et armes de Hautefort. Sa postérité mâle a continué en Vivarais jusqu'au milieu du XIXe siècle. Les Gontaut-Badefol portaient : *Ecartelé d'or et de gueules* ; les armes de Hautefort que prit Hélie de Badefol, étaient : *D'or à trois fasces de sable, deux en chef, une en pointe.*

Le Petit-Meschin : Il était d'origine gasconne. Il avait été varlet d'armes comme un autre chef de bande : Limousin. Capturé par le bailli Huart de Raicheval en 1368, devant Orgelet (Jura), il fut emprisonné. Le 11 mai 1369, Louis, duc d'Anjou, le fit noyer dans la Garonne, à Toulouse.

S'il paraît opportun de rappeler que la plupart des noms étaient orthographiés différemment et que certains scripteurs malhabiles aggravaient ces fautes, il est également nécessaire de noter que, pour Froissart, il y eut deux Périn (ou Perrin) : Périn de Sasine, alias le Petit-Meschin, et Perrin ou Perrot de Savoie que le chroniqueur, parfois, nomme Pierre. Or, ces deux hommes n'en formaient qu'un seul : le Petit-Meschin, un *meschin* n'étant autre qu'un varlet, un serviteur sans intérêt particulier.

Le Petit-Meschin figure aux côtés de Guesclin dans la seconde expédition d'Espagne qui trouva sa conclusion à Montiel, le 23 mars 1369, par le trépas de Pedro le Cruel. Puisqu'il prit part à cette campagne, il est évident que l'incarcération du Meschin à Orgelet fut de courte durée. L'évasion semblant impossible, qui le fit libérer ? Quel intérêt avait-on à élargir ce malandrin ? Etait-il un guerrier tellement exceptionnel ? Guesclin lui était-il redevable de quelque chose ? Un fait est sûr : il conspira, sitôt revenu en France, pour livrer le duc d'Anjou aux Anglais. Ses complices étaient Arnaud de Penne (ou Ernauton de Pans), Amanieu d'Artiges (ou Aymemon d'Ortige), Nolin Pavalhon (ou Pabeilhon). Ces hommes furent décapités, écartelés et jetés dans la Garonne le 11 mai 1369.

Frank Hennequin : Cet Allemand tenait garnison pour Jean de Montfort à Carhaix quand il fut victime d'une paralysie générale. Saint Charles l'aurait frappé puis guéri à Guingamp. En reconnaissance de ce miracle, il fit, nu-pieds, un pèlerinage en l'église des frères Mineurs de Guingamp, *« provoquant en duel quiconque nierait désormais la sainteté de Charles de Blois ».*

Le Bourc Camus : Navarrais ou Gascon, il passa en Italie après Brignais en compagnie de Hawkwood, Creswey, Briquet, et fut pris en janvier 1368 dans le château de Beauvoir (Nièvre) par les gens du duc de Bourbon. Sa spécialité ? Il faisait jeter dans des fosses pleines de feu tous ceux qui ne pouvaient acquitter leur rançon.

Talbardon ou Tallebarde : D'après Paradin, le roi le fit pendre en 1362, à Trichastel, ainsi que Jean de Chauffour et Guillaume Pot. Cet érudit semble dans l'erreur : Pot vivait encore en 1367 et Chauffour fut décapité à Langres vers le milieu de 1364.

Naudon de Bagerant : En janvier 1365, Charles V lui accorda des lettres de rémission, précisant *« né du pays de Gascoinges, capitaine de compaignies »*. Il se rallia à Guesclin lors de la descente des Compagnies en Espagne, puis il offrit ses services à Don Pèdre en même temps que Briquet, Creswey, Robert Ceni, Perducas d'Albret, Garcie de Châtel, les Bourcs de Lesparre, Camus, Breteuil. Le prince de Galles les prit à sa solde du mois d'août 1366 jusqu'à février 1367. Après Najera (3 avril 1367), Bagerant revint en France. En novembre et décembre 1367, le gouverneur du Nivernais fit payer la solde des gens d'armes opposés à Bernard de Lobrac, au Bourc Camus, à Naudon de Bagerant, et à leur gens *« pleins de male volonté, lequelz ennemis s'efforçoient de prendre villes et forteresses et demeurant sur le pays en novembre et décembre 1367 »*. Naudon de Bagerant fut plus tard capitaine pour les Anglais au château de Ségur, en Limousin. Il est mentionné comme mort en 1394.

Lamit : Ce routier breton devint, en 1365, capitaine de Longwy.

Bernard de la Salle : Le 18 novembre 1359, au service du captal de Buch, il escalada la muraille du château de Clermont avec des grappins. Il pilla la Bourgogne. Il y était encore, en 1368, avec Bernard d'Albret, Gaillard de la Motte, Bernard d'Eauze et le Bourc de Badefol.

Guyonnet de Pau : Ce Béarnais rançonnait les bergers de la vallée d'Osso. Le 11 mai 1369, Louis, duc d'Anjou, le fit décapiter en même temps que les autres complices du Petit-Meschin.

ANNEXE V

DE LA DÉFAITE DE POITIERS AUX TRAITÉS DE BRÉTIGNY ET CALAIS

Après sa désastreuse défaite à Poitiers-Maupertuis, Jean le Bon avait été emmené à Libourne (2 octobre 1356) puis à Bordeaux par son vainqueur, le prince de Galles. Des trêves pour deux ans y furent conclues, le 23 mars 1357, à l'instigation des cardinaux de Périgord et d'Urgel envoyés par le Pape afin de réconcilier Edouard III d'Angleterre et le roi de France. Ces trêves devaient cesser au jour de Pâques 1359, inclusivement.

Dès le 20 mars 1357, le roi d'Angleterre avait ordonné d'accomplir dans la Grande Ile tous les préparatifs nécessaires pour recevoir son fils et son royal prisonnier. Ils débarquèrent à Plymouth et firent leur entrée à Londres le 24 mai. Il semble que le roi d'Angleterre ait été plus enclin à rédiger un traité avec son autre ennemi, l'Ecossais David Bruce (paix signée à Berwick, le 3 octobre 1357) qu'avec Jean le Bon.

Pendant toute l'année 1357, Innocent VI pressa le souverain anglais de faire la paix avec la France. Le 29 mai, il le félicita pour la conclusion des trêves de Bordeaux, et le 27 novembre, dans une nouvelle lettre, il le pria d'en finir. Ses émissaires allèrent en Angleterre munis de lettres de sauf-conduit délivrées par Edouard III (1er, 3 et 15 juin), puis des lettres de sauvegarde (3 septembre, 5 décembre) : démarches quasiment inutiles. Des fêtes furent données à Londres, « au chastel de Vindessore » en l'honneur du roi Jean, à la fin de cette année-là, et reprirent pendant les premiers mois de 1358. Le vaincu de Poitiers avait été placé, sous la garde de Roger Beauchamp, au château de Hertford où David Bruce avait été retenu prisonnier.

Le bruit de la conclusion de la paix entre la France et l'Angleterre courut à Paris vers le milieu du mois de décembre 1357. Le 27 janvier 1358, Jean le Bon envoya des messagers à son fils, le dauphin Charles, régent du royaume, pour lui présenter les propositions de paix des Anglais. Ces propositions prévoyaient une rançon de 4 millions d'écus d'or et des clauses territoriales si sévères qu'elles furent rejetées. Pour ajouter au désarroi de tout un peuple, ce fut alors que l'Archiprêtre Arnaud de Cervole et ses routiers ravagèrent la Provence, Robert Knolles et ses hommes d'armes, la Normandie, Ruffin et ses « armées » le pays entre Seine et Loire, et que la Jacquerie commença (28 mai) !... Sans oublier, évidemment, les constants ravages de Charles le Mauvais avec lequel, pour obtenir une tranquillité qu'il savait éphémère, le régent se résigna à conclure le traité de Pontoise (21 août 1358).

Munis d'un sauf-conduit daté du 11 mai 1359, les représentants du régent essayèrent de minimiser les propositions anglaises. Ils revinrent à Paris le 19, porteurs de nouvelles offres. C'étaient Guillaume de Melun, archevêque de Sens ; les comtes de Tancarville et de Dammartin, le maréchal Arnoul d'Audrehem, le seigneur d'Aubigny. Les premiers états véritablement généraux (langue d'oc et langue d'oïl) réunis à la Cité le 25 mai 1359 apprirent avec stupeur qu'Edouard III demandait, au lieu de la moitié de la France, comme précédemment, un bon tiers du territoire avec toutes les côtes de Calais aux Pyrénées (ce que les Allemands exigèrent en 1940) et des otages de sang royal comme gages de la rançon exorbitante voulue pour la libération de Jean le Bon... qui, d'un cœur léger, avait agréé à ces propositions le 24 mars (1359) !

Cette attitude ne fit pas que déplaire : elle courrouça les représentants de la noblesse, de la bourgeoisie et le peuple qui reçut lecture des conditions anglaises dans la cour du Palais — lecture faite par Guillaume de Dormans, avocat général. Des subsides furent immédiatement votés pour la continuation de la guerre, et les échanges d'émissaires ne troublèrent en rien la volonté des ennemis de s'entretuer.

DES GUERRIERS ÉMÉRITES

Edouard III se prépara donc pour une nouvelle expédition en France. Le 5 juin, il ordonna que revinssent à Sandwich tous les vaisseaux nécessaires au transport de ses troupes ; le 10 juillet, il fît enrôler les charpentiers, maçons, forgerons dont il pourrait avoir l'utilité, et le 12 août, par lettres à l'Archevêque de Cantorbery, il fit l'annonce de son expédition. En même temps qu'il demandait aux prélats et aux clercs l'assistance de leurs prières, il faisait enfermer Jean le Bon à Sommerton (où il demeura jusqu'en mars 1360 avant d'être transféré à la Tour de Londres).

Toutes les dispositions furent prises en France pour enrayer l'avance des envahisseurs, mais que pouvait-on faire contre ces guerriers émérites, — surtout les archers — commandés admirablement ? Gauthier de Masny, parfait serviteur d'Edouard, vint à Calais avec 1 500 hommes d'élite recrutés en Allemagne, en Hainaut et ailleurs ; Lancastre y débarqua autour de la Saint-Rémi (1er octobre 1359) et le 18 octobre, les Anglais étaient en vue d'Amiens où Edouard III, embarqué le 28 octobre, via Calais, les rejoignit.

Plus que les hommes d'armes de France, ce fut l'hiver — un hiver rigoureux dans un pays épuisé — qui malmena sévèrement l'orgueil d'Edouard III et sapa le « moral » de ses hordes. Il était allé, en 1346, jusqu'à Paris, puis à Crécy et à Calais, détruisant tout sur son passage. Cette fois, il avait Reims pour objectif : il fallait qu'il s'y fît couronner.

Les historiens sont en désaccord sur les dates du siège de cette ville. Selon Jules Viard et Eugène Déprez (1904), commentateurs des *Chroniques* de Jean le Bel, le roi d'Angleterre fut devant la cité le 4 décembre et y resta jusqu'au 11. Les *Chroniques de France* situent le jour de l'arrivée en *novembre,* et rapportent, elles aussi, qu'Edouard dessiégera le 11 janvier. Selon Knyghton, il arriva le 18 décembre et resta sous les murs sept semaines. Selon Walsingham, le siège commença le jour de la Sainte Lucie (13 décembre) et fut levé le 14 janvier, jour de la Saint Hilaire. Ce chroniqueur ajoute plus loin qu'Edouard III demeura à Reims jusqu'au cinquième jour de la Saint Grégoire... ce qui recule son départ jusqu'au 17 mars, puisque la fête en question était le 12.

Or, il est certain qu'Edouard III se trouvait en Bourgogne le 10 mars, puisque ce jour là, il concluait une trêve avec le duc de Bourgogne, à Guillon. Trêve bienvenue pour lui : il rafla d'un coup 200 000 écus d'or et des provisions.

Il décida de marcher sur Paris. Paris où Charles le Mauvais intriguait toujours contre la royauté française, au profit de l'Angleterre : le samedi 30 décembre, on avait exécuté un bourgeois nommé Martin Pisdoe convaincu d'avoir comploté avec quelques officiers et serviteurs du roi de Navarre contre le roi de France et le Régent. Ils devaient introduire dans Paris des troupes dont une partie s'emparerait des quartiers d'importance stratégique tandis que l'autre irait au Louvre pour y mettre à mort tous les gêneurs — y compris, sans doute, le régent. La conspiration avait été découverte par un autre bourgeois, Denisot-le-Paumier (1)... un « ami » auquel Pisdoe avait fait des confidences.

LE LUNDI NOIR

Voilà Edouard III dans la région parisienne, qu'il connaît depuis 1346, année où sa chevauchée victorieuse l'avait mené jusqu'à Auteuil. Il loge à Chanteloup, entre Arpajon (anciennement Chastres) et Montlhéry. Arrivé là le mardi 31 mars, il y demeurera jusqu'au 7 avril.

Ses troupes cantonnèrent à Châtillon, Issy, Vanves, Vaugirard et, durant cet intervalle, on entama des négociations de paix. Les plénipotentiaires des deux armées s'assemblèrent le vendredi saint 3 avril 1360, puis le 10. Sans succès. Pour démontrer sa puissance, Edouard III réunit toute son armée, qu'il mena sous les murs de Paris, le dimanche de Quasimodo, 12 avril, et en partit vers midi en direction de la Bretagne.

Traversant la Beauce désolée, ce grand superstitieux qui ne faisait rien sans consulter ses « astronomiens » fut saisi d'inquiétude : on lui avait annoncé que les Français avaient fait une incursion à Winchelsea (14 mars 1360). Pour comble de malheur, il eut à subir, comme tous ses hommes, les énormes désagréments du *lundi noir* : un cyclone dévasta son charroi, d'énormes grêlons tuèrent ses hommes et des centaines de chevaux. Ce ne fut plus en conquérant, mais en victime du mauvais sort qu'il songea à la paix.

On vit aller et venir, à cheval et en carrosse, quantité de médiateurs. Tant d'Eglise que de la noblesse : la nouvelle venue d'Edouard III devant Paris avait eu plus d'effet qu'en l'été 1346 ! Ceux du Pape : Gilles Ancelin de Montagne, évêque de Thérouanne ; Audouin de la Roche, abbé de Cluny ; Simon de Langres, maître des Frères Prêcheurs et Hugues de Genève, seigneur d'Authon. Les plénipotentiaires du Régent : Jean de Dormans, évêque de Beauvais, chancelier de Normandie ; Charles de Montmorency ; Jean de Melun, comte de Tancarville, le maréchal de Boucicaut ; Aymart de la Tour, sire de Vinay ; Simon de Bucy, premier Président du parlement, etc. Partis de Paris le 27 avril, ils retrouvèrent Edouard III *plus loin que Chartres,* à Bonneval et s'entendirent signifier de revenir à Chartres où il les rejoindrait. Les négociations recommencèrent le vendredi 1er mai, et le traité fut signé le 8, non pas à Brétigny-sur-Orge comme on le pense communément, mais à Brétigny près de Chartres : *Brétigny-lez-Chartres.*

Ce traité assurait au roi d'Angleterre, Calais, les comtés de Ponthieu et de Guînes, le Poitou, la Saintonge, l'Angoumois, le Limousin, le Périgord, l'Agenais, le Quercy, le Rouergue, le comté de Bigorre. Edouard III renonçait à ses prétentions sur Boulogne, la Normandie, le Maine, l'Anjou, la Touraine, ainsi qu'à tout droit de suzeraineté sur la Flandre et la Bretagne (où d'ailleurs, il régnait par alliés interposés). L'initiale rançon de 4 millions d'écus d'or était ramenée à 3 millions.

Une des clauses du traité contraignait Jean le Bon à livrer, dans les trois mois qui suivraient son retour à Calais (il semble que sa revenue en France, pour y

---

(1) On complotait dans Paris même, chez le curé de Sainte-Geneviève, Jean de Saint-Leu. Il y avait là Etienne Marcel, Charles Toussac, Robert de Corbie, Jean de l'Isle, Joceran de Macon et Jean de Picquigny, homme de confiance de Charles le Mauvais. Le complot de Pisdoe, changeur très riche et très estimé, fut découvert en décembre 1359. Il périt décapité ; son corps, coupé en quatre parts, fut accroché à quatre portes de Paris.

accumuler l'or de sa rançon n'ait suscité aucune objection) 80 otages destinés à le remplacer : 40 chevaliers et 40 bourgeois, pris dans 19 villes bien définies, à raison de deux par ville, Paris étant chargé d'en fournir quatre. Ces villes étaient Amiens, Arras, Beauvais, Bourges, Caen, Châlon-sur-Marne, Chartres, Compiègne, Douai, Lille, Lyon, Orléans, Paris, Reims, Rouen, Saint-Omer, Toulouse, Tours, Troyes. Quant aux otages « chevaleresques », ils devaient appartenir à ce que le royaume possédait de mieux. Ce furent, pour commencer, monseigneur Philippe d'Orléans, fils de Philippe de Valois, ses deux neveux : le duc d'Anjou et le duc de Berry ; le duc de Bourbon, comte d'Alençon, Monseigneur Jean d'Etampes, Guy de Blois, le comte de Saint-Pol, le comte d'Harcourt, le dauphin d'Auvergne, Enguerrand de Coucy, etc.

Le traité fut signé par le roi de France à la Tour de Londres, le 14 juin, et le 8 juillet, après quatre ans de captivité, il débarqua à Calais où il demeura jusqu'à fin octobre, le traité de Brétigny-lez-Chartres étant entériné définitivement dans cette cité le 24 de ce mois.

Deux jours après cette ratification, à Boulogne, eut lieu le versement du premier terme de la rançon convenue, fixé à 600 000 écus d'or. Le roi de France avait fait non seulement appel aux dons volontaires, mais il avait soumis ses sujets *sans exception* à un emprunt forcé. Or, dans un pays appauvri par la guerre et les troubles des routiers, on réunit péniblement (entre 8 juillet et le 26 octobre) 400 000 écus, les 200 000 écus obligatoires étant payés en deux fois, le 25 décembre : 100 000 ; le 2 février 1361 : 100 000 (1) et le roi, selon Pétrarque, pour regagner Paris, fut réduit à traiter avec les brigands des Compagnies pour leur payer une rançon garantissant sa sécurité. Il rentra dans la capitale le 12 décembre. Il y reçut un accueil mitigé.

Le reste du paiement de la rançon traîna. Les chevaliers retenus comme otages et qui eussent dû être rapatriés s'impatientèrent et conclurent avec Edouard III une convention onéreuse que l'assemblée d'Amiens refusa de sanctionner. Ici se situe le lamentable épisode de la fuite du duc d'Anjou, prisonnier sur parole à Calais, et parjure. Ce fut, avec l'impossibilité pour Jean le Bon d'acquitter sa rançon au terme juré, la seconde raison de son retour à Londres, en 1364, autant en négociateur qu'en captif : la vie lui était d'ailleurs fort aisée. Largesses, gentilfames et damoiseaux d'humeur accommodante : une vie de Cour. Il mourut là-bas le 8 avril 1364.

---

(1) Le roi avait été contraint d'accepter 90 000 écus d'or du Pape et 600 000 florins de Galéas Visconti auquel, selon l'expression de Villani, « il vendit en mariage sa fille Isabelle ».

ANNEXE VI

LE FESTIN DE ROUEN

Le samedi des Pâques fleuries 1356, après avoir chevauché toute la journée précédente, le roi Jean pénétra dans le châtelet de Rouen précédé d'Arnoul d'Audrehem qui lançait aux curieux sur son passage : *« Nul ne se meuve, pour chose qu'il voie, s'il ne veut être mort de cette épée ! »* Jean II entra brusquement dans la salle où avait lieu un festin et vit son fils auprès de Charles de Navarre. *« Il lança son bras dessus le roi de Navarre et le prit par la keue et le tira moult roide contre lui en disant "Or, sus, traître, tu n'es pas digne de seoir à la table de mon fils. Par l'âme de mon père, je ne pense jamais à boire ni à manger tant comme tu vives !" »* (Froissart). Colinet de Bléville, écuyer tranchant, fut courroucé. Il porta son badelaire contre la poitrine du roi en le menaçant de l'occire. Jean II le désigna aussitôt à ses compagnons : *« Prenez-moi ce garçon et son maître aussi ! »* Massiers et sergents d'armes obéirent.

Les autres convives, statufiés, attendaient, parmi lesquels Louis et Guillaume d'Harcourt, frères de Jean, comte d'Harcourt ; les seigneurs des Préaux et de Clère ; Friquet (Freluquet) de Fricamps, chancelier du roi de Navarre ; le sire de Tournebu, Maubue de Mainemares, le sire de Graville* et les deux écuyers, Olivier Doublet et Jean de Vaubattu ne cherchèrent pas à se défendre. Charles le Mauvais fut emmené dans une chambre tandis que Charles de Normandie, à genoux et mains jointes, suppliait son père de renoncer à la vengeance qu'il pressentait.

Pour rendre cette scène moins pénible, Froissart écrit que le futur roi de France était un enfant. Fausseté : né le 21 janvier 1337, le dauphin avait 18 ans. Le roi hurla à la trahison. Son fils était "dans le coup". Une pièce rapportée par l'érudit Denis-François Secousse dans son volume sur les *Preuves* montre que le roi de Navarre avait persuadé le duc de Normandie de s'enfuir de France et de se placer sous la protection de l'empereur Charles IV pour venir, ensuite, attaquer son père en force. Les noms de ceux qui devaient l'accompagner sont mentionnés dans la lettre de rémission en date du 6 janvier 1355 (1356 en ne commençant pas l'année à Pâques). Charles, toujours maladivement craintif, craignit, outre de passer pour un couard (ce qu'il était) de passer pour un félon envers les dîneurs arrêtés. Il ne refusa pas d'assister à la décapitation de certains de ses complices sur le billot du Champ du Pardon. Il tenait à s'assurer qu'on leur tranchait le col : ainsi, ils ne "cafteraient" pas. C'étaient Jean, comte d'Harcourt, le sire de Guerarville* dit Jean de Graville, Maubue de Mainemares et Olivier Doublet qui pouvait aussi s'appeler Collinet de Bléville.

---

* Jean de Graville eut son nom souvent déformé : Granville, Graville, Girarville. Il est probable qu'il s'agit de Jean de Mallet, seigneur de Gerarville.

ANNEXE VII

LA VÉRITÉ SUR JEAN MAILLART ET PÉPIN DES ESSARTS

Parmi les fausses gloires de la Guerre de Cent Ans figurent en assez bonne place deux individus des plus louches : Pépin des Essarts et Jean Maillart. Depuis quelque trois siècles, des historiens superficiels les ont béatifiés pour leur dévouement au fils de Jean le Bon, captif en Angleterre, alors qu'ils furent les satellites d'Etienne Marcel jusqu'au dernier souffle de cet homme qui n'eut qu'un but : le profit, et qu'un idéal : le pouvoir.

Ce serait posthumement accorder trop d'honneur au prévôt des marchands que d'en résumer l'existence. Ce misérable aventurier ne dédaigna point de s'allier aux Jacques, à Charles le Mauvais et aux Anglais pour exercer sur Paris et la France une sorte d'autoritarisme républicain. L'on peut à juste raison s'étonner que ce mercanti en habits de velours et de soie, traître, parjure, « combinard » à l'excès, et qui voulut bazarder la France aux Goddons, ait été « honoré » d'une statue équestre entre Notre-Dame et l'Hôtel de Ville. Il est vrai, non loin d'un bazar...

Le rôle de Pépin des Essarts (ou Papin des Essars, les deux prénoms étant les diminutifs de Philippe) dont on fait un loyal sujet du dauphin de France, est aussi trouble et douteux, lors de l'assassinat d'Etienne Marcel, que celui de Maillart. Ce héros des manuels d'histoire de France, armé chevalier dès les premiers mois du règne de Jean II, est mentionné, le 28 janvier 1351, à propos d'une rixe avec les gens du guet. Il était apparenté à Marguerite des Essarts, seconde femme d'Etienne Marcel, *« et il se peut qu'il ait été son frère »*, a écrit Roland Delachenal dans un commentaire de la *Chronique de Jean II et de Charles V.*

Pépin ne fut rien d'autre qu'une espèce de crapule. Si, dans la matinée du 31 juillet 1358, avec son frère Martin, il exécuta Josseran de Mâcon, trésorier du roi de Navarre, ce ne fut point par patriotisme mais pour éliminer un témoin de ses accointances avec Charles le Mauvais et ses partisans. Comme on sait, de façon formelle, que Martin était le frère de Marguerite, un syllogisme suffit pour certifier le lien fraternel entre Pépin et celle-ci, et conclure que cet homme-là rompit au dernier moment avec son beau-frère dont il avait dû profiter des largesses.

Les fréquentations du prévôt des marchands furent toujours équivoques. Non seulement il avait placé sa confiance en ces deux Essarts, mais aussi en Jean Maillart. Ils l'abandonnèrent *in extremis* dans la crainte d'être pendus ou décapités pour trahison, ce qui se conçoit mais révèle, cependant, des caractères assez répugnants.

Après ces événements, Pépin des Essarts parvint à maintenir sur sa personne, par compères interposés, l'attention d'un dauphin ignorant des intrigues qui avaient eu Paris pour cadre lors de son absence. Le zèle que mit ce gredin à servir son nouveau maître fut maculé de sang : une de ses actions, qui passe pour glorieuse, suscita des représailles immensément sanglantes. Qu'on en juge :

Le régent (ou dauphin), futur Charles V, avait fait réunir secrètement des navires au Crotoy. Cette flotte, commandée par Jean de Neuville (1) et Pépin des Essarts, devait opérer quelques débarquements sur les côtes d'Angleterre : Southampton, Portsmouth, Sandwich. Les vents ne la poussèrent que devant Winchelsea. Le 14 mars 1360, 1 200 hommes d'armes et 800 arbalétriers prirent la ville d'assaut et rembarquèrent en ne laissant que morts et ruines.

(1) Il était le neveu d'Arnoul d'Audrehem.

La revanche d'Edouard III s'exerça sur Honfleur puis sur toutes les cités qu'il emprunta de la Bourgogne à Paris (1). Le 31 mars, il était à Chanteloup, près d'Arpajon. Il incendia ensuite Orly, Longjumeau, Montlhéry et, à Paris, les faubourgs Saint-Marcel et Saint-Germain. Châtillon, Montrouge, Gentilly, Cachan, Issy et Vaugirard éprouvèrent la fureur anglaise. Au subit acte de bravoure commis par messires de Neuville et des Essarts à Winchelsea, le roi d'Angleterre répliqua rigoureusement *car il ne faut pas oublier, lorsqu'on y fait référence, que la France et l'Angleterre étaient alors en période de trêve.* En fait, et pour s'exprimer crûment, violer une trêve était bien la seule chose que l'égrotant dauphin pût se permettre.

LA PERFIDIE DE JEAN MAILLART

Si l'on sait comment Pépin des Essarts se redima de ses « erreurs », on ignore comment Jean Maillart, principal sectateur d'Etienne Marcel, parvint à se faufiler parmi les 16 plénipotentiaires que le dauphin envoya à Chartres, au printemps 1360, pour traiter de la paix avec l'Angleterre. Un Jean Maillart, en effet — qui ne peut être que l'ex-suppôt du prévôt des marchands —, figure auprès de Jean Dormans, Etienne de Paris, Jean d'Augerant, Boucicaut, Charles de Montmorency, Regnault de Gouillons, capitaine de Paris, Simon de Bucy et quelques notaires. On peut supposer certaines amitiés secrètes ; la peur d'une dénonciation... car au temps de sa puissance, Etienne Marcel ne manquait pas de courtisans !

L'attitude équivoque de Maillart avait étonné un homme bien avant qu'elle eût intrigué l'auteur de cet ouvrage. Cet homme fut un érudit. Né à Valognes en 1742, mort à Paris en 1833, Bon-Joseph Dacier fut membre de l'Académie française, traducteur d'Elien et de Xénophon. Le mardi 28 avril 1778, il prononça une conférence à l'Académie royale des Inscriptions et Belles-Lettres. Son titre est une question :

A qui doit-on attribuer la gloire de la révolution qui sauva Paris pendant la prison du roi Jean ?

Il semble superflu de commenter ce texte. On peut le consulter dans sa typographie d'origine dans les *Mémoires de Littérature tirés des registres de l'Académie royale des Inscriptions et Belles-Lettres,* tome 43, cote Z 5097, année 1786 à la Bibliothèque Nationale. Le voici dans son intégralité et sa ponctuation d'origine.

Suivant l'opinion commune, la gloire de cette heureuse révolution appartient à Jean Maillart : lui seul, dit-on, découvrit la trame ourdie par Etienne Marcel, Prévôt des Marchands, déconcerta ses projets, le punit de ses attentats, détruisit l'anarchie, conserva la vie à des milliers de citoyens, fit rentrer Paris sous l'autorité de ses maîtres légitimes, et valut à la Nation le règne de Charles V. Notre histoire n'offre point d'exemple d'un service plus signalé : mais Maillart a-t-il véritablement rendu ce service ? La tradition qui lui en fait honneur est-elle aussi bien fondée, qu'elle est généralement répandue ?

Pour me mettre en état de répondre à cette question, je crois devoir rappeler en peu de mots les principales circonstances qui préparèrent l'événement dont la délivrance de Paris et le salut du Royaume furent la suite.

Depuis le traité conclu vers la fin de juillet 1358, entre Charles, dauphin, Régent du Royaume, et Charles le Mauvais, roi de Navarre, Marcel voyait son parti s'affaiblir chaque jour, et avait sujet de craindre que les Parisiens, dont les vexations commençaient

(1) Edouard III avait eu l'intention de se faire sacrer à Reims. Il s'en fallut de peu qu'il y parvînt.

à lasser la patience, n'acceptassent les conditions auxquelles le Régent promettait de leur pardonner. La première était de lui livrer le Prévôt et douze bourgeois à son choix. Marcel perdit bientôt le peu de crédit qui lui restait : de nouvelles violences achevèrent d'aliéner les esprits. En même temps, les désordres que commettaient dans Paris quelques troupes anglaises que le roi de Navarre y avait laissées pour soutenir ses partisans, irritèrent le peuple qui s'attroupa. Plusieurs Anglais furent tués dans l'émeute : ceux dont le Prévôt put favoriser l'évasion, s'étant joints aux Navarrais, venaient sans cesse insulter les Parisiens et les défier jusque sous leurs murs. Obligé de céder aux clameurs des bourgeois qui demandaient qu'on les menât contre l'ennemi, le Prévôt sortit à leur tête : mais, soit trahison, soit malhabileté de leurs chef, ils furent taillés en pièces. On s'en prit à Marcel ; on l'accusa d'avoir préparé lui-même cet échec en prescrivant aux Parisiens une marche qui les exposait à une défaite certaine. Sentant alors le danger de la situation, et désespérant d'obtenir grâce du Régent, s'il tombait entre ses mains, il résolut de livrer la ville au roi de Navarre. Etant allé trouver ce prince à Saint-Denis, il convint avec lui d'introduire dans Paris, la nuit du 31 juillet au 1er août, les Anglais et les Navarrais, qui devaient se répandre dans différents quartiers et massacrer les habitants de tout âge et de tout sexe, dont les maisons ne porteraient pas une marque qui serait désignée aux soldats. Ensuite, Robert le Coq, évêque de Laon, devait couronner Charles de Navarre, roi de France.

Les choses étaient en cet état, le jour où Marcel fut tué. Voyons maintenant comment les historiens contemporains racontent cet événement, et sur quel fondement la gloire en est attribuée à Jean Maillart.

Je commence par le continuateur de Nangis, qui a écrit dans Paris même l'histoire de son temps*, depuis 1340, jusqu'en 1368, et qui est mort en 1369.

Selon ce chroniqueur, le Prévôt des Marchands s'étant rendu en plein jour, avec quelques gens de sa faction, aux différentes portes de la ville, renvoya une partie des Bourgeois qui les gardaient et en substitua d'autres auxquels il confia les clés. Arrivé à la Bastille Saint-Antoine, il voulut pareillement changer les gardes et se saisir des clés. Ceux entre les mains de qui elles étaient, refusèrent de les lui remettre. Le Prévôt insista ; les esprits s'aigrirent, et dans la chaleur de la dispute, un des gardes s'écria : *« Qu'est-ce donc que ceci ? Le Prévôt nous trahit ! »* A ces mots, un autre garde levant sa hache ou sa hallebarde (*hasta-haste***), le frappa et l'étendit mort à ses pieds. Le chroniqueur ne dit rien de plus, et ne fait pas même au garde l'honneur de le nommer.

Le récit de Jean Villani, également contemporain, et qui, quoique étranger, paraît avoir été bien instruit de ce qui se passait en France, ne fournit pas plus d'éclaircissements sur la question proposée. On y lit que le Prévôt des Marchands s'étant rendu avec quelques bourgeois armés, qui lui étaient affidés, à une Bastille bien fournie d'hommes d'armes, de vivres, de troupes, congédia la garde, enleva les munitions, et donna les clés à un ancien trésorier du roi de Navarre ; qu'en ayant usé de même dans les autres Bastilles, les Parisiens envoyèrent demander au Régent si Marcel agissait par son ordre ; que le Régent ayant désavoué la conduite du Prévôt, le peuple se mit à crier : *« Vive le Dauphin, meurent les traîtres »* ; qu'enfin Marcel fut tué dans cette émeute avec ceux qui l'accompagnaient.

Ces deux écrivains ne distinguent aucun des bourgeois qui s'opposèrent à la trahison de Marcel et qui eurent part à sa mort : ainsi, la tradition de l'héroïsme de Maillart ne peut être appuyée sur leur récit.

Je passe aux Chroniques de Saint-Denis. Là, je trouve le nom de Maillart : mais il s'en faut beaucoup qu'il y joue un rôle aussi brillant que dans nos histoires modernes. Je citerai le texte sans en changer le langage :

Le mardi dernier jour du mois de juillet (1358), le Prévôt des Marchands et plusieurs autres à lui alliés, tous armés, allèrent dîner à la Bastille Saint-Denis ; et commanda ledit Prévôt à ceux qui gardaient la porte de ladite Bastille, qu'ils baillassent

---

* Il nous apprend qu'il était à Paris en 1356 et qu'il y passa cette année et les suivantes : 1357, 1358, 1359 et 1360.

** Une hache n'est pas une arme d'hast.

les clés à Josseran de Mâcon, Trésorier du roi de Navarre, lesquels gardes dirent qu'ils n'en bailleraient nulles : dont le Prévôt fut moult courroucé. Et il y eut riote entre ledit Prévôt et ceux qui gardaient les clés de ladite Bastille, tant que un, appelé Jean Maillart, qui était garde de l'un des quartiers de ladite Ville, de la partie de ladite Bastille, eut nouvelles de ce débat, et pour ce se trait vers ledit Prévôt, et lui dit qu'on ne baillerait pas les clés audit Josseran. Et pour ce, il y eut plusieurs grosses paroles entre ledit Prévôt et Josseran d'une part, et ledit Jean Maillart d'autre part. Et monta ledit Maillart à cheval et prit une bannière du roi de France et commença à crier :* « Montjoie Saint-Denis au roi et au duc ! » *Et aussi fit ledit Prévôt et sa compagnie, et s'en allèrent vers la Bastille Saint-Antoine ; et ledit Jean Maillart demeura vers les Halles. Et un chevalier appelé Pépin des Essars, qui rien ne savait de ce que Jean Maillart avait fait, prit assez tôt après une bannière de France et criait semblablement... et durant ces choses, ledit Prévôt vint à la Bastille Saint-Antoine, et il y eut riote en ladite Bastille, tant que aucuns qui étaient là coururent sus à Philippe Guissart, lequel se défendit fermement. Toutefois, il fut tué, et après fut tué ledit Prévôt des marchands, etc.*

Dans cette narration, Jean Maillart n'a d'autre mérite que de prendre le parti des gardes de la Porte Saint-Denis, qui sans attendre son arrivée, avaient déjà résisté au Prévôt, et refusaient opiniâtrement de remettre les clés à Josseran de Mâcon ; puis de parcourir quelques rues avec une bannière de France. Mais, après avoir crié en courant « *Montjoie Saint-Denis au roi et au duc !* », il demeure vers les Halles, tandis que le Prévôt gagne la Bastille Saint-Antoine, où commence une nouvelle riote dans laquelle Philippe Guissart et lui sont tués, et Maillart ne paraît avoir aucune part au reste de l'action. S'il y contribua, en cherchant à soulever le peuple contre Marcel, Pépin des Essars qui, de son côté, faisait la même chose, *sans savoir ce que faisait Maillart* en doit partager la gloire. Ainsi, les Chroniques de Saint-Denis ne sauraient être regardées, non plus que les deux précédentes, comme la source de la tradition qui l'attribue exclusivement à Maillart. C'est donc à Froissart seul qu'il est redevable de l'honneur que lui font la plupart des historiens modernes, en le peignant comme le libérateur de Paris et le sauveur du royaume (1). Froissart raconte ainsi les faits.

Celle propre nuit que ce devoit advenir (c'est-à-dire que Marcel devait livrer Paris au roi de Navarre), inspira Dieu auncuns des bourgeois de Paris qui tousjours avoient été de l'accort du Duc ; c'est assavoir, Jehan Maillart, Simon son frère et plusieurs autres, lesquels par inspiration divine, ainsi le doit-on supposer, furent informés que Paris devoit estre couru et destruit. Tantost s'armèrent et firent armer ceulx de leur costé, et réveillèrent (2) *secrètement ces nouvelles en plusieurs lieux, pour avoir plus de confortans. Si vindrent... un petit avant mienuit à la porte de Saint-Anthoine, et trouvèrent le Prévost des Marchans, les clefs de la porte en sa main. Si dist Jehan Maillart au Prévost, en le nommant par son nom : Estienne, que faites-vous cy à cette heure ? Le Prévost dist : Jehan, à vous qu'en monte* (3) *de le savoir ? Je suis cy pour prendre garde à la Ville dont j'ay le gouvernement. Par Dieu, dist Jehan, il n'en va mie ainsi ; ains n'estes icy à ceste heure pour nul bien ; et je vous monstreray, ce dit-il à ceux qui estoient emprès luy, comment il tient les clefs de la porte en ses mains, pour trahir la Ville. Le Prévost dit : Jehan, vous mentez. Jehan respondi : mais vous Estienne mentez ; et tantost féry sur luy et dist à ses gens, à la mort, à la mort ; chascun frappe de son costé, car ils sont traistres. Là y eut grand hutin, et s'en feust voulentiers fuy le Prévost, mais Jehan le frappa d'une hache sur la teste ; si l'abbatit à*

---

* Querelle. *Note de l'éditeur :* Bien entendu, c'est Pierre Naudin qui remet ce texte d'une lecture difficile en français compréhensible.

(1) Je ne citerai (c'est M. Dacier qui s'exprime) que le premier continuateur de l'abbé Vély, qui en parle ainsi : *un fidèle et généreux citoyen... arrêta les fureurs de Marcel et sauva la patrie... Ce bourgeois digne d'être immortalisé dans les annales de la Nation se nommait Jean Maillart* (Histoire de France, tome V, page 187, édition in-4°).

(2) Révélèrent.

(3) Qu'importe.

terre, quoyqu'il fust son compère, et ne s'en partit tant qu'il l'eut occis et fix de ceux qui là estoient ; et furent les autres menez en prison (1).

Maillart et les siens marchent ensuite vers la porte Saint-Honoré, où ils trouvèrent un grand nombre de partisans de Marcel : ils égorgent ceux qui essayent de se mettre en défense, et dispersent les autres en différentes prisons. Le lendemain matin, Maillart ayant assemblé aux Halles la plus grande partie de la communauté de Paris, expose publiquement les raisons qui l'ont engagé à tuer Marcel : les complices du Prévôt sont mis à mort, et Maillart, après avoir rétabli le calme dans la capitale, envoie Simon, son frère, et *deux maistres du Parlement, maistre Jehan Alphons et maistre Jehan Pastourel* prier le Régent, qui se tenait à Charenton, de rentrer dans Paris. Le prince se rend à leurs instances et vient loger au Louvre.

Telle est la narration de Froissart. Je demande d'abord si le silence absolu, tant de Villani que du continuateur de Nangis sur la personne de Maillart, et la réticence des chroniqueurs de Saint-Denis, sur les suites de sa querelle avec le Prévôt, ne rendent pas au moins suspecte l'exactitude du dernier récit. Je remarque de plus que, dans le grand nombre de pièces du Trésor des Chartes*, relatives aux troubles dont le royaume fut agité à cette époque, il n'y en a pas une seule qui renferme un mot à la louange de Maillart tandis que plusieurs de ces mêmes pièces contiennent les éloges de citoyens de tout rang et de tout état, nobles et bourgeois** qui s'étaient distingués par leur zèle et leur fidélité, et dont néanmoins aucun n'avait rendu un service aussi important que celui qu'on attribue à Maillart. L'omission de son nom dans la liste des bourgeois fidèles, n'ajoute-t-elle pas au soupçon que fait naître le silence des autres monuments. Cependant, il ne résulte de ces réflexions qu'un argument négatif, qui seul ne balancerait pas le témoignage précis d'un contemporain : je vais tâcher de fortifier cet argument par des observations qui me paraissent du plus grand poids.

On a dû remarquer que la narration de Froissart a pour base la fidélité et l'attachement inébranlables de Maillart au roi et au Dauphin : *inspira Dieu,* dit-il, *aucuns des bourgeois de Paris qui tousjours avoient esté de l'accort du duc* (de Normandie) *c'est assavoir Jehan Maillart, Simon son frère, etc.* Mais s'il est prouvé que Maillart n'a point mérité d'être mis au rang des bourgeois de Paris qui furent toujours *de l'accord* du duc de Normandie ; s'il est prouvé qu'il avait, au contraire, toujours été *de l'accord* de Marcel et l'un de ses plus zélés partisans, qu'il l'était encore au mois de juillet 1358, peu de jours avant la mort du Prévôt, et le jour même de cette mort arrivée le 31 juillet, que doit-on penser du récit de l'Historien ? Or, ces suppositions se trouvent converties en un fait certain, par une pièce du Trésor des Chartes*** dont l'authenticité ne peut être suspecte. Ce sont les lettres du Régent, datées de l'ost devant Paris, au mois de juillet 1358, par lesquelles il donne au comte de Porcien (Jean de Châtillon), pour lui et ses héritiers à perpétuité, en considération des services qu'il avait rendus et qu'il ne cessait de rendre au Roi et à lui, cinq cents livres de revenu, en rente ou en terre, à prendre sur tous les biens qu'avait possédés Jean Maillart dans le comté de Dammartin et ailleurs, et qui avaient été confisqués sur ledit Maillart, *pour ce que,* dit le Régent, *il a esté et est rebelle, ennemi et adversaire de la Couronne de France, de Monseigneur et de nous, et se arme en la compaignie du Prévost des Marchans, Eschevins et Bourgeois de la Ville de Paris, rebelles et adversaires de ladite Couronne, de nostredit Seigneur et de nous, en commettant crime de lèze-majesté Royale,* etc.

Si cette pièce laissait subsister quelques doutes sur l'inexactitude de la narration de Froissart, j'espère les dissiper en faisant voir que toute cette narration n'est point son

(1) A noter : la familiarité de Maillart et « d'Etienne » et les coups portés sur le Prévôt des Marchands afin qu'il mourût pour ne pas révéler une ancienne et pernicieuse accointance (P. N).

* La plupart de ces pièces ont été publiées par M. Secousse, dans le tome II des Mémoires pour l'histoire de Charles le Mauvais.

** Mémoires de Charles le Mauvais, tome II, pages 99, 169, etc.

*** Registre 86, pièce 142. M. Secousse a imprimé ces lettres dans l'ouvrage déjà cité, tome II, page 79.

véritable texte. Je crois avoir trouvé ce texte dans trois manuscrits de la bibliothèque du Roi, dont deux sont peut-être les plus anciens et les plus authentiques qui existent dans aucun dépôt. L'un, coté 8318, porte une date qui en atteste l'ancienneté. On lit sur une feuille de vélin qui est en tête :

Cy est une partie des chroniques de France faites par maistre Jehan Froissart Haynuyer, depuis le temps du roi Charles le Quart, des guerres qui furent entre France et Angleterre ; lesquelles chroniques maistre Guillaume Boisratier, Maistre des requestes de l'ostel du Roy et son Conseiller, et Conseiller de Monseigneur le duc de Berry son seigneur, donna à mondit seigneur le duc en son hostel de Neele, le 8e jour de novembre l'an 1407.* Signé Flamel.

Le manuscrit ne saurait être postérieur à cette date ; et l'on voit même par la signature de G. Boisratier, qui se trouve sur un feuillet de parchemin collé en dedans de la couverture, qu'il en était déjà propriétaire depuis quelque temps, lorsqu'il le donna au duc de Berri ; en sorte qu'on peut sans difficulté l'estimer de la fin du XIVe siècle.

Le second, coté 8319, est si parfaitement conforme au précédent, pour la qualité du vélin, la couleur de l'encre et la forme des caractères, qu'il appartient visiblement au même temps. J'y ai cependant remarqué assez de variété dans les leçons, pour juger que ces deux manuscrits n'ont été copiés ni l'un sur l'autre, ni sur le même original.

Le troisième, coté 6760, est moins ancien : il paraît avoir été écrit vers le milieu du XVe siècle. En le comparant avec les deux autres, j'y ai découvert des différences qui prouvent qu'il n'en est point une copie. Celui-là forme donc un troisième témoignage en faveur du nouveau texte de Froissart. Comme ce texte n'a jamais été publié, je transcrirai le chapitre entier, à l'exception des vingt premières lignes où l'historien expose le plan de la conspiration de Marcel, conformément à ce qu'on lit dans les imprimés, et au récit abrégé que j'en ai fait au commencement de ce mémoire ; puis il continue ainsi :

Celle propre nuit que ce devoit avenir (1) *inspira Dieu et esveilla aucuns des bourgeois de Paris qui estoient de l'accort et avoient toujours esté du duc de Normandie ; desquels Messire Pépin des Essarts et Messire Jehan de Charny se faisoient chiefs ; et furent yceulx par inspiration divine, ainsi le doit-on supposer, enformez que Paris devoit estre courue et destruite. Tantost ilz s'armèrent et firent armer tous ceulx de leur costé, et révélèrent secrètement ces nouvelles en plusieurs lieux pour avoir plus de confortants. Or, s'en vint ledit Messire Pepin et plusieurs autres, bien pourvus d'armeures et de bons compaignons, et prist ledit Messire Pepin la banière de France, en criant au Roy et au Duc ; et les suivoit le peuple ; et vindrent à la porte Saint-Anthoine où ils trouvèrent le Prévost des Marchans qui tenoit les clefs de la porte en ses mains. Là estoit Jehan Maillart qui pour ce jour avoit eu débat au Prévost des Marchans et à Josseran de Mascon, et s'estoit mis avecques ceulx de la partie du duc de Normandie. Et illeques fut ledit Prévost des Marchans forment arguez, assailliz et déboutez ; et y avoit si grant noise et criée du peuple qui là estoit, que l'en ne povoit riens entendre : et disoient, à mort, à mort, tuez, tuez le Prévost des Marchans et ses aliez, car ils sont traistres. Là ot entre eulx grant hutin ; et le Prévost des Marchans qui estoit sur les degrez de la bastide Saint-Anthoine, s'en feust voulentiers fuy s'il eust peu : mais il fu si hastez qu'il ne pot ; car Messire Jehan de Charny le féri d'une hache en la teste et l'abati à terre ; et puis fut féru de maistre Pierre Fouace et autres qui ne le laissèrent jusques à tant qu'il feust occis, et fix de ceulx qui estoient de la secte, entre lesquels estoient Phelippe Guissart, Jehan de Lille, Jehan Poiret, Simon le Paonnier et Gille Marcel ; et pluseurs autres traîtres furent pris et envoiez en prison. Et puis commencèrent à courir et à cerchier parmi les rues de Paris, et mirent la Ville en bonne ordenance et firent grant gait toute nuit. Vous devez savoir que sitost*

---

* Il était fils d'un bourgeois de Bourges et avait été originairement professeur en Droit à Boulogne. Devenu Chancelier du duc de Berri, il fut élu archevêque de Bourges, le 12 mai 1410, et mourut le 19 juillet 1421. (*Histoire de Berri*, par Thaumas de la Thaumassière, page 320.)

(1) C'est-à-dire que Paris devait être détruit.

que le Prévost des Marchans et les autres dessus nommez furent mors et pris, ainsi que vous avez oy ; et fut le mardi derrenier jour de juillet l'an 1358 après disner, messages partirent de Paris très-hastivement, pour porter ces nouvelles à Monseigneur le duc de Normandie qui estoit à Meaulx ; lequel en fut très grandement resjoui, et non sans cause. Si se ordonna pour venir à Paris. Mais avant sa venue, Josseran de Mascon qui estoit Trésorier du roi de Navarre, et Charles Toussac, Eschevin de Paris, lesquels avoient esté prins avecques les autres, furent exécutez et orent les testes copées en la place de Grève, pource qu'ils estoient traîtres et de la secte du Prévost des Marchans. Et le corps dudit Prévost et de ceulx qui avecques lui avoient esté tuez, furent atrainez en la cour de l'église Sainte-Katerine du Val-des-Ecoliers ; et tous nus, ainsi qu'ils estoient, furent estendus devant la croix de ladite cour, où ils feurent longuement, afin que chascun les peust veoir qui veoir les vouldroit ; et après furent gettez en la rivière de Saine. Le duc de Normandie qui avoit envoyez à Paris de ses gens o grant foison de gens d'armes, pour réconforter la Ville et aidiez à la deffendre contre les Anglois et Navarrois qui estoient environ et y faisoient guerre, se partit de Meaulx où il estoit et s'en vint hastivement à Paris, à noble et grant compaignie de gens d'armes, et fut receus en la bonne Ville de Paris de toutes gens à grant joye, et descendi pour lors au Louvre. Là estoit Jehan Maillart delez lui, qui grandement estoit en sa grace et en son amour ; et au voir dire, il l'avoit bien acquis, si comme vous avez oy cy-dessus récorder ; combien que paravant il feust de l'alliance au Prévost des Marchans, si comme l'en disoit. Assez tost après manda le duc de Normandie la Duchesse sa femme, les Dames et les Damoiselles qui se tenoient et avoient esté toute la saison à Meaulx en Brie. Si vindrent à Paris ; et descendi la Duchesse en l'ostel du Duc, que on dit à Saint-Pol, où il estoit retrais ; et là se tindrent un grand temps.

Voilà le nouveau texte que j'ai annoncé et qui me paraît devoir être préféré à l'ancien, parce qu'il réunit le double avantage d'être tiré des manuscrits les plus authentiques qui soient connus, et de s'accorder beaucoup mieux que l'imprimé, tant avec les écrivains contemporains, qu'avec les autres monuments du temps, auxquels il peut même servir de Commentaire ou Supplément. C'est ainsi, par exemple, qu'il supplée la réticence des *Chroniques de Saint-Denis* ; en nous instruisant des détails de la mort de Marcel, en nommant les acteurs qui eurent la principale part à cet événement, circonstances omises par le chroniqueur et par les autres historiens ; en nous apprenant qu'elles furent les suites de l'action de Pépin des Essars, que le Chroniqueur nous laisse ignorer. Tout ce qu'on y lit concernant des Essars, est d'ailleurs confirmé par une pièce du Trésor des Chartes* : ce sont les lettres de rémission, datées du mois de février 1368, la cinquième année du règne de Charles V, dans lesquelles il est dit qu'avant que Marcel eût été tué, Pépin des Essars Chevalier, son frère Martin des Essars, Jacques de Pontoise, huissier d'armes, et plusieurs autres, allèrent à l'Hôtel de Josseran de Mâcon, situé près de Saint-Eustache, *pour icellui* (Josseran) *comme traître faire occire et mettre à mort ; ou quel hostel il ne peut estre trouvé ; et pour ce se départirent d'icellui... se transportèrent en l'ostel de nostre dite ville* (C'est le roi qui parle), *prindent nostre banière qui là estoit, et atout s'en allèrent à la Bastil de Saint-Anthoine... ou quel lieu le Prévost des Marchans, Philippe Giffart et autres traîtres furent occis et mis à mort.*

L'accord du texte manuscrit avec ces lettres est si évident, qu'on dirait que l'Ecrivain les avait sous les yeux. Son récit ne se concilie pas moins bien avec d'autres lettres déjà rapportées, par lesquelles Charles V alors Dauphin, donne au comte de Porcien une partie des biens confisqués sur Maillart, comme partisan du Prévôt des Marchands, ennemi du roi et du Royaume, et coupable du crime de lèze-majesté. Il suffit, pour s'en convaincre, de se rappeler le passage où il est dit que le jour de la mort de Marcel, il s'était élevé une contestation fort vive entre lui et Maillart ; et qu'alors celui-ci s'étoit *mis avec ceux de la partie du duc de Normandie.* Ne s'ensuit-il pas clairement qu'avant la dispute Maillart était de la faction du Prévôt,

* Registre 99, pièce 598. Elle est imprimée dans les Mémoires du roi de Navarre, tome II, page 296.

et que ce fut une querelle qui le ramena au parti du Dauphin ? Conséquence qui se trouve comme appuyée par cet autre passage où l'Historien, après avoir raconté l'entrée du Dauphin dans Paris, ajoute : *là estoit Jehan Maillart delez lui, qui... estoit en sa grâce... combien que paravant il feust de l'aliance du Prévost des Marchans.*

Je ne pousserai pas plus loin ce parallèle : j'en ai assez dit pour montrer que Froissart dans le texte manuscrit, est d'accord avec les autres historiens et avec les monuments du temps ; au lieu que dans le texte imprimé, il se trouve en contradiction avec ces mêmes monuments. C'est ce que j'avais à prouver pour justifier la préférence que je donne au manuscrit.

On demandera peut-être comment il a pu arriver que le même événement soit raconté d'une manière si différente dans les manuscrits dont j'ai parlé, et dans ceux qui ont été suivis par les éditeurs de Froissart ; car je ne dois pas dissimuler qu'il existe plusieurs manuscrits conformes en ce point avec les imprimés. On ne peut former à cet égard que des conjectures : il est vraisemblable qu'un des premiers copistes, usant de la liberté que ses pareils n'ont prise que trop souvent, se sera permis, pour des motifs qu'on ne peut deviner, d'altérer le texte de Froissart, et que cette copie ayant servi de modèle à d'autres, l'erreur se sera répandue et accréditée. Peut-être aussi pourrait-on penser que les deux récits sont également de Froissart. Dans cette supposition, l'Historien trompé par un rapport infidèle, aurait publié dans une première édition, si je puis me servir de ce terme, le récit que les éditeurs ont adopté parce qu'ils n'en connaissaient point d'autre ; puis, étant dans la suite mieux instruit, il se serait corrigé lui-même, ainsi qu'il l'a fait plusieurs fois dans son histoire. Mais, comme il la publiait à mesure qu'il la composait, et que chacun s'empressait de se la procurer, la première édition aura pu être considérablement multipliée par les copies, avant que l'auteur donnât la seconde avec ses corrections : de là vient que la leçon défectueuse concernant la délivrance de Paris, et plusieurs autres du même genre, que le travail dont je m'occupe actuellement me donnera occasion de relever, se trouvent dans quelques manuscrits.

Comme les discussions dans lesquelles j'ai été obligé d'entrer, peuvent avoir fait perdre de vue le but que je me suis proposé, je résume en peu de mots les principaux points que j'ai tâché d'établir. Je crois avoir prouvé qu'à l'exception de Froissart, tel que nous l'avons eu jusqu'ici, aucun des écrivains du XIVe siècle ne fait honneur à Maillart du salut de Paris ; que le silence de quelques-uns d'entre eux qui ne le nomment même pas, et la réticence des autres qui, en le nommant, ne lui donnent aucune part à la mort de Marcel, nous mettent en droit de suspecter le récit attribué à Froissart ; et que ce récit étant en contradiction avec des pièces originales, dont l'autorité est supérieure au témoignage des Historiens, ne saurait être admis. Enfin, j'ai substitué à la leçon des imprimés une leçon tirée des manuscrits les plus anciens et les plus authentiques, qui s'accordant beaucoup mieux avec les Chroniqueurs contemporains, et se conciliant parfaitement avec les monuments conservés au Trésor des Chartes, mérite à tous égards d'être préférée.

Il résulte donc de ces preuves réunies, que Maillart, loin d'avoir toujours été, comme on nous le représente, un sujet fidèle, un citoyen généreux, était au contraire un partisan zélé du roi de Navarre et du Prévôt Marcel, qu'il leur était encore dévoué au mois de juillet 1358, date de la donation d'une partie des biens confisqués sur lui, au comte de Porcien, et même le 31 de ce mois au matin, jour de la mort de Marcel ; qu'alors seulement, après avoir eu une querelle très vive avec le Prévôt, il changea de parti, soit qu'il fût blessé de ce qu'on voulait ôter les clés des portes aux gens à qui il les avait confiées, pour les donner à Josseran de Mâcon ; soit qu'il se défiât du succès de la conjuration, et qu'il craignît, si elle échouait, d'être une des premières victimes de la vengeance du Dauphin ; soit enfin, si on veut lui prêter un motif plus noble, qu'au moment de l'exécution il eût horreur de contribuer à faire égorger une multitude de ses concitoyens, et qu'il espérât fléchir, par son changement quoique tardif, la justice du Régent, et obtenir de lui la grâce. Mais quels que soient les motifs qui le déterminèrent à quitter le parti des rebelles, il n'en est pas moins vrai qu'il ne fit ce jour-là d'autre exploit que de chercher à soulever le peuple de son quartier, qui n'ayant pu oublier sa conduite précédente, ne devait pas avoir une grande confiance dans son changement subit ; que Pépin des Essars et Jean de Charni, sans s'être concertés avec lui, rallièrent sous la bannière royale les Parisiens bien intentionnés, et se rendirent à leur tête à la Bastille Saint-Antoine ; que ce fut Charni qui frappa le Prévôt, qu'un bourgeois nommé Pierre Fouace acheva de le mettre à mort, et que la gloire de la révolution est due aux deux chevaliers : Pépin des Essars et Jean de Charni.

Quant à Maillart, il est vraisemblable que depuis son retour au parti du Roi et du Dauphin, il leur demeura constamment fidèle. Nous avons même lieu de présumer qu'il répara dans la suite sa défection par quelques preuves signalées d'attachement et de zèle, qui lui méritèrent, en 1372, des lettres de noblesse pour lui, sa femme Isabelle, ses deux fils Jean et Charles, et sa fille mariée à Jean le Cocq, neveu du fameux évêque de Laon*. Je cite expressément la date de ces lettres, pour faire remarquer qu'elle est postérieurs de quatorze ans à la révolution qui sauva le royaume : d'où il s'ensuit, ce me semble, que l'anoblissement ne fut point, comme on a pu le penser, la récompense de la part que Maillart y avait eue : s'il en eût été le principal auteur, sans doute, une distinction si justement acquise aurait dû lui être accordée sur-le-champ. J'observe, de plus, que dans la teneur des lettres, dont j'ai une copie sous les yeux, les motifs qui déterminent le Prince à les accorder, sont énoncés vaguement : *pro actibus nobilibus & aliis virtutibus,* etc. *(à cause de ses actions nobles et ses autres vertus)* sans aucune mention particulière du service important qu'il aurait en effet rendu s'il avait eu autant de part qu'on le prétend à la révolution de 1358. Un fait si honorable pouvait-il être omis entre les motifs de la concession ?

LES VÉRITÉS ET LES OUBLIS

Il ne messied point, en conclusion du texte de M. Dacier, d'ajouter quelques précisions supplémentaires qui, même succinctes, fourniront quelques raisons d'étonnement aux lecteurs.

Jean de Charni (ou Charny), qui frappa le Prévôt, n'était pas n'importe qui pour sa victime. Il avait épousé la veuve d'un Pierre des Essarts, tué à Crécy, et qui était le grand banquier de Philippe de Valois. Il était marié à la belle-sœur d'Etienne Marcel.

Quant au drapier Jean Maillart, faux et répugnant héros de ce qui fut surtout un règlement de compte familial, il avait épousé la veuve de Gencien de Pacy, et plusieurs autres mariages avaient consolidé les liens entre les familles Pacy et des Essarts*.

C'est surtout du fait de sa belle-famille que Marcel fut mis à mort ; une belle-famille à qui le prévôt n'avait pas pardonné de lui voler sa part de l'héritage du financier de Philippe VI. Règlement de compte patriotique, ce meurtre du 31 juillet 1358 ? Sûrement pas. Les « familiers » du prévôt attendaient une occasion de l'éliminer ; ils la trouvèrent. S'il avait été plus circonspect, Marcel eût peut-être vécu plus longtemps. Et qui sait si sa duplicité ne lui aurait pas permis de sauver sa tête...

Il convient de savoir encore que ce fut Simon, le frère de Jean Maillart, qui se rendit à Meaux, accompagné de deux juristes (Etienne de Paris et Jean Pastourel) pour signaler au dauphin que la voie était libre et qu'il pouvait revenir à Paris.

(*) *Histoire générale de la maison de France,* tome II, page 105. Ces lettres se trouvent au Trésor des Chartes, registre 104, pièce 175. La Roque les cite dans son Traité de la Noblesse, page 59, comme un exemple des anoblissements où les enfants sont nommés avec leur mère : *car,* ajoute-t-il, *il est à propos d'employer leurs noms dans les lettres, lorsqu'ils sont majeurs ou mariés, ou pourvus de quelque charge.*

* Le régent déposséda Maillart de tous ses biens, au profit du comte de Porcien, Jean de Châtillon... avant de réadmettre ce coquin dans son entourage !

Nul doute qu'avant le départ des trois hommes, Jean Maillart avait prié son frère de décrire au dauphin, de la façon la plus élogieuse possible, comment il avait éliminé un « traître » !

La leçon que l'on doit tirer du texte de M. Dacier est des plus simple. Il ne faut pas prendre pour vérité tout ce que raconte Froissart et se défier de ses copistes, surtout du Breton Raoul Tainguy (1) !

Voici deux exemples d'interpolations plus que regrettables aux narrations de Froissart :

Le rôle de Bertrand Guesclin au siège de Rennes fut indubitablement surajouté au texte. C'est à partir de cet événement (1342) que commence, paraît-il, sa carrière. Or, parmi les bons chevaliers et écuyers de Bretagne, il y avait, selon la première rédaction de Froissart : le baron d'Ancenis, le baron du Pont, messire Jean de Malestroit, Yvain Charuel. Le nom de Guesclin fut incorporé en 1369, à une époque ou Bertrand s'imposait. Siméon Luce, son chantre, avoue lui-même que l'ascension du Breton est un mystère *parce qu'aucun document authentique ne permet de dire ce que fit du Guesclin pendant les treize premières années* d'une guerre de Succession qui allait durer 24 ans.

Monsieur de Bréquigny, dans un mémoire lu et publié aux *Inscriptions et Belles-Lettres* démontra que l'épisode des Bourgeois de Calais était plus proche de la fable que de la réalité. Envoyé à Londres par le duc de Praslin, ministre des Affaires étrangères de Louis XV, il tomba sur des pièces prouvant *formellement* l'accointance d'Eustache de Saint-Pierre et de ses amis avec le roi d'Angleterre (2). On lui en voulut de trahir Froissart (preuves à l'appui) et de ternir la réputation (douteuse) des six fameux bourgeois.

La tuerie de Cocherel, décrite par Froissart, est fausse de bout en bout. Une seule vérité y apparaît : la fuite de l'Archiprêtre avant la bataille. C'est pourtant à ce texte que des historiens se réfèrent, par fainéantise : chercher ailleurs prend du temps, et le temps, c'est de l'argent !

L'on pourrait multiplier les exemples. A quoi bon. La mise au point de M. Dacier quant à Maillart, bien que vieille de plus de deux siècles, est de celles qui prouvent la compétence et la probité intellectuelle des historiens d'autrefois qui, sans grands moyens d'investigation et sans la participation de l'engeance des documentalistes, savaient accomplir des travaux que l'on peut leur envier encore.

---

(1) Siméon Luce a consacré quelques pages à ce copiste-interpolateur, épicurien sinon ivrogne, qui se permit, dans un chapitre de Froissart, d'ajouter une sorte de publicité sur les… huîtres de Cancale ! Dans un autre chapitre du même ouvrage (*La France pendant la guerre de Cent Ans* - Hachette, 1890), consacré au roi de Navarre, l'Historien signale « *La volte-face de Jean Maillart* » lors de l'assassinat de Marcel. On lit aussi, dans ce chapitre consacré à la famille du prévôt des marchands, que Guillaume Marcel, frère d'Etienne, et un voyou, Nicolas le Flamand, avaient fait main basse sur le trésor de Notre-Dame (130 marcs d'argent et autres « broutilles ») en 1358, ce qui eut sans doute pour effet d'aggraver l'impopularité d'Etienne, dont Siméon Luce décrit l'immense richesse et fournit quelques exemples de décisions et de gestes indiscutablement dictatoriaux. Etienne Marcel ne fut pas autre chose qu'un homme avide de pouvoir et un coureur de dot. Sa première femme, Jeanne de Dammartin mourut dans des circonstances d'ailleurs indéfinies.

(2) Lire dans le cycle d'Ogier d'Argouges, en annexe des Noces de Fer, du même auteur : Calais, le siège et « *l'affaire des Bourgeois* ».

ANNEXE VII

LA BATAILLE DE BRIGNAIS ET SES COMMENTATEURS

L'humiliante défaite de l'armée royale devant Brignais ne manqua pas d'apitoyer ou de scandaliser les contemporains de ceux qui s'affrontèrent dans la plaine des Aiguiers ainsi que sur les collines avoisinantes. Sans y avoir assisté, leurs chroniqueurs en fournirent des versions très différentes, puis l'on oublia cet épisode d'une guerre interminablement néfaste aux Français.

Il y a cent cinquante ans, un renouveau d'intérêt se manifesta pour cette bataille. Il procédait d'un engouement pour les choses du Moyen Age qui, sans doute, était la conséquence de l'importance que Napoléon III, Eugène Viollet-le-Duc, Prosper Mérimée, Siméon Luce et maints autres auteurs accordaient à cette période de notre histoire, sans oublier l'étonnement puis la passion suscités par les romans de Walter Scott, immédiatement imités par des romanciers à succès dont les œuvres, maintenant, apparaissent pâles, redondantes ou saugrenues. *La Jacquerie,* de Mérimée, appartient à ce genre. Partant du postulat qu'il n'existait aucun renseignement sur cette révolte, ce qui, évidemment, était faux, il mitonna une ténébreuse histoire aux personnages contrastés (37, pour le théâtre, c'est beaucoup !) mettant, afin d'épater le bourgeois, un moine à la place de Guillaume Carle, et incorporant à ce ragoût des aventuriers anglais et espagnols...

Ancien, moderne, chaque auteur raconte *sa* bataille de Brignais, de sorte qu'il est impossible de savoir ce qu'elle fut vraiment et qui s'y distingua parmi les vainqueurs. Il serait vain, désormais, d'errer dans ces lieux vivants et bétonnés pour tenter de reconstituer un site évanoui. Avec une extrême obligeance, M. Michel Thiers, Conseiller général et maire de Brignais nous a fait parvenir une petite étude que le Dr Humbert Mollière avait rédigée sur Brignais (tirée de celle, plus vaste, qu'il consacra simultanément, non sans raison, à Guy de Chauliac* et à la bataille), ainsi que le plan cadastral actuel des endroits où les deux armées tentèrent de s'exterminer. Les noms eux-mêmes ont changé. M. Thiers écrit :

La motte de Montraud est complètement inconnue de nos concitoyens. Les personnes interrogées qui, pourtant, connaissent bien Brignais, n'ont pas souvenance d'un lieu-dit portant ce nom. Mais vous verrez, sur le plan du Dr Mollière et sur le plan actuel de cette partie de Brignais, que certains lieux et chemins portent toujours les mêmes noms. Les siècles en ont un peu modifié l'orthographe, ainsi pour la plaine des Aiguiers qui s'écrit maintenant Aigais

*Ces mêmes siècles ont fait disparaître le nom de Mont-Rond (ou Montraud) car il n'est mentionné nulle part, hors cette étude du Dr Humbert Mollière***.

Il est vrai que la sanglante plaine des Aiguiers est devenue... une zone industrielle avec un important poste de détente du gaz de Lacq, traversée par ce petit cours d'eau dont le nom pittoresque, le Merdanson, n'a pas changé, lui, depuis sans doute un demi-millénaire. Et la future autoroute A 45 doit passer par là ! On joue au tennis sur les lieux mêmes où l'on joua de l'épée.

Mais revenons à la bataille et à ses chroniqueurs.

---

* *Fragments d'histoire lyonnaise au XIVe siècle. Guy de Chauliac et la bataille de Brignais,* avec 5 figures et une carte. Travail lu à l'Académie des Sciences, Belles-Lettres et Arts de Lyon et publié dans *la Revue du Lyonnais,* 1894.

** A dire vrai, selon la carte du Dr Mollière, le Mont-Rond serait plutôt sur la commune de Saint-Genis-Laval.

Symphorien Champier, premier en date des analystes lyonnais, écrivit, en 1539 un ouvrage : *Cy commence ung petit livre de l'antiquité, origine et noblesse de la très antique cité de Lyon.* Aucune allusion sur Brignais n'y figure. Il en va de même chez d'autres ouvrages d'historiens lyonnais : Saint-Aubin (1666), Brossette (1711) et de Colonia.

De Rubys, dans son *Histoire véritable de la ville de Lyon* (1604) mentionne la perte du comte de la Marche ; Jacques Severt, dans sa *Chronologia historica successionis hierarchicae illistrissimorum archiantistium Lugdunensis archiepiscopatus* (1628), élude la bataille. Poulin de Lumina et Clerjon s'en rapportent, en quelques lignes, à Froissart.

De tous ces chroniqueurs, c'est donc Paradin* qui en dit le plus, mais en se référant uniquement à Froissart. André Clapasson lui adjoint Villani** et contrairement à l'éditeur de Froissart, Denis Sauvage***, il place le choc des armées sur le territoire des Saignes. Le P. Menetrier**** note que pour éviter une attaque des routiers, *ceux de Lyon,* effrayés, rompirent le pont de Francheville et que *« les compagnies, pour se fortifier, ruinèrent les aqueducs de Brignais et en firent 2 000 charretées pour accabler les soldats de Jacques de Bourbon. Les Tard-Venus étaient postés sur une hauteur d'où ils pouvaient facilement se défendre à coups de pierres. »* Archiviste de la ville de Lyon, Georges Guigue évoque Brignais***** sans éclairer son lecteur sur quelque point particulier, de même que l'abbé Mellier****** et Maurice Chanson******* auquel une demi-page suffit pour ce sujet.

M. Allut ne disconvient pas que le pont de Francheville ait été détruit, mais il note : *« C'était une précaution inutile, la petite rivière, l'Iseron, étant toujours à sec et pouvant être traversée à gué en tout temps. Cela n'empêcha pas les Tard-Venus de se diriger vers Brignais en suivant la vallée de Baunan par le chemin de Francheville. »* Selon lui, 2 000 charretées de pierres, c'est « exagérer » le texte de Froissart dont les récits, insiste-t-il, sont loin d'être authentiques. Les pierres ? Elles ont existé, mais le P. Menetrier a doublé la quantité de celles que les routiers ont transportées sur les hauteurs *des Barolles.* Or, il y a 5 kilomètres des aqueducs à ce point.

Il suffit de regarder la carte pour voir l'absurdité d'un tel raisonnement. M. Allut, à l'évidence ne s'en tint qu'aux pierres : *« Si le P. Menetrier avait réfléchi, outre la difficulté des charrois et celle qu'il y aurait eu à se procurer les moyens suffisants pour accélérer ce travail ; que, arrivé au pied de ces hauteurs, il n'y avait plus de chemin pour parvenir au sommet, et qu'il eût fallu transporter ces 2 000 charretées à dos d'homme, il ne se serait pas montré si prodigue des pierres des aqueducs. »* C'est douter de ce dont peuvent être capables quinze mille « routiers musclés », pour employer une expression populaire, à condition que ces brigands eussent été aussi nombreux.

L'on verra, plus loin, ce qu'il faut penser de ces pierres, *qui durent exister en quantité moindre que 1 000 ou 2 000 charretées* mais ne contribuèrent certainement pas à *l'écrasement* que Froissart et d'autres auteurs se sont complus à décrire.

---

* *Mémoires sur l'histoire de Lyon,* Lyon, 1573.
** *Histoire de Lyon ; recherches sur la bataille de Brignais,* Lyon, 1670.
*** Juillet 1558.
**** *Histoire civile et consulaire de la ville de Lyon,* Lyon, 1694.
***** *Les Tard-Venus en Lyonnais, Forez et Beaujolais,* Lyon, 1886.
****** *La bataille de Brignais et les Grandes Compagnies,* Lyon, 1860.
******* *Les Grandes Compagnies en Auvergne ; Seguin de Badefol à Brioude et à Lyon,* Brioude, 1887.

Notamment le Dr Humbert Mollière, dont l'étude sur Brignais est vaste, honnête, soigneuse... mais peut-être erronée. Puisque sa thèse est la plus volumineuse, résumons-la en quelques lignes :

Les Tards-Venus arrivent à Brignais sans avoir osé attaquer Francheville, qui commandait la route de Lyon, ville fortifiée par l'Archevêque Renaud II. Ils s'emparent (sans mal) du château appartenant au Chapitre de Saint-Just depuis 1250 : le Pape Innocent VI, réfugié à Lyon par suite des persécutions de Frédéric II de Hohenstaufen en avait fait présent, ainsi que Vourles, aux moines. Ce château possédait une double enceinte. Les hommes de Bourbon, après avoir tenté vainement l'échelade, se replièrent dans la plaine puis attaquèrent le Bois-Goyet où d'innombrables routiers les attendaient, résolus à les écraser sous les pierres. Car la plaine était trop étroite pour qu'il y eût bataille rangée, charges de cavalerie, etc. Il écrit :

« S'il paraît difficile de croire avec le grand chroniqueur, qu'un emplacement aussi étroit ait pu être occupé par 5 000 combattants ; il est rationnel d'admettre qu'un tel nombre d'hommes pouvait trouver place sur les élévations de terrain qui s'y reliaient et sur l'importance desquelles j'ai cru devoir insister. »*

Pour lui, la grande mêlée eut lieu sur les pentes abruptes du Bois-Goyet alors que les vestiges des fortifications furent retrouvées au Mont-Rond par Denis Sauvage, et seulement sur ces pentes-là !

Il soutient aussi que les corps du comte de la Marche et de son fils furent convoyés à Lyon en passant par Beaunant, ce qui était bien le plus long chemin pour atteindre la ville. Qui, d'ailleurs, se chargea de les ramener dans ces murs ? Nul ne le sait. Ils furent inhumés en l'église des dominicains, place Confort.

Enfin, le Dr Mollière critique véhémentement son compatriote, M. Steyer qui, dans sa *Nouvelle Histoire de Lyon* récemment publiée, contestait Froissart et adoptait, pour Brignais, la thèse de Villani, que l'on lira plus loin.

LA MARCHE VERS BRIGNAIS

Deux routes conduisaient alors à Brignais. La première, par la porte Saint-Irénée, suivait les hauteurs de Sainte-Foy, descendait vers le pont-aqueduc de Baunan (désormais Beaunant), traversait la rivière de l'Iseron et rejoignait la route qui reliait Francheville à Brignais. La seconde, partant de la Quarantaine de Lyon, se dirigeait à mi-hauteur de coteau par Fontanières, au-dessous de Sainte-Foy, et aboutissait au vieux pont d'Oullins ; de là, elle continuait, à droite, par l'église d'Oullins, remontait à Saint-Genis d'où elle ressortait en deçà du village et, longeant le coteau des Barolles, vers le 9e kilomètre, rejoignait un mamelon couvert de broussailles appelé le Bois-Goyet. De là, on accédait à la plaine de Brignais.

Quelle route empruntèrent les troupes royales pour affronter les routiers ? Nous l'ignorons. Le proche châtiment des malandrins devait exciter tous ces guerriers, et si une magistrale erreur fut commise par Jacques de Bourbon, ce fut bien d'envoyer l'Archiprêtre en reconnaissance. Comment se fier à un tel malandrin qui avait des amis chez l'adversaire ?

Le matin du 27 juillet 1558, le chroniqueur et éditeur de Froissart, Denis Sauvage, voulut tenter de reconstituer la bataille. En compagnie de Mathieu Marcel, son hôte, il se rendit sur les lieux, *« allant droit de Saingenis à*

(*) Si l'on totalise les forces en présences, d'après les chiffres fournis par les chroniqueurs d'autrefois, il y aurait eu à Brignais plus de 25 000 hommes. Ce nombre est invérifiable. Le Dr Mollière ne fournit aucune précision sur ces 5 000 combattants.

Brignais » jusqu'à environ trois quarts de lieue ; « *sur le costé gauche de nostre chemin trouvasmes un petit mont ou tertre couvert d'un petit bosquet de jeunes chesnes et de redrageons de chesneaux en forme de taillis, là où les plus anciens hommes du pays, selon le rapport des ayeuls aux pères et des pères aux fils, disent qu'étoient campées les compaignies qu'ils nomment les Anglois.* » C'était le Bois-Goyet. Les deux hommes y cherchèrent en vain les vestiges du fort mentionné par Froissart. Poursuivant alors leur marche et leur investigations, ils virent se dresser « *incontinent roidement mais non guères hautement et presque ainsi du costé de septentrion jusques à tant qu'il fait un coupeau* comme en forme de rondelle, dont il a eu quelquefois le nom de Montrond et maintenant de Montraud (...) ce coupeau monstrant encore pour reste de l'enceinct des tranchées du fort des compaignies jusque à trois pieds de profondeur et jusque à cinq ou six de largeur presque tout à l'entour, avec autant de rampar que le temps a eu peu souffrir parmi monceaux de cailloux au dedans du fort, peut avoir environ cinquante grands pas en diamètre et environ sept vingt en contour ; et devers son occident s'avale si platement qu'il s'évanouit incontinent en une assez grande plaine qui environne tout Brignais. Et de ce côté où devait être l'entrée du fort n'y a nulle marque de tranchée par l'espace d'environ douze grands pas ; mais tost après, elle recommence vers le midi, duquel costé se trouve une bien petite combe comme le fond d'une vague, se rejetant sur un autre plus bas coupeau nommé le petit Montrond ou Montraud qui s'aplanit incontinent vers Vourles et vers Erigny. Et en telles plaines continues s'estoit cachée la plupart des compaignies derrière ces deux coupeaux. Si nous fut dit et a souventes fois esté depuis par gens dignes de foy, qu'il n'y a pas long-temps que l'on a trouvé pluisieurs bastons et autres harnois de guerre dedans les terres d'environ.* »

On ne saurait être plus précis. Il y avait bien des fortifications au sommet du Mont-Rond. Les routiers y avaient établi un camp autour d'une bicoque. Ils avaient leurs aises et leur butin en bas, au château des moines de Saint-Just, qui se mirait en partie dans les eaux du Garon.

CE QUE FUT LA BATAILLE

Il existe plusieurs versions de cet affrontement particulièrement féroce et qui tomba peut-être volontairement dans l'oubli. Passe encore que les hommes d'armes de l'armée royale eussent été battus à Crécy et à Poitiers-Maupertuis : ils avaient devant eux des guerriers à leur semblance. Mais qu'une engeance de brigands, certes nombreuse, les eût *écrasés* (ce verbe, d'ailleurs, n'existait pas encore), voilà ce qu'il fallait effacer des mémoires.

Si l'on se fie aux chiffres des chroniqueurs, unanimes sur ce point, l'ost royal se composait de 12 000 hommes ; les Tard-Venus (toutes hordes rassemblées) 16 000. Ces brigands étaient des plus aguerris. La plupart avaient servi dans les armées françaises et anglaises ; leur guerre de rapines, une espèce de guerre-éclair, les avait abondamment pourvus en astuces et manœuvres intelligentes. Ils savaient se cacher, se déployer, abhorraient les charges « en haie », connaissaient les tactiques d'encerclement que les chevaliers de l'armée royale se refusaient à mettre en pratique. Ils supputaient de loin les mouvements de l'adversaire. Monstruosité mise à part, ils étaient d'excellents combattants. Guesclin, qui leur ressemblait, leur doit sa renommée.

---

* Cime. En blason, d'ailleurs, sommet de montagne figurant sur l'écu.

Réunie à Lyon, l'armée royale se composait de 6 000 cavaliers et de 4 000 sergents d'armes ou *servientes.* C'étaient des troupes des communes, artisans et paysans réunis lorsqu'il y avait *ost banni,* c'est-à-dire convocation du ban au nom du roi. Ils servaient à pied, armés à la légère pour seconder les hommes d'armes. Ils portaient la coustille, la masse, la pique, la goyarde ; ils étaient vêtus de fer : corselet, jambières, bassinet, chapel de Montauban ou portaient le jaseran de cuir, la cuirie, l'écu ou le pavois.

Il faut ajouter, pour finir, 2 000 arbalétriers (dont le rôle, une nouvelle fois, fut inutile) plus les valets, les goujats, les forgerons, etc.

Les 10 000 gens d'armes mentionnés ci-dessus formaient l'élite de cette armée : c'étaient des gens du Languedoc, Dauphiné, Auvergne, Forez, Lyonnais, Bourgogne, comté de Savoie. A défaut de l'oriflamme, ils suivaient la bannière fleurdelisée.

Les chefs ? C'étaient Jacques de Bourbon, Pierre, son fils aîné et ses neveux : Louis, comte de Forez et Jean, son frère, encore enfant ; Renaud de Forez, seigneur de Malleval, leur oncle ; Robert de Beaujeu, seigneur de Joux-sur-Tarare (qui devait, plus tard, accompagner Louis II de Bourbon en Afrique et y mourut avec son fils, Guichard) ; Louis de Châlons, seigneur de Roussillon ; le sire de Tournon, le sire de Montélimar, de la Maison des Adhémar ; le sire de Groslée ; Louis et Hugues de Châlon-Arlay ; Jacques de Vienne, sire de Longwy ; voire des ennemis du royaume de France tels que Jean de Neufchatel-sur-le-Lac et son inséparable compagnon, Henry de Longwy, sire de Rahon. Curieux courage, qui révèle à coup sûr un appétit du gain, puisque ces seigneurs Francs-Comtois se lançaient dans une expédition relativement lointaine au moment même où leurs seigneuries étaient menacées par les bandes de Thibaut de Chauffour et Jacques Huet.

Il ne faut surtout pas oublier la présence d'hommes éminents comme Hugues de Vienne ; Jean de Melun, comte de Tancarville ; le comte d'Uzès, Amédée des Baux ; Guillaume de Fay, seigneur de Chapteuil et de Peyraud, de l'illustre Maison de La Tour-Maubourg en Vivarais, qui périt comme tant d'autres dans la mêlée. Ils avaient, la plupart, amené leurs vassaux et leurs fils qui voulaient gagner les éperons sous le commandement d'un chef expert en faits d'armes, « entraînés par le sentiment du devoir et l'amour de la gloire ». On peut anticiper en disant qu'ils trouvèrent la mort, le déshonneur et même la folie à Brignais : Louis, comte de Forez, qui était né en 1338 à Saint-Galmier, de Guignes VII et Jeanne de Bourbon, sœur de Jacques, comte de la Marche, fut un des premiers prisonniers*. Il avait épousé Jeanne de Turenne qui sans doute avait élevé quelques objections quand il avait décidé d'emmener son très jeune frère avec lui... Jean II devint fou lors de la boucherie !

En tête des sergents d'armes, on avait placé l'Archiprêtre : le drôle avait âprement marchandé sa participation ! Il amenait 1 500 aventuriers qui ne se faisaient aucun scrupule de combattre leurs anciens compagnons. Si une faute énorme fut préalablement commise, ce fut bien celle de les mettre en avant-garde, de façon à déjouer les ruses.

Jamais un homme tel qu'Arnaud de Cervole n'aurait dû figurer dans l'armée royale. Il est vrai que la plupart des chevaliers qui le côtoyaient ne différaient que peu de ce tortueux gredin. On pourrait justement, pour tenter de les défendre, exciper de leur appartenance à l'Ordre dont ils se réclamaient. Or,

---

* Froissart est le seul à dire qu'il fut frappé à mort.

qu'était-ce donc que cet Ordre suprême ? Une espèce de breloque morale dont ils se montraient d'autant plus fiers qu'elle leur donnait bonne conscience. Tous lavaient leurs petits ou grands forfaits dans une bonne messe et, cet exercice d'hygiène accompli, se délectaient dans des récidives honteuses. *« L'institution de la Chevalerie »,* écrit D. Lingard dans son *History of England,* valable tant pour l'Angleterre que pour la France et le reste de l'Europe médiévale, *« a eu moins d'influence qu'on ne le prétend sur la civilisation. Elle donna, il est vrai, un éclat extérieur à la vaillance, elle régla les lois de la courtoisie, elle inculqua les principes d'honneur, principes souvent faux, mais les passions les plus sombres et les plus vindicatives restèrent en dehors de son contrôle, et les plus accomplis de cet âge ont, dans certaines occasions, montré une férocité de caractère et de mœurs qui n'aurait pas été déplacée chez leurs ancêtres du VIe siècle. »*

C'est aussi l'opinion de M. Allut qui, le seul à notre connaissance, ait placé Guesclin à sa véritable place : parmi les plus ignobles aventuriers de son siècle, preuves à l'appui, et qui, avant même d'entamer le procès du connétable de France, constatait : *« La plupart des preux de ce temps-là, s'ils revenaient en ce monde, seraient fort en peine de maintenir leurs droits à l'auréole dont leurs panégyristes et la croyance populaire les ont longtemps environnés. »*

La lettre du Pape au roi de France que M. Allut cite *in extenso* n'a jamais été publiée après lui. Elle le sera. Autre sujet d'étonnement : *M. Allut ne figure pas dans les bibliographies des historiens modernes !* Certains, peut-être, se réjouiront de cet ostracisme en trouvant ses considérations abusives : il fallait que son nom et celles-ci figurassent dans ces pages.

La bataille est racontée selon l'humeur et la conscience des contemporains. Elle eut lieu le mercredi 6 avril 1362, jour des Rameaux, et seul Froissart s'est trompé de date. De peu : un jour. Selon lui, en prévision de leur affrontement imminent contre les troupes royales, les bandes s'étaient partagées en deux corps. Le premier, composé de compagnies moins armées et moins aguerries, s'établit sur une montagne voisine de Brignais et s'y fortifia de telle sorte qu'on ne pouvait approcher *« fors à meschef ou à danger ».* C'est en ces lieux que se trouvaient les cailloux et les rochers. Les malandrins n'avaient qu'à se baisser pour écraser les assaillants du haut de leurs retranchements. Tout proche de ce premier corps, le second, composé de routiers mieux armés et « adurés » se tenait en embuscade. Lorsque les coureurs de Jacques de Bourbon parvinrent en vue de Brignais, ils n'aperçurent que les hommes occupant la montagne et ne poussèrent pas plus avant leur reconnaissance. Leur rapport fut donc inexact. Cependant, note Aimé Cherest, hagiographe de l'Archiprêtre, Arnaud de Cervole prévint Bourbon qu'il allait trouver devant lui au moins 15 000 adversaires. Le chevalier dut hausser les épaules, incrédule, et ce fut peut-être ce que l'ancien routier espérait. Quelques vieux survivants des batailles perdues, instruits par les leçons du passé, dissimulèrent d'autant moins leurs appréhensions qu'ils n'avaient pas été soldés. Certains affirmèrent que *« on alloit combattre les compagnies en trop grand péril, au parti où ils étoient et se tenoient, et que on se souffrit, tant qu'on les eût éloignés de ce fort où ils s'étoient mis, et si les auroit-on plus à l'aise ».* Jacques de Bourbon, aussi funestement entêté que les chevaliers de Crécy et de Poitiers, dut leur reprocher leur prudence sinon leur couardise et fit ordonner ses batailles... en prenant soin d'exposer l'Archiprêtre. Et sans la moindre réflexion préliminaire, on fonça.

Cela, c'est Froissart qui l'affirme. Vers quoi ? Vers la « montagne ». Les routiers se baissaient, ramassaient les pierres et les cailloux et les jetaient *« si fort sur ceux qui les approchoient, qu'ils effondroient bassinets tant forts qu'ils fussent, et navroient et mes-haignoient* tellement gens d'armes que nul ne pouvoit ni osoit aller ni passer avant, tant bien targé** qu'il fut ».*

Ecrasée sous une avalanche de pierres (il n'est même pas question de frondeurs), cette vague déferlante fut repoussée avant d'avoir atteint les premiers retranchements ennemis. Conduit par Jacques de Bourbon, un second assaut fut annihilé. Alors, après s'être approchée subrepticement du lieu de l'action (en contournant la « montagne »), l'élite des routiers se précipita sur la pente, prenant les royalistes au flanc et sans doute à revers.

La retraite dégénéra en déroute. Il y avait, au commandement de cette seconde vague de routiers, Seguin de Badefol (ce sont Froissart et Maurice Chanson qui le prétendent), le Petit-Meschin, Naudon de Bagerant, le Bourc Camus, Espiote, Batillier, le Bourc de Lespare, Lamit, Guiot du Pin, le Bourc de Breteuil, etc. Leur cri de guerre était : *« Aye Dieux, aye as Compaingnes ! »*

Il est vrai que le sire de Cervole n'avait pas attendu les résultats de la reconnaissance pour mettre le comte de la Marche en garde contre la force, le nombre et l'astuce des compagnies. Le chevalier lui répondit : *« Archiprêtre, vous m'avez dit qu'ils estoient bien 15 000 et vous entendez le contraire. »* (Les coureurs fixaient le nombre de routiers sur la motte à environ 5 000 et 6 000... et c'est à leur propos, sans doute que se fia le Dr Mollière, puisqu'il adopta sans réticence la thèse de Froissart). Or, comment Arnaud de Cervole pouvait-il se montrer si précis ? Avait-il effectué une reconnaissance avant celle des coureurs ou bien avait-il été informé par quelques anciens compagnons passés chez les Tard-Venus ?

Après le premier affrontement, il aurait conseillé au comte de la Marche de renoncer à l'attaque et d'attendre l'ennemi sur un terrain plus favorable. Il ne fut pas écouté. Continua-t-il de participer à la bataille avec *« le même entrain, la même opiniâtreté que s'il eût conservé la moindre espérance de vaincre »* ? Cela, c'est Aimé Cherest qui le prétend. On peut en douter et, connaissant l'individu, sourire.

Tel est, dans ses grandes lignes, le « reportage » de Froissart.

LES LENTEURS DU COMTE DE LA MARCHE

La version de Matteo Villani***, qui n'en savait pas plus, sur les lieux, que Froissart**** est tout à fait différente. Il commet une première erreur

---

* Blessaient et maltraitaient.

** La targe était un bouclier.

*** Il était le frère de Giovanni Villani, né et mort à Florence (1276-1348) auteur des célèbres *Histoires florentines* qui pouvaient être précises sur tout ce qui touchait à l'Italie, mais très souvent incertaines en ce qui concernait l'Europe. Matteo continua son œuvre. A sa mort, en 1363, son fils Fillipo le relaya ; il mourut en 1404.

**** Froissart auquel Aimé Chérest dénie le droit à la vérité et intente un procès sur toutes les inexactitudes de ses chroniques. *Jamais,* dit-il, à propos de Brignais, *ce séduisant conteur n'a paru moins digne de foi. Jamais il n'a laissé plus libre carrière aux caprices de son imagination, aux écarts de sa mémoire.* Et de nier l'exploit des routiers dont une partie, *la moindre en nombre et la moins aguerrie* parvint (pourtant !) à repousser les assauts d'une armée entière en lapidant ses guerriers fervêtus. Cela ressortit au cinéma.

Il est vrai que Froissart est souvent inexact ; mais il ne prétend pas que les brigands n'utilisèrent que des cailloux. Il dut y avoir parmi eux des archers (anglais), des arbalétriers, des coustiliers, etc. Ce fut surtout en refluant en désordre que les « Français » s'exposèrent le plus.

monumentale en attribuant le mérite de la victoire aux qualités guerrières du seul Petit-Meschin.

Ayant conquis Brignais, écrit-il en substance, le Petit-Meschin y laissa 300 des siens en garnison et s'en alla ravager le Forez avec 3 000 barbutes et 2 000 *masnadieri,* la plupart italiens. Pendant ce temps, le comte de la Marche arrivait en vue de Brignais. Il campa près de la motte bien défendue, ne doutant pas de la victoire. Le Petit-Meschin se trouvait à un jour et demi de Brignais. Ayant appris par un message le péril où se trouvaient ses affidés, il revint précipitamment et, *plusieurs heures avant le lever du jour,* attaqua les Français avec impétuosité. Surpris dans leur sommeil, ceux-ci ne purent s'armer. Ainsi succombèrent tant de vaillants barons et de nobles chevaliers (il est de règle, chez tous ces chroniqueurs, de ne jamais s'attendrir sur le sort de la piétaille)...

Voici un récit simple et vraisemblable. Malheureusement aussi invérifiable que celui de Froissart. Comment une armée si impressionnante eût-elle succombé ainsi ? N'y avait-il aucun guetteur autour du camp ? Une bande de 5 000 hommes décidés à l'attaque, cela fait du bruit en s'approchant... surtout quand (comme le prétend faussement Villani) ces hommes étaient italiens ! Or, les Italiens ne furent qu'une infime minorité dans les Compagnies, trop occupés qu'ils étaient dans la Péninsule par des luttes incessantes. On peut d'ailleurs opposer à cette version fort incomplète celle du *Thalamus parvus* de Montpellier, vieille chronique romane écrite au jour le jour et qui atteste que la bataille eut lieu devant Brignais à l'heure de none, c'est-à-dire au début de l'après-midi. Hélas ! l'affrontement y est sommairement décrit : *« A cette heure de none, les ennemis qui étaient dans Brignais et d'autres qui étaient sortis de Sauges tombèrent ensemble sur les assiégeants, de telle sorte qu'ils les déconfirent. »* L'important, dans cette défaite, peut se résumer en quelques lignes : les routiers qui s'étaient emparés de Sauges, expulsés par Arnoul d'Audrehem *qui les laissa partir avec armes et butin,* opérèrent opportunément leur jonction avec ceux de Brignais. Assaillie de partout, l'armée de Jacques de Bourbon fut vaincue.

En quittant Lyon, le comte de la Marche n'était absolument pas décidé à attaquer immédiatement les routiers. Son but était d'assiéger le château de Brignais. Des lettres et courses de messagers l'attestent, qu'il serait fastidieux d'énumérer ici. Mais on peut tout de même s'interroger : assiégea-t-il la forteresse délabrée ? Les uns affirment ce fait sans preuves ; les autres l'infirment tout aussi péremptoirement. Si cette défaite est appelée par tous « la bataille *devant* Brignais », c'est évidemment parce que tous les chroniqueurs ne surent où la situer.

Voyons maintenant l'exposé de M. Allut. Selon lui, ne sachant pas si l'armée de Jacques de Bourbon cheminerait par Saint-Genis-Laval ou par Francheville, les routiers fortifièrent le château de Brignais. Arrivant par Oullins et Saint-Genis sans trouver d'ennemis devant lui, le comte de la Marche fit installer son camp à cheval sur la route, sa droite s'appuyant sur Sacuny, au pied des Barolles. Il pouvait ainsi observer les mouvements de l'ennemi dont il n'était séparé que par 2 kilomètres de plaine et par le Garon. Selon M. Allut, si l'on interrogeait, dans son temps, les traditions locales, le massacre avait eu lieu au bas du versant oriental de la colline du Janicu selon certains, dans la plaine des Aiguiers (entre Sacuny et la route) selon d'autres. Il réfutait cette dernière version car cet endroit n'était alors qu'un marécage, *« un amas d'eaux stagnantes ».* De plus, il suffit de constater que Sacuny est au nord de Saint-Genis-Laval, à plus de 2 kilomètres de Brignais, pour avoir un doute...

Notons ici une *anomalie* : comment l'ost français aurait-il pu s'approcher par *deux routes* (Oullins et Saint-Genis) séparés par un massif montagneux ? En outre, Sacuny n'est pas au nord de Saint-Genis, mais *à l'ouest.* Quant au camp français, il ne pouvait appuyer sa droite sur Sacuny, mais bien sa gauche. Le village de Sacuny est sis à 2,500 km au nord de Brignais ; cependant le domaine est nettement plus proche, dans la vallée. Ce village est donc bien à une égale distance de Saint-Genis, mais un massif montagneux les sépare.

Avant de donner son opinion, ce ne fut pas à Villani mais à Froissart que s'en prit cet auteur.

Comment, écrit-il, *les routiers maîtres de la colline et du bourg, et du château, et pouvant soutenir un siège, auraient-ils pu avoir la pensée d'aller se fixer sur un mamelon situé à une demi-lieue de Brignais ? Ils auraient manqué d'eau, de vivres, de réserves.*

Comment Jacques de Bourbon instruit par l'Archiprêtre de la force des Compagnies, s'en rapporta-t-il à ses coureurs qui lui signalèrent quelques poignées de gens sur le coteau ?

Comment Jacques de Bourbon, qui était à Crécy et Poitiers, aurait-il pu concevoir d'attaquer les Tard-Venus sur le coteau et de gravir une pente difficile ?

Le comte de la Marche considérait ses adversaires comme un vil ramas de pillards qui ne tiendraient pas un moment devant les lances et les épées. Il ne voulait point les considérer comme d'anciens guerriers. Quant à la configuration du terrain, faut-il préciser que le commandement français d'alors n'en avait cure.

Selon M. Allut, l'armée française dut camper à l'écart des marais des Aiguiers, au pied des Barolles, où ses arrières étaient assurés, sa gauche appuyée sur la route, ce qui lui donnait l'avantage de maintenir ses communications vers Lyon. Il ne prit aucune précaution (gardes, rondes, éclaireurs) pour se mettre à l'abri d'une surprise nocturne.

Le Petit-Meschin, revenant sur ses pas à marches forcées, envoya un détachement pour occuper le plateau qui dominait la plaine en arrière du camp français, ce qui était facile dans l'obscurité. Les routiers en profitèrent pour s'établir sur ce point où abondaient les cailloux : les *chirats,* en jargon paysan. Les frondeurs avaient reçu commandement de passer à l'attaque dès le début des hostilités, puis de se précipiter sur les Français. On entama l'assaut dans les ténèbres. Nul renfort, nulle possibilité de fuite : ce fut l'écrasement.

On peut émettre une objection de taille à ce raisonnement par ailleurs acceptable : comment un frondeur, un archer eussent-ils pu, de nuit, ajuster leur cible ? Et puis, c'est oublier le texte de Denis Sauvage ! Il a vu les fortifications et la petite forteresse *provisoires,* certes, mais certainement solides, des routiers. Il a interrogé des *« gens dignes de foy »* qui avaient trouvé des fragments de lances et d'armes d'hast et des restes de harnois sur les lieux de la bataille...

Peut-on conclure que le point fort de l'affrontement fut surtout celui que décrit Denis Sauvage : la butte du Mont-Rond, fortifiée, creusée de fossés, hérissée de remparts ? Nul ne pourrait l'affirmer, *mais ce fut là, certainement, que l'échec des hommes de Bourbon fut le plus spectaculaire.*

Il avait bien fallu, pour ériger ces escarpes et ce fortin de 50 grands pas d'une part et de 70 de l'autre, monter quantité de pierres, qui n'étaient évidemment pas maçonnées mais empilées avec celles que l'on récupérait et sélectionnait en creusant les excavations. De là, sans doute, les projectiles des frondeurs complétant ceux dont leur gibecière était pleine.

Mais 2 000 charretées de pierres et cailloux ? Non, assurément.

La thèse du Dr Humbert Mollière contredit en partie, parfois avec acharnement, les affirmations de P. Allut. Il s'accorde cependant avec lui pour ce qui concerne la « surprise de nuit » dans la plaine des Aiguiers. Pour lui, c'est au niveau de la ferme de Saignes que le combat s'acheva : à cette place seulement furent exhumés, en 1800, des fers d'armes et des débris d'armures. Il note :

Les traditions populaires sont unanimes à placer sur ces deux points, ainsi qu'au bas des Balmes de Montrond, le théâtre de la lutte. Le point le plus excentrique qui ait été signalé par les habitants est le Bonnet, où un chef aurait été tué, probablement dans la poursuite, mais on ne mentionne pas de véritable combat sur ce point.

J'ai parlé, plus haut, de la ferme des Saignes. Certes ce nom propre ne saurait dériver de l'étymologie latine a sanguine, *comme l'ont soutenu quelques-uns, mais la persistance avec laquelle les habitants désignent ce lieu comme ayant été le théâtre de la lutte a bien sa valeur comme tradition. M. Chambeyron, curé de Brignais, qui, à ma demande, a bien voulu étudier ces traditions, m'écrivait, il y a peu de temps, avoir entendu dire, par un habitant, que le nom du petit ruisseau, le Merdanson, qui traverse la plaine des Aiguiers, où il forme de petits marécages, venait de l'expression corrompue de* mare de sang *à cause d'une grande bataille qui avait été donnée là et où il fut versé du sang à en faire rougir le ruisseau. « Mais, ajoute mon obligeant correspondant, l'explication serait plus plausible s'il n'existait pas d'autres ruisseaux du même nom, qui ne peuvent revendiquer une si noble origine. » Telle qu'elle est, elle nous montre l'esprit des populations dirigé dans cette voie. « Enfin, ajoute M. l'abbé Chambeyron, dans les labours et les fonçages de ladite plaine, on a trouvé à diverses époques des débris d'armures et d'équipements, piques, pertuisanes, cuirs, boucles et autres ferrailles. Je n'ai jamais ouï dire que rien de pareil se soit montré sur la rive droite. »*

Que le Petit-Meschin ait été l'auteur de l'attaque-surprise au petit jour, nul ne saurait en disconvenir. Cependant il apparaît comme évident que les Justes ont été par trop inconscients.

POUR EN FINIR AVEC LES CONTRADICTIONS

Frédéric Scuvée, admirablement informé sur le Moyen Age et plus précisément sur les guerrès de cette époque, avait bien voulu s'intéresser à cette bataille tout aussi importante que celles de Crécy, Poitiers, Azincourt, « championnes », pour ainsi dire, des déconfitures françaises. Voici ce que nous écrivit ce grand archéologue disparu en 1993 :

A mon avis, l'examen de la carte éclaircit considérablement le problème.

Il me paraît évident que l'ost royal n'a pas emprunté la vieille route passant par Saint-Genis-Laval, mais bien celle qui vient du nord à partir de Lyon ; celle-ci existait certainement depuis l'antiquité car nettement plus importante, au point de vue communications à longue portée, que l'autre.

Il eût été absolument aberrant de passer par Saint-Genis-Laval pour une armée estimée, avec l'exagération habituelle, à 12 000 hommes, étant donné la nature infecte du relief, l'étroitesse des passages, le tout terriblement favorable à certaines embuscades ; l'autre route venant du nord et de Lyon est nettement plus dégagée et permet la manœuvre d'un groupement cavalerie-infanterie normal.

Voyons d'abord la longueur d'un convoi de 12 000 hommes en terrain dégagé, où tout le monde ou à peu près doit passer en file double, triple et même quadruple (double quant à la cavalerie) : environ 4 kilomètres. Et ainsi étiré en relief accidenté (Balme, baroille = creux, grottes, ravins, etc.) !

Je veux bien que Bourbon (il l'a démontré peu après) n'était pas très malin ni expérimenté, mais le dernier des imbéciles ne tombe pas dans un tel panneau. Bourbon n'était d'ailleurs pas seul à décider.

De plus, ce vieux chemin aboutit à quoi ? A une barrière qui commande peut-être la plaine des Basses-Barolles et du Mont-Rond, mais pas plus. Cette barrière, naturellement bien connue des Lyonnais, est formée par la colline du Bois-Goyet et celle du Mont-Rond, suivie des balmes de Mont-Rond, donc des creux ou vallons.

Les textes sont, d'autre part, assez clairs : une charge de cavalerie fut repoussée. Comment donc effectuer une charge de cavalerie *dans un bois* ? Plus encore, vers une montée au pied d'une colline.

Item, au nord-ouest dudit monticule du Bois-Goyet, nous avons une ferme (?) appelée *« le Court »*, soit *Curtis* ou *Cortil,* preuve évidente d'une exploitation agricole déjà présente à la fin de l'époque gallo-romaine et qui, sans doute, existait encore aux XIVe-XVe siècles, puisque mentionnée. Cette ferme commandait, quant à elle, le passage. Or, pas un mot à ce sujet dans les textes. Le premier effort de l'ost royal aurait été, évidemment, d'occuper ce point fort. Or, rien sur ce sujet.

Item la prise en force du passage du Bois-Goyet n'aurait à peu près rien donné comme avantage tactique, car ces hauteurs sont prolongées longuement par des contreforts dans la plaine des Basses-Barolles, contreforts obligeant l'ost à se scinder en bataillons étroits et exigeant ainsi un « ordre profond » absolument impensable à une époque telle que celle qui nous intéresse, en raison de l'impossibilité de passer, en ordre, de l'ordre profond en « ligne » formellement nécessaire. Et que faire de la cavalerie ?

En revanche, venant du nord, la largeur de la vallée permet, absolument, d'utiliser toute la supériorité du nombre et, surtout, de la manœuvre.

Les 12 000 hommes peuvent se déployer aisément et envelopper l'ennemi par les ailes.

Le seul point fort qui peut briser toute l'avance est un mamelon, le Tertre, situé en plein milieu du front, exactement où doit s'appliquer l'effort du bloc principal de la cavalerie lourde. D'ailleurs, cette cavalerie lourde a foncé directement sur ledit tertre et a été repoussée puisque s'attaquant à un point fort (relatif) en haut d'une montée.

Ma conclusion est que c'est là que l'effort a été appliqué, dans toute la largeur de la vallée, après une station nocturne à l'arrière de l'étang du Loup (peut-être récent).

Un élément contre : la ferme dite des Saignes = terrain marécageux.

Tout dépend donc de l'état du terrain de la vallée au moment de la campagne : sec ou mouillé...

Le cimetière cité en 1899 devait exister auparavant. Pourquoi n'aurait-il pas été créé, aussi isolément, à partir de la tombe commune des morts de la bataille ?

La colline du Bonnet, tout à fait sur l'aile droite de l'ost royal, a dû être engagée lors de l'avance sur le tertre, car la vieille route du nord passe à côté, entre le Tertre et le Bonnet. D'ailleurs, la RD n° 13 ne devait pas exister, mais bien la route qui passe entre le Bonnet et le massif de l'Ouest.

Brignais est un centre relativement important qui devait être abordé par un « à droite » après le débordement sur la gauche des Hautes-Barolles, puis du Mont-Rond. Les chefs des Tard-Venus ne pouvaient choisir un meilleur point que ledit Tertre pour tenir toute la plaine de l'est de Brignais.

Il me semble que la manœuvre royale fut correctement calculée, mais la surprise de nuit fut une idiotie impardonnable ainsi, d'ailleurs, que la charge de cavalerie sur le Tertre. J'ai l'impression, d'autre part, que la surprise de flanc fut menée par les routiers à partir du creux, derrière le Bonnet et le Janicu, appuyés sur Brignais sur l'arrière ; Brignais et son château correctement tenus. Les routiers ne pouvaient en aucun cas laisser l'armée royale déboucher sur la plaine. Ils y auraient été écrasés.

La tradition locale est parlante et semblerait bien confirmer mes conclusions : la bataille eut lieu dans la plaine nord, au débouché de la large vallée. Et c'est logique. J'ai l'impression que les auteurs locaux n'ont guère examiné le terrain... ou bien n'ont guère de sens militaire.

Rien n'empêche, d'ailleurs, que les routiers aient installé une garnison sur le Mont-Rond et même qu'ils s'y soient réunis quelques jours avant la bataille, le temps de se répartir sur les points forts choisis par leurs chefs.

Parlons-en :

Une première chose est frappante. Il est question d'un groupe de 300 hommes sur la colline fortifiée. Une description du retranchement suit : un ovale d'environ 50 grands pas dans un sens de 70 dans l'autre. Selon le calcul classique : 188,50 m de circonférence, soit une garnison de 200 hommes pour occuper le rempart, 100 hommes restant en réserve.

Nous pouvons, à mon avis, considérer que, tout à fait involontairement — car ce n'était pas dans les habitudes du temps —, le rapporteur qui a évoqué ce corps de 300 hommes sur la colline a dit, pour une fois, la vérité. Très souvent le mot « château » a été employé pour encore moins que cela.

J'ignore la nature du terrain local, mais à mon avis, la destruction de l'aqueduc et son transport par chariots sur la hauteur n'est qu'une fable.

1. - Il eût fallu des moyens de transport démesurés.

2. - Ce travail apparaît inutile puisqu'on avait creusé des tranchées et fossés (la création de murs en pierre à sec est le procédé classique à l'aide de pierres récupérées).

Que les jets de pierres aient suffi à l'écrasement de l'armée royale est une autre fable. Une pierre d'un poids suffisant pour être dangereuse à la main doit peser au moins de 3 à 5 kilos, donc ne peut être jetée qu'à une distance très courte et juste au moment précédant le corps à corps. Or, les royalistes ont été repoussés. Certainement pas avec des cailloux.

Les frondeurs ? Leur rôle dans la défaite de l'armée de Jacques de Bourbon semble douteux. Un frondeur sérieux exige des projectiles à peu près sphériques (pour la précision du tir) d'un poids de 100 à 300 grammes (pour être meurtriers). Ce n'est pas au cours d'un terrassement qu'on trouvera en suffisance de projectiles de ce genre. Ou alors les frondeurs lancent n'importe quoi sans précision aucune — ce qui ne peut arrêter un assaillant résolu. De plus, l'utilité des frondeurs se fait sentir à longue distance et non au combat rapproché. Lorsque les combattants sont à proximité les uns des autres, les frondeurs abandonnent le terrain. En réalité, ils relaient les archers, alternativement, en vue du harcèlement et non du combat proprement dit.

Il me semble qu'à Brignais, il y eut surprise d'une part, à laquelle s'ajoutait une attaque de flanc et arrière du camp français. Soit de nuit, soit de jour au cours de l'offensive sur la colline. Il y a, comme d'habitude, un manque absolu de pose de « sonnettes » à distance, dans toutes les directions et plus encore, un dévastateur sentiment de supériorité, de suffisance, de la part des royalistes.

D'autre part, vous savez que je me méfie terriblement des effectifs annoncés par les chroniqueurs. Souvenons-nous du travail de Delbrück visitant le champ de bataille de Marathon où l'on prétend que des centaines de milliers de Perses furent battus par des dizaines de milliers de Grecs. Il nota que le terrain était tout juste bon à faire évoluer une seule brigade d'infanterie prussienne.

Je sais bien que 15 000 hommes en ordre serré ne tiennent pas beaucoup de place, mais à quoi sert d'en avoir 15 000 si l'on est obligé de les mettre en tas, sans les déployer, alors que 5 000 suffiraient ? D'ailleurs, dans une armée de 10 000 hommes, combien y en avait-il d'aptes à combattre ? Un tiers était composé de valets, cuisiniers, palefreniers, etc. ; un autre tiers de commerçants, de ribaudes, etc. Si l'on fait le total cela fait gros. Mais sur le terrain ?

Au reste, les pertes en hommes et en matériel n'ont jamais lieu pendant le combat qui ne dure, en général, qu'un laps de temps relativement court, mais toujours au moment où l'un des adversaires se considère comme perdant et tourne le dos. Alors, c'est le massacre.

Un sujet sur lequel je veux revenir : la cavalerie lourde médiévale. L'échec de la « chevalerie » n'est pas dû à une obstination, à une survivance du passé ; seuls les excès dus à de mauvais chefs ont pu faire illusion car, en réalité, depuis 2 000 à 3 000 ans, seule la cavalerie « cataphractée » était capable d'emporter une bataille d'infanterie bien menée, disciplinée. Pourquoi croyez-vous donc que la guerre de 14-18 a duré quatre années, sinon par l'impossibilité (mitrailleuses et artillerie) de crever avec rapidité la ligne fixée ? Ce ne fut possible que lorsque les blindés tout neufs de 17-18 intervinrent, nouvelle cavalerie lourde, avec une infanterie d'accompagnement en protection des abords et angles morts, puis en exploitation du choc asséné.

A Brignais, l'échec de l'attaque cavalière sur quelque colline n'aurait guère eu de conséquences si les routiers, bien menés, n'avaient eu la haute intelligence d'intervenir au moment où c'était possible. Il est formellement loisible de revoir toutes les défaites françaises sous cet angle. Les Français eurent toujours le tort de se croire les plus forts de principe et d'attaquer sans avoir, auparavant, tâté les positions de l'ennemi. A Crécy, par exemple, le fait de négliger les arbalétriers se justifie par le fait de l'engagement tout à fait prématuré (une journée trop tôt) et avant que ces arbalétriers ne soient en mesure de contrer les archers gallois (ce qu'ils pouvaient faire en dehors du cas de mouvement manœuvrier). Les arbalétriers effectuent un *tir tendu* alors que les archers, à même distance, ne travaillent qu'en *tir indirect* fichant. Mais les chevaliers anglais s'étaient *mis à pied,* ne comptant surtout pas sur un combat désastreux (trop inégal) en personnes, et de cela, les Français n'en avaient rien su.

Les Français n'ont jamais mis assez en avant l'incapacité de leurs chefs de guerre. Seul Duguesclin a réussi à comprendre le tournant, sans doute à cause de son habitude des batailles d'embuscade et d'escarmouche. D'ailleurs, jusqu'à François Ier, la cavalerie a repris largement le dessus, puis s'est écroulée à nouveau par suite de l'introduction de la formation nouvelle des piétons suisses et Landsknechts. Rien à voir avec les arquebuses que l'on a accusées... Puis, sous Louis XIII, renouveau de la cavalerie.

Sans arrêt, la suprématie change de camp.

LES FROIDS DE L'HIVER

Cette bataille a suscité une abondante correspondance entre l'auteur de ce roman et M. Frédéric Scuvée qui, on l'a vu précédemment, n'excluait pas l'attaque nocturne. Voici, pour conclusion, ses deux dernières remarques. Elles sont importantes :

1. - Un élément évidemment défavorable à l'encontre de l'hypothèse d'une progression de l'ost royal par la vallée venant de Francheville, est la nature marécageuse du terrain dégagé où les 12 000 combattants de Bourbon devaient obligatoirement se déployer pour utiliser l'ordre en lignes de « batailles » en usage à l'époque.

Cet état marécageux est mis en évidence par les noms de lieux encore en usage au XIXe siècle et certainement fixés dès le début du Moyen Age : *les Saignes, les Aiguiers.* Mais il n'est sans doute pas inutile de procéder à un examen de la climatique ancienne.

Les études modernes ont établi qu'après une période relativement tiède suivit, dès le XIIIe siècle finissant, une autre période de net refroidissement moyen, avec régression du niveau des mers, avance des glaciers dans les vallées, pluviosité abondante, circonstances qui sont à l'origine des famines endémiques au cours de la Guerre de Cent Ans.

Il nous paraît alors très probable que, malgré les noms décourageants de la plaine devant Brignais, en début d'avril 1362, les froids de l'hiver perduraient encore et que les terrains de la plaine des Aiguiers n'étaient pas encore imprégnés des eaux du printemps.

Ainsi, la plaine au débouché de la vallée venant de Francheville, devant Brignais, se trouvait être un excellent champ de manœuvres pour une bataille rangée, ce qu'elle fut d'ailleurs, aucun texte ne suggérant un autre emplacement et, de plus, aucune allusion à un possible embourbement ne fut évoqué à aucun moment, malgré la facile excuse que cela aurait pu offrir pour expliquer l'échec sanglant. Il n'est qu'à se souvenir de la relation de la défaite française à la bataille de Courtrai, en 1302, où le « responsable » de la défaite fut officiellement une malheureuse zone marécageuse dans laquelle les barons français, lourdement montés, se seraient envasés.

2. - Si l'hypothèse affirmant que l'armée de Bourbon aurait établi un campement avant l'attaque sur Brignais était exacte, il serait nécessaire d'imaginer l'endroit où ces 12 000 hommes, accompagnés de charrois, etc. auraient pu se placer.

Dans le cas d'une progression passant par Saint-Genis-Laval, ce campement n'aurait pu se situer que sur un étroit espace de terrain relativement plat, moins de 1 500 mètres au sud du bourg, donc juste devant la barrière formée par les mamelons du Bois-Goyet et du Mont-Rond dont il est séparé par un creux assez important. Il est évident qu'une telle position de campement est extrêmement avantageuse, car couverte au sud par le creux ci-dessus, à l'est par des zones dégagées suivies d'une pente aisée à surveiller. Quant au nord-ouest, il s'agit des abrupts de la chaîne des Barolles où quelques postes de surveillance pouvaient donner une alerte improbable. En effet, Francheville, aussi bien que Saint-Genis-Laval étant au roi, les routiers ne se seraient jamais risqués à s'introduire entre les mâchoires d'une telle tenaille. De plus, l'intervention des éléments de flanc du Petit-Meschin venant de l'ouest, aurait été terriblement hasardeuse et l'effet de surprise impossible, car cette troupe aurait dû, d'abord, traverser la vallée de Francheville, escalader les pentes de la chaîne des Barolles, avant que de se trouver au bord des abrupts, puis les descendre rapidement, dans le plus grand désordre et épuisée.

Il semble évident que l'éventuel campement n'a pu être installé que dans la large vallée de Francheville, à distance raisonnable de Brignais. Le flanc est se trouve relativement peu exposé, dans ce cas ; en revanche, le flanc ouest est à portée des multiples débouchés de vallons — vallons qui permettent d'effectuer, à couvert, tous les transferts de troupes nécessaires, ainsi que l'intervention directe du Petit-Meschin.

LES VAINCUS

Que le comte de la Marche ait péri, qui pourrait vraiment s'apitoyer ? Il appartenait à cette caste de chevaliers impudents et imprudents qui ne tirèrent aucun enseignement des défaites passées. Nul routier ne s'intéressa à ce vaincu, puisqu'il allait mourir et ne pourrait être rançonné. Il fut abandonné à quelques réchappés dont on ignore tout sinon qu'ils le ramenèrent à Lyon ainsi que son fils.

Le comte de Tancarville, qui semble ne pas s'être exposé (tout comme Arnaud de Cervole) fut promptement libéré. Le 21 avril, il était à Chalon-sur-Saône, le 25 à Châtillon-sur-Seine *sur une simple promesse de rançon,* ce qui semble singulier. Le seigneur de Beaujeu, ses frères et le bailli de Mâcon connurent le même sort. Le comte de Forez trépassa peu après la bataille ; son jeune frère devint fou.

Comme par hasard, l'Archiprêtre tomba aux mains d'un « pays » : le Bâtard de Monsac. Ce fut à lui qu'il remit son épée. Une fois de plus, par l'entremise d'Arnoul d'Audrehem, qui fit en sorte d'éviter la bataille, la rançon du malandrin fut puisée dans le trésor royal (alors qu'il avait les « moyens » !). Jean de Neufchâtel tomba dans les mains de Béraut de Bartan. Jean Doublet, « combattant obscur » selon Aimé Chérest, captura, lui, le maréchal de Bourgogne : Gérard de Thurey. Fait extraordinaire : il le délivra sans rançon et revint à l'obéissance du roi.

Que dire de plus sinon que l'armée française fut désormais appelée *Virecul* et que le 13 août 1362, les chefs de la Grande Compagnie signèrent à Clermont* un traité avec Henri de Trastamare pour passer en Espagne et combattre Pierre le Cruel et ses troupes.

---

* Aimé Chérest place la signature de ce traité le 23 juillet.

Sans vouloir minimiser la férocité de Pedro le Cruel, il convient de mentionner que le Trastamare était un immonde fripon, et que ceux des routiers qui s'accordèrent un temps de réflexion suivirent peu après Bertrand Guesclin.

Naudon de Bagerant se rallia au connétable peu après la mort d'Arnaud de Cervole (25 mai 1366). Puis, lassé d'appartenir à l'armée de Guesclin, il offrit ses services à Dom Pèdre en même temps que d'autres crapules célèbres : Briquet, Creswey, Robert Ceni, Perducas d'Albret, Garcie du Châtel et les Bourcs de Lesparre, Camus, Breteuil. Le prince de Galles les prit ensuite à sa solde du mois d'août 1366 à février 1367 — certains, plus tard. Il commandait à 12 000 hommes. Après la bataille de Najera (3 avril 1367) Naudon de Bagerant revint en France.

Ce n'est pas pour rien que ces individus infects, *mais d'une hardiesse et d'une intelligence guerrière incontestables,* appelaient le royaume de France : *le Paradis des Routiers**.

A la lecture de ces notes, une question subsidiaire peut se poser qui mérite des développements dont l'auteur s'abstiendra sur la condition des otages du roi d'Angleterre :

— Pourquoi le roi choisit-il Bourbon et Tancarville ?

On le sait : le roi Jean était incompétent. Sa propension la plus néfaste fut de choisir et d'honorer des gens à sa semblance quitte, sur une déception minime eu égard à la vie et à la renommée du royaume, à les faire exécuter comme Raoul de Brienne et tant d'autres.

Il ne fait aucun doute qu'Edouard III se pourléchait de voir la France en état de trêve avec son pays, dévorée par cette gangrène qu'étaient les Compagnies, lesquelles se composaient en partie d'Anglais. Le 13 janvier 1362, Innocent VI, qui savait l'influence prépondérante que le roi d'Angleterre pouvait exercer (mais s'en gardait bien) sur les chefs des Compagnies pour les empêcher de s'abandonner en France à toutes sortes d'excès, somma Edouard III *« pour l'amour de Dieu et le salut de son âme »* d'exécuter intégralement les clauses du traité de Brétigny. Or, comment eussent-elles pu être entièrement respectées ? La paix, c'était la fin des capitaines d'aventure. Les Hawkwood, les Creswey, d'autres encore qui avaient commandé à des armées ne pouvaient tolérer que le Pape, instigateur d'un armistice d'ailleurs précaire, les eût mis au chômage. Ils lui avaient d'ailleurs déclaré :

— Ces armes dont nous vivions et que vous voulez nous contraindre à déposer, nous allons, pour nous venger, les tourner désormais contre vous.

Fin mars 1362, le roi de France chargea donc Jean de Melun, comte de Tancarville, qu'il avait nommé, le 25 janvier précédent, son lieutenant dans le duché de Bourgogne, de marcher contre les compagnies *concentrées depuis deux ans* dans la vallée du Rhône... lequel Tancarville voulut avoir près de lui Jacques de Bourbon et Louis, comte de Forez.

Or, ces misonéistes** étaient de sempiternels vaincus doublés de joyeux drilles. Siméon Luce écrit dans son *Du Guesclin* :

> *La leçon (de Poitiers) ne leur a nullement profité. En Angleterre, où ils ont vécu (comme otages) en compagnie du roi Jean, dont ils sont les favoris, pendant les quatre années qui ont suivi le désastre, ils ont passé leur temps à se faire adorer des dames, mais ils n'ont rien vu de ce merveilleux ensemble d'institutions par où Edouard III a réussi à assurer sa suprématie militaire. Aussi, une dernière humiliation leur est réservée, et cette noblesse, aussi folle qu'intrépide, videra jusqu'à la lie son calice de honte.*

Pour le plus grand malheur de la France.

---

* Jean de Bueil aime à le rappeler dès les premières lignes du *Jouvencel.*

** Ennemis des innovations, des mouvements.

Illustration des pages centrales de l'ouvrage de P. Allut : *les Routiers au XIVe siècle ; les Tard-Venus et la bataille de Brignais* (Lyon, Scheuring édit. 1859). Les personnages posent. Le chevalier démonté de droite tient son perce-mailles à l'envers et les routiers qui l'entourent sont pleins de sollicitude. Jacques de Bourbon, qui a perdu son bassinet, a son écu soigneusement fendu. Le picquenaire

qui veut le pourfendre tient son arme comme une rame, et l'archer, avec son carquois à la hanche, doit avoir quelque difficulté pour en extraire les flèches. Les arbalétriers n'ont rien à faire ici. Pour compléter ce réalisme, les boucliers sont des *scutums* romains, sauf un, dit "rondelle de poing" ou encore "pavoisienne" (*faustschild* en allemand, *fist-shild* en anglais). Il mesurait entre 25 et 30 centimètres de diamètre.

ANNEXE VIII

DE LA LIBÉRATION DES CONDAMNÉS À MORT

On peut lire, dans les *Mémoires pour servir l'histoire de Calais,* de M. de Bréquigny, l'un des plus sérieux et des plus probes historiens de Louis XV, tout un passage concernant *la coutume de Calais* et l'élargissement des prisonniers condamnés à mort sauvés par la volonté d'une femme : la liberté assortie d'un mariage immédiat (1) — ou presque.

« L'an 1365, Joffe Dullard, flamand d'origine, avait été condamné à mort à Calais, pour un vol de 27 deniers sterling. Lorsqu'on le conduisait au supplice, une femme offrit de le prendre pour mari et demanda qu'on le délivrât, suivant l'ancienne coutume qui accordait la grâce au coupable condamné à mort pour vol lorsqu'une femme consentait à l'épouser. Le cas n'était plus arrivé depuis la conquête de Calais par Edouard III, mais on soutint qu'il était arrivé plusieurs fois auparavant.

Le coupable fut reconduit en prison et le Gouverneur demanda des ordres au roi d'Angleterre. Ce prince ordonna qu'on l'informât de l'ancienneté de l'ouvrage : elle fut constatée et le roi fit grâce (2).

De pareilles coutumes semblent s'être établies dès le premier âge d'une peuplade faible encore et chez qui toute autre considération cède à la nécessité de favoriser la population par tous les moyens possibles.

Une autre coutume — qui n'est même plus observée dans nos temps soi-disant « modernes » — consistait à séparer les prisonniers pour dettes de ceux du crime. On pensait, sous la tutelle d'Edouard III, que c'était une injustice *barbare* d'attacher ensemble un prisonnier insolvable et un bandit. De l'étude de M. de Bréquigny, il ressort que les Calaisiens étaient plus heureux lors de l'occupation anglaise que sous Philippe VI de Valois. Le roi d'Angleterre les avait affranchis de tous les droits seigneuriaux et de maintes autres contraintes.

* *
*

Les cas de condamnés à mort graciés par une femme qui demandait à les épouser n'ont hélas ! pas été recensés. On sait seulement que ces sauvetages avaient lieu lors de certaines fêtes religieuses ou dans des circonstances très particulières. La tradition, alors, l'emportait sur la sentence, et si les juges s'y pliaient c'était souvent de mauvais gré.

Cette coutume fut entretenue jusqu'à l'Empire, en certains lieux de France. Elle « déborda » même hors des frontières, comme l'attestent ces exemples :

Un Picard étant à l'échelle pour être pendu, on lui présenta une femme de mauvaises mœurs qu'on lui proposa d'épouser s'il voulait sauver sa vie comme c'est la coutume en quelques endroits. Il la regarda quelque temps et, ayant remarqué qu'elle boitait :

— Elle boite, dit-il au bourreau. Attache ! Attache !

---

(1) *Mémoires pour servir l'Histoire de Calais,* par M. de Bréquigny (tome 43, MDCCLXXXVI-cote Z 5097) pages 722 à 752, des *Inscriptions et Belles Lettres.*

(2) La lettre de grâce signée d'Edouard III fut reçue à Calais le 12 juillet 1365.

En 1686, un paysan de Crossen, en Allemagne, condamné à avoir le cou tranché, aima mieux mourir sur l'échafaud que d'avoir l'obligation de la vie à sa femme, qui avait obtenu sa grâce et la lui faisait offrir.

(*Dictionnaire d'anecdotes, de traits singuliers et caractéristiques, historiettes, bons mots, naïvetés, saillies, reparties ingénieuses,* Riom, 1808, 2e volume.)

Il y a environ 150 ans qu'un jeune homme condamné à mort pour vol allait être pendu à Romont. Il était déjà sous le gibet lorsqu'une fille se présente et, suivant l'usage du pays, offre de lui sauver la vie en l'épousant et en payant tous les frais de son procès criminel. Le condamné la considéra un moment puis, frappant sur l'épaule du bourreau, il lui dit :*

— Compère, mon ami, allons seulement notre petit train : elle est borgne !

Et il monta lestement sur l'échelle fatale.

Si l'on doute de cette coutume, qu'on prenne le Coutumier *(manuscrit) du pays de Vaud, revu, corrigé et augmenté par L.L.E.E. de la ville et canton de Fribourg. On l'y trouvera (Livre I, titre IV, chapitre 52).*

Si quelques hommes ou femmes à marier viennent à commettre crimes pour lesquels ils soyent adjugés à mort, icelle adjudication nonobstant, s'il vient un fils ou une fille selon le sexe de conjonction, qui n'aurait été marié, requérir à la justice le condamné pour l'avoir en mariage, il lui sera délivré sans prendre mort, et abandonné en liberté et franchise, en restituant à la justice les coustes et missions supportées, sinon qu'ils soyent traîtres à leurs princes ou seigneurs, hérétiques, etc.

(*Le Conservateur ou Recueil complet des Etrennes helvétiennes,* Lausanne, 1814, par le Pasteur Bridel.)

Cet usage permettant d'échapper à la mort avait également cours en Pologne. Ainsi, dans son célèbre roman *Krzyzacy*, traduit en français sous le titre des *Chevaliers teutoniques*, Henryk Sienkiewicz raconte la marche du jeune chevalier Zbyszko vers l'échafaud :

Zbyszko venait de mettre un pied sur le premier degré lorsqu'il se passa un événement imprévu : Powala de Tarczew s'était avancé, portant dans ses bras la jeune Danusia et s'écriait : « Arrêtez ! » Le capitaine qui conduisait l'escorte n'osa désobéir à un chevalier aussi renommé qu'il rencontrait souvent au château et voyait à la table royale. Alors, Powala s'approcha de Zbyszko et lui tendit Danusia. Le jeune homme crut qu'il s'agissait d'un ultime adieu et il pressa la jouvencelle contre sa poitrine, mais elle se dégagea, jeta un de ses bras autour de son cou et de l'autre arracha le voile blanc qui recouvrait sa tête et en enveloppa celle du condamné. En même temps, elle criait de sa jeune voix embuée de larmes :

— Il est à moi ! Il est à moi !

— Oui, il est à elle répétèrent les voix des chevaliers.

Il existait en effet, dans la région de Cracovie, un usage ancien qui avait force de loi et suivant lequel si une jeune fille jetait son voile sur un homme que l'on conduisait au supplice, elle lui sauvait la vie et lui rendait la liberté. Les chevaliers, les bourgeois et les manants connaissaient cette coutume.

Le mot *mariage* n'est pas prononcé, mais le « *Il est à moi !* » a valeur de fiançailles immédiates et irrésistibles.

---

* En Gruyère, canton de Fribourg.

Cycle de Tristan de Castelreng

C'est dans les guerres et les ruines
que naissent les amours immortelles.

Les Amants de Brignais

Le jeune chevalier de la Langue d'Oc, Tristan de Castelreng, figure dans la suite du roi Jean le Bon lorsque celui-ci, avec l'agrément des Anglais qui l'ont capturé à Poitiers, va prendre possession du Duché de Bourgogne (décembre 1361). Capturé par une noble dame dont il a repoussé les avances, Tristan s'évade grâce à l'aide d'un ancien truand : Tiercelet de Chambly. Leur fuite les entraîne vers Lyon. Dans une auberge, Tristan sauve d'un viol collectif une jouvencelle, Oriabel, dont il s'éprend. Un malandrin, Naudon de Bagerant, les tient désormais sous sa coupe. Il les emmène à Brignais où se sont assemblés la plupart des routiers du royaume. Les prisonniers et prisonnières y subissent d'effroyables sévices.
Alors que Tiercelet cherche vainement une astuce pour quitter cet enfer, l'armée française se présente devant Brignais (6 avril 1362). Elle y sera taillée en pièces. Tristan qui, l'épée à la main, défendait sa vie parmi les routiers, sera considéré comme traître à la Couronne. Emmené à Lyon, il se verra condamné au bûcher. Dans la charrette qui le conduit au supplice, il désespère de tout. Mais la Providence veille...

Le Poursuivant d'amour

Contraint d'épouser Mathilde de Montaigny qui l'a sauvé d'une mort ignominieuse à Lyon, le 7 avril 1362, Tristan de Castelreng ne peut oublier la blonde Oriabel dont il était éperdument épris. Il s'évade du château où il était le jouet d'une femme hystérique et revient à Paris. Le maladif dauphin Charles, régent du royaume, le charge d'une mission périlleuse : partir pour l'Angleterre avec quelques guerriers, gagner le manoir de Cobham où résident le prince de Galles et son épouse, la belle Jeanne de Kent, et procéder au rapt du fils d'Edouard III.
L'irruption d'une compagnie d'archers venant relever la garde princière compromet la réussite de l'aventure. Une jeune captive, Luciane, sauve le jeune chevalier et son écuyer, Robert Paindorge. Ils la ramènent en France avant de l'accompagner en Normandie dont elle est originaire. En effet, cette jouvencelle est la fille d'un seigneur cotentinais, Ogier d'Argouges, l'ancien champion du roi Philippe VI. Aidé par Thierry, l'oncle de Luciane, Tristan permet à la jeune fille de retrouver son père. Alors qu'une idylle pourrait se nouer, Tristan retourne à Paris en se demandant, une fois de plus, où sont Oriabel et son ami Tiercelet qui devait veiller sur elle. Vivent-ils à Castelreng, ce village de la Langue d'Oc dont le jeune chevalier a souvent la nostalgie ? Les terribles routiers qui écument le royaume les ont-ils capturés puis occis ? Ces malandrins sont partout et, paradoxe de ces temps de sang et de larmes, l'un des plus terribles, Bertrand Guesclin, a gagné la faveur du dauphin de France !

La Couronne et la Tiare

Tristan de Castelreng fait partie de la nombreuse escorte que Jean II le Bon a décidé d'emmener avec lui en Avignon où il espère obtenir du nouveau Saint-Père, Urbain V, des subsides qui lui permettront d'acquitter une partie de l'immense rançon dont il a été frappé, par Edouard III et son fils, après sa défaite à Poitiers-Maupertuis.
A peine arrivé dans la cité papale, Tristan retrouve incidemment son ami Tiercelet. Celui-ci lui fait part de la mort d'Oriabel, son premier amour. Le jeune chevalier, à la suite d'une incartade nocturne, doit affronter Bridoul de Gozon, le champion de la reine Jeanne de

Naples. Ce combat inégal laisse Tristan sur le champ, percé de nombreuses blessures. Celles-ci à peine cicatrisées, il chevauche vers Gratot, en Normandie, où l'attend une jouvencelle, Luciane, qu'il avait ramenée d'Angleterre où elle était captive de la belle Jeanne de Kent. L'intransigeance d'Ogier d'Argouges, le père de la pucelle, porte un coup fatal à un sentiment contre lequel le jeune homme ne se défendait plus. Peu après cette rupture, le devoir dû à la Couronne l'entraîne jusqu'à Cocherel, un hameau de Normandie où les forces royales, conduites par Bertrand Guesclin, affrontent victorieusement une coalition anglo-navarraise emmenée par un prestigieux chef militaire : Jean de Grailly, captal de Buch.

Les Fontaines de sang

Le 16 mai 1364, après la bataille de Cocherel remportée par Bertrand Guesclin et ses troupes, Tristan de Castelreng, qui a pris part à l'engagement, doit galoper vers Reims pour annoncer cette victoire à Charles V dont le couronnement est imminent. Le jeune chevalier se hâte d'autant plus que Luciane d'Argouges, sa fiancée, a été enlevée par des Navarrais qui l'ont enfermée au château Ganne, en Normandie. Aidé par Ogier, père de la jouvencelle, par l'oncle de celle-ci, Thierry, et quelques compères, Tristan sauve la prisonnière et l'épouse. Ses jours de bonheur sont comptés. En effet, Charles V, pour purger la France des routiers qui l'infestent, a décidé de les envoyer en Espagne, sous la conduite de Guesclin, afin d'aider Henri de Trastamare à détrôner le roi légitime, Pèdre Ier de Castille. Le Breton, qui déteste pareillement Tristan et Ogier, obtient du roi de les entraîner à sa suite.
Les Pyrénées franchies, c'est une effroyable avalanche qui déferle sur l'Aragon, en direction de la Castille. De multiples atrocités sont commises, particulièrement contre les Juifs. A Burgos, Tristan et ses compagnons décident de préserver Simon et Teresa, deux enfants d'Israël, des violences auxquelles ils ont récemment assisté...

Les Fils de Bélial

Une chevauchée périlleuse et sanglante commence dans une Espagne tout d'abord ensoleillée avant d'être livrée aux extrêmes froidures de l'hiver de 1366. À l'issue de la bataille Nájera (3 avril 1367), Tristan sera confronté au vainqueur, le prince de Galles. Or, le fils aîné d'Edouard III a d'excellentes raisons de le haïr et de le destiner au bourreau.

Le Pas d'armes de Bordeaux

Comme tous les prisonniers de la bataille de Nájera, Tristan est emmené à Bordeaux. Pour célébrer sa victoire, le prince de Galles décide d'organiser un des pas d'armes dont il est friand. Tristan et son écuyer, Paindorge, s'y distinguent au grand dépit de leur vainqueur. Ils devront leur liberté à la cousine d'Ogier d'Argouges, Tancrède, qui les entraînera en Périgord.

Les Spectres de l'honneur

Après un long et funèbre détour par le Cotentin, Tristan retrouve le Languedoc. Cependant, une seconde expédition est entreprise en Espagne. Elle s'achève par le meurtre de Pierre le Cruel sur la pente du château de Montiel. Tristan, repu de sang, fuit les Grandes Compagnies. Il rencontre Maguelonne et l'épouse. Pour le meilleur et pour le pire.

CET OUVRAGE
A ÉTÉ REPRODUIT
ET ACHEVÉ D'IMPRIMER
SUR ROTO-PAGE
PAR L'IMPRIMERIE FLOCH À MAYENNE
LE 15 JUIN 1999
SUIVI DE FABRICATION
ATELIERS GRAPHIQUES DE L'ARDOISIÈRE

DÉPÔT LÉGAL : JUIN 1999
N° D'ÉD. 42 - N° D'IMP. 46374

IMPRIMÉ EN FRANCE